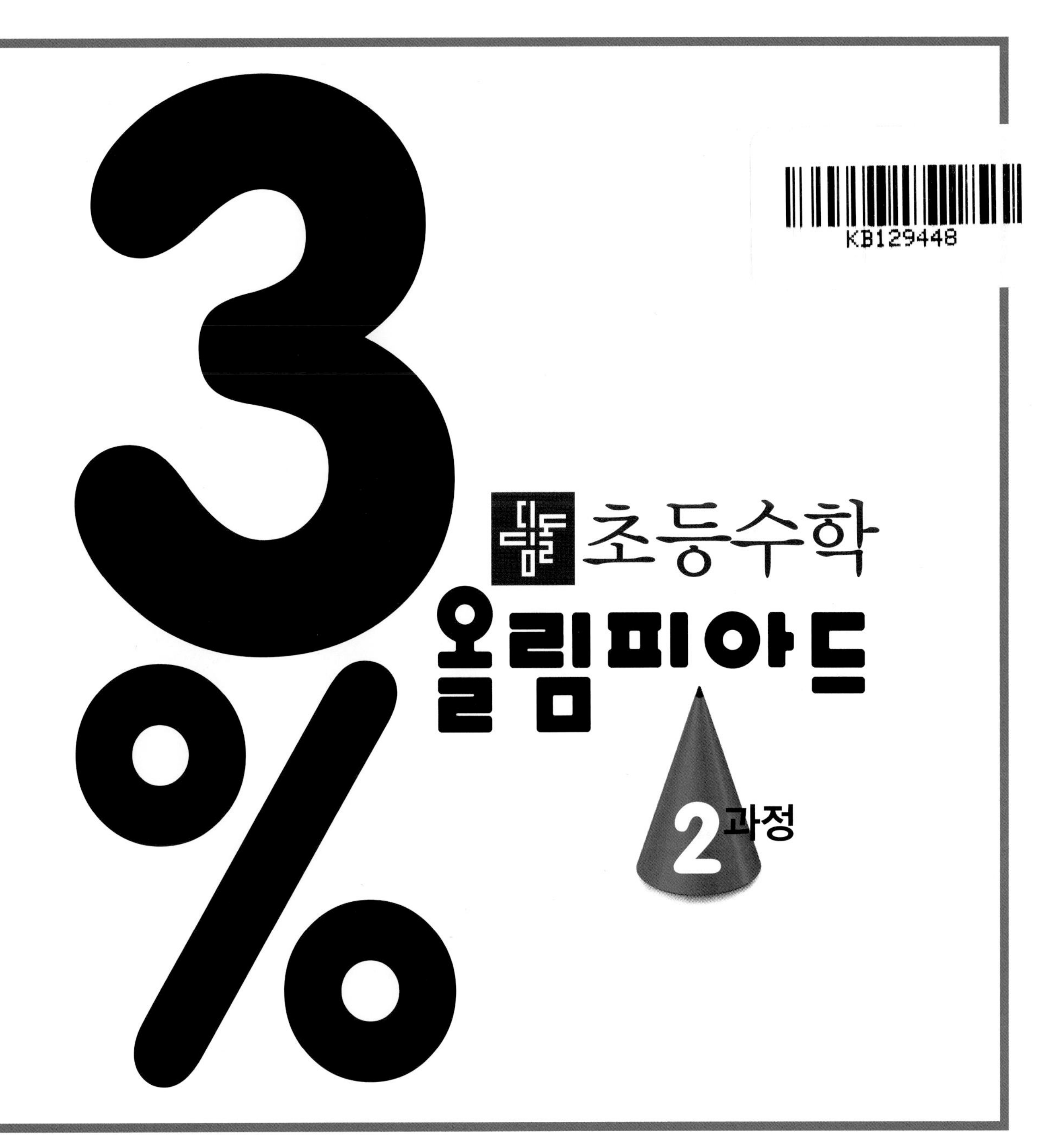
3%
디딤돌
초등수학
올림피아드
2과정

**디딤돌 초등수학 3%올림피아드 2과정**

**펴낸날** [초판 2쇄] 2012년 1월 3일 [개정판 5쇄] 2023년 9월 8일
**펴낸이** 이기열
**대표저자** 피원아
**펴낸곳** (주)디딤돌 교육
**주소** (03972) 서울특별시 마포구 월드컵북로 122 청원선와이즈타워
**대표전화** 02-3142-9000
**구입문의** 02-322-8451
**팩시밀리** 02-338-3231
**홈페이지** www.didimdol.co.kr
**등록번호** 제10-718호 | 구입한 후에는 철회되지 않으며 잘못 인쇄된 책은 바꾸어 드립니다.

# 3%

디딤돌 초등수학

# 올림피아드

2과정

디딤돌

# 책 머리말

**피원아 선생님**
이화여자대학교 수학교육과 졸업
수학을 사랑하는 아이들을 위한 올림이(olymee) 선생님
30년 이상 수학경시 고입 · 대입 지도

초등수학 경시 영역은 수업하기에 적절한 교재가 없어 나 자신도 곤란을 많이 겪었었다. 결국 컴퓨터 앞에 매달려 직접 만들어 사용하던 교재가 이 책의 초고가 된 셈이다.

우리나라 교과 과정에는 채택되지 않았지만 초등학생이 수학을 깊이 있게 공부한다면 이러한 내용 정도는 그 현상을 탐구하여 결론을 유도하고 그것을 이용하여 문제를 풀 수 있다고 여겨지는 영역들에서 경시 문제가 출제되고 있는데 이 영역들을 모아 정리해 놓은 교재가 없다는 것이 큰 어려움이었다.

또, 같은 이론이 적용되는 문제들을 모아서 집중적으로 풀어봄으로써 그 개념이 형성되었는지, 적용 연습이 되었는지를 확인해야 하는데 여러 가지 문제들이 뒤섞여 있어서 교재로 사용할 수가 없었다. 뿐만 아니라 쉽게 이해할 수 있는 것과 이해하기 어렵고 적용에서도 까다로운 부분들을 순차적으로 교육시켜야 하는데, 이 또한 체계적으로 구성된 교재를 찾기 힘들다.

더욱 문제가 되는 것은 일부이기는 하지만 초등학생용 문제집에 중등 과정을 배우고 익혀야만 이해힐 수 있는 방식으로 풀이를 해놓았다는 짐이다. 결국 이런 책들을 접한 이들은 초등학생이라 해도 어서 빨리 중등과정을 모두 마쳐야만이 수학을 잘 하는 초등학생이 된다고 생각하기까지 한다. 이 생각은 아주 잘못된 생각이다.

**작은 손에 작은 도구를 가지고도 작품을 만들 수 있다.**

수학 학습은 이 어설픈 작품을 만들어가는 과정에서 재료의 특성을 파악하고 그것을 이용하여, 때로는 기발하게 활용하며 작업 계획을 세우고 그에 따라 작업을 추진해서 완성시키는 능력을 기르는 것이다. 만약 손이 커지고, 기본 동작에 숙달되고 사용하는 도구가 기능이 많고 제대로 된 도구가 되기까지 기본 동작과 도구 사용 훈련을 하며 기다렸다가는 그 동안 발전시켜야 할 재료를 활용하고 계획을 세우고 작업을 추진하는 능력은 사장되고 결국 작품을 만들 수 없게 된다.

만약 어느 학생이 교과 과정의 속진 수업으로만 수학 영재로 평가 받았다면 그것은 그 학생이 교육받지 않고도 작품을 만들 능력을 타고 난 덕분이다. 작은 손에 작은 도구! 이 때는 여러 재료를 관찰하는 일이 즐겁고, 작품을 만들 궁리가 많고, 만들고 싶고, 만든 후 내려지는 평가에 찌들지 않았을 때이다. 이 때를 다 놓쳐 버린다면 그것은 분명히 불행이다.

나처럼 이런 곤란을 느끼는 선생님과 학부모들이 많다는 디딤돌의 귀띔이 내가 수업할 때 사용하던 나의 교재를 책으로 출판하게된 동기가 되었다. 수업을 통해 나름대로 확인한 것이 용기가 되었지만 '책' 이라는 모양새를 갖추어 내놓기에는 아이들이 배울 것이어서 걱정이 크다. 지난 그 때에 좀더 빠짐없이 준비해 두지 않은 것을 후회하는 마음에 이르면 그만 감추고 싶어지기도 한다. 그러나 지금은 부족한 이 책이 다음 어느 때에 더 좋은 교재가 나오는 밑바탕이 될 것이라는 믿음으로 잠시의 걱정은 접기로 했다.

게다가 이 책의 전과정에 실린 총 2304문제의 풀이를 작은 손과 작은 도구에 알맞도록 써 준 김기주 선생님과 한지철 선생님이 계셔서 아이들과의 수업을 중단하지 않고도 책 펴내는 일을 무사히 할 수 있었다.

이 책으로 공부한 아이들이 수학 공부하는 즐거움을 한껏 느끼기를 바란다.

# 이 책의 특징과 사용법

■ 3% 올림피아드는 초등학생들이 공부하기에 적합하다고 판단되는 '교과 과정 밖의 영역', '중, 고등 과정에서 배우는 것이지만 초등학생이 현상을 관찰하고 이론을 이해할 수 있는 영역', 그리고 '교과 과정에서 배우는 개념이지만 높은 수준의 문제 해결을 요구하는 영역' 들을 144개의 작은 주제들로 분류하여 학습할 수 있도록 구성된 책입니다. 144개의 작은 주제는 학생들이 받아들이기 쉬운 기준으로 분류된 것이고, 초등학생들이기에 한 주제의 크기를 비교적 작게 분류하였습니다.

■ 3% 올림피아드는 실제로 수업하기에 적합한 호흡으로 나열하였습니다. 총 4개의 과정으로 분류되었고, 1개 과정마다 36개의 주제를 실었습니다. 36개의 주제는 일 주일에 두 번 두 시간씩 학습하여 매달 6개의 주제씩 6개월 동안 학습할 분량입니다. 따라서 모든 과정을 마치는 데 2년이 걸립니다. 주 2회 한 시간씩의 초등 교과 과정 수업과 병행하고 경우에 따라 주 1회의 경시대회 실전대비 특강을 더 한다면 이것만으로도 경시 준비를 훌륭히 할 수 있게 됩니다.

■ 3% 올림피아드는 초등학생에게 설명하는 것이 가능하도록 풀이 하였습니다. 1과정은 초등 4학년 교과 과정을 이수했다면 이해할 수 있도록 주제를 선정하고 풀이하였습니다. 마찬가지로, 2과정은 5학년 교과를 마친 상태, 3, 4과정은 6학년 교과를 마친 상태라면 학습이 가능합니다. 물론 3, 4권에서는 중등 과정을 예습하기도 하므로 중등방식의 풀이도 병행하여 실었습니다. 선생님의 도움을 받아야 제대로 깊이있게 이해할 수 있지만 혼자서도 공부할 수 있도록 자세한 해설을 실었습니다.

■ 3% 올림피아드는 초등 5,6학년 학생이라 할지라도 '올림피아드 1과정' 부터 차례로 '올림피아드 4과정' 까지 마쳐야 가장 큰 학습 효과를 얻을 수 있는 프로그램입니다.
'2과정' 의 주제들은 사고하는 방법을 터득하기 위한 과정으로 3,4과정의 기초가 되기 때문입니다.

# 이렇게 구성하였습니다.

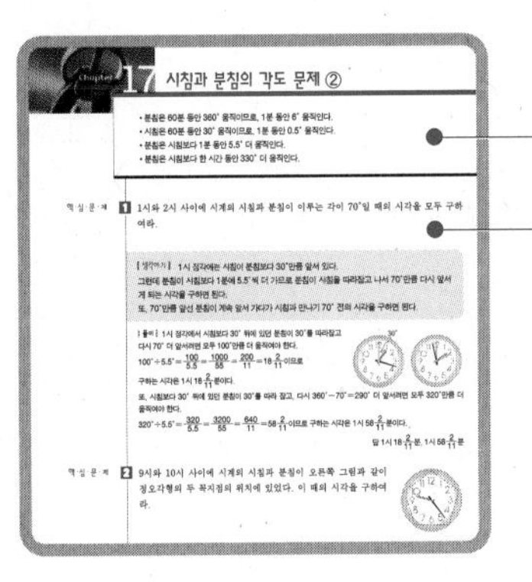

### 이론과 핵심문제

주제에 따른 이론을 정리했습니다.

「핵심문제」로 이론을 적용하는 방법을 배웁니다.
「생각하기」는 초등학생의 창의적 사고를 유도하는 생각의 방향을 제시하고 있습니다.

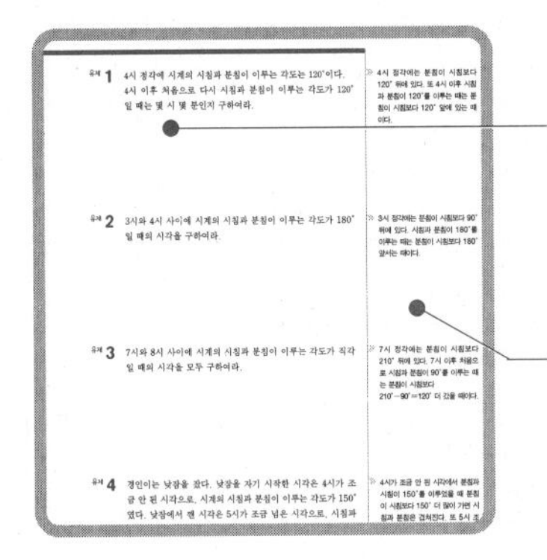

### 유제

경시 이론을 응용한 다양한 유제 문제를 통해 스스로 깊이 있게 생각하고 적용시키는 연습을 해 봄으로써 이론을 확실히 이해해야 합니다.

스스로 해결하도록 노력하되, 생각이 떠오르지 않으면 생각의 방향을 참고하세요.

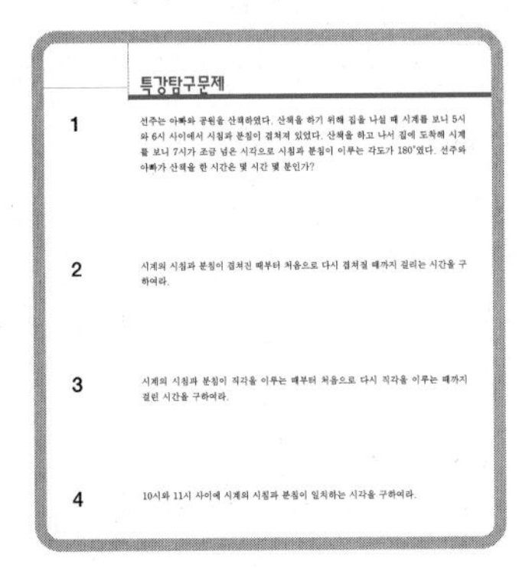

### 특강탐구문제

경시대회에 완전한 준비가 될 수 있도록 최고 수준의 문제까지 대부분의 유형을 담아 경시 주제별로 10문항씩 탐구문제를 실었습니다. 10문항 모두 빠짐없이 풀어 보고, 이해해야 합니다.

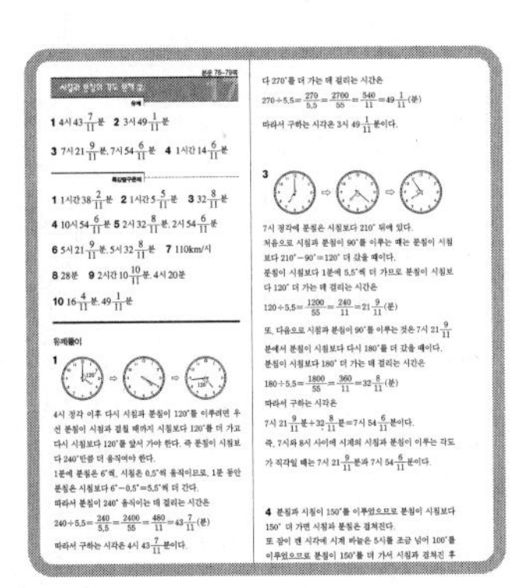

### 정답과 풀이

주제별로 구성되어 있으며, 문제마다 강의를 듣듯이 서술하여 이해하는 데 부족함이 없도록 하였습니다. 간결한 설명을 위해 용어는 간략하게 줄여 사용하였습니다.

# 이 책의 차례

Chapter 01

# 배수판정법 ①

- 2의 배수 : 일의 자리의 숫자가 0, 2, 4, 6, 8인 수
- 5의 배수 : 일의 자리의 숫자가 0, 5인 수

  ※ 십의 자리 이상은 10이 곱해져 있어 항상 2의 배수, 5의 배수가 된다. 따라서 일의 자리 수가 0, 2, 4, 6, 8이면 2의 배수, 0, 5이면 5의 배수가 된다.
- 4의 배수 : 끝의 두 자리 수가 00 또는 4의 배수인 수

  백의 자리 이상은 100이 곱해져 있어 항상 4의 배수가 된다. 따라서 끝의 두 자리수가 00이거나 4의 배수이면 4의 배수이다.

  마찬가지로 끝의 두 자리 수가 00이거나 25의 배수이면 25의 배수가 된다.
- 8의 배수 : 끝의 세 자리 수가 000 또는 8의 배수인 수

  천의 자리 이상은 1000이 곱해져 있어 항상 8의 배수가 된다. 따라서 끝의 세 자리 수가 000이거나 8의 배수이면 8의 배수가 된다.

  마찬가지로 끝의 세 자리 수가 000이거나 125의 배수이면 125의 배수가 된다.
- 3의 배수 : 각 자리의 숫자의 합이 3의 배수인 수
- 9의 배수 : 각 자리의 숫자의 합이 9의 배수인 수

예를 들어 $4356=4\times1000+3\times100+5\times10+6$
$=4\times999+4+3\times99+3+5\times9+5+6$
$=\underbrace{4\times999+3\times99+5\times9}_{\text{항상 3 또는 9의 배수}}+\underbrace{4+3+5+6}_{\text{각 자리 수의 합}}$

핵·심·문·제 **1** 여섯 자리 수 ㉠4461㉡이 72로 나누어떨어질 때, ㉠, ㉡에 알맞은 숫자를 구하여라.

**| 생각하기 |** 72=8×9이므로 72로 나누어떨어지는 수는 8의 배수이고 9의 배수이어야 한다.
8의 배수가 되려면 끝의 세 자리 수 61㉡이 8의 배수이어야 하고, 9의 배수가 되려면 각 자리 숫자의 합 ㉠+4+4+6+1+㉡이 9의 배수이어야 한다.

**| 풀이 |** 61㉡이 8의 배수가 되려면 ㉡=6이고, ㉠44616이 9의 배수가 되려면 ㉠+4+4+6+1+6=㉠+21이 9의 배수이어야 하므로 ㉠=6

답 ㉠6, ㉡6

**참고*** 72=6×12이므로 6의 배수이면서 12의 배수인 수라고 생각하면 안 된다. 왜냐하면 6의 배수이고, 12의 배수인 수는 12의 배수일 뿐이다.

핵·심·문·제 **2** 다섯 자리 수 7㉠7㉡5가 있다. 이 수가 75로 나누어떨어질 때, 7㉠7㉡5가 되는 수 중 가장 큰 다섯 자리 수를 구하여라.

**| 생각하기 |** 75=3×25이므로 이 수는 3의 배수이고 25의 배수이다.
25의 배수가 되려면 끝의 두 자리 수가 25 또는 75이므로 ㉡은 2 또는 7이다.

**| 풀이 |** 25의 배수이므로 ㉡은 2 또는 7이다.
㉡=2일 때 3의 배수가 되려면 7+㉠+7+2+5=㉠+21이 3의 배수이어야 하므로 ㉠=0, 3, 6, 9
㉡=7일 때 3의 배수가 되려면 7+㉠+7+7+5=㉠+26이 3의 배수이어야 하므로 ㉠=1, 4, 7
따라서 가장 큰 수는 79725이다.

답 79725

유제 **1** 0, 1, 2, 3, 4의 숫자 중에서 서로 다른 4개의 숫자를 골라 네 자리 수를 만들었다. 이 중에서 2, 3, 5로 나누어떨어지는 수는 모두 몇 가지인가?

2의 배수, 5의 배수가 되어야 하므로 일의 자리의 숫자는 0이다. 또 3의 배수가 되어야 하므로 각 자리의 숫자의 합이 3의 배수가 되도록 나머지 세 숫자를 택해야 한다.

유제 **2** 네 자리 수 ㉠56㉡은 36으로 나누어떨어진다. ㉠에 알맞은 숫자를 모두 구하여라.

$36=4\times9$이므로 ㉠56㉡은 4의 배수이고 9의 배수이어야 한다.
6㉡이 4의 배수가 되려면
㉡$=0$, 4, 8이다.

유제 **3** ㉠874㉡은 다섯 자리 수이며, 9와 5로 나누어떨어진다. ㉠, ㉡이 모두 5 이하의 숫자일 때, ㉠이 나타내는 숫자를 구하여라.

5의 배수이므로 ㉡은 0 또는 5이다. ㉡이 0일 때와 5일 때로 나누어 생각하자.

유제 **4** 다섯 자리 수 6㉠㉡87은 9의 배수이다. ㉠, ㉡에 알맞은 숫자를 찾아 (㉠, ㉡)으로 나타낼 때, 모두 몇 가지로 나타낼 수 있는가?

9의 배수이므로 $6+$㉠$+$㉡$+8+7=21+$㉠$+$㉡이 9의 배수이어야 한다. ㉠, ㉡에는 최대로 9까지 들어갈 수 있으므로 $21+$㉠$+$㉡은 최대 $21+9+9=39$까지 될 수 있다. 따라서 $21+$㉠$+$㉡은 27 또는 36이다.

# 특강탐구문제

**1** 네 자리 수 6A4B는 36으로 나누어떨어진다. A+B의 값을 모두 구하여라.

**2** 다섯 자리 수 ㉠835㉡은 12로 나누어떨어진다. ㉠, ㉡에 알맞은 숫자를 넣어 만든 다섯 자리 수 중에서 가장 큰 수와 가장 작은 수와의 차를 구하여라.

**3** 숫자 카드 [1], [3], [5], [6]을 한 번씩 사용하여 만들 수 있는 네 자리 수 중 4의 배수는 모두 몇 개인가?

**4** $32\times27\square5$를 계산하였더니 9의 배수가 되었다. □ 안에 알맞은 숫자를 구하여라.

**5** 다섯 자리 수 A375B는 24로 나누어떨어진다. A에 알맞은 숫자를 모두 구하여라.

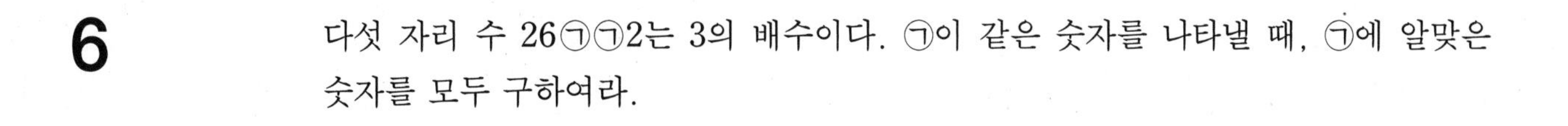

**6** 다섯 자리 수 26㉠㉠2는 3의 배수이다. ㉠이 같은 숫자를 나타낼 때, ㉠에 알맞은 숫자를 모두 구하여라.

**7** 회원 수가 168명인 모임이 있다. 회원 모두가 같은 액수의 돈을 내서 1㉠79㉡0원을 모았다. 회원 한 사람이 낸 돈은 얼마인지 구하여라.

**8** 다섯 자리 수 ㉠728㉡은 72로 나누어떨어진다. ㉠에 알맞은 숫자를 모두 구하여라.

**9** 다섯 장의 숫자 카드 [0], [1], [2], [3], [4] 중에서 3장을 꺼내 세 자리 수를 만들 때, 6의 배수이면서 9의 배수인 수는 모두 몇 가지인가?

**10** 다섯 자리 수 ㉠47㉡㉢이 4, 5, 9의 배수가 될 때, ㉠에 알맞은 숫자를 모두 구하여라.

Chapter 02 # 높이가 같은 삼각형 ①

- 오른쪽 그림에서 두 직선 ㉮, ㉯가 평행일 때, 선분 ㄱㄴ을 밑변으로 하고 직선 ㉮ 위에 있는 점을 꼭짓점으로 하는 삼각형들은 모두 넓이가 같다.

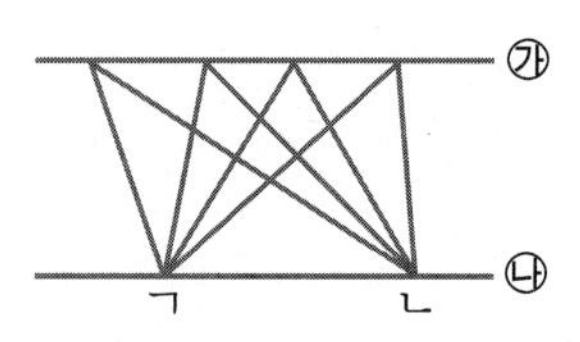


- 오른쪽 그림에서 두 직선 ㉮, ㉯가 평행일 때, 색칠한 두 삼각형의 넓이는 같다. 왜냐하면 삼각형 ㄱㄴㄷ과 삼각형 ㄹㄴㄷ은 넓이가 같다. 그런데 두 삼각형 모두 삼각형 ㅁㄴㄷ을 포함하고 있으므로 나머지 색칠한 삼각형의 넓이가 같게 된다.

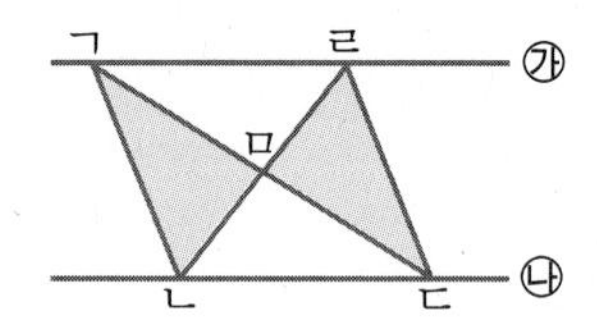


- 높이가 같은 두 삼각형의 넓이는 밑변의 길이로 비교한다.

핵·심·문·제 **1** 오른쪽 도형에서 삼각형 ㄱㅁㄷ의 넓이는 $80cm^2$이다. 삼각형 ㄱㄹㅁ의 넓이를 구하여라.

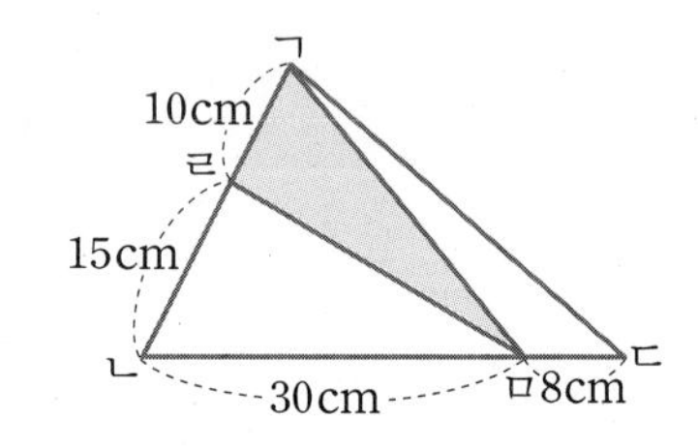


**| 생각하기 |** 삼각형 ㄱㄴㅁ과 삼각형 ㄱㅁㄷ은 높이가 같은 삼각형이다.
삼각형 ㄱㅁㄷ의 밑변의 길이는 8cm이고 넓이는 $80cm^2$이다. 따라서 삼각형 ㄱㄴㅁ은 밑변의 길이가 30cm이므로 넓이는 $300cm^2$이다.
삼각형 ㄱㄴㅁ과 삼각형 ㄱㄹㅁ은 높이가 같은 삼각형이다. 밑변이 25cm일 때 넓이가 $300cm^2$이므로 밑변이 5cm일 때는 넓이는 $60cm^2$, 밑변이 10cm일 때는 넓이가 $120cm^2$이다.

**| 풀이 |** (선분 ㅁㄷ의 길이)=8cm, (삼각형 ㄱㅁㄷ의 넓이)=$80cm^2$이므로
(선분 ㄴㅁ의 길이)=30cm, (삼각형 ㄱㄴㅁ의 넓이)=$300cm^2$
(삼각형 ㄱㄹㅁ의 넓이)=$300 \times \frac{10}{25} = 300 \times \frac{2}{5} = 120(cm^2)$

답 $120cm^2$

핵·심·문·제 **2** 오른쪽 그림에서 사각형 ㄱㄴㄷㄹ은 평행사변형이고, 삼각형 ㄹㅁㅂ의 넓이는 $20cm^2$이다. 삼각형 ㅁㄴㄷ의 넓이를 구하여라.

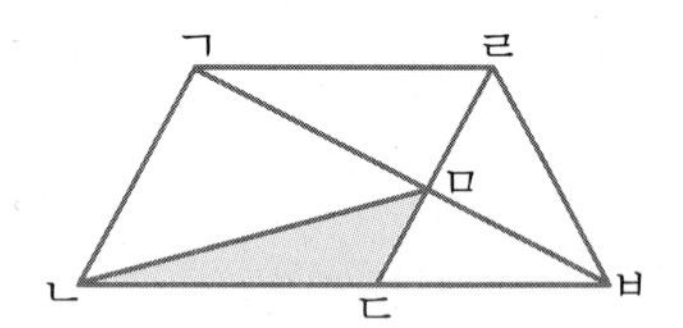


**| 생각하기 |** 변 ㄱㄹ과 변 ㄴㅂ은 평행이므로 삼각형 ㄹㄷㅂ과 삼각형 ㄱㄷㅂ은 높이가 같은 삼각형이다. 따라서 삼각형 ㄹㅁㅂ의 넓이와 삼각형 ㄱㄷㅁ의 넓이는 서로 같다.
또, 변 ㄱㄴ과 변 ㄹㄷ은 평행이므로 삼각형 ㄱㄷㅁ과 삼각형 ㄴㄷㅁ은 밑변과 높이가 같은 삼각형이므로 넓이가 같다.

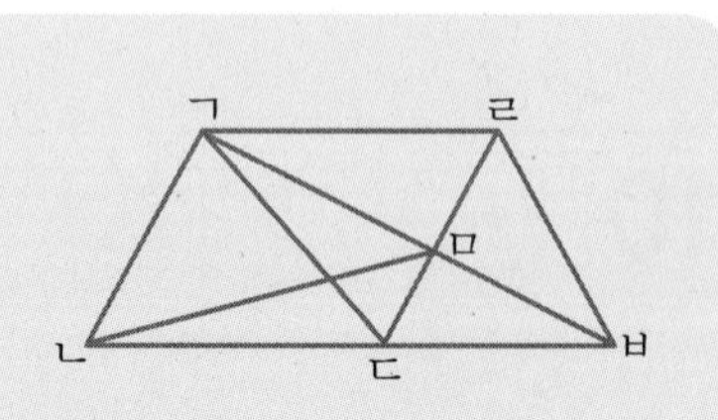


**| 풀이 |** (삼각형 ㄹㄷㅂ의 넓이)=(삼각형 ㄱㄷㅂ의 넓이)이므로
(삼각형 ㄹㅁㅂ의 넓이)=(삼각형 ㄱㄷㅁ의 넓이)=$20cm^2$
따라서 (삼각형 ㄱㄷㅁ의 넓이)=(삼각형 ㄴㄷㅁ의 넓이)=$20cm^2$

답 $20cm^2$

**유제 1** 오른쪽 평행사변형의 넓이가 $60\text{cm}^2$일 때, 색칠한 부분의 넓이를 구하여라.

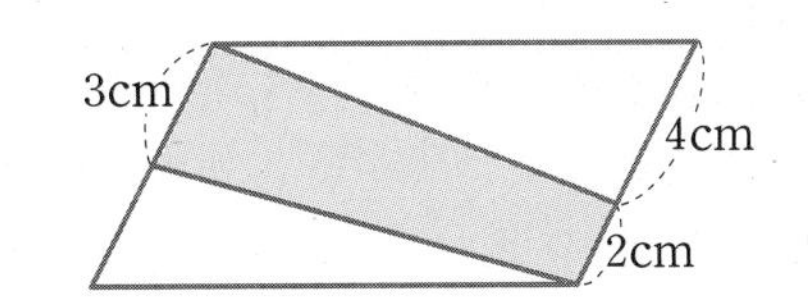


▶ 평행사변형에 대각선을 그어 두 개의 삼각형으로 나누어 구한다.

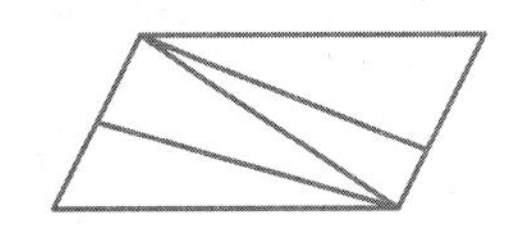

**유제 2** 오른쪽 평행사변형 ㄱㄴㄷㄹ의 넓이는 $96\text{cm}^2$이다. 점 ㅁ, 점 ㅂ은 선분 ㄴㄹ을 3등분 하는 점이고, 점 ㅅ은 선분 ㄴㄷ의 중점일 때, 삼각형 ㅁㅂㅅ의 넓이를 구하여라.

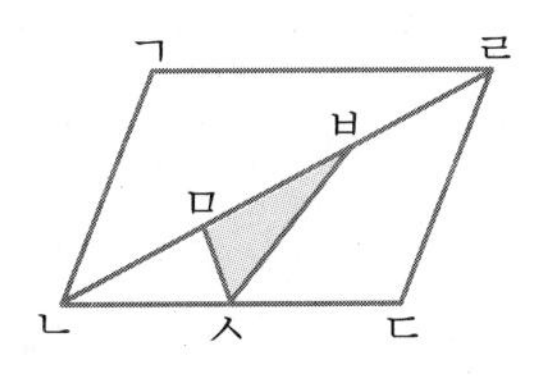


▶ 선분 ㅅㄹ을 긋고 생각해 보자.
삼각형 ㄹㄴㅅ과 삼각형 ㄹㅅㄷ은 밑변과 높이가 같은 삼각형이고, 삼각형 ㅅㄹㅂ, 삼각형 ㅅㅁㅂ, 삼각형 ㅅㅁㄴ도 밑변과 높이가 같은 삼각형이다.

**유제 3** 오른쪽 그림에서 사각형 ㄱㄴㄷㄹ은 평행사변형이다. 선분 ㄴㅁ과 선분 ㅁㄷ의 길이의 비가 5 : 3이고, 삼각형 ㅁㅂㄷ의 넓이가 $20\text{cm}^2$일 때, 평행사변형 ㄱㄴㄷㄹ의 넓이를 구하여라.

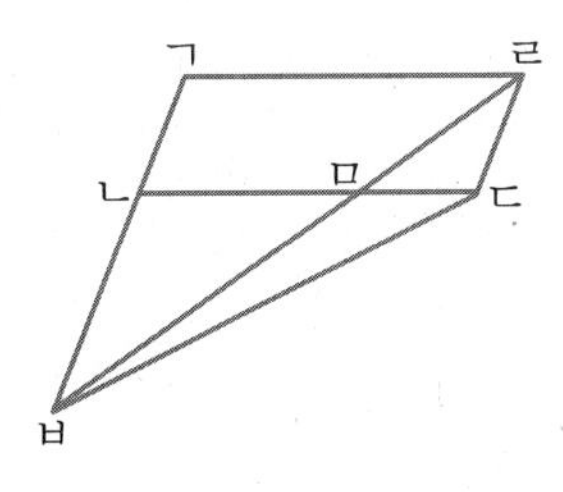


▶ 선분 ㄱㅂ과 선분 ㄹㄷ이 평행이므로 삼각형 ㄹㄴㅁ과 삼각형 ㅁㅂㄷ의 넓이는 같다.

**유제 4** 오른쪽 사다리꼴 ㄱㄴㄷㄹ에서 변 ㄴㄷ의 길이는 변 ㄱㄹ의 길이의 3배이다. 선분 ㄴㅁ의 길이는 선분 ㅁㄷ의 길이의 2배이고, 점 ㅂ은 선분 ㄷㄹ의 중점이다. 삼각형 ㅂㅁㄷ의 넓이가 $4\text{cm}^2$일 때, 사다리꼴 ㄱㄴㄷㄹ의 넓이를 구하여라.

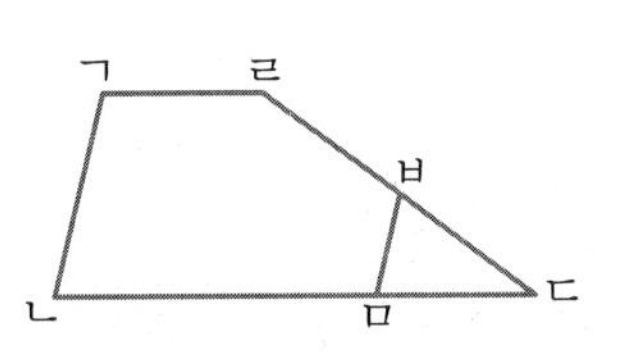


▶ 

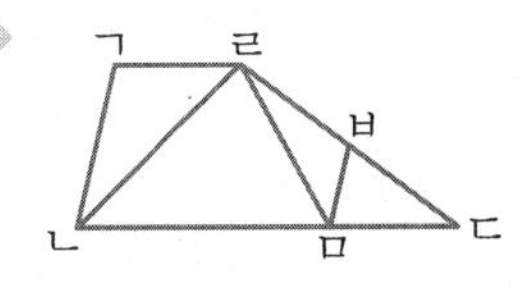


삼각형 ㅂㅁㄷ과 삼각형 ㄹㅁㅂ은 넓이가 같은 삼각형이다.
또, 삼각형 ㄹㄴㅁ은 삼각형 ㄹㅁㄷ의 넓이의 2배이다.

# 특강탐구문제

**1** 다음 그림에서 삼각형 ㄱㄴㄷ은 직각삼각형이다. 선분 ㄱㄹ의 길이는 선분 ㄱㄷ의 길이의 3배일 때, 삼각형 ㄱㄴㄹ의 넓이를 구하여라. (단, 변 ㄱㄴ의 길이는 3cm, 변 ㄴㄷ의 길이는 4cm이다.)

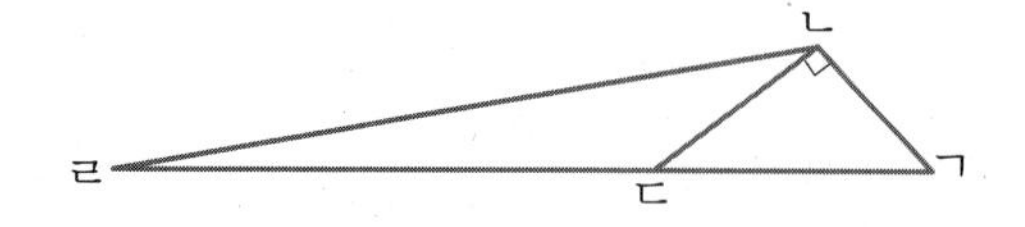


**2** 오른쪽 그림에서 사각형 ㄱㄴㄷㄹ은 평행사변형이다. 평행사변형 ㄱㄴㄷㄹ의 넓이가 $48cm^2$이고 삼각형 ㄴㅁㅂ의 넓이가 $8cm^2$일 때, 삼각형 ㄱㄴㅁ의 넓이를 구하여라.

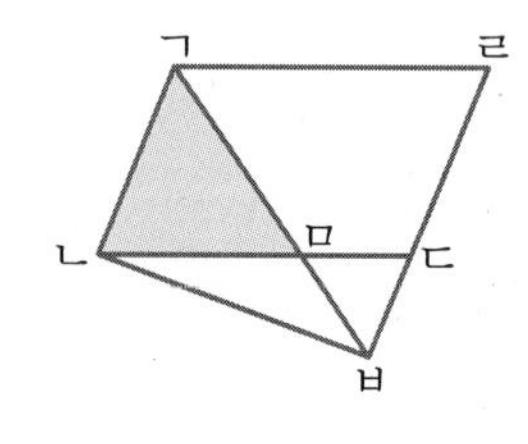


**3** 오른쪽 도형에서 변 ㄱㄴ과 변 ㄹㅁ은 평행이고, 변 ㄴㅁ의 길이와 변 ㅁㄷ의 길이는 같다. 삼각형 ㄱㄹㅁ의 넓이가 $14cm^2$일 때, 삼각형 ㄹㅁㄷ의 넓이를 구하여라.

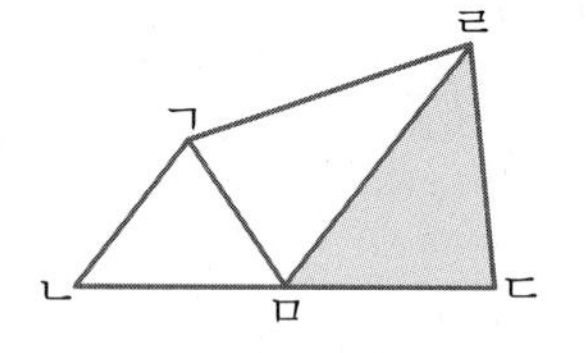


**4** 오른쪽 그림에서 삼각형 ㄱㄴㄷ은 직각삼각형이고, 변 ㄱㄷ과 변 ㄹㅁ은 평행이다. 사각형 ㄱㄴㄷㄹ의 넓이를 구하여라.

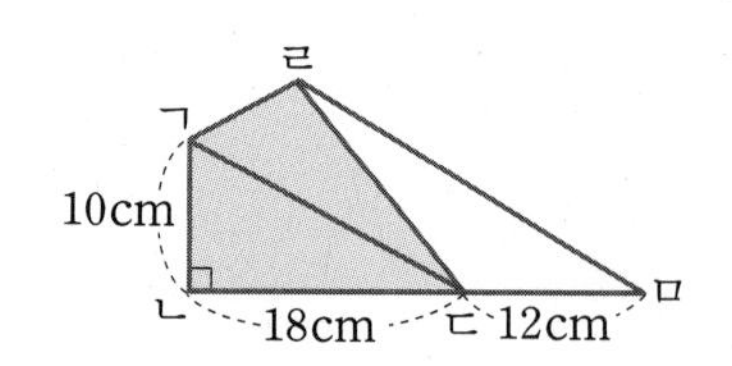


**5** 오른쪽 삼각형 ㄱㄴㄷ에서 변 ㄴㄷ의 길이는 변 ㄴㄹ의 길이의 4배이고, 변 ㄱㄷ의 길이는 변 ㄱㅁ의 길이의 3배이다. 삼각형 ㄱㄹㅁ의 넓이가 $15cm^2$일 때, 삼각형 ㄱㄴㄷ의 넓이를 구하여라.

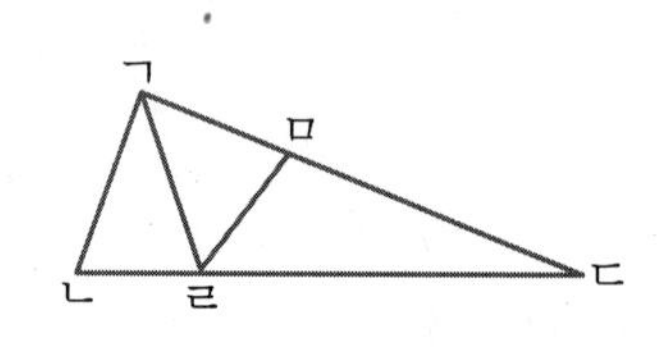

**6**

오른쪽 직사각형 ㄱㄴㄷㄹ에서 점 ㅁ, 점 ㅂ은 대각선 ㄱㄷ을 3등분 하는 점이다. 선분 ㄱㄴ의 길이는 2.1cm이고, 색칠한 부분의 넓이가 4.2$cm^2$일 때, 직사각형의 가로의 길이를 구하여라.

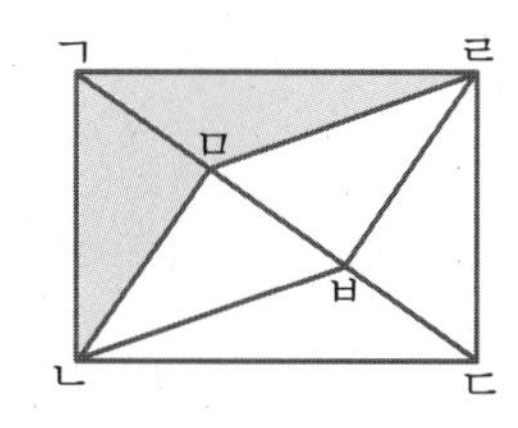


**7**

오른쪽 그림에서 색칠한 부분의 넓이가 32$cm^2$일 때, 삼각형 ㄱㄴㄷ의 넓이를 구하여라.

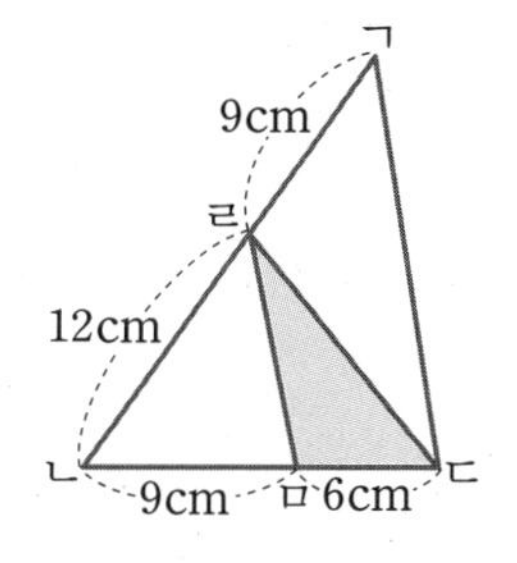


**8**

오른쪽 삼각형 ㄱㄴㄷ에서 점 ㄹ, 점 ㅁ, 점 ㅂ, 점 ㅅ은 변 ㄱㄴ의 5등분점이고, 점 ㅇ, 점 ㅈ은 변 ㄱㄷ의 3등분점이다. 사각형 ㅁㅅㅈㅇ의 넓이가 8$cm^2$일 때, 삼각형 ㄱㄴㄷ의 넓이를 구하여라.

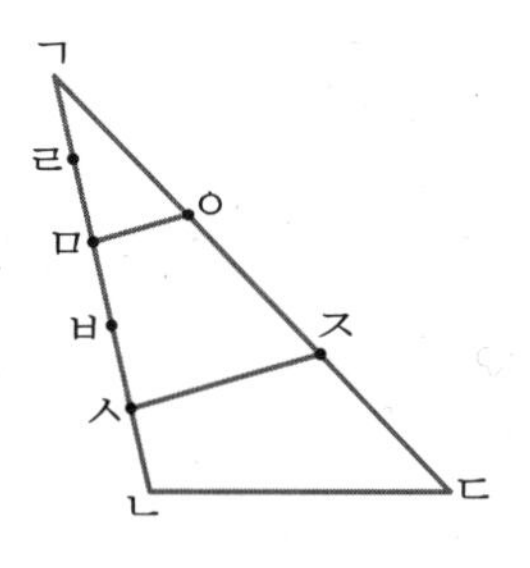


**9**

오른쪽 사각형 ㄱㄴㄷㄹ은 삼각형 ㄱㄴㄷ과 삼각형 ㄱㄹㄷ을 맞붙여 놓은 것이다. 점 ㅁ, 점 ㅂ, 점 ㅅ은 변 ㄱㄷ을 4등분 하는 점이고 사각형 ㄱㄴㄷㄹ의 넓이가 28$cm^2$일 때, 색칠한 부분의 넓이를 구하여라.

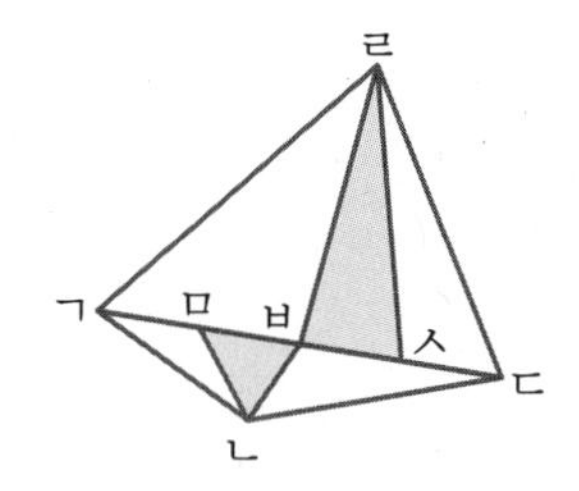


**10**

오른쪽 평행사변형 ㄱㄴㄷㄹ에서 (선분 ㄴㅇ의 길이)=(선분 ㄹㅇ의 길이), (선분 ㄴㅂ의 길이)=(선분 ㅂㅅ의 길이)=(선분 ㅅㄷ의 길이), (선분 ㄹㅁ의 길이)=(선분 ㅁㄷ의 길이)일 때, 색칠한 부분의 넓이는 평행사변형 ㄱㄴㄷㄹ의 넓이의 몇인지 구하여라.

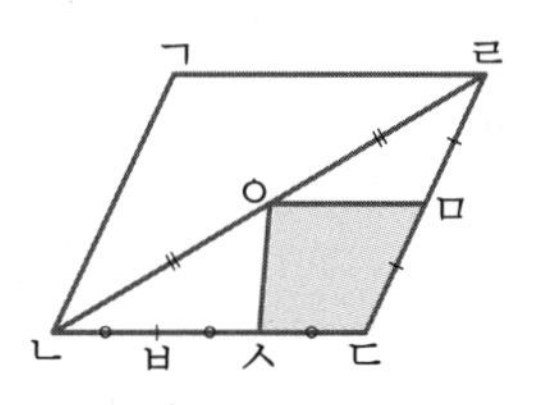

# Chapter 03 둘레를 이용하여 계산하기 ①

• 둘레를 관찰해 보면 문제를 쉽게 해결할 수 있다.
• 둘레와 넓이의 관계를 생각해 보면 문제를 쉽게 해결할 수 있다.

핵·심·문·제 **1** 오른쪽 그림과 같이 직사각형 모양의 정원에 폭 2m의 길을 만들었다. 이 길의 넓이가 $82m^2$이고, 정원의 세로가 15m일 때, 길을 제외한 정원의 넓이를 구하여라.

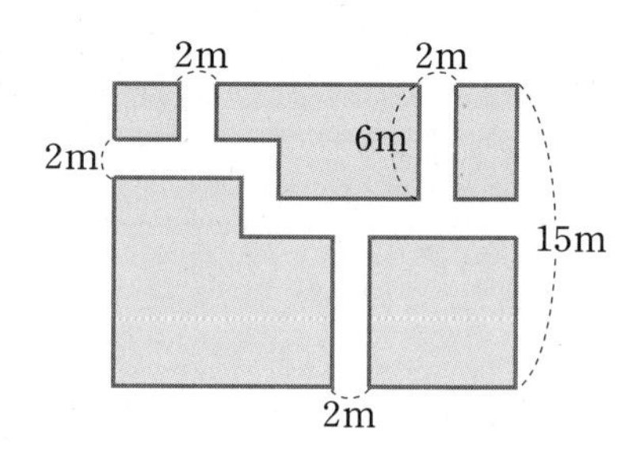


**생각하기**

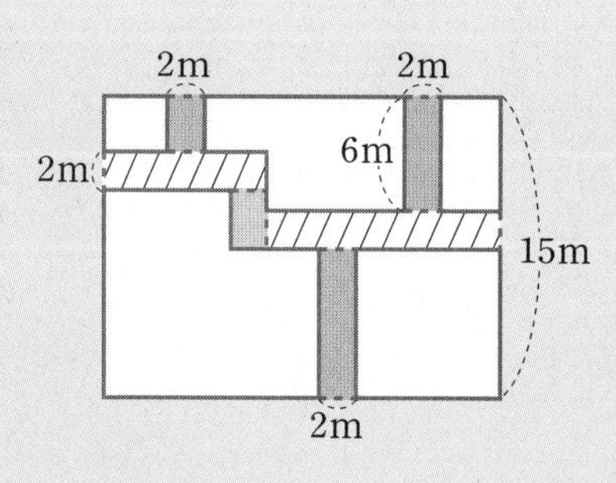


길의 넓이를 구해 보자.
(빗금친 부분의 넓이)
$=2\times$(정원의 가로의 길이)
회색의 색칠한 부분의 넓이는
$2\times6+2\times(15-2)$이다.

**풀이** $82=2\times$(정원의 가로의 길이)$+2\times6+2\times(15-2)$이므로
$82=2\times$(정원의 가로의 길이)$+38$, (정원의 가로의 길이)$=22$
따라서 (길을 제외한 정원의 넓이)$=22\times15-82=248(m^2)$이다.

답 $248m^2$

핵·심·문·제 **2** 오른쪽 그림은 정사각형 ㄱㄴㄷㄹ을 크기와 모양이 같은 12개의 직사각형으로 나눈 것이다. 가장 작은 직사각형 한 개의 둘레가 72cm일 때, 정사각형 ㄱㄴㄷㄹ의 넓이를 구하여라.

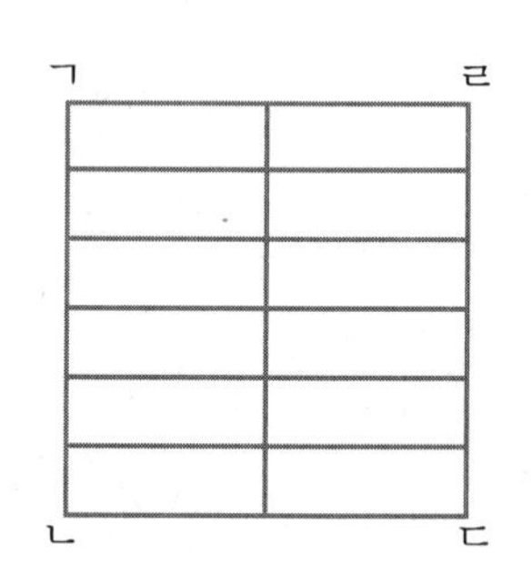


**생각하기** 가장 작은 직사각형의 둘레가 72cm이므로 직사각형의 가로와 세로의 길이의 합은 36cm이다. 또, 정사각형 ㄱㄴㄷㄹ의 네 변의 길이는 같으므로 직사각형의 가로의 2배와 세로의 6배는 같다.

**풀이** 직사각형의 세로의 길이를 한 덩어리(◯)로 나타내면 가로의 길이는 세 덩어리(◯◯◯)이다.
또, 둘레가 72cm이므로 가로와 세로의 길이의 합은 36cm이다.
따라서 ◯+◯◯◯=36, ◯=9
즉, 직사각형의 세로는 9cm, 가로는 $9\times3=27$(cm)이다.
따라서 (정사각형 ㄱㄴㄷㄹ의 넓이)$=9\times27\times12=2916(cm^2)$

답 $2916cm^2$

유제 **1** 오른쪽 사각형 ㄱㄴㄷㄹ은 직사각형이고, 사각형 ㅁㄴㅂㄹ은 마름모이다. 변 ㄴㅁ의 길이는 17cm이고, 변 ㄱㄹ의 길이는 변 ㄱㄴ의 길이의 4배이다. 또, 삼각형 ㄱㄴㅁ의 둘레가 40cm일 때, 직사각형 ㄱㄴㄷㄹ의 넓이를 구하여라.

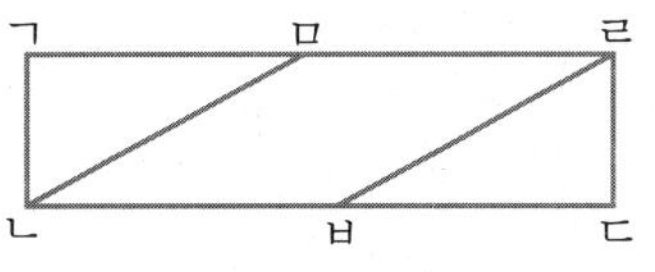


변 ㅁㄹ의 길이는 17cm이다.
변 ㄱㄴ과 변 ㄱㅁ의 길이의 합은 $40-17=23$(cm)이다.

유제 **2** 크기가 같은 정사각형 10개를 겹쳐서 오른쪽 모양의 도형을 만들었다. 만들어진 도형의 전체 넓이가 $1008\text{cm}^2$일 때, 이 도형의 둘레의 길이를 구하여라.

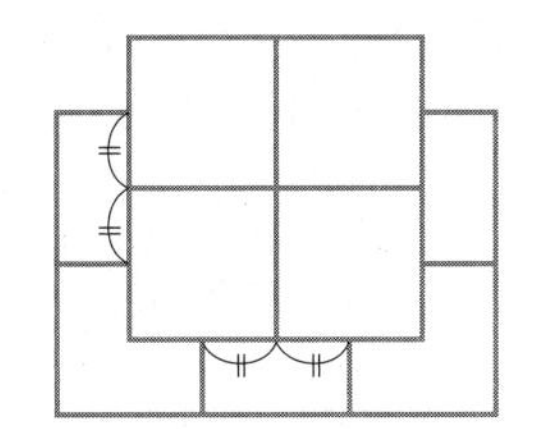

겹쳐진 부분을 표시해 보면 다음과 같다.

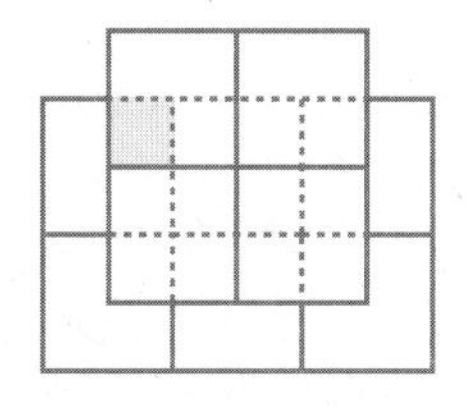

이 도형의 전체 넓이는 가려진 부분의 색칠된 작은 정사각형 넓이의 28배이다.

유제 **3** 오른쪽 도형에서 색칠한 부분의 둘레를 구하여라.

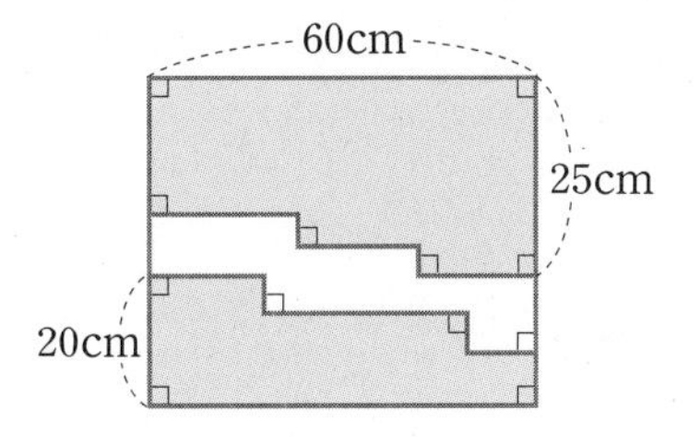


그림을 나누어 생각한다.

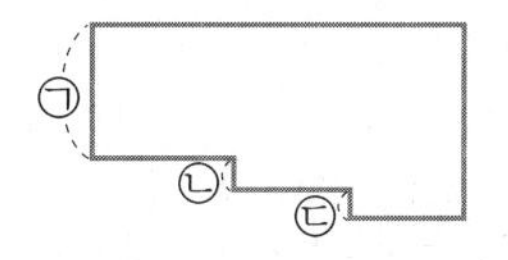


㉠+㉡+㉢=25(cm)

유제 **4** 가로가 20cm, 세로가 12cm인 직사각형 모양의 색종이를 오른쪽 그림과 같이 점선을 따라서 8개의 직사각형 모양으로 잘랐다. 잘라진 8개의 직사각형의 둘레의 합을 구하여라.

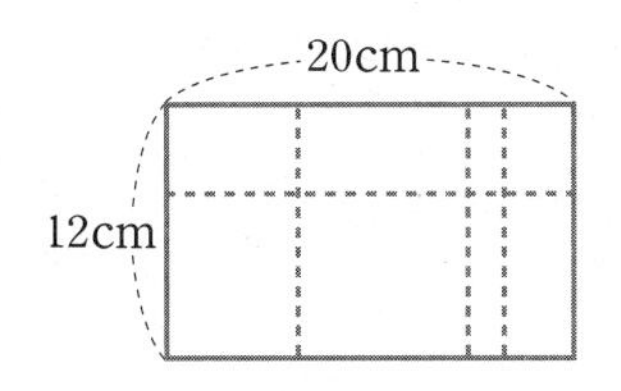


자른 부분은 각각 두 번씩 둘레의 합에 포함된다.

# 특강탐구문제

**1** 변 ㄱㄹ의 길이와 변 ㄹㅁ의 길이가 같은 삼각형 ㄱㅁㄹ의 둘레의 길이와 가로의 길이가 세로의 길이보다 4cm 긴 직사각형 ㄱㄴㄷㄹ의 둘레의 길이는 서로 같다. 변 ㄱㅁ의 길이가 26cm일 때, 직사각형 ㄱㄴㄷㄹ의 넓이를 구하여라.

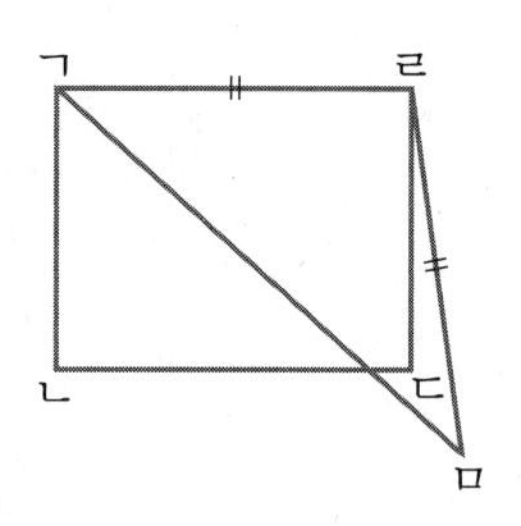


**2** 오른쪽 삼각형 ㄱㄴㄷ의 둘레는 70cm이다. 변 ㄱㄷ의 길이는 변 ㄱㄴ의 길이보다 12cm 더 길고, 변 ㄴㄷ의 길이는 변 ㄱㄴ의 길이보다 16cm 더 길다. 변 ㄴㄷ 위에 점 ㄹ을 잡아 선분 ㄱㄹ을 그어 두 개의 삼각형을 만들 때, 두 삼각형의 둘레가 같아지려면 변 ㄴㄹ의 길이를 몇 cm로 하여야 하는지 구하여라.

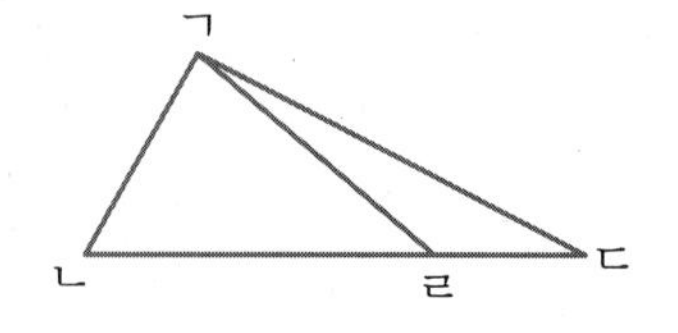


**3** 오른쪽 그림은 정사각형을 모양과 크기가 같은 4개의 직사각형으로 나눈 것이다. 가장 작은 직사각형의 둘레가 70cm일 때, 처음 정사각형의 넓이를 구하여라.

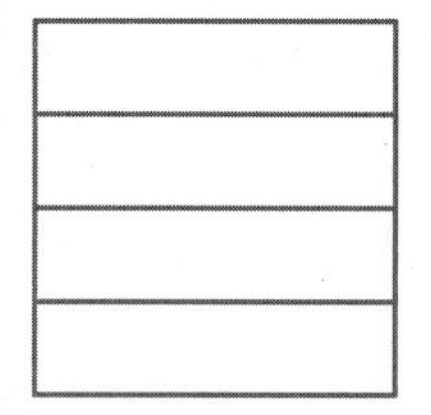

**4** 오른쪽 도형의 둘레의 길이를 구하여라.

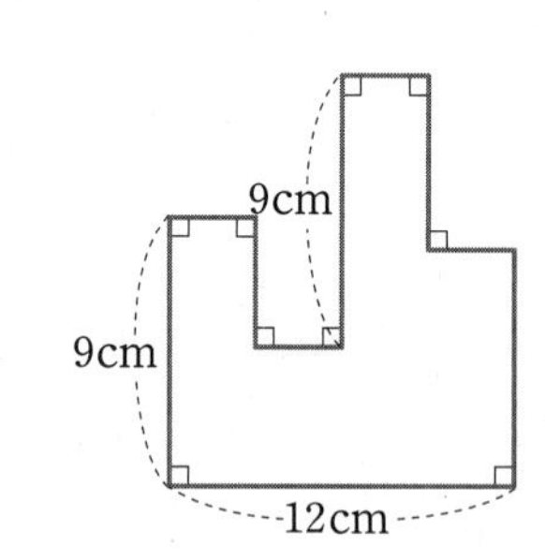


**5** 오른쪽 그림과 같이 한 개의 직사각형을 네 개의 직사각형 ㉮, ㉯, ㉰, ㉱로 나누고 각각 둘레를 재어 보니 22cm, 30cm, 26cm, 34cm였다. 처음 직사각형의 넓이를 구하여라.

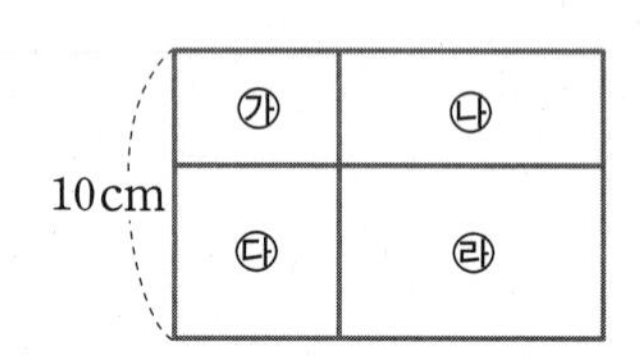

**6**

오른쪽 도형은 정사각형을 20개의 직사각형으로 나눈 것이다. 나누어진 20개의 직사각형의 둘레의 길이를 모두 합하면 54cm가 된다고 할 때, 처음 정사각형의 넓이를 구하여라.

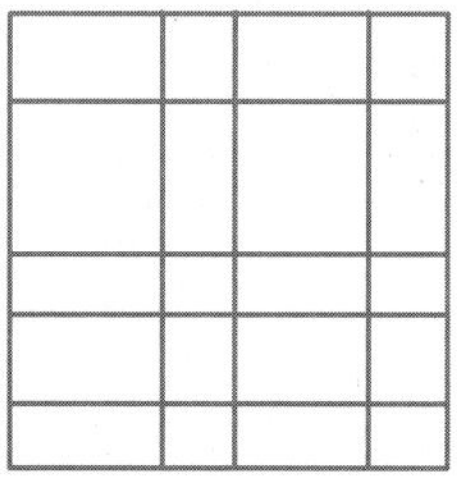

**7**

둘레가 32cm인 직사각형을 오른쪽 그림과 같이 두 개의 직사각형으로 나누었더니 둘레의 길이가 각각 18cm, 22cm가 되었다. 처음 직사각형의 넓이를 구하여라.

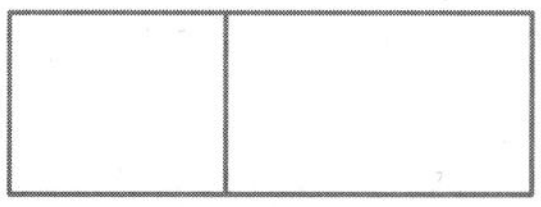

**8**

둘레가 28cm인 모양과 크기가 같은 직사각형 9개를 오른쪽 그림과 같이 놓아 만든 도형의 둘레가 132cm가 되었다. 직사각형 한 개의 넓이를 구하여라.

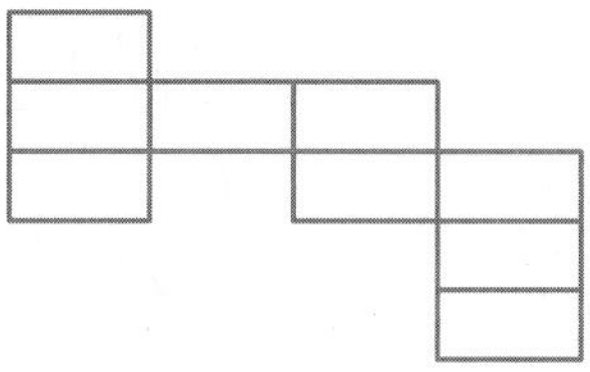

**9**

크기가 같은 정사각형 12개(를) 오른쪽 그림과 같이 놓아 만든 도형의 둘레가 115cm일 때, 만들어진 도형의 넓이는 몇 $cm^2$인가?(단, 두 정사각형의 꼭짓점과 변이 서로 만날 때는 변의 이등분점에서 만난다.)

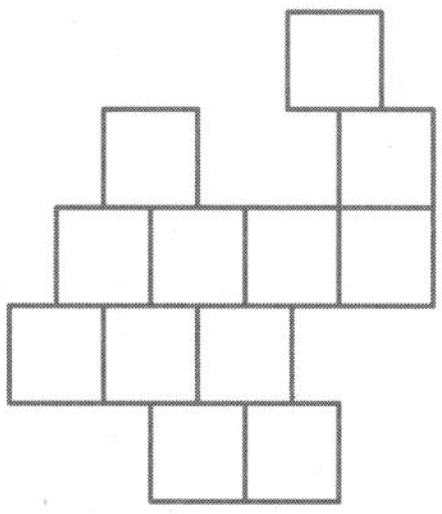

**10**

한 변의 길이가 2cm인 정사각형 25개를 오른쪽 그림과 같이 붙여 놓고 굵은 점선을 따라 가위로 잘라 세 개의 도형을 만들었다. 만들어진 세 도형의 둘레의 길이의 합을 구하여라.

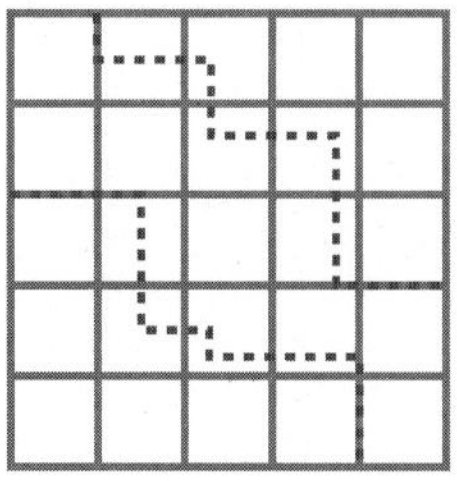

Chapter 04

# 합이 일정한 경우의 수

- 조건에 따라 합하여 정해진 수가 되는 여러 개의 수를 찾아 조로 묶는다. 이 때, '같은 수가 여러 번 쓰여도 되는가', '순서만 바뀐 것을 같은 것으로 생각할 것인가', '0을 사용할 수 있는가' 등을 생각해 보아야 한다.

핵·심·문·제 **1** 1부터 1000까지의 자연수 중 각 자리의 숫자의 합이 9가 되는 수는 모두 몇 개인가?

**생각하기** 1부터 1000까지의 자연수를 한 자리 수, 두 자리 수, 세 자리 수로 나누어 생각해 보자. 세 자리 수 중에서 각 자리의 숫자의 합이 9인 수의 개수는 1, 1, 7로 만들어지는 수 3개, 1, 2, 6으로 만들어지는 수 6개, … 와 같은 방법으로 구할 수 있다.

**풀이**

〈한 자리 수〉
9 : 1개

〈두 자리 수〉
0, 9 : 1개
1, 8 : 2개
2, 7 : 2개
3, 6 : 2개
4, 5 : 2개
→ 9개

〈세 자리 수〉
0, 0, 9 : 1개
0, 1, 8 : 4개
0, 2, 7 : 4개
0, 3, 6 : 4개
0, 4, 5 : 4개
1, 1, 7 : 3개
1, 2, 6 : 6개
1, 3, 5 : 6개
1, 4, 4 : 3개
2, 2, 5 : 3개
2, 3, 4 : 6개
3, 3, 3 : 1개
→ 45개

따라서 1+9+45=55(개)이다.

답 55개

핵·심·문·제 **2** 오른쪽 그림은 크기와 모양이 같은 세 개의 마름모를 한 꼭짓점이 꼭 맞도록 붙여 놓은 것이다. 점 ㄱ에서 점 ㅅ까지의 7개의 점에 1부터 9까지의 수 중 서로 다른 수를 정하여 한 마름모의 네 꼭짓점의 수의 합이 14가 되도록 만들려고 한다. 7개의 점에 수를 정하는 방법은 모두 몇 가지인가?(단, 돌리거나 뒤집어서 같은 것은 같은 방법으로 생각한다.)

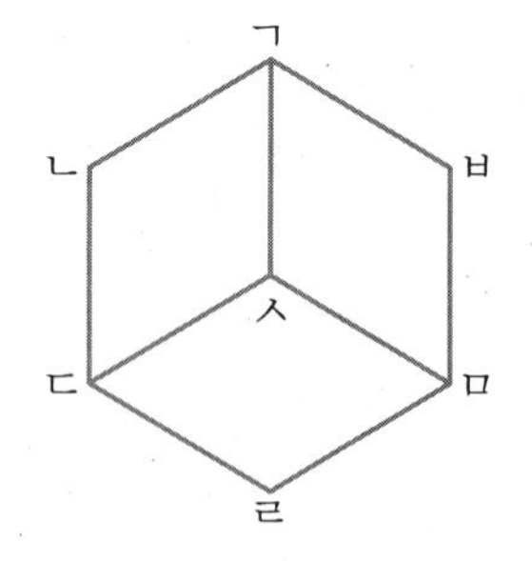


**생각하기** 합이 14가 되는 네 수를 모두 찾아보자. 그 중 세 조의 수를 정하는데 한 수는 세 조에 모두 들어 있고, 두 조씩에만 공통으로 들어 있는 수가 각 조마다 2개씩 있도록 정해야 한다.

**풀이** 먼저 합이 14가 되는 네 수를 찾아보자.
(1, 2, 3, 8), (1, 2, 4, 7), (1, 2, 5, 6), (1, 3, 4, 6), (2, 3, 4, 5)

(1) 세 개의 마름모가 겹쳐진 점에 1이 오는 경우 :

| | | |
|---|---|---|
| (1, ②, △3, 8) | (1, ②, △3, 8) | (1, ②, △4, 7) |
| (1, ②, [4], 7) | (1, ②, 5, [6]) | (1, ②, 5, [6]) |
| (1, △3, [4], 6) | (1, △3, 4, [6]) | (1, 3, △4, [6]) |

(2) 세 개의 마름모가 겹쳐진 점에 2가 오는 경우 :

| | | |
|---|---|---|
| (①, 2, △3, 8) | (①, 2, △3, 8) | (①, 2, [4], 7) |
| (①, 2, [4], 7) | (①, 2, [5], 6) | (①, 2, △5, 6) |
| (2, △3, [4], 5) | (2, △3, 4, [5]) | (2, 3, [4], △5) |

(3) 세 개의 마름모가 겹쳐진 점에 3이 오는 경우 :
(①, △2, 3, 8)
(①, 3, [4], 6)
(△2, 3, [4], 5)

(4) 세 개의 마름모가 겹쳐진 점에 4가 오는 경우 :
(①, △2, 4, 7)
(①, [3], 4, 6)
(△2, [3], 4, 5)

따라서 8가지이다.

답 8가지

유제 **1** 세 개의 숫자 1, 2, 3을 중복 사용하여 합이 10이 되도록 만들 수 있는 경우는 모두 몇 가지인가?

> 합이 10이 되도록 할 때, 숫자 3은 0번, 1번, 2번, 3번 쓰일 수 있다.

유제 **2** 네 자리의 자연수 중에서 천의 자리 숫자와 일의 자리 숫자가 같은 9의 배수는 모두 몇 개인지 구하여라.

> 각 자리 숫자의 합이 9의 배수이면 그 수는 9의 배수이다.
> 각 자리 숫자의 합은 9, 18, 27, 36이 될 수 있다.

유제 **3** 0에서 9까지의 숫자가 적힌 숫자 카드가 숫자별로 2장씩 있다. 이 중에서 3장을 꺼내 적혀 있는 숫자를 더하였을 때, 8 또는 13이 되는 경우는 모두 몇 가지인가?

> $8=0+0+8$
> $=0+1+7$
> $=0+2+6$
> $=0+3+5$
> $=0+4+4$
> $=1+1+6$
> ⋮

유제 **4** 길이가 37cm인 철사를 구부려 삼각형을 만들려고 한다. 세 변의 길이를 모두 자연수로 할 때, 만들 수 있는 삼각형은 모두 몇 가지인가?

> 삼각형의 한 변의 길이는 나머지 두 변의 길이의 합보다 짧아야 하므로 한 변이 18cm를 넘을 수는 없다. 따라서 18 이하의 자연수 중 세 수의 합이 37이 되는 경우를 찾아야 한다.

# 특강탐구문제

**1**

1부터 9까지의 숫자가 적힌 9장의 숫자 카드가 있다. 이 중에서 3장의 카드를 꺼내 합이 17이 되게 하는 방법은 모두 몇 가지인가?

**2**

1부터 9까지의 숫자를 사용하여 9를 4개 이하의 자연수의 합으로 나타내는 서로 다른 방법은 모두 몇 가지인가?(단, 순서만 다른 것은 같은 경우로 생각하고, 같은 수를 여러 번 사용해도 된다.)

**3**

100부터 9999까지의 숫자 중 25의 배수이고, 각 자리의 숫자의 합이 17인 자연수는 모두 몇 개인가?

**4**

1부터 12까지의 수가 각각 적힌 숫자 카드 12장을 두 개의 바구니 (가), (나)에 나누어 넣으려고 한다. (가) 바구니에 들어가는 카드의 개수는 (나) 바구니에 들어가는 카드의 개수의 2배이고, (가) 바구니에 들어가는 카드에 적힌 숫자의 합도 (나) 바구니에 들어가는 카드에 적힌 숫자의 합의 2배가 되도록 나누는 방법은 모두 몇 가지인가?

**5**

1부터 1000까지의 자연수 중 각 자리의 숫자의 합이 11인 수는 모두 몇 개인가?

## 6

19를 서로 다른 4개의 자연수의 합으로 나타내는 방법은 모두 몇 가지인가?

## 7

연필 10자루를 ㉮, ㉯, ㉰ 세 사람에게 나누어 주는 방법은 모두 몇 가지인가?(단, 세 사람 모두 적어도 한 자루씩은 받아야 한다.)

## 8

성냥개비 25개를 모두 사용하여 보기와 같이 삼각형을 만들 때, 보기를 포함하여 만들 수 있는 삼각형은 몇 가지인가? (단, 돌리거나 뒤집어서 모양이 같은 삼각형은 같은 것으로 생각한다.)

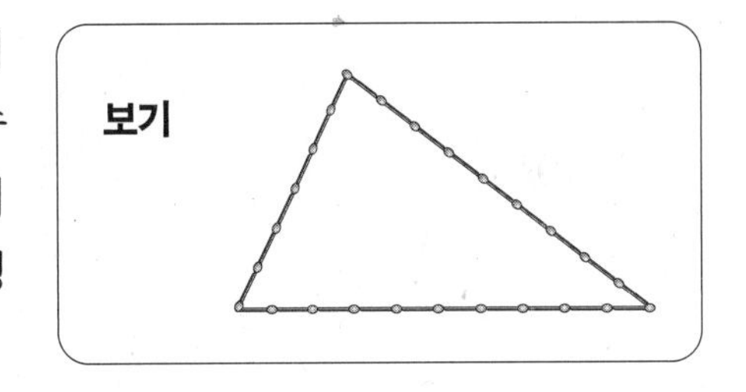


## 9

세 변의 길이의 합이 42cm이고, 각 변의 길이가 자연수인 삼각형 중에서 정삼각형과 이등변삼각형을 제외한 삼각형은 모두 몇 개인가?(단, 돌리거나 뒤집어서 모양이 같은 삼각형은 같은 것으로 생각한다.)

## 10

1부터 9까지의 숫자가 각각 적혀 있는 숫자 카드가 숫자별로 3장씩 모두 27장 있다. 이 중에서 숫자 카드에 적힌 숫자의 합이 11이 되도록 3장씩 카드를 계속해서 뽑아 낼 때, 가장 적게 카드가 남게 될 때는 몇 장인가?

Chapter 05 차가 늘어나는 수열

• 차가 일정한 규칙으로 늘어나는 수열에서 ☆째 번 수를 구하려면 첫째 번 수에 (☆−1)개의 차를 모두 더해 주어야 한다.

핵·심·문·제 **1** 다음과 같이 수가 배열되어 있다. 20째 번 줄의 가장 가운데 수를 구하여라.

1 2 3 ← 1째 줄

4 5 6 7 8 ← 2째 줄

9 10 11 12 13 14 15 ← 3째 줄

16 17 18 19 20 21 22 23 24 ← 4째 줄

⋮

**| 생각하기 |** 각 줄에는 모두 홀수 개의 수가 나열되어 있다.
20째 번 줄의 가장 가운데 수를 구하여야 하므로 각 줄의 가장 가운데 수를 살펴보자.
2 6 12 20 30 ⋯ (차: 4 6 8 10) ⇨ 차가 2씩 늘어나는 수열이다.

**| 풀이 |** 각 줄의 가장 가운데 수를 나열해 보면 2 6 12 20 30 ⋯ (차: 4 6 8 10) 이 된다.
차가 늘어나는 수열이므로 (20째 줄의 가운데 수)$=2+(\overbrace{4+6+8+\cdots+\square}^{19개})$이 된다.
여기서 □에 알맞은 수는 $4+2\times18=40$이므로,
(20째 줄의 가운데 수)$=2+(4+6+8+\cdots+40)=2+(4+40)\times19\div2=2+418=420$ 답 420

참고* (20째 줄의 가운데 수)$=2+(\overbrace{4+6+8+\cdots+\square}^{19개})$
$=\overbrace{2+4+6+8+\cdots+\square}^{20개}$ ) 2부터 시작하여 연속된 짝수의 합이므로(1과정 18장 참조)
$=20\times21=420$
위와 같이 생각할 수도 있으나 특별한 경우이다.

핵·심·문·제 **2** 수열 2, 5, 11, 20, 32, 47, ⋯이 있다. 515는 몇째 번 수인지 구하여라.

**| 생각하기 |** 2 5 11 20 32 47 ⋯ (차: 3 6 9 12 15), 이 수열은 차가 늘어나는 수열이다.
$515=2+(3+6+9+\cdots)$에서 $3+6+9+\cdots=513$이다.

**| 풀이 |** $2+(3+6+9+\cdots)=515 \rightarrow 3+6+9+\cdots=513 \rightarrow 3\times1+3\times2+3\times3+\cdots+3\times\square=3\times171$
$\rightarrow 3\times(1+2+3+\cdots+\square)=3\times171 \rightarrow 1+2+3+\cdots+\square=171$
$1+2+3+\cdots+18=171$이므로 515는 19째 번 수이다. 답 19째 번

참고* $1+2+3+\cdots+\square=171$에서 □에 알맞은 수를 구할 때 $(\square+1)\times\square\div2=171$,
$(\square+1)\times\square=342 \rightarrow 342=2\times3\times3\times19=19\times18 \rightarrow \square=18$로 구해도 좋다.

유제 **1** 다음 수들은 일정한 규칙으로 나열된 것이다. ㉮에 알맞은 수를 구하여라.

1, 3, 11, 25, 45, □, □, ㉮, …

> 차를 적어 보면
> 2, 8, 14, 20, …이 되므로
> 차가 늘어나는 수열이다.

유제 **2** 다음 분수들은 어떤 규칙에 의해 나열된 것이다. 30째 번 분수를 구하여라.

$\frac{1}{2}, \frac{2}{4}, \frac{3}{7}, \frac{4}{11}, \frac{5}{16}, \cdots$

> 30째 번 분수의 분자는 30이다.
> 분모는 수열 2, 4, 7, 11, 16, …
> 에서 30째 번 수이다.

유제 **3** 다음과 같이 수가 배열되어 있다. 100째 번 줄의 왼쪽에서 셋째 번 수를 구하여라.

1 ← 1째 줄
1 1 ← 2째 줄
1 2 1 ← 3째 줄
1 3 3 1 ← 4째 줄
1 4 6 4 1 ← 5째 줄
1 5 10 10 5 1 ← 6째 줄
⋮

> 100째 번 줄의 왼쪽에서 셋째 번 수를 구하기 위해 셋째 번 줄부터 왼쪽에서 셋째 번 수를 적어 보면
> 1, 3, 6, 10, …이다.

유제 **4** 다음 수열에서 1000째 번 수를 구하여라.

2, 3, 5, 8, 12, 17, 23, …

> 차가 늘어나는 수열이다.

# 특강탐구문제

**1**

다음 물음에 답하여라.

(1) 다음 수들은 어떤 규칙에 따라 늘어놓은 것이다. ㉮에 알맞은 수를 구하여라.

1, 3, 9, 19, 33, ( ), 73, 99, ( ), ( ), ㉮, ⋯

(2) 다음 수들은 어떤 규칙에 따라 늘어놓은 것이다. □ 안에 들어갈 알맞은 수를 차례로 구하여라.

2, 5, 10, 17, 26, 37, □, □, 82, □, 122, ⋯

**2**

수열 5, 7, 11, 17, 25, 35, ⋯이 있다. 이 수열의 50째 번 수를 구하여라.

**3**

수열 4, 7, 13, 22, 34, 49, ⋯이 있다. 이 수열의 50째 번 수를 구하여라.

**4**

다음 분수들은 어떤 규칙에 따라 나열된 것이다. 30째 번 분수를 구하여라.

$\frac{1}{3}$, $\frac{2}{7}$, $\frac{4}{13}$, $\frac{1}{3}$, $\frac{11}{31}$, $\frac{16}{43}$, ⋯

**5**

오른쪽 표는 2에서 시작하여 차례로 3, 5, 7, 9, 11, ⋯씩 더하여 쓴 것이다. ㉮, ㉯, ㉰의 합을 구하여라.

| 2 | 5 | 10 | 17 | 26 |
|---|---|---|---|---|
| 37 | 50 | | | ㉮ |
| 122 | 145 | | | ㉯ |
| 257 | 290 | | | ㉰ |

**6** 다음은 어떤 규칙에 따라 기약분수를 나열한 것이다. □ 안에 알맞은 기약분수를 구하여라.

$\frac{1}{50}$, $\frac{1}{20}$, $\frac{9}{100}$, $\frac{4}{35}$, $\frac{71}{550}$, □, $\frac{8}{55}$, …

**7** 다음 수열에서 486은 몇째 번 수인지 구하여라.

3, 6, 11, 18, 27, 38, …

**8** 다음 수열에서 706은 몇째 번 수인지 구하여라.

4, 6, 10, 16, 24, 34, …

**9** 다음 표에서 ㉠에 알맞은 수를 구하여라.

| 5 | 6 | 8 | 11 | 15 | … | 141 |
|---|---|---|---|---|---|---|
| 1 | 5 | 11 | 19 | 29 | … | ㉠ |

**10** 어떤 규칙에 따라 오른쪽과 같이 수가 배열되어 있다. 20째 번 줄, 12째 번 수를 구하여라.

1 ← 1째 줄
3 5 ← 2째 줄
7 9 11 ← 3째 줄
13 15 17 19 ← 4째 줄
⋮

Chapter 06 일에 관한 문제

• 전체를 1로 하여 단위시간 동안에 해내는 일의 양을 분수로 나타내 보면 쉽게 해결할 수 있다.

핵·심·문·제 **1** 15명이 매일 6시간씩 일하면 16일 동안 전체의 $\frac{5}{9}$를 마칠 수 있는 일이 있다. 이 일을 28일 동안 모두 끝내려고 하는데, 나머지 기간 동안에도 매일 6시간씩만 일하려고 한다면 몇 사람이 더 있어야 일을 끝마칠 수 있겠는가?(단, 한 사람이 할 수 있는 일의 양은 모두 같다.)

**| 생각하기 |** 전체의 $\frac{5}{9}$를 15명이 일하면 마칠 수 있으므로 한 사람은 전체의 $\frac{5}{9}\times\frac{1}{15}=\frac{1}{27}$만큼 일을 한다. 한 사람이 전체 일의 $\frac{1}{27}$을 16일 동안 하였으므로 하루에는 $\frac{1}{27}\times\frac{1}{16}$만큼씩 일을 하였고, 매일 6시간씩 일을 하였으므로, 1시간 동안에는 $\frac{1}{27}\times\frac{1}{16}\times\frac{1}{6}$만큼씩 일을 한 것이다.

**| 풀이 |** 한 사람이 1시간 동안 일한 양은 전체의 $\frac{\overset{1}{\cancel{5}}}{9}\times\frac{1}{\underset{3}{\cancel{15}}}\times\frac{1}{16}\times\frac{1}{6}=\frac{1}{9\times3\times16\times6}$이다.

나머지 기간은 28−16=12(일)이고, 전체의 $\frac{4}{9}$만큼의 일이 남아 있으므로 일을 마치는 데 필요한 사람 수를 □명이라고 하면 $\frac{1}{9\times\underset{1}{\cancel{3}}\times16\times\underset{1}{\cancel{6}}}\times\overset{4}{\cancel{12}}\times\overset{1}{\cancel{6}}\times\square=\frac{4}{9}$ → $\frac{4}{9\times16}\times\square=\frac{4}{9}$ → □=16

따라서 16−15=1(명)이 더 있어야 한다. 답 1명

**다른 풀이** 3명이 매일 6시간씩 일을 하면 16일 동안 전체의 $\frac{1}{9}$을 마칠 수 있다. 12일 동안 매일 6시간씩 전체의 $\frac{4}{9}$를 마쳐야 하므로 $\frac{3\times16\times4}{12}=16$이 필요하다. 따라서 16−15=1(명)이 더 있어야 한다.

핵·심·문·제 **2** 어떤 일을 하는데 세웅이가 혼자 하면 12일이 걸리고, 창민이가 혼자 하면 15일이 걸린다고 한다. 창민이가 며칠 동안 혼자 일을 하고 나서 세웅이가 나머지 일을 하여 모두 14일만에 끝마쳤다면, 창민이가 일한 날은 며칠인가?

**| 생각하기 |** 세웅이는 창민이보다 하루에 $\frac{1}{12}-\frac{1}{15}=\frac{1}{60}$만큼씩 더 많이 일을 한다. 14일 동안 창민이 혼자 일을 했다고 하면(우기기) $\frac{1}{15}\times14=\frac{14}{15}$만큼만 일하게 되고, 모자라는 $\frac{1}{15}$은 $\frac{1}{60}$씩 4일간 일하는 양이다. 따라서 세웅이는 4일 동안 일을 한 것이다.

**| 풀이 |** $\frac{1}{15}\times14=\frac{14}{15}$ → $\frac{1}{15}\div\left(\frac{1}{12}-\frac{1}{15}\right)=\frac{1}{15}\div\frac{1}{60}=\frac{1}{15}\times60=4$

세웅이는 4일 동안 일했고, 창민이는 10일 동안 일했다. 답 10일

**참고*** 창민이가 일한 날수를 □일이라 하면 세웅이가 일한 날은 (14−□)일이다.
$\frac{1}{15}\times\square+\frac{1}{12}\times(14-\square)=1$에서 □=10을 구할 수도 있다.

유제 **1** 영운이는 8일 동안 어떤 일의 $\frac{3}{7}$을 하였다. 같은 빠르기로 나머지 일을 10일 3시간 동안에 모두 마쳤다고 한다. 영운이는 하루에 몇 시간씩 일을 한 것인지 구하여라.(단, 마지막 날을 제외하고 하루에 일한 시간은 항상 같다.)

> 영운이는 하루에 전체의 $\frac{3}{56}$만큼 일하므로 10일 동안에는 $\frac{30}{56}=\frac{15}{28}$만큼 일한다.

유제 **2** 유리병에 종이별을 접어 가득 채우기로 하였다. 성영이가 혼자 접으면 8일이 걸리고, 정우는 12일, 정현이는 9일이 걸린다고 한다. 처음에 성영이가 혼자서 며칠 동안 접다가 그만두고 나서 정우와 정현이가 함께 3일 동안 접었다. 그 후 정현이가 혼자서 처음에 성영이가 접었던 날수의 반보다 2시간 더 접었더니 유리병에 가득 차게 되었다. 모두 하루에 4시간씩 접었다고 한다면, 처음에 성영이가 혼자서 종이접기를 한 날은 며칠인가?

> 정우와 정현이는 3일 동안 전체의 $\left(\frac{1}{12}+\frac{1}{9}\right)\times 3=\frac{21}{36}$만큼 접었다.

유제 **3** 갑이 혼자 하면 25시간 걸리고, 을이 혼자 하면 20시간, 병이 혼자 하면 16시간 걸리는 일이 있다. 이 일을 갑이 1시간 일하고 나면 이어서 을이 1시간 일하고, 또 병이 그 다음에 1시간 동안 일하는 것을 계속해서 반복하였을 때, 몇 시간 몇 분이 걸리면 이 일을 마칠 수 있는가?

> 갑은 1시간에 전체의 $\frac{1}{25}$만큼, 을은 1시간에 전체의 $\frac{1}{20}$만큼, 병은 1시간에 전체의 $\frac{1}{16}$만큼 일한다.
> 세 사람이 1시간씩 교대로 일하면 3시간 동안에는 전체의 $\frac{1}{25}+\frac{1}{20}+\frac{1}{16}$만큼 일하게 된다.

유제 **4** 수영장에 물을 가득 채우는 데 ㉮ 호스로는 8시간, ㉯ 호스로는 10시간이 걸린다. 또 수영장에 가득 찬 물을 방출구를 통해 완전히 비우는 데는 5시간이 걸린다고 한다. 어느 날 수영장에 물을 채우기 위해 ㉮ 호스로 2시간 동안 물을 넣은 후에 ㉮, ㉯ 두 호스로 다시 3시간 동안 물을 넣었다. 이 때, 방출구가 열려서 그 뒤로는 ㉮, ㉯ 두 호스로 물을 채우는 데 시간이 더 걸렸다고 한다. 수영장에 물이 가득 찼다면 처음 물을 넣기 시작한 후로 몇 시간이 걸렸겠는가?

> ㉮ 호스로는 1시간에 전체의 $\frac{1}{8}$을, ㉯ 호스로는 1시간에 전체의 $\frac{1}{10}$을 채운다.
> 또, 방출구는 1시간에 전체의 $\frac{1}{5}$을 내보낸다.

## 특강탐구문제

**1**

홍기는 어떤 일을 하는 데 20일이 걸리고, 지오는 30일이 걸린다고 한다. 홍기와 지오가 이 일을 함께 한다면 며칠 만에 끝낼 수 있겠는가?

**2**

어떤 일을 형이 혼자 하면 10일이 걸리고, 동생이 혼자 하면 15일이 걸린다고 한다. 이 일을 형과 동생이 함께 하다가 도중에 동생이 아파서 형이 혼자 나머지 일을 하여 끝마쳤다고 한다. 이 일을 모두 끝내는 데 8일이 걸렸다면, 형과 동생이 함께 일한 날은 며칠인가?

**3**

벽돌을 쌓는 데 갑이 혼자 하면 12시간이 걸리고 을이 혼자 하면 8시간이 걸린다고 한다. 이 일을 갑과 을이 함께 하다가 도중에 다른 할 일이 있어 갑은 1시간 동안, 을은 3시간 동안 각각 일을 하지 못했다. 벽돌을 모두 쌓는데 걸린 시간을 구하여라.

**4**

어떤 일을 하는 데 명혜가 혼자서 하면 15일이 걸리고, 소민이가 혼자 하면 20일이 걸린다고 한다. 이 일을 소민이가 혼자 며칠 동안 하다가 명혜가 그 나머지를 하여 모두 16일 동안 끝마쳤다고 한다. 명혜가 일한 날은 며칠인지 구하여라.

**5**

8명이 9시간 동안 일해야 끝마칠 수 있는 일이 있다. 이 일을 3명이 8시간 동안 한 후, 다시 9명이 일하여 끝마쳤다. 일을 마치는 데 몇 시간 몇 분이 걸렸는지 구하여라.(단, 각 사람이 1시간 동안 하는 일의 양은 모두 같다.)

**6**

상현이는 한 시간당 얼마의 돈을 받기로 하고 일을 하였다. 처음 7일 동안 전체 일의 $\frac{9}{20}$를 마쳤고, 나머지 일은 처음과 같은 빠르기로 8일과 5시간 동안 하여 일을 모두 끝냈다. 일을 끝낸 후 상현이는 364000원을 받았다. 상현이는 하루에 몇 시간씩 일을 하였는가? 또 1시간당 얼마의 돈을 받기로 하고 일한 것인가?

**7**

어떤 일을 하는 데 16사람이 매일 6시간씩 18일 동안 일하여 전체의 $\frac{6}{13}$을 마쳤다. 앞으로 12일 동안만 더 일하여 일을 모두 끝마치려고 5사람을 더 데려와 함께 일하기로 했을 때, 일하는 시간은 처음보다 하루에 몇 시간씩 더 늘여야 하겠는가?(단, 각 사람이 1시간 동안 하는 일의 양은 항상 모두 같다.)

**8**

어떤 일을 갑이 하면 20시간, 을이 하면 16시간 걸린다고 한다. 갑이 일을 먼저 시작하여 갑과 을이 1시간씩 교대로 이 일을 한다면, 마지막에 일하게 되는 사람은 누구이며, 이 때, 몇 분간 일하게 되는지 구하여라.

**9**

물탱크에 물을 가득 채우는 데는 4시간이 걸리고, 가득 찬 물을 모두 덜어내는 데는 10시간이 걸린다고 한다. 빈 물탱크에 1시간 동안은 물을 채우고, 그 뒤 1시간 동안은 물을 덜어내는 일을 번갈아 가면서 반복한다면, 몇 시간 몇 분만에 물 탱크에 물이 가득 차게 되는지 구하여라.

**10**

수조에 있는 수도 꼭지로 수조에 물을 가득 채우는 데는 2시간 40분이 걸리고, 가득 찬 물을 완전히 빼 내는 데는 1시간 36분이 걸린다고 한다. 이 수조에 물이 $\frac{1}{3}$만큼 차있을 때, 수도 꼭지를 틀어 새로 넣으면서 동시에 물을 빼내면 몇 분 후 수조의 물이 완전히 없어진다고 한다. 수조의 물이 완전히 없어질 때까지 걸린 시간은 몇 분인가?

Take a Break 01

# 차원

여러분은 시간과 공간을 넘나드는 '4차원 세계'를 소재로 한 재미있는 이야기들을 보았을 것이다. 지금 우리가 살고 있는 세계는 '3차원'으로 공간(空間)이다.

'1차원'은 직선의 세계로 한 방향으로만 이루어진 세계이고, '2차원'은 평면의 세계로, 가로, 세로의 두 방향으로 뻗은 세계이다. '3차원의 공간'은 전후, 좌우, 상하(가로, 세로, 높이)의 3방향으로 뻗은 세계이다.

그리스의 철학자 아리스토텔레스는 공간이 3개의 차원을 갖는 이유를 다음과 같이 설명하고 있다.

아리스토텔레스 (B.C.384~B.C.322)
기원전 384년에 그리스의 마케도니아에서 태어나 기원전 322년에 세상을 떠난 철학자이다. 아리스토텔레스는 기원전 367년 플라톤이 세운 학교에 입학해서 20여 년 동안 공부를 했다. 그는 그의 스승이 죽은 후 그리스왕국을 수년 동안 돌아다니다가 아테네에 학교를 세우게 된다. 현재 그의 강론 내용을 편집한 것으로 추측되는 저서 47권만이 전해지고 있다. 그가 강조하였던 관찰과 분류, 그리고 그에 따른 연구의 시도는 그가 과학에 이바지한 가장 핵심적이고 영구적인 공헌이 되었다.

"선은 폭을 가지고 있지 않기 때문에 면으로 옮겨질 수 있다. 그러나 입체는 완전하기 때문에 길이, 폭, 깊이의 3개의 차원을 넘어서 다른 차원으로 옮길 수 없다. 따라서 공간은 3개의 차원을 가질 뿐이다."

이 아리스토텔레스의 말에서 짐작할 수 있듯이 차원이란, 본래 '자유도(自由度)' 즉, 자유로이 움직일 수 있는 방향의 개수를 의미한다. 직선 위에서는 좌우로만 움직일 수 있으므로 1개의 변수(좌표)로 나타낼 수 있다.

이것을 아리스토텔레스와 같은 입장에서 '1차원'이라 부르자.

아무리 구부러진 곡선이라도 그 위에서는 좌우로만 움직일 수 있으므로 즉, 자유도가 1이므로 1차원이다. 이에 대해서 평면상의 점은 1개의 변수로는 나타낼 수 없다. 평면상에서는 좌우뿐만 아니라 위아래로도 움직일 수 있기 때문이다. 여기서는 점의 위치를 나타내는 데는 2개의 변수가 필요하다. 즉, 자유도가 2이므로 '2차원'이다. 예를 들면 지구의 표면 위의 위치는 위도와 경도로 나타낼 수 있다.

공간(空間)에서는 좌우, 위아래, 전후의 움직임도 가능하다. 따라서 그 위치를 나타내려면 '공간좌표'라고 불리어지는 3개의 변수가 필요해진다. 이처럼 3개의 자유도를 갖는 공간은 당연히 3차원이어야 한다. 3차원 공간에 또 하나의 자유도를 더해주면 4차원의 공간이 된다. 새로운 자유도로서 시간을 가정한다면, 이 4차원의 세계에서는 시간을 자유

자재로 조절할 수 있으므로, '타임머신'을 타고 원하는대로 과거와 미래를 넘나들 수 있게 된다. 만일, 어떤 죄수가 사형을 선고받는다 하여도, 감옥이 미처 세워지기 전의 시간으로 돌아가면 거뜬히 감옥을 탈옥할 수 있다. 그러니 지금과는 딴판인 뒤죽박죽의 세상이 될 것은 틀림이 없지만, 이것은 이미 이야기한 바 있는 2차원과 3차원의 관계와도 같다. 2차원의 세계에 사는 생물이 있다면, 이 생물은 평면에 그어진 일종의 원에 갇힌 처지이므로, 3차원 생물의 손이나 발이 나타났다가 귀중한 생명이나 재산을 빼앗고 연기처럼 사라져 버린다면, 그야말로 날벼락을 맞는 격으로 전혀 손을 쓸 수 없는 불가사의한 재난으로 포기할 수 밖에 없다. 나폴레옹이 적군에게 포위되었는데 2차원이라면 꼼짝없이 당하겠으나 3차원이라면 하늘 높이 날아가서 피할 수 있다. 이처럼 2차원에서는 할 수 없는 일을 3차원에서는 할 수 있다.

그건 그렇고 두 직선은 평행이 아니면 만나기 마련인데, 공간상에서는 평행도 아니고 그렇다고 만나지도 않는 '서로 꼬인' 관계라는 게 있다.

여러분도 4차원, 5차원 등 더 높은 차원의 재미있고, 흥미로운 세계를 상상해 보자.

# Chapter 07 최대공약수와 최소공배수

| 최대공약수 ) A B |
|---|
| a b |

• 두 수의 곱은 그들의 최대공약수와 최소공배수의 곱과 같다.

A=(최대공약수)×a, B=(최대공약수)×b,

(최대공약수)×a×b=[최소공배수]

따라서 A×B=(최대공약수)×a×(최대공약수)×b=(최대공약수)×[최소공배수]

• 두 수의 합 또는 차도 그들의 최대공약수의 배수이다.

A+B=(최대공약수)×a+(최대공약수)×b=(최대공약수)×(a+b)

A−B=(최대공약수)×a−(최대공약수)×b=(최대공약수)×(a−b)

핵·심·문·제 **1** 합이 221이고, 최소공배수를 최대공약수로 나눈 몫이 30인 두 자연수를 구하여라.

**| 생각하기 |** 두 수를 A, B라 하면 A=(최대공약수)×a, B=(최대공약수)×b이다.(a, b는 공약수가 1뿐인 자연수 : 서로 소)

A+B=(최대공약수)×a+(최대공약수)×b=(최대공약수)×(a+b)=221=13×17

이므로 최대공약수가 13일 때와 17일 때로 나누어 생각해 보자.

**| 풀이 |** A=(최대공약수)×a, B=(최대공약수)×b라 하면

[최소공배수]÷(최대공약수)=(a×b×(최대공약수))÷(최대공약수)=a×b=30이고, 221=13×17이므로

• 최대공약수가 13일 때 a+b=17, a×b=30이므로 a=15, b=2 ⇨ A=13×15=195, B=13×2=26

• 최대공약수가 17일 때 a+b=13, a×b=30이므로 a=10, b=3 ⇨ A=17×10=170, B=17×3=51

답 195와 26 또는 170과 51

핵·심·문·제 **2** 최소공배수가 385인 서로 다른 두 자연수가 있다. 이 두 수 중 어느 것도 1이 아닐 때, 두 수가 될 수 있는 수는 모두 몇 쌍인지 구하여라.

**| 생각하기 |** 두 수를 A=(최대공약수)×a, B=(최대공약수)×b(a, b는 서로 소)라고 하면

[최소공배수]=(최대공약수)×a×b=385이다. 385=5×7×11이므로 최대공약수는 1, 5, 7, 11, 5×7, 5×11, 7×11, 5×7×11이 될 수 있다.

**| 풀이 |** A=(최대공약수)×a, B=(최대공약수)×b라 하면 [최소공배수]=(최대공약수)×a×b이다.

385=5×7×11이므로

• 최대공약수가 1일 때

| a | 5 | 7 | 11 |
|---|---|---|---|
| b | 7×11 | 5×11 | 5×7 |

| A | 5 | 7 | 11 |
|---|---|---|---|
| B | 77 | 55 | 35 |

} 3쌍

• 최대공약수가 5일 때

| a | 7 | 1 |
|---|---|---|
| b | 11 | 7×11 |

| A | 35 | 5 |
|---|---|---|
| B | 55 | 385 |

} 2쌍

➜ 또한 최대공약수가 7, 11일 때도 각 2쌍씩으로 모두 6쌍

• 최대공약수가 5×7일 때

| a | 1 |
|---|---|
| b | 11 |

| A | 35 |
|---|---|
| B | 385 |

} 1쌍

➜ 또한 최대공약수가 5×11, 7×11일 때도 각 1쌍씩으로 모두 3쌍

• 최대공약수가 5×7×11일 때는 문제의 조건에 맞지 않는다.

따라서 모두 12쌍이다.

답 12쌍

**유제 1** 두 자연수 ㉮와 ㉯의 최소공배수는 952이다. ㉮ : ㉯=4 : 7일 때, 두 수 ㉮와 ㉯를 구하여라.

> 4와 7이 서로 소이므로, 비로 나타낼 때 약분된 수가 최대공약수이다.
> ㉮=4×(최대공약수)
> ㉯=7×(최대공약수)

**유제 2** 자연수 21, 105, ㉮의 최대공약수는 7이고, 최소공배수는 210이다. 이 때, ㉮가 될 수 있는 수를 모두 구하여라.

> ㉮=7×㉠으로 나타낼 수 있고,
> 210=2×3×5×7이다.

**유제 3** 세 자연수 ㉮, ㉯, ㉰가 있다. ㉮와 ㉯의 최대공약수는 24이고, 최소공배수는 360이다. 또 ㉯와 ㉰의 최대공약수는 18이고, 최소공배수는 216이다. 세 자연수 ㉮, ㉯, ㉰를 구하여라.(단, ㉮>㉯>㉰이다.)

> ㉮=24×㉠, ㉯=24×㉡
> 360=24×㉠×㉡이므로
> ㉠×㉡=15이다.

**유제 4** 가로가 510cm, 세로가 186cm인 직사각형 모양의 종이에서 가능한 크게 정사각형을 잘라내고, 남겨진 직사각형에서 또 가능한 크게 정사각형을 잘라낸다. 이와 같이 반복하여 맨 마지막에 정사각형이 남도록 하면 그 정사각형의 한 변의 길이는 몇 cm인가? 또, 이것은 510과 186의 어떤 수가 되는가?

> 510=186×2+138이므로 한 변의 길이가 186cm인 정사각형 2개를 잘라내면 가로가 138cm, 세로가 186cm인 직사각형이 남는다.

## 특강탐구문제

**1** 두 자연수 A, B의 최대공약수는 4이고, 최소공배수는 24이다. A와 B의 합을 모두 구하여라.

**2** 두 자리 수인 두 자연수의 곱이 648이고 최소공배수가 108일 때, 두 수를 구하여라.

**3** 합이 22인 두 자연수가 있다. 두 수의 최소공배수가 60일 때, 두 수를 구하여라.

**4** 곱이 1080인 두 자연수가 있다. 두 수의 최대공약수가 6이고, 큰 수를 작은 수로 나누면 나머지가 6이 된다고 한다. 이러한 두 수를 모두 구하여라.

**5** 세 자연수 ㉮, ㉯, ㉰가 있다. ㉮와 ㉯의 최대공약수는 24이고, ㉯와 ㉰의 최대공약수는 30이다. 세 수 ㉮, ㉯, ㉰의 최대공약수를 구하여라.

**6**

두 자연수 A, B가 있다. A와 B를 그들의 최대공약수로 나눈 몫이 각각 4, 5이고, A와 B의 최소공배수는 260이다. 두 수 A와 B의 합을 구하여라.

**7**

자연수 A와 12의 최대공약수는 6이고, A와 81의 최대공약수는 9이다. 세 수 A, 12, 81의 최소공배수가 1620일 때, A를 구하여라.

**8**

서로 다른 세 자연수 ㉮, ㉯, ㉰의 합은 96이고, 최대공약수는 8이다. ㉮가 가장 작은 수이고 ㉰가 가장 큰 수라고 할 때, ㉮, ㉯, ㉰는 모두 몇 쌍이나 되는지 구하여라.

**9**

서로 다른 세 자연수 90, 108, ㉮의 최대공약수는 18이고, 최소공배수는 540이다. ㉮에 알맞은 수를 모두 구하여라.

**10**

두 수 8891과 12029의 최대공약수를 구하여라.

Chapter 08 

# 삼각형의 넓이 응용 문제

- 삼각형의 넓이가 구해지는 여러 가지 방법을 생각해 보면 문제를 쉽게 해결할 수 있다.
- 삼각형의 넓이를 사각형의 넓이로 바꾸어 생각하면 문제를 쉽게 해결할 수 있다.
- 밑변의 길이가 같은 두 삼각형의 넓이의 합은 (밑변의 길이) × (높이의 합) ÷ 2이다.

핵·심·문·제 **1** 오른쪽 직사각형 ㄱㄴㄷㄹ에서 점 ㅁ과 점 ㅂ은 변 ㄷㄹ과 변 ㄱㄹ 위의 점이다. 삼각형 ㄴㅁㅂ의 넓이가 $1444\text{cm}^2$일 때, 선분 ㄱㅂ의 길이를 구하여라.

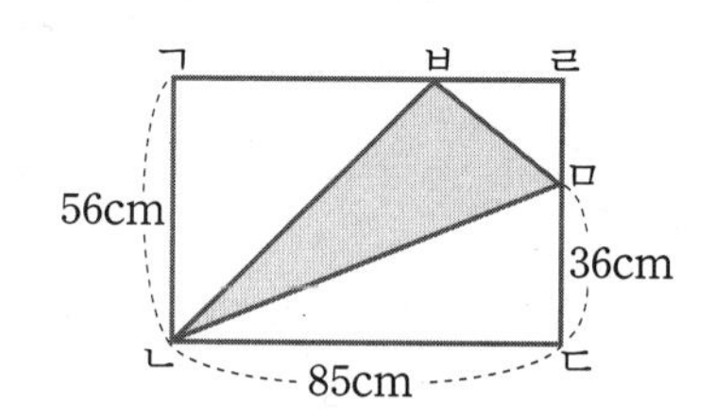


**| 생각하기 |** 삼각형 ㅁㄴㄷ의 넓이는 $85 \times 36 \div 2 = 1530(\text{cm}^2)$이고, 삼각형 ㄴㅁㅂ의 넓이가 $1444\text{cm}^2$이므로 삼각형 ㄱㄴㅂ과 삼각형 ㅂㄹㅁ의 넓이의 합은 $1786\text{cm}^2$이다.

**| 풀이 |**

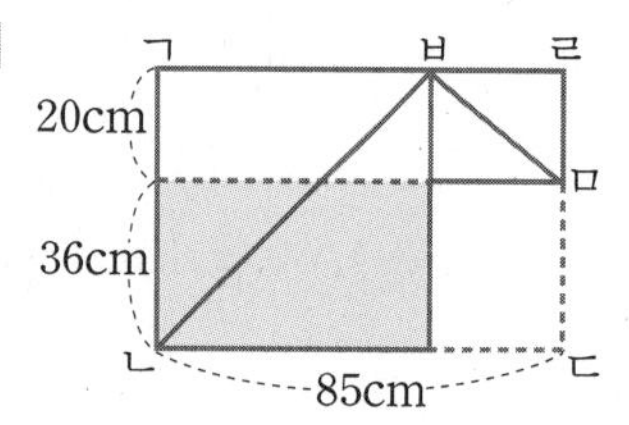


왼쪽 그림과 같이 삼각형 ㄱㄴㅂ, 삼각형 ㅂㄹㅁ을 각각 포함하는 직사각형을 그려 보면 그 넓이는 $1786 \times 2 = 3572(\text{cm}^2)$가 된다. 색칠한 부분의 넓이는 $3572 - 20 \times 85 = 1872(\text{cm}^2)$이므로, 선분 ㄱㅂ의 길이는 $1872 \div 36 = 52(\text{cm})$이다.

답 52cm

참고* 선분 ㄱㅂ의 길이를 □라 하자.
56×□÷2+(85−□)×20÷2=1786이므로 이 식을 풀어도 된다.

핵·심·문·제 **2** 오른쪽 그림과 같이 밑변과 높이가 각각 40cm, 30cm인 직각삼각형 안에 정사각형을 그렸다. 정사각형의 한 변의 길이를 구하여라.

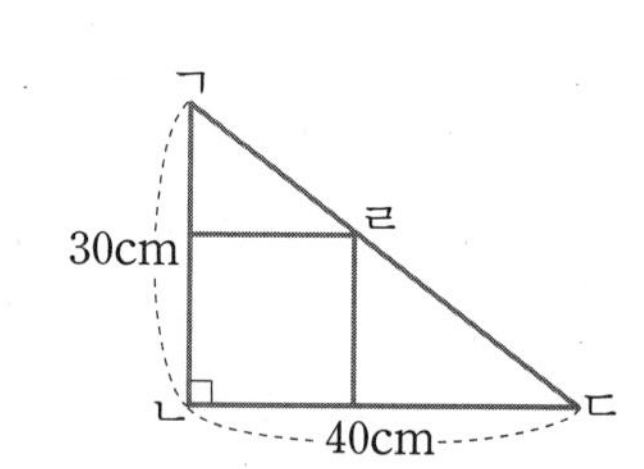


**| 생각하기 |** (삼각형 ㄱㄴㄷ의 넓이)=(삼각형 ㄱㄴㄹ의 넓이)+(삼각형 ㄹㄴㄷ의 넓이)임을 이용한다.
정사각형의 한 변의 길이를 □라 하면
40×30÷2=(40×□÷2)+(30×□÷2)

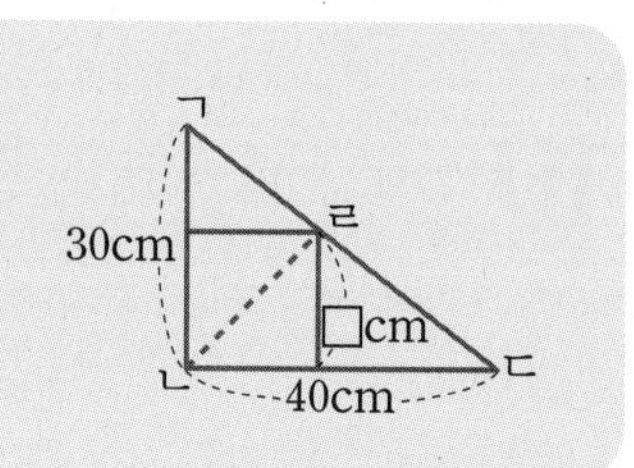


**| 풀이 |** 40×30÷2=40×□÷2+30×□÷2, 600=20×□+15×□
□가 35개이면 600이 되므로 □×35=600, □$=\frac{600}{35}=\frac{120}{7}=17\frac{1}{7}$(cm)

답 $17\frac{1}{7}$cm

유제 **1** 오른쪽 사다리꼴 ㄱㄴㄷㄹ의 넓이를 구하여라.

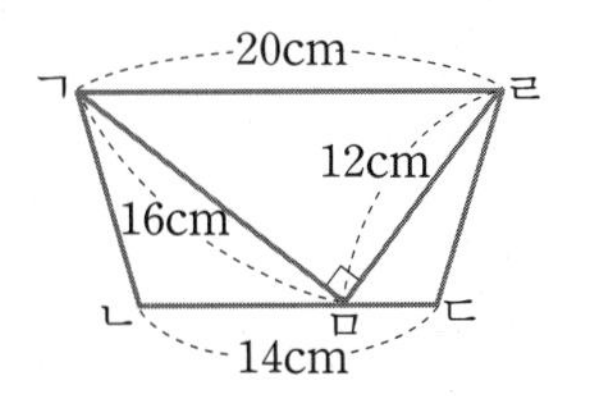


삼각형 ㄱㅁㄹ의 넓이를 구하는 방법이 2가지임을 이용하여 사다리꼴의 높이를 구한다.

유제 **2** 세 변의 길이의 합이 40cm인 삼각형 안의 한 점에서 각 변에 그은 수선의 길이가 모두 3cm일 때, 이 삼각형의 넓이를 구하여라.

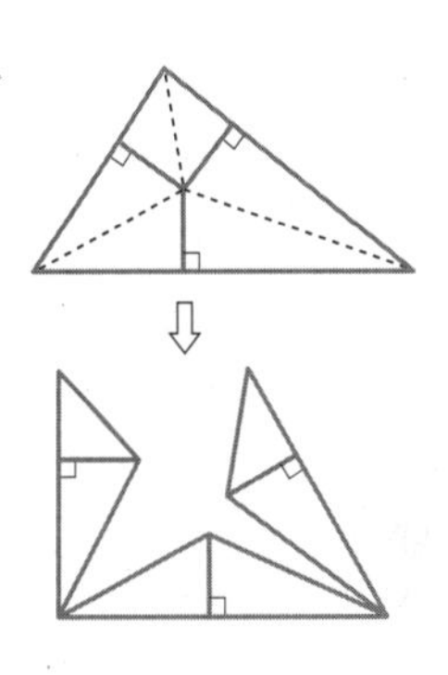

유제 **3** 오른쪽 삼각형 ㄱㄴㄷ에서 선분 ㄱㄹ의 길이는 12cm, 선분 ㄴㅁ의 길이는 15cm이다. 변 ㄴㄷ과 변 ㄱㄷ의 길이의 합이 36cm일 때, 삼각형 ㄱㄴㄷ의 넓이를 구하여라.

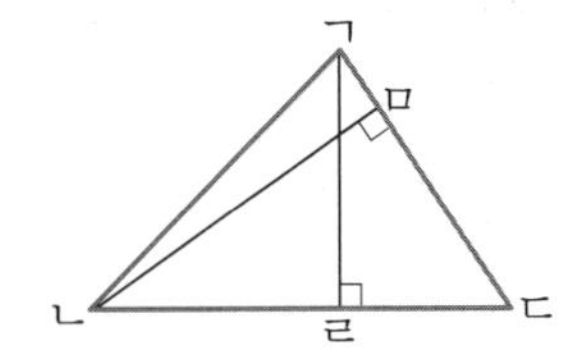


(변 ㄴㄷ의 길이)$\times 12 \div 2$
$=$(변 ㄱㄷ의 길이)$\times 15 \div 2$
(변 ㄴㄷ의 길이)$\times 4$
$=$(변 ㄱㄷ의 길이)$\times 5$

유제 **4** 윗변의 길이가 아랫변의 길이의 $\frac{3}{4}$인 사다리꼴을 오른쪽 그림과 같이 4개의 삼각형으로 나눌 때, 두 개의 삼각형의 넓이는 각각 $15cm^2$, $32cm^2$이다. 색칠한 부분의 넓이의 합을 구하여라.

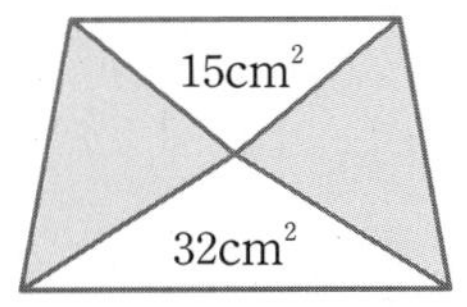


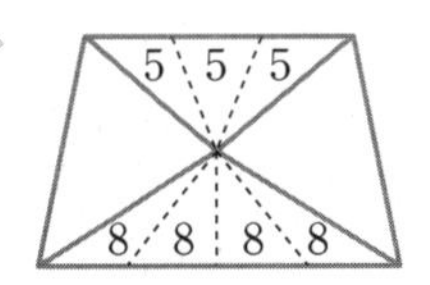


넓이가 $5cm^2$인 삼각형과 $8cm^2$인 삼각형은 밑변의 길이가 같다.
이 밑변의 길이를 □라 하면
$13=\square\times$(높이의 합)$\div 2$,
(사다리꼴의 아랫변)+(사다리꼴의 윗변)$=\square\times 7$이다.

# 특강탐구문제

**1**

오른쪽 그림에서 사각형 ㄱㄴㄷㄹ은 가로가 16cm, 세로가 10cm인 직사각형이다. 색칠한 삼각형의 넓이를 구하여라.

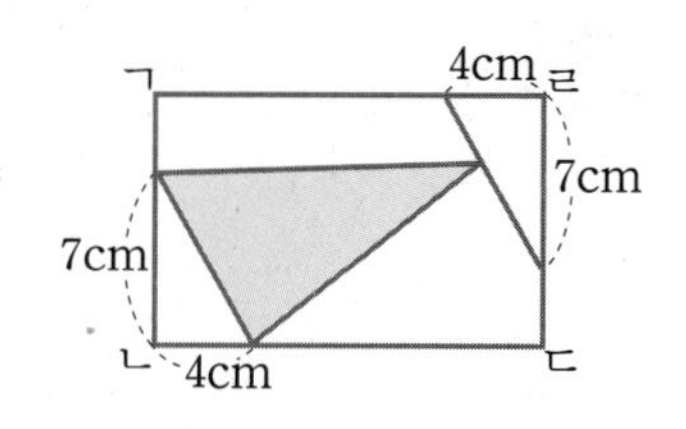


**2**

오른쪽 도형에서 삼각형 ㄱㅁㅂ의 넓이는 삼각형 ㅂㄹㄷ의 넓이보다 14cm$^2$ 더 넓다고 한다. 이 때, 변 ㅁㄱ의 길이를 구하여라.

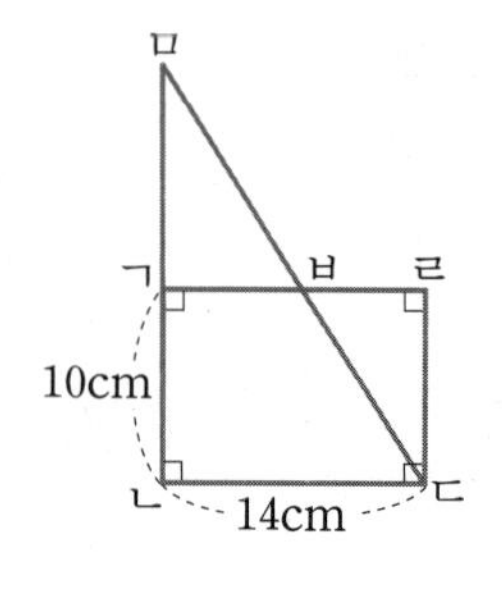


**3**

오른쪽 그림의 사각형 ㄱㅁㄹㅅ은 한 변의 길이가 3cm인 정사각형이다. 선분 ㄹㅂ의 길이를 구하여라.

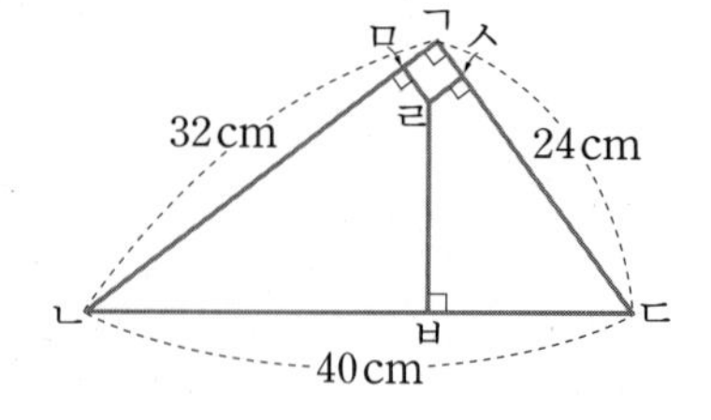


**4**

오른쪽 그림은 모양과 크기가 같은 직각삼각형 2개를 꼭짓점이 맞닿도록 붙여 놓은 것이다. 사각형 ㄱㄴㄹㅁ이 사다리꼴일 때, 변 ㄱㄷ의 길이를 구하여라.

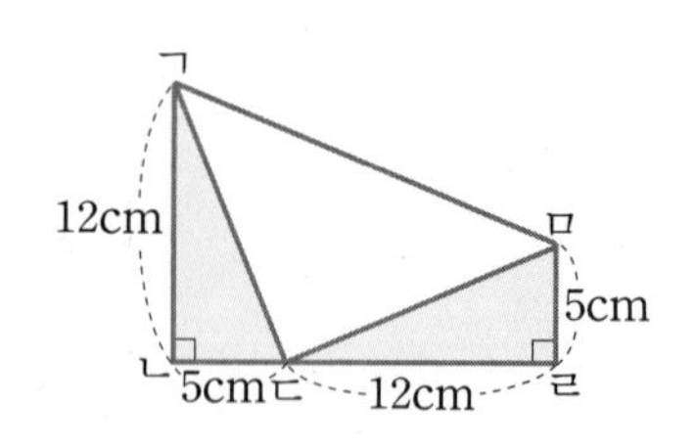


**5**

오른쪽 그림은 직각삼각형 ㄱㄴㄷ 안에 가로, 세로의 길이의 비가 5 : 3인 직사각형을 그려 넣은 것이다. 이 직사각형의 넓이를 구하여라.

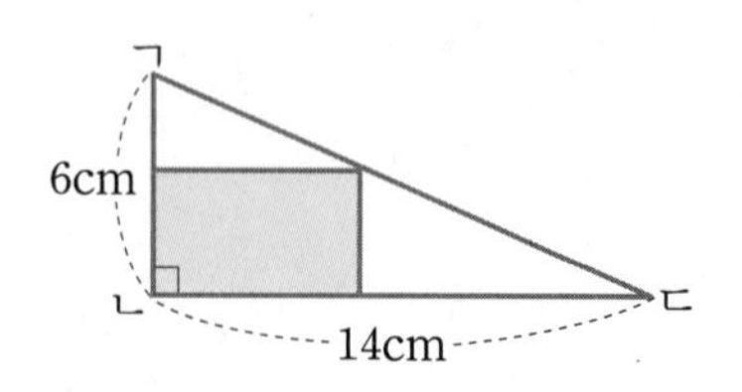

## 6

오른쪽 오각형의 넓이를 구하여라.

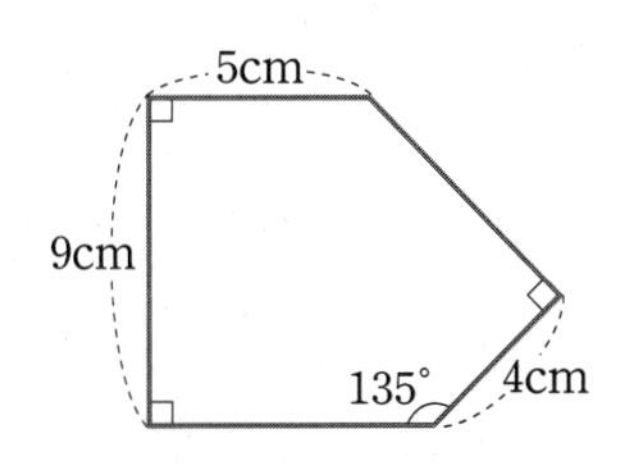


## 7

오른쪽 그림에서 직사각형 ㄱㄴㄷㄹ의 넓이는 $36cm^2$이고, 삼각형 ㄱㄴㅁ의 넓이는 $9cm^2$, 삼각형 ㄱㅂㄹ의 넓이는 $6cm^2$이다. 삼각형 ㄱㅁㅂ의 넓이를 구하여라.

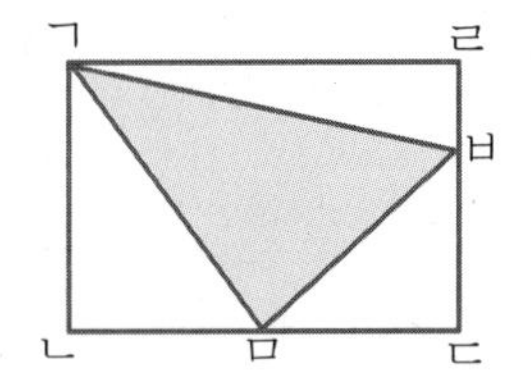


## 8

오른쪽 사다리꼴 ㄱㄴㄷㄹ에서 삼각형 ㄹㅁㄷ의 넓이가 $165cm^2$일 때, 선분 ㄱㅁ의 길이를 구하여라.

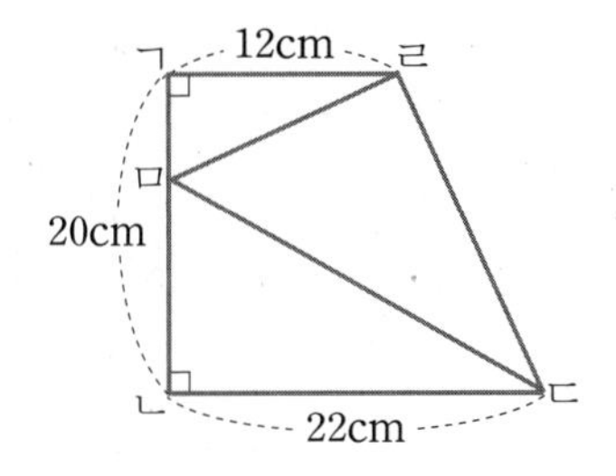


## 9

오른쪽 사다리꼴 ㄱㄴㄹㅁ에서 삼각형 ㄱㄴㄷ과 삼각형 ㄷㄹㅁ은 직각삼각형이다. 선분 ㅂㄷ의 길이를 구하여라.

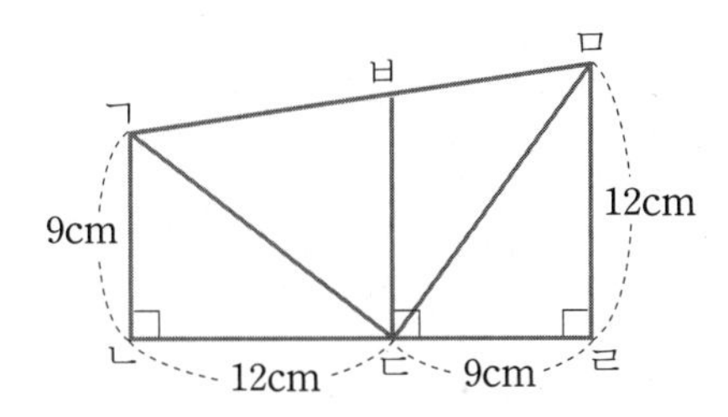


## 10

오른쪽 그림과 같이 한 변의 길이가 30cm인 정사각형의 내부의 한 점에서 각 변의 삼등분점을 이어 4개의 사각형 ㉠, ㉡, ㉢, ㉣과 4개의 삼각형 ㉮, ㉯, ㉰, ㉱를 만들었다. 세 사각형 ㉠, ㉡, ㉢의 넓이의 합이 $430cm^2$일 때, 사각형 ㉣의 넓이를 구하여라.

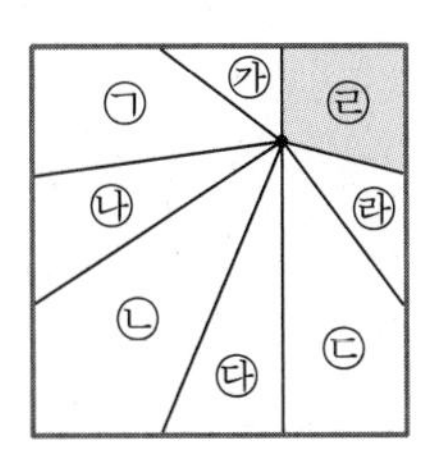

Chapter 09

# 쪼개어 구하기 ①

- 평행선을 그어 쪼개면 길이나 넓이를 쉽게 구할 수 있다.
- 같은 모양으로 옮겨 놓고 길이나 넓이를 구할 수 있다.

핵·심·문·제 **1** 오른쪽 그림은 한 변의 길이가 2cm인 정사각형 10개를 붙여 놓은 것이다. 선분 ㄱㄴ의 길이를 구하여라.

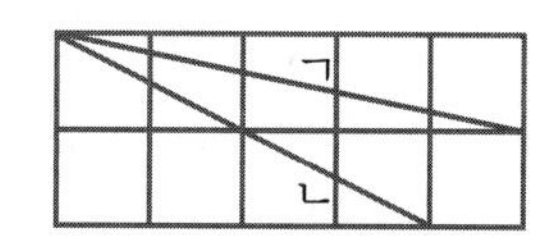


**| 생각하기 |** 선분 ㄷㄹ의 길이에서 선분 ㄷㄱ의 길이와 선분 ㄴㄹ의 길이를 빼면 선분 ㄱㄴ의 길이를 구할 수 있다. 선분 ㄷㄱ의 길이는 오른쪽 그림과 같이 쪼개어 구하면 된다. 선분 ㄴㄹ의 길이도 그림과 같이 쪼개어 구하면 된다.

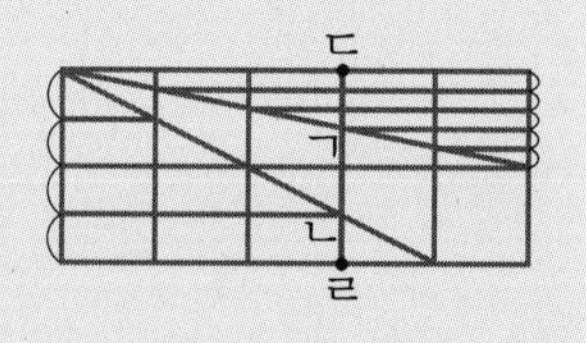


**| 풀이 |** (선분 ㄷㄱ)$=(2\div5)\times3=0.4\times3=1.2$(cm)

(선분 ㄴㄹ)$=4\div4=1$(cm)

(선분 ㄱㄴ)=(선분 ㄷㄹ)−(선분 ㄷㄱ)−(선분 ㄴㄹ)

$=4-1.2-1=1.8$(cm)

답 1.8cm

핵·심·문·제 **2** 오른쪽 직사각형 ㄱㄴㄷㄹ에서 점 ㅁ, 점 ㅂ, 점 ㅅ, 점 ㅇ은 각각 변 ㄱㄴ, 변 ㄴㄷ, 변 ㄷㄹ, 변 ㄹㄱ의 중점이다. 직사각형 ㄱㄴㄷㄹ의 넓이가 20cm$^2$일 때, 색칠한 부분의 넓이를 구하여라.

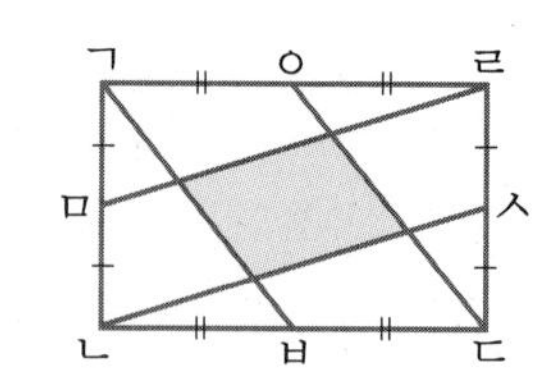


**| 생각하기 |**

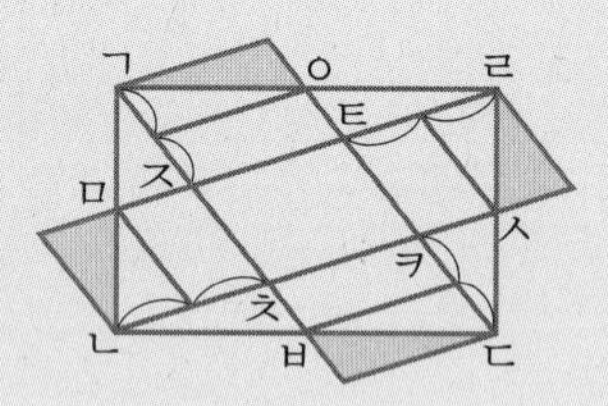


점 ㅇ에서 변 ㅁㄹ과 평행인 선을 그으면 변 ㄱㅈ이 변 ㅇㅌ의 2배임을 알 수 있다. 왼쪽 그림과 같이 그리면 직사각형 ㄱㄴㄷㄹ은 색칠한 사각형 ㅈㅊㅋㅌ의 5배가 된다.

**| 풀이 |**

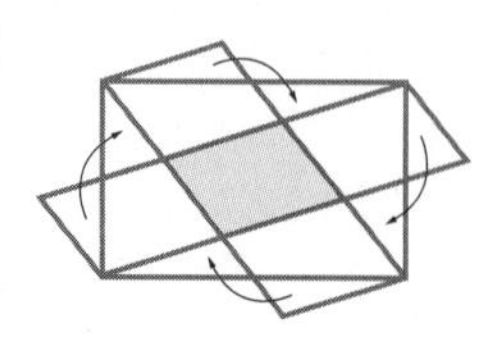

왼쪽 그림과 같이 하면 색칠한 부분의 넓이는 직사각형 ㄱㄴㄷㄹ 넓이의 $\frac{1}{5}$이다.

(색칠한 부분의 넓이)$=20\div5=4$(cm$^2$)

답 4cm$^2$

유제 1 오른쪽 직사각형 ㄱㄴㄷㄹ의 넓이는 $40cm^2$이다. 사각형 ㉮의 넓이와 사각형 ㉯의 넓이의 차를 구하여라.

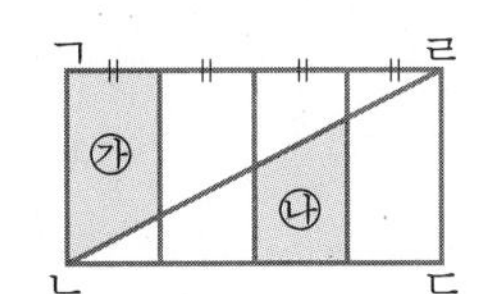


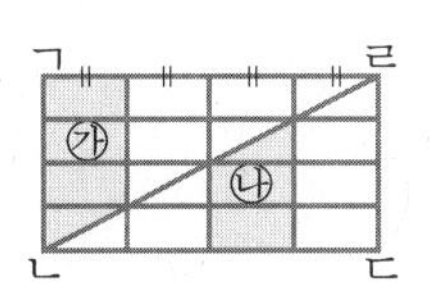


그림과 같이 쪼개어 구한다.

유제 2 오른쪽 그림은 같은 정사각형 6개를 붙여 놓은 것이다. 각 ㄱㄹㅁ과 각 ㅁㅂㄴ의 각도의 합을 구하여라.

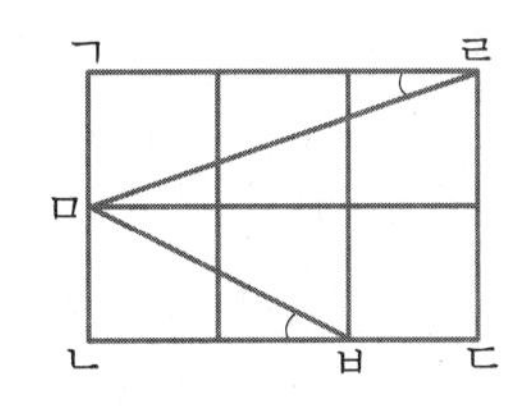


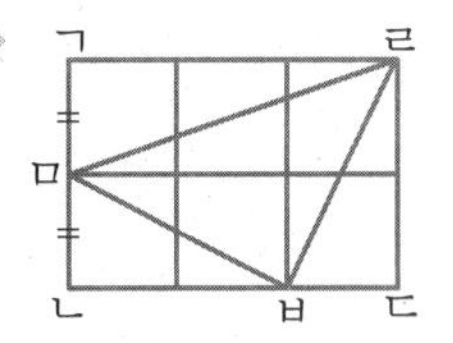


점 ㄹ과 점 ㅂ을 이으면 각 ㅁㅂㄴ과 각 ㅂㄹㄷ의 크기가 같음을 알 수 있다.

유제 3 오른쪽 직사각형 ㄱㄴㄷㄹ에서 점 ㅁ, 점 ㅂ은 각각 변 ㄱㄹ, 변 ㄴㄷ의 중점이다. 색칠한 부분의 넓이는 직사각형 넓이의 몇분의 몇인가?

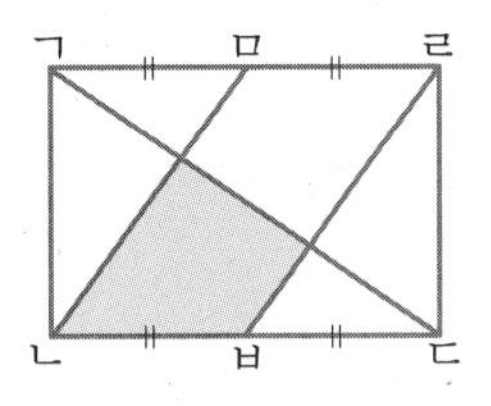


점 ㅁ과 ㅂ을 이어 본다.

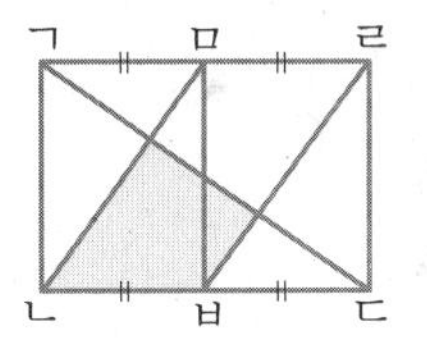


유제 4 오른쪽 그림에서 삼각형 ㄹㄴㅁ의 넓이는 $4cm^2$이다. 변 ㄴㄹ, 변 ㄹㅂ, 변 ㅂㄱ의 길이가 같고, 변 ㄹㅁ, 변 ㅂㅅ, 변 ㄱㄷ이 서로 평행일 때, 사각형 ㄱㅂㅅㄷ의 넓이를 구하여라.

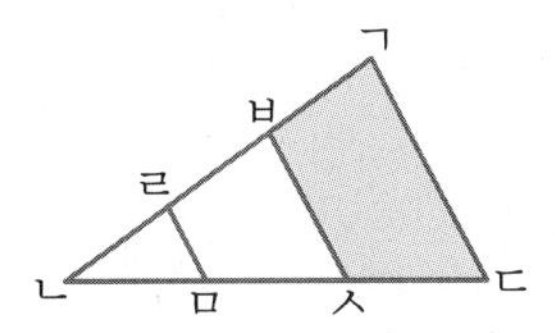


그림과 같이 쪼개어 구한다.

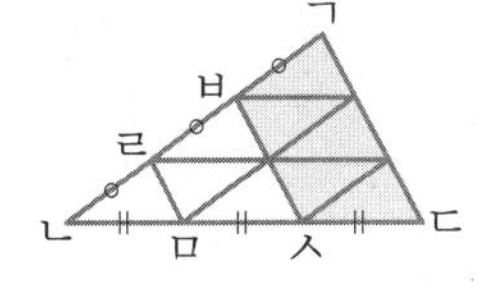

# 특강탐구문제

**1**

오른쪽 직사각형 ㄱㄴㄷㄹ에서 점 ㅁ은 선분 ㄱㄴ의 중점이고, 점 ㅂ은 변 ㄴㄷ을 1 : 2로 나누는 점이다. 오각형 ㄱㅁㅂㄷㄹ은 삼각형 ㅁㄴㅂ의 넓이의 몇 배인지 구하여라.

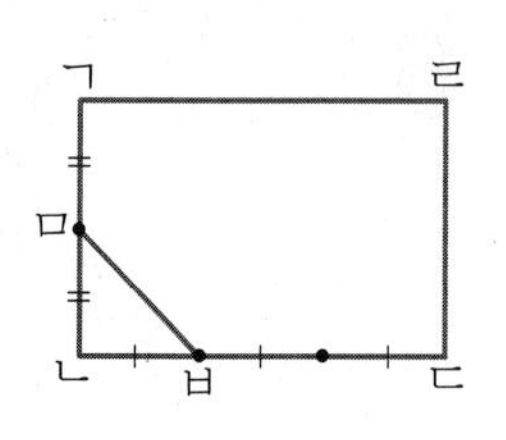


**2**

오른쪽 그림은 한 변의 길이가 4cm인 정사각형 3개를 붙여 놓은 것이다. ㉮와 ㉯의 넓이의 차를 구하여라.

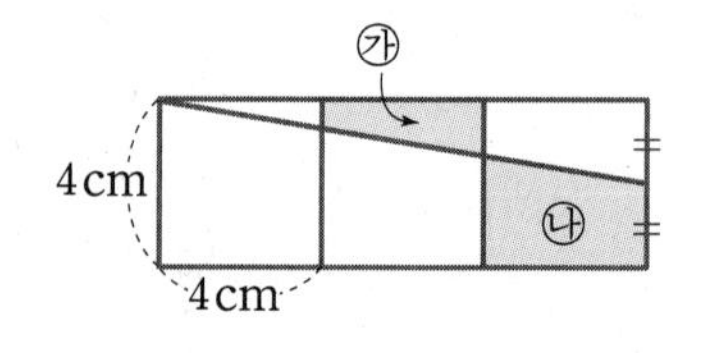


**3**

오른쪽 그림에서 색칠한 부분의 넓이의 합을 구하여라.

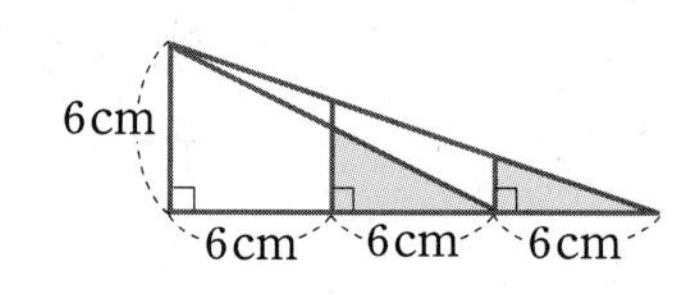


**4**

한 변의 길이가 12cm인 정사각형을 오른쪽 그림과 같이 나누었다. ㉮와 ㉯의 넓이의 차를 구하여라.

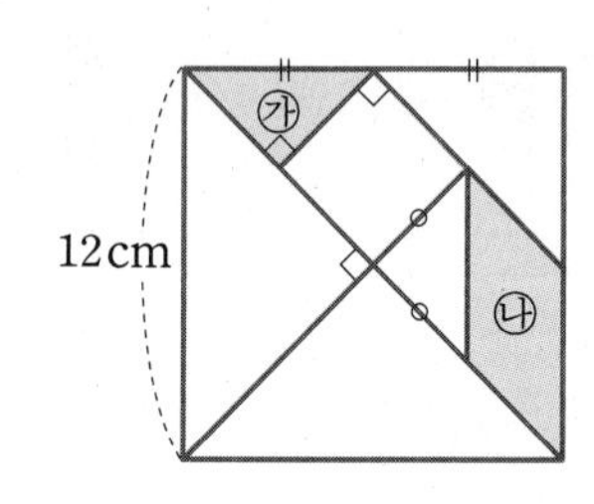


**5**

오른쪽 그림에서 변 ㄱㄹ, 변 ㄹㅂ, 변 ㅂㄴ의 길이는 같고 변 ㄹㅁ, 변 ㅂㅅ, 변 ㄴㄷ은 서로 평행이다. 색칠한 부분의 넓이가 $18cm^2$일 때, 삼각형 ㄱㄴㄷ의 넓이를 구하여라.

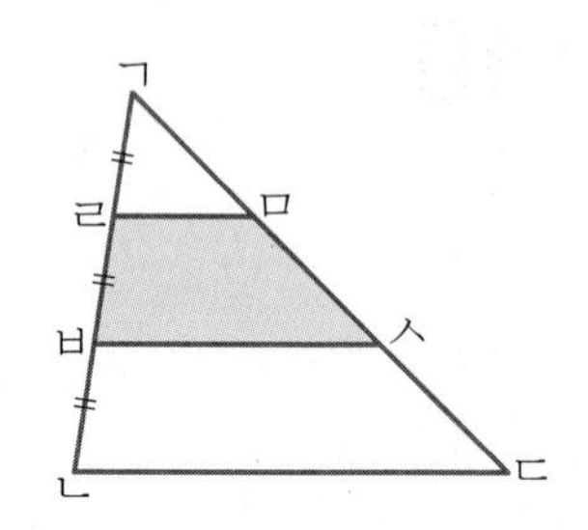

**6**

오른쪽 그림과 같이 정사각형의 각 변의 중점을 이어 작은 정사각형을 차례로 만들었다. 색칠한 부분의 넓이의 합을 구하여라.

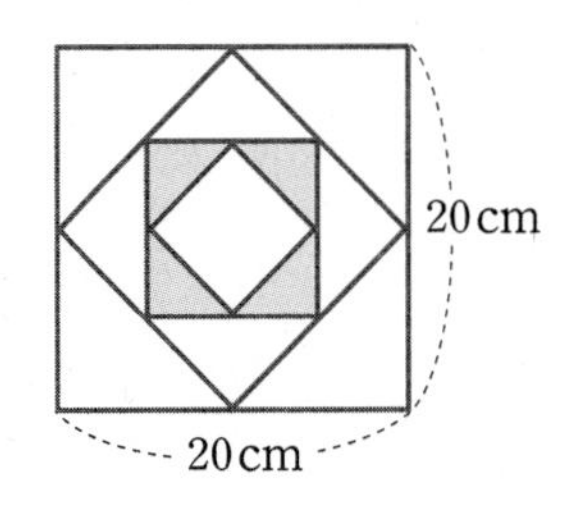


**7**

오른쪽 평행사변형 ㄱㄴㄷㄹ에서 점 ㅁ, 점 ㅂ, 점 ㅅ, 점 ㅇ은 각각 변 ㄱㄴ, 변 ㄴㄷ, 변 ㄷㄹ, 변 ㄹㄱ의 중점이다. 색칠한 부분의 넓이의 합이 10cm²일 때, 평행사변형 ㄱㄴㄷㄹ의 넓이를 구하여라.

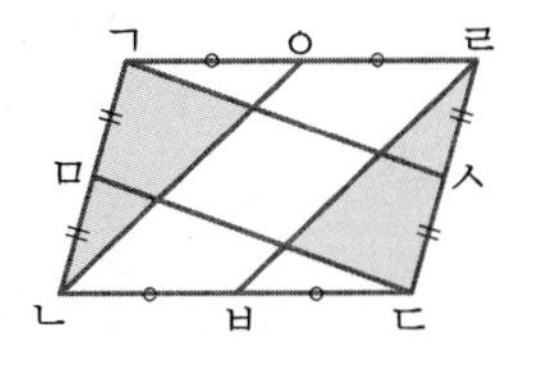


**8**

오른쪽 그림은 높이가 24cm인 정삼각형이다. 점 ㄹ, 점 ㅁ, 점 ㅂ이 정삼각형의 세 변의 중점일 때, 선분 ㅅㅇ의 길이를 구하여라.

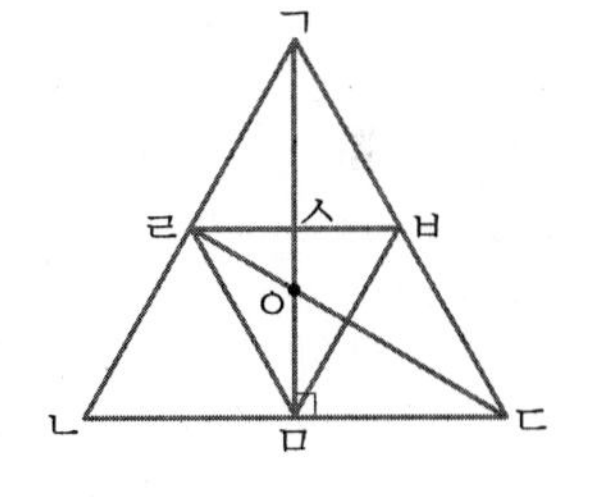


**9**

평행사변형 ㄱㄴㄷㄹ의 넓이를 알아보기 위해 한 변의 길이가 2cm인 정사각형 모양의 종이 8장을 오른쪽 그림과 같이 놓았다. 평행사변형 ㄱㄴㄷㄹ의 넓이를 구하여라.

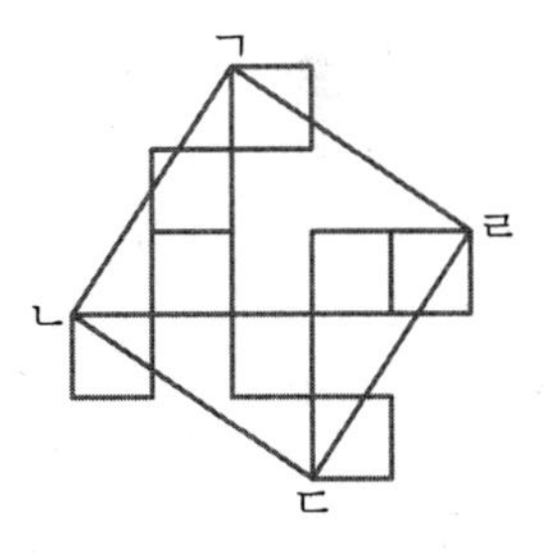


**10**

다음 그림과 같이 가로가 9cm, 세로가 15cm인 직사각형 모양의 색종이를 여러 번 접은 후, ㉮ 부분에만 색칠을 하고 펴 보았다. 색칠한 부분의 넓이를 구하여라.

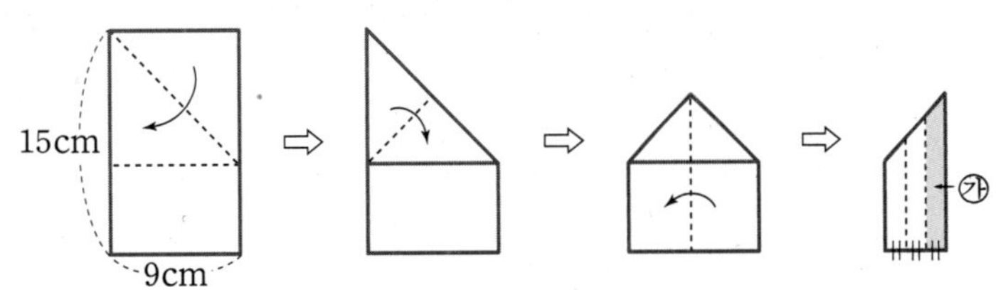

# Chapter 10 수의 개수와 합에 관한 문제

- 조건에 맞는 수의 합을 구할 때에는 각 자리에 쓰이는 숫자의 종류별 횟수를 생각하여 구한다.
- 연속된 수의 각 자리의 숫자의 합을 구할 때에는 1, 2, 3, 4, 5, 6, 7, 8, 9가 사용된 횟수를 각각 생각하여 구한다.

핵·심·문·제 **1** 숫자 카드 [0], [1], [2], [3]이 각각 4장씩 있다. 이 숫자 카드를 사용하여 네 자리 홀수를 만들 때, 만들 수 있는 홀수는 모두 몇 개인가? 또, 만들 수 있는 모든 홀수들의 합은 얼마인가?

**| 생각하기 |** 네 자리 홀수를 만들 때 천의 자리에는 [1], [2], [3]의 카드가 올 수 있고, 백의 자리에는 [0], [1], [2], [3], 십의 자리에도 [0], [1], [2], [3], 일의 자리에는 [1], [3]의 카드가 올 수 있다. 따라서 만들 수 있는 홀수는 $3\times4\times4\times2=96$(개)이다.
96개의 홀수를 세로로 써 놓고 더하는 과정을 생각해 보자.
일의 자리에는 1과 3이 각각 48번씩 쓰인다. 십의 자리에는 0, 1, 2, 3이 각각 24번씩, 백의 자리에도 0, 1, 2, 3이 각각 24번씩, 천의 자리에는 1, 2, 3이 각각 32번씩 쓰인다.
따라서, 모든 홀수들의 합은 $(1+3)\times48+(0+1+2+3)\times24\times10+(0+1+2+3)\times24\times100+(1+2+3)\times32\times1000$이 된다.

**| 풀이 |** 만들 수 있는 네 자리 홀수의 개수는 $3\times4\times4\times2=96$(개)이다.
(만들 수 있는 모든 홀수의 합)$=(1+3)\times48+(0+1+2+3)\times24\times10+(0+1+2+3)\times24\times100+(1+2+3)\times32\times1000=208032$

답 96개, 208032

핵·심·문·제 **2** 36의 각 자리의 숫자를 더하면 $3+6=9$이고, 5758의 각 자리 숫자를 더하면 $5+7+5+8=25$이다. 1부터 200까지의 자연수의 각 자리의 숫자를 모두 더하면 얼마인가?

**| 생각하기 |** 0, 1, 2, 3, 4, …, 99까지의 수는 모두 100개이고, 00, 01, 02, 03, 04, …, 99로 바꾸어 생각해 보면 낱개 숫자는 $2\times100=200$(개)가 쓰였으므로 각 숫자는 $200\div10=20$(번)씩 쓰였다. 따라서 1부터 99까지 각 자리 숫자의 합은 $(1+2+3+4+\cdots+9)\times20=45\times20=900$이다. 또 100, 101, 102, …, 199의 각 자리의 숫자의 합은 $1\times100+900=1000$이다.

**| 풀이 |** 1, 2, 3, 4, …, 99에서 각 숫자는 20번씩 쓰였으므로
1, 2, 3, 4, …, 99의 각 자리의 숫자의 합은 $(1+2+3+\cdots+9)\times20=900$이다.
또 100, 101, 102, …, 199의 각 자리의 숫자의 합은 $1\times100+900=1000$이고,
200의 각 자리의 숫자의 합은 2이다.
따라서 $900+1000+2=1902$이다.

답 1902

유제 **1** 0, 2, 4, 6 중에서 세 숫자를 골라 세 자리 수를 만들 때, 만들 수 있는 모든 세 자리 수의 합을 구하여라.

백의 자리 숫자가 2일 때
2□□의 □□ 안에는
04, 06, 40, 46, 60, 64가 올 수 있다.
수의 합은
$2\times6\times100+(4+6)\times2\times10+(4+6)\times2$이다.

유제 **2** 숫자 카드 [2], [4], [6], [8]을 사용하여 세 자리 수를 만들려고 한다. 같은 숫자 카드를 여러 번 사용해도 된다고 할 때, 만들 수 있는 모든 수들의 합을 구하여라.

만들 수 있는 세 자리 수는
$4\times4\times4=64$(개)이다.
각 자리에는 2, 4, 6, 8이 똑같이 쓰였다.

유제 **3** 숫자 카드 [1], [3], [5], [7], [9]가 각각 한 장씩 있다. 이 중에서 2장을 꺼내 두 숫자의 합을 구할 때, 두 장의 카드를 꺼낼 수 있는 모든 경우의 두 숫자의 합의 총합을 구하여라.

5장의 카드에서 2장을 꺼내는 방법은 1을 꺼낼 때 4가지, 3을 꺼낼 때 3가지, 5를 꺼낼 때 2가지, 7을 꺼낼 때 1가지로 모두
$4+3+2+1=10$(가지)
꺼낸 숫자는 모두
$10\times2=20$(개)

유제 **4** 1000부터 2000까지의 수를 차례로 적었다. 쓰여진 각 자리의 숫자를 모두 더하면 얼마가 되는지 구하여라.

1000에서 1999까지 생각해 보면 천의 자리에서 1이 1000번 사용 되었고, 000에서 999까지 1000개의 수에 숫자가 3개씩 사용되었으므로 전부 3000개의 숫자가 사용되었고, 0에서 9까지 10개의 숫자가 골고루 쓰였으므로 각 숫자는 $3000\div10=300$(번)씩 사용되었다.

# 특강탐구문제

**1**

네 개의 숫자 3, 5, 7, 9를 각각 한 번씩만 사용하여 만들 수 있는 네 자리 수의 총합을 구하여라.

**2**

0이 아닌 3개의 숫자로 6개의 서로 다른 세 자리 수를 만들었더니 그 합이 3108이 되었다. 6개의 세 자리 수 중에서 가장 큰 세 자리 수를 구하여라.

**3**

1부터 9까지의 숫자가 각각 한 개씩 적힌 숫자 카드가 9장 있다. 이 중에서 8장을 꺼내 그 숫자의 합을 구할 때, 나올 수 있는 모든 합들의 총합을 구하여라.

**4**

1부터 5까지의 숫자가 각각 한 개씩 적힌 숫자 카드가 5장 있다. 이 중에서 3장을 꺼내 그 숫자의 합을 구할 때, 나올 수 있는 모든 합의 총합을 구하여라.

**5**

숫자 카드 [1], [2], [3]을 사용하여 네 자리 수를 만들려고 한다. 같은 숫자 카드를 여러 번 사용해도 된다고 할 때, 만들어지는 모든 수들의 합을 구하여라.

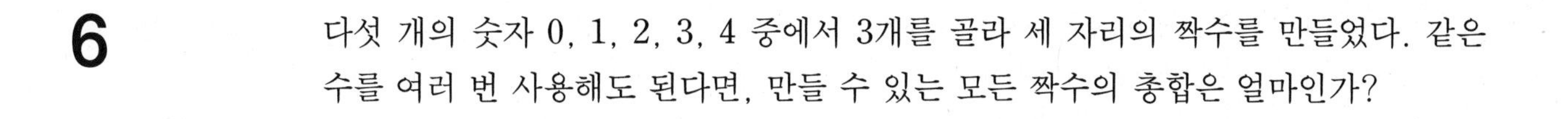

**6** 다섯 개의 숫자 0, 1, 2, 3, 4 중에서 3개를 골라 세 자리의 짝수를 만들었다. 같은 수를 여러 번 사용해도 된다면, 만들 수 있는 모든 짝수의 총합은 얼마인가?

**7** 1, 2, 3, 4, ⋯, 998, 999를 차례로 이어 써서 1234567891011121314⋯998999를 만들었다. 이 수의 각 자리 숫자들의 총합을 구하여라.

**8** 600부터 800까지의 수들의 각 자리의 숫자를 더하면 얼마인지 구하여라.

**9** 1부터 352까지의 수들의 각 자리의 숫자를 더하면 얼마인지 구하여라.

**10** 숫자가 적혀 있는 종이를 180° 회전하면 0, 1, 8은 그대로 0, 1, 8이 되고, 6은 9로, 9는 6으로 변한다. 종이 위에 다섯 자리 수를 적은 후 180° 회전시켰더니 처음과 같은 수가 되었다고 한다. 이러한 다섯 자리 수는 모두 몇 개인가? 또, 이 다섯 자리 수들을 모두 더하면 그 합은 얼마인가?

# Chapter 11 속력에 관한 문제 ①

- 속력은 단위시간에 가는 거리를 나타낸다.
  즉, 시속, 분속, 초속은 각각 1시간 동안, 1분 동안, 1초 동안 간 거리를 나타낸다.
- $(\text{속력})=\frac{(\text{거리})}{(\text{시간})}$, (거리)=(속력)×(시간), $(\text{시간})=\frac{(\text{거리})}{(\text{속력})}$가 됨을 이해하면 문제를 쉽게 해결할 수 있다.

핵·심·문·제 **1** 기차가 시속 72km의 속력으로 달려 길이가 200m인 철교를 완전히 지나는 데 14초 걸렸다. 이 기차가 길이가 320m인 터널에 완전히 들어간 때부터 기차의 가장 앞 부분이 터널을 벗어나기 시작한 순간까지 걸린 시간은 몇 초인지 구하여라.

**생각하기** 기차가 철교에 들어서기 시작한 때부터 완전히 벗어나는 순간까지 기차가 간 거리는 (철교의 길이)+(기차의 길이)이다.
시속 72km는 시속 72000m와 같고, 초속 20m와도 같다.
14초 동안 20×14=280(m)를 갔으므로, 기차의 길이는 280−200=80(m)이다.
또한, 기차가 터널에 완전히 들어간 때부터 기차의 가장 앞 부분이 터널을 벗어나기 시작한 순간까지 기차가 간 거리는 (터널의 길이)−(기차의 길이)이다.

**풀이** 72km=72000m이므로 (기차의 초속)=72000÷3600=20(m/초)
기차가 14초 동안 20×14=280(m)를 갔으므로
(기차의 길이)=280−200=80(m)
따라서 320−80=240이므로 (구하는 답)=240÷20=12(초)

답 12초

핵·심·문·제 **2** 동생이 집을 출발한지 30분 후에 형이 집에서 브레이드를 타고 동생을 따라 갔다. 동생은 1분에 60m씩 가고 형은 1분에 105m씩 간다고 할 때, 형이 동생을 만나는 것은 동생이 집을 출발한지 몇 시간 몇 분 후인가?

**생각하기** 형이 집에서 출발할 때 동생은 이미 60×30=1800(m) 가 있다. 형은 1분에 동생보다 105−60=45(m)씩 더 가므로 1800÷45=40(분) 후에 동생을 만나게 된다.

**풀이** 동생이 60×30=1800(m) 앞서 간 후에 형이 출발했다.
형이 동생보다 1분에 105−60=45(m)씩 더 가게 되므로, 형은 출발한 지 1800÷45=40(분) 후에 동생을 만난다.
따라서 형은 동생이 출발한 지 30+40=70(분), 즉 1시간 10분 후에 동생을 만나게 된다.

답 1시간 10분

**유제 1** A 마을에서 B 마을로 차를 타고 가는 데 시속 80km의 속력으로 1시간을 달린 후 15분간 쉬고, 다시 시속 100km의 속력으로 달려 도착하였다. A 마을에서 B 마을로 가는 데 2시간 12분이 걸렸다면, A 마을에서 B 마을까지의 거리는 몇 km인가?

(거리)=(시속)×(시간)
시속 100km의 속력으로 달린 시간은 2시간 12분−1시간−15분=57분이다.

**유제 2** 차를 타고 시속 80km의 속력으로 120km를 달려서 대공원에 도착하였다. 돌아올 때에는 속력을 50% 높여서 달렸다고 할 때, 왕복하는 동안의 평균 속력은 시속 몇 km인가?

시속 80km의 속력으로 120km를 가려면
120÷80=1.5(시간), 즉 1시간 30분이 걸린다.

**유제 3** 2.1km 떨어진 두 지점 A, B가 있다. 민성이는 분속 80m로, 진영이는 분속 60m의 속력으로 동시에 A 지점을 출발하여 먼저 B 지점에 도착한 민성이가 바로 되돌아와서 진영이와 만났다고 한다. 처음 두 사람이 출발한 때부터 만났을 때까지 걸린 시간은 몇 분인가?

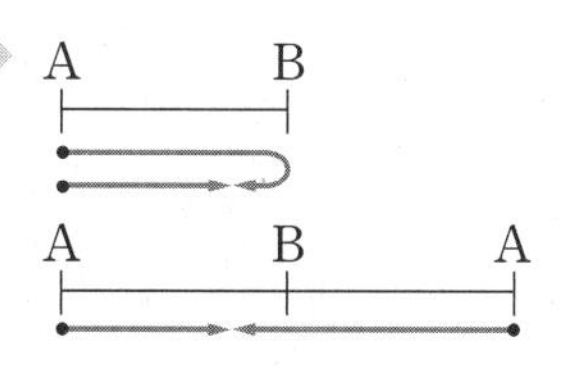


위의 그림과 같이 생각하면 4.2km의 거리를 서로 마주 보고 올 때 만나기까지 걸린 시간을 구하는 문제가 된다.

**유제 4** 갑과 을이 둘레가 315m인 호수 주위의 산책로를 산책하였다. 갑, 을 두 사람이 같은 지점에서 같은 방향으로 동시에 출발하여 갑은 초속 0.9m의 속력으로 걷고, 을은 초속 2.7m의 속력으로 뛰었다. 을이 갑을 처음 만나게 되는 때는 동시에 출발하여 몇 분 몇 초 후인지 구하여라.

을이 갑을 만나게 되는 때는 갑과의 거리의 차가 315m가 되는 때이다.
또 을은 갑보다 1초에
2.7−0.9=1.8(m)씩 더 간다.

# 특강탐구문제

**1** 길이가 110m인 열차가 터널을 완전히 통과하는 데 12초 걸렸다. 터널의 길이가 265m일 때, 이 열차의 속력은 시속 몇 km인가?

**2** 400km 떨어진 두 지점 A, B가 있다. 오토바이와 승용차가 A 지점에서 동시에 출발하여 B 지점을 향해 달리는데 승용차가 오토바이보다 3시간 먼저 도착하였다. 승용차가 B 지점에 도착했을 때, 오토바이는 B 지점에서 150km 떨어진 곳에 있었다. 승용차는 시속 몇 km로 달렸겠는가?

**3** 산을 오르는 데 성수는 2분에 45m씩 가고, 동호는 5분에 120m씩 간다. 성수가 45m 갔을 때 동호가 출발했다면, 동호는 출발한지 몇 분 후에 성수를 만나겠는가?

**4** 340km 떨어진 두 지점 사이를 자동차 2대가 마주 보고 달리고 있는데, 2대 모두 한 시간에 65km씩 달린다고 한다. 두 자동차는 2대가 모두 달리기 시작한 뒤 몇 시간만에 서로 지나치게 되는지 구하여라.(단, 자동차의 길이는 무시한다.)

**5** 갈 때는 시속 45km로, 올 때는 시속 55km로 달린 버스가 있다. 이 버스의 평균 속력을 구하여라.

6

준용이는 집에서 15km 떨어진 큰댁까지 걸어 가게 되었다. 1시간에 4km를 가는 속력으로 50분 걸은 후 10분 쉬는 것을 반복하여 가고 있다면, 큰댁에 도착할 때까지 걸리는 시간은 몇 시간 몇 분인가?

7

A 지점에서 B 지점을 향해 갑과 을이 동시에 오토바이를 타고 출발하였다. 갑은 시속 20km로, 을은 시속 26km로 달려 B 지점에 먼저 도착한 을은 곧바로 되돌아오다가 갑과 만났다. 갑과 을이 만난 시각은 두 사람이 출발한지 1시간 30분 후였다면, A 지점에서 B 지점까지의 거리는 몇 km인가?

8

시속 48km로 달리는 트럭이 출발한 후 50분 후에 트럭이 출발한 곳에서 승용차가 출발하였다. 승용차가 출발한지 2시간 뒤에 트럭을 추월하게 되었다면, 승용차의 시속은 얼마인가?

9

둘레의 길이가 3.5km인 호수를 형과 동생이 같은 지점에서 출발하여 서로 반대 방향으로 돌면 30분만에 만나고, 같은 방향으로 걸으면 1시간 10분만에 만난다고 한다. 형과 동생의 시속을 각각 구하여라.(단, 형이 동생보다 빠르다.)

10

진우와 율희는 자전거를 타고 공원에서 학원에 가려고 한다. 율희는 1분에 250m씩 가는데 10분 동안 달리고 꼭 10분을 쉰다고 한다. 진우는 1분에 150m씩 쉬지 않고 가는데 율희가 쉬려고 하는 순간에 진우와 동시에 학원에 도착하였다. 공원에서 학원까지의 거리를 구하여라.

# Chapter 12 작은 수들의 곱으로 쪼개기(소인수분해) ②

- 약수가 1과 자기 자신뿐인 수를 **소수**라고 한다.
- 어떤 수를 소수인 약수들만의 곱으로 나타내는 것을 **소인수분해**라고 한다.
- 소인수분해를 하면 조건에 맞는 수를 쉽게 찾을 수 있다.

핵·심·문·제 **1** $1\times2\times3\times\cdots\times50$을 12로 계속해서 나누어 갈 때, 처음으로 나누어떨어지지 않게 되는 것은 몇 회째 나누었을 때인지 구하여라.

**| 생각하기 |** $12=2\times2\times3$이므로 $1\times2\times3\times\cdots\times50$에 $2\times2\times3$이 몇 번 곱해져 있는지 생각해 보면 된다.
1부터 50까지 2의 배수는 25개이고, 이 25개의 수에는 2가 한 번씩 곱해져 있다.
1부터 50까지 4의 배수는 12개이고, 이 12개의 수에는 2가 한 번씩 더 곱해져 있다.
1부터 50까지 8의 배수는 6개이고, 이 6개의 수에는 2가 한 번씩 더 곱해져 있다.
1부터 50까지 16의 배수는 3개이고, 이 3개의 수에는 2가 한 번씩 더 곱해져 있다.
1부터 50까지 32의 배수는 1개이고, 이 1개의 수에는 2가 한 번씩 더 곱해져 있다.
따라서 $1\times2\times3\times\cdots\times50$에 2는 $25+12+6+3+1=47$(번) 곱해져 있다.
마찬가지로 3이 곱해져 있는 횟수도 구할 수 있다.

**| 풀이 |** $12=2\times2\times3$이므로 2와 3이 곱해져 있는 횟수를 구해야 한다.
$50\div2=25$, $50\div4=12\cdots2$, $50\div8=6\cdots2$, $50\div16=3\cdots2$, $50\div32=1\cdots18$
즉 2는 $25+12+6+3+1=47$(번) 곱해져 있다.
$50\div3=16\cdots2$, $50\div9=5\cdots5$, $50\div27=1\cdots23$
즉 3은 $16+5+1=22$(번) 곱해져 있다.
따라서 $2\times2\times3$은 22번 곱해져 있다. 즉, 23회째 나눌 때 처음으로 나누어떨어지지 않게 된다. 답 23회째

핵·심·문·제 **2** 갑, 을 두 사람은 숫자 카드를 5장씩 가지고 있다. 두 사람이 가지고 있는 각 숫자 카드에는 1부터 9까지의 숫자 중 하나가 적혀 있다고 한다. 각자 자기가 가지고 있는 카드 5장의 숫자를 모두 곱했더니 두 사람 모두 900이 되었고, 갑의 카드에 적힌 숫자의 합보다 을의 카드에 적힌 숫자의 합이 4 크다고 할 때, 갑의 카드에 적힌 5개의 숫자를 구하여라.

**| 생각하기 |** $900=2\times2\times3\times3\times5\times5$이므로 5개의 숫자로 가능한 것은 다음과 같다.
(2, 2, 9, 5, 5), (2, 6, 3, 5, 5), (4, 3, 3, 5, 5), (4, 9, 5, 5, 1), (6, 6, 5, 5, 1)
이들의 합을 구해보면 갑의 카드에 적힌 5개의 숫자를 알 수 있다.

**| 풀이 |** $900=2\times2\times3\times3\times5\times5$
2, 2, 9, 5, 5일 때 합은 23이고 2, 6, 3, 5, 5일 때 합은 21이고 4, 3, 3, 5, 5일 때 합은 20이고 4, 9, 5, 5, 1일 때 합은 24이고 6, 6, 5, 5, 1일 때 합은 23이다.
따라서 4, 3, 3, 5, 5와 4, 9, 5, 5, 1이 조건에 맞는 수이다.
즉 갑의 카드에 적힌 숫자는 3, 3, 4, 5, 5이다. 답 3, 3, 4, 5, 5

유제 1 8개의 수 28, 35, 52, 66, 75, 90, 99, 117을 네 수씩 두 조로 나누어 각 조의 수의 곱이 서로 같도록 하려고 한다. 각 조의 합의 차를 구하여라.

8개의 수를 모두 소인수분해하여 곱이 같도록 두 조로 가른다.

유제 2 오른쪽 직육면체에서 면 ㄱㄴㄷㄹ의 넓이가 $1008cm^2$, 면 ㄴㅂㅅㄷ의 넓이가 $840cm^2$, 면 ㄷㅅㅇㄹ의 넓이가 $270cm^2$일 때, 이 직육면체의 세 모서리 ㉮, ㉯, ㉰의 길이는 각각 몇 cm인지 구하여라.

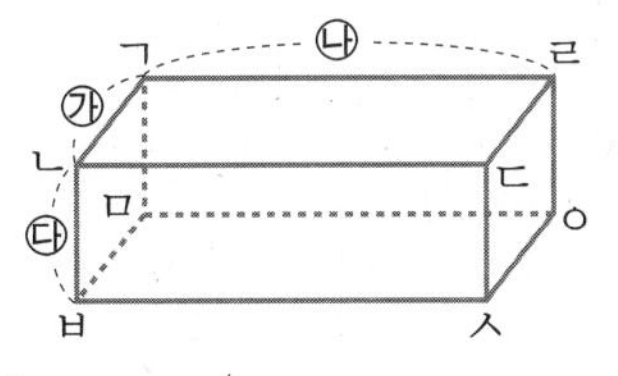


세 모서리의 길이 ㉮, ㉯, ㉰에서

㉮×㉯=1008
=2×2×2×2×3×3×7

㉯×㉰=840
=2×2×2×3×5×7

㉰×㉮=270
=2×3×3×3×5

유제 3 다음 수는 몇 자리 수인지 구하여라.

$$6\times6\times6\times3\times\underbrace{2\times2\times\cdots\times2}_{15번}\times\underbrace{5\times5\times\cdots\times5}_{15번}\times7$$

우선 2×5가 몇 번 곱해져 있는지 알아본다.

유제 4 세 자연수 ㉮, ㉯, ㉰가 있다. ㉮×㉯=234, ㉮×㉰=260, ㉮+㉯+㉰=51일 때, 세 수 ㉮, ㉯, ㉰를 구하여라.

㉮×㉯=234=2×3×3×13, ㉮×㉰=260=2×2×5×13 에서 2×13이 공통된 수이므로 ㉮가 될 수 있는 수는 1, 2, 13, 2×13이다.

# 특강탐구문제

**1**

㉮$=210\times286\times306\times399\times414$일 때, ㉮의 약수 중 가장 큰 소수를 구하여라.

**2**

서로 다른 세 자연수 $a$, $b$, $c$에 대하여 $50\times a=12\times b=c\times c$를 만족시키는 가장 작은 수 $c$를 구하여라.

**3**

다음 식을 만족하는 가장 작은 자연수 ㉠, ㉡을 구하여라.

$$360\div\frac{㉠\times㉠\times㉠}{㉡}=5$$

**4**

$1\times2\times3\times\cdots\times150$을 계산했을 때, 곱의 끝에 계속되는 0이 모두 몇 개나 있는지 구하여라.

**5**

$1\times2\times3\times4\times\cdots$와 같이 연속되는 자연수를 차례로 곱해 가고 있다. 이 곱을 6으로 나누었을 때 30번 나누어떨어지게 하려면, 적어도 얼마까지 곱해야 하는가?

**6**

합이 97인 두 자연수가 있다. 이 두 수의 곱으로 14040을 나누면 나누어떨어진다고 할 때, 이러한 두 수를 구하여라.

**7**

분자와 분모의 곱이 5880이고 기약분수인 진분수는 모두 몇 개인지 구하여라. (단, 분자는 1이 아니다.)

**8**

오른쪽 표의 오른쪽과 아래쪽의 색칠된 칸에 적혀 있는 수들은 가로 줄 또는 세로 줄에 있는 세 수의 곱을 써 넣은 것이다. 빈 칸에 알맞은 한 자리 수를 써 넣어라.

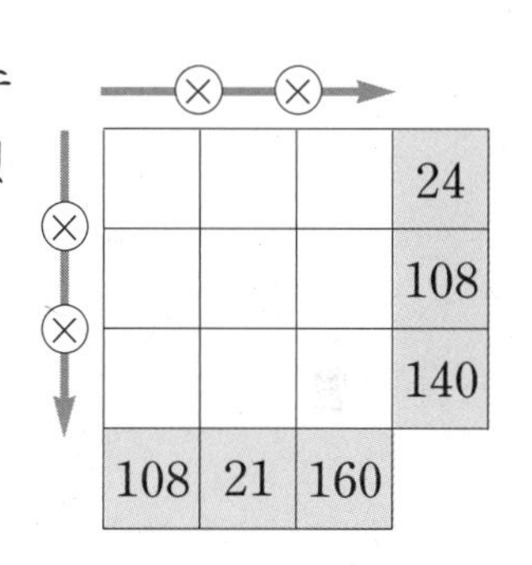


**9**

다음 직육면체에서 면 ㄱㄴㄷㄹ의 넓이가 $700cm^2$, 면 ㄴㅂㅁㄱ의 넓이가 $504cm^2$, 면 ㄴㅂㅅㄷ의 넓이가 $450cm^2$일 때, 세 모서리 ㉮, ㉯, ㉰의 길이를 구하여라.

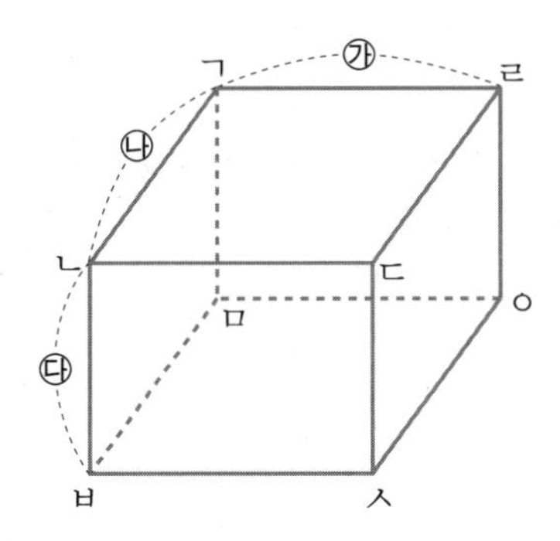


**10**

서로 다른 5개의 자연수 ㉮, ㉯, ㉰, ㉱, ㉲가 있다. ㉮×㉯, ㉯×㉰, ㉰×㉱, ㉱×㉲를 계산해 보니 각각 90, 225, 180, 108이 되었다. ㉮가 한 자리 수일 때, ㉲의 값을 구하여라.

# 소수의 의미는?

두 정수의 곱으로 표현할 수 있는 합성수(composition number)와 그렇지 않은 소수(prime number)는 좋은 대조를 이룬다. 소수는 합성수처럼 표현될 수 없다. 4개의 바둑돌이 있을 때 이것을 직사각형 모양으로 늘어놓는 방법은 몇 가지 있을까? 또, 12개의 바둑돌이 있을 때는 몇 가지 방법이 있을까?

아래 그림에서 가로, 세로로 늘어놓은 바둑돌의 개수는 4 또는 12의 약수이다.

그러나 11개의 바둑돌은 직사각형 모양으로 늘어놓을 수가 없다. 왜냐하면 자기 자신과 1만을 약수로 갖는 수만큼의 바둑돌이 있다면 이 때는 일직선으로 늘어놓을 수밖에 없기 때문이다. 이런 수를 소수라고 한다. 그러면 소수는 자연수에서 어떤 의미를 지니는지 생각해 보자.

1을 한 번 더하면 1, 두 번 더하면 2, 세 번 더하면 3, ... 이와 같이 1과 덧셈만 있으면 모든 자연수를 만들어 낼 수 있다. 이번에는 곱셈으로 자연수를 만들어 보자. 1을 한 번 곱하면 1, 두 번 곱해도 1, 세 번 곱해도 1, ... 1은 아무리 여러 번 곱해도 항상 1이므로 1과 곱셈만으로는 자연수를 모두 만들어 낼 수 없다.

그러면 2를 여러 번 곱하면 모든 자연수를 모두 다 만들어 낼 수 있을까? 2를 두 번 곱하면 4, 세 번 곱하면 8, ... 그러면 2를 몇 번 곱하면 6, 15를 만들 수 있을까? 이 수들은 2를 아무리 여러 번 곱해도 만들 수 없고, 3 또는 5가 필요하다. 그러면 곱셈으로 121을 만들기 위해서는 어떤 수가 필요할까? 이와 같은 곱셈으로 모든 자연수를 만들려면 2, 3, 5, 7, 11, ... 등과 같은 소수가 필요하게 된다.

이 때, 아주 중요한 성질을 하나 발견할 수 있다. 8은 2를 세 번 곱해서 만들어지는 수이므로 8의 성질은 2의 성질을 알면 추측할 수 있다. 또 45는 3을 두 번, 5를 한 번 곱해서 만들어지는 수이므로 45는 3과 5의 공통적인 성질을 갖게 된다. 이런 이유로 수학자들은 소수에 관심을 갖게 되고, 자연수에 대하여 연구할 때도 소수에 대해서만 집중적으로 연구하면 되는 것이다. 소수의 목록을 계속 작성하다 보면, 소수가 점점 띄엄띄엄 나타난다는 사실을 발견하게 된다. 1에서 100 사이에 들어 있는 소수의 개수는 101에서 200 사이의 소수의 개수보다 많다. 1~10 사이에는 4개(40%)의 소수가 있고, 1~100 사이에는 25개(25%), 1~1000 사이에 168개(16.8%), 1~10000 사이에 1,229개(12.3%), 1~100000 사이에 9592개(9.5%), 1~1000000 사이에 78,498개(7.8%)의 소수가 있다. 이처럼 소수의 백분율은 점차 감소한다. "소수의 발생 빈도가 점점 줄어들고 있으므로 결국 없어지지 않을까?" 하는 의문이 생기나 이러한 의문에 대한 답은 이미 B.C.300년 경에 내려졌다. 가장 큰 소수란 존재하지 않으며 따라서 무한히 많은 소수가 존재한다는 사실을 증명한 사람은 바로 유클리드였다. 그러면 소수는 현실적으로 어떤 쓰임새가 있을까? 은행에 가서 통장을 만들 때 비밀번호를 써 넣어야 한다. 이 비밀번호는 다른 사람으로부터 자신의 통장의 정보를 보호하는 역할을 한다. 잔액이 얼마인지 알려고 할 때나 돈을 찾으려고 할 때는 이 비밀번호를 알아야 한다. 일종의 암호인 것이다. 또, 어떤 회사의 지사에서 본사로 비밀을 요하는 서류를 통신으로 보낼 때도 다른 회사에서 풀 수 없는 암호를 써야 할 것이다. 이런 암호는 기업 활동이나 전쟁 등과 같이 비밀을 요하는 일에 필수적이다. 전에는 숫자나 글자를 적당히 섞어서 암호를 만들었으나 암호 해독률이 높아지면서 풀기 어려운 암호를 만드는 것이 매우 중요한 일이 되었다.

# Chapter 13 나머지의 관찰 ①

- ㉮를 ㉯로 나눈 몫이 ⓐ, 나머지가 ⓡ일 때 ㉮=㉯×ⓐ+ⓡ이다. 이 때, 나머지 ⓡ은 ㉯보다 작다.
- A로 나누었을 때 나머지가 A−1, B로 나누었을 때 나머지가 B−1인 수는 A와 B의 공배수보다 1 작은 수이다.
- A로 나누었을 때 나머지가 a이고, B로 나누었을 때 나머지가 b인 수를 구할 때에는 A로 나누었을 때 나머지가 a인 수를 찾아 그 중 B로 나누었을 때 나머지가 b인 수를 고르면 된다.

핵·심·문·제 **1** 어떤 자연수를 5로 나누면 2가 남고, 7로 나누면 3이 남는다고 한다. 이러한 자연수 중 가장 큰 세 자리 자연수를 구하여라.

**| 생각하기 |** 5로 나누면 2가 남는 수는 2, 7, 12, 17, 22, 27, 32, 37, 42, 47, 52, 57, …이다.
이 중 7로 나누면 3이 남는 수는 17, 52, …이다. 17, 52, …는 35로 나누면 17이 남는 수이다.

**| 풀이 |** 5로 나누면 2가 남고 7로 나누면 3이 남는 수는 17, 52, 87, …이고, 이 수들은 35로 나누면 17이 남는 수이다. 35의 배수 중 가장 큰 세 자리 자연수는 980이므로, 35로 나누어 17이 남는 가장 큰 세 자리 자연수는 980+17=997이다.

답 997

핵·심·문·제 **2** 다음 식을 4로 나누었을 때의 나머지를 구하여라.

$\{32867-132\times(241-28)\}\times14+(676452+125)\times1829$

**| 생각하기 |** 계산을 직접해서 4로 나누어 볼 수도 있지만 계산이 복잡하므로 나머지만 생각해 보는 것이 좋다.
132는 4의 배수이므로 어떤 수와 곱해도 4의 배수가 된다.
32867은 4로 나누면 3이 남으므로 32867에서 4의 배수를 빼면 4로 나누어 3이 남는 수가 된다.
(4의 배수)+3에 14를 곱하면 (4의 배수)×14+3×14가 되고, 3×14=42는 4로 나누면 2가 남는 수이다.

**| 풀이 |** $\underbrace{\{32867-132\times(241-28)\}\times14}_{㉠}+\underbrace{(676452+125)\times1829}_{㉡}$

㉠ 식에서 32867=(4의 배수)+3, 132=(4의 배수)이므로
32867−132×(241−28)은 4로 나누면 3이 남는 수이다.
즉 32867−132×(241−28)은 (4의 배수)+3인 수이다.
(4의 배수)×14는 4의 배수이고, 3×14=42=(4의 배수)+2이므로
㉠ 식은 4로 나누면 2가 남는다.
㉡ 식에서 676452=(4의 배수), 125=(4의 배수)+1이므로 676452+125=(4의 배수)+1이고
여기에 1829를 곱하면 ㉡ 식은 (4의 배수)×1829+1829가 된다.
1829=(4의 배수)+1이므로 ㉡ 식은 4로 나누면 1이 남는다.
따라서 ㉠+㉡ 식은 (4의 배수)+3이 되므로, 주어진 식을 4로 나눈 나머지는 3이다.

답 3

유제 **1** 어떤 자연수로 197을 나누면 2가 남고, 160을 나누면 4가 남고, 229를 나누면 5가 부족하다고 한다. 이러한 수 중 가장 큰 수를 구하여라.

어떤 자연수로 195, 156, 234를 나누면 나누어떨어진다.

유제 **2** 사탕을 한 봉지에 6개씩 담으면 4개가 남고, 8개씩 담으면 6개가 남고, 10개씩 담으면 8개가 남는다고 한다. 사탕은 최소 몇 개인지 구하여라.

사탕의 수는 6으로 나누면 4가 남는 수, 8로 나누면 6이 남는 수, 10으로 나누면 8이 남는 수이다. 즉 사탕 수는 6, 8, 10의 최소공배수보다 2 작은 수이다.

유제 **3** 운동장에 학생들이 줄을 맞춰 서려고 한다. 5줄로 섰더니 2명이 남고, 8줄로 섰더니 3명이 남고, 9줄로 섰더니 꼭 맞았다. 학생 수는 모두 몇 명인지 구하여라. (단, 운동장에 있는 학생 수는 200명 이상 500명 이하이다.)

5로 나누면 2가 남고, 8로 나누면 3이 남고, 9로 나누면 나누어떨어지는 수를 구하면 된다.

유제 **4** 연속된 세 자연수 ㉠, ㉡, ㉢이 있다. ㉠은 8의 배수, ㉡은 7의 배수, ㉢은 5의 배수라고 할 때, 1000보다 큰 수 중 가장 작은 ㉠을 구하여라.(단, ㉠<㉡<㉢)

㉠이 8의 배수이므로 ㉢은 8로 나누면 2가 남는 수이다.
㉡이 7의 배수이므로 ㉢은 7로 나누면 1이 남는 수이다.
따라서 ㉢은 5의 배수이면서 8로 나누면 2가 남고 7로 나누면 1이 남는 수이다.

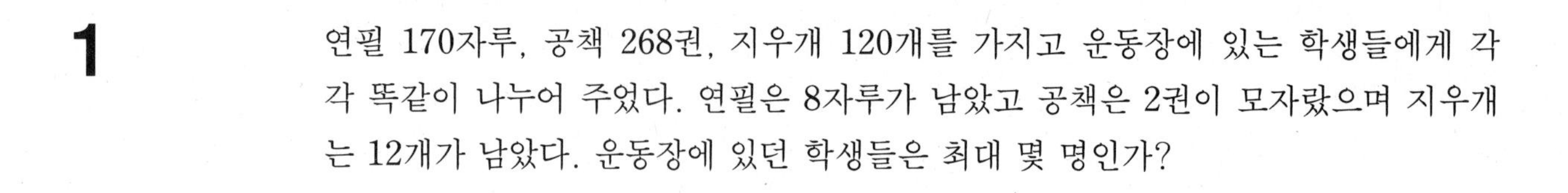

# 특강탐구문제

**1**

연필 170자루, 공책 268권, 지우개 120개를 가지고 운동장에 있는 학생들에게 각각 똑같이 나누어 주었다. 연필은 8자루가 남았고 공책은 2권이 모자랐으며 지우개는 12개가 남았다. 운동장에 있던 학생들은 최대 몇 명인가?

**2**

2, 3, 4, 5, 6으로 나누면 모두 1이 남고, 7로 나누면 나누어떨어지는 수가 있다. 이러한 수를 작은 수부터 세었을 때 셋째 번 수를 구하여라.

**3**

다음 수를 28로 나누었을 때, 나머지를 구하여라.

$$61\times62\times63\times64+70\times72-60$$

**4**

㉮$=\frac{㉯+5}{6}$를 만족하는 두 자연수 ㉮, ㉯가 있다. ㉮와 ㉯ 모두 50보다 작은 수일 때, (㉮, ㉯)는 모두 몇 쌍이 있는지 구하여라.

**5**

세 자리 자연수 중 32로 나누었을 때, 몫과 나머지가 같은 수는 모두 몇 개인가?

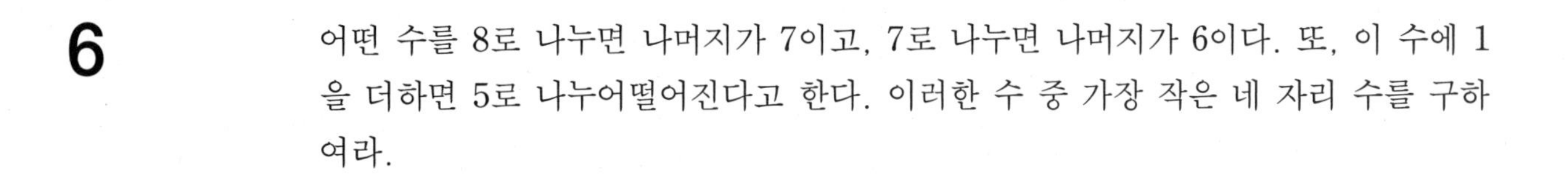


**6**

어떤 수를 8로 나누면 나머지가 7이고, 7로 나누면 나머지가 6이다. 또, 이 수에 1을 더하면 5로 나누어떨어진다고 한다. 이러한 수 중 가장 작은 네 자리 수를 구하여라.

**7**

4로 나누면 나머지가 2이지만 5로 나누면 나머지가 3은 아닌 100 이하의 자연수는 모두 몇 개인지 구하여라.

**8**

3으로 나누면 2가 남고, 8로 나누면 5가 남는 수 중에서 20째로 작은 수를 구하여라.

**9**

3개의 연속하는 자연수 중에서 가장 작은 수는 5로 나누어떨어지고, 그 다음 수는 8로 나누어떨어지며, 가장 큰 수는 11로 나누어떨어진다고 한다. 조건에 맞는 수를 작은 수부터 차례로 나열할 때, 최초의 연속하는 3개의 자연수 중 가장 큰 수를 구하여라.

**10**

(㉠, ㉡)을 ㉠으로 나누면 ㉡이 남는 모든 수로 약속하자. 예를 들어 (7, 3)은 7로 나누면 3이 남는 수이므로 3, 10, 17, 24, …이다. (4, 1), (5, 3), (6, 5)에 공통으로 들어 있는 수를 (㉮, ㉯)로 나타낼 때, ㉯를 구하여라.

Chapter 14

# 높이가 같은 삼각형 ②

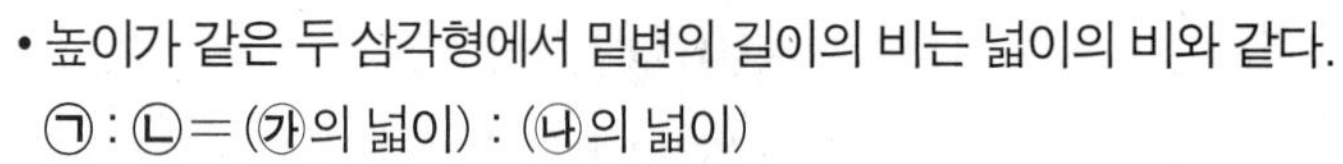

- 높이가 같은 두 삼각형에서 밑변의 길이의 비는 넓이의 비와 같다.
  ㉠ : ㉡ = (㉮의 넓이) : (㉯의 넓이)
- 높이가 같은 두 삼각형에서 넓이의 비는 밑변의 길이의 비와 같다.
  (㉮의 넓이) = (삼각형 ㄱㄴㄷ의 넓이) × $\frac{㉠}{㉠+㉡}$

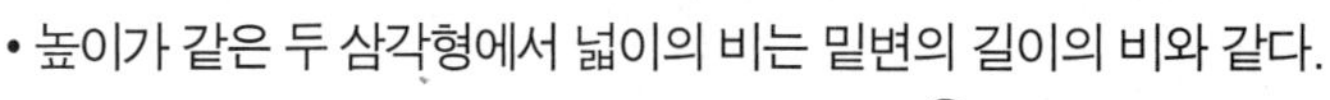

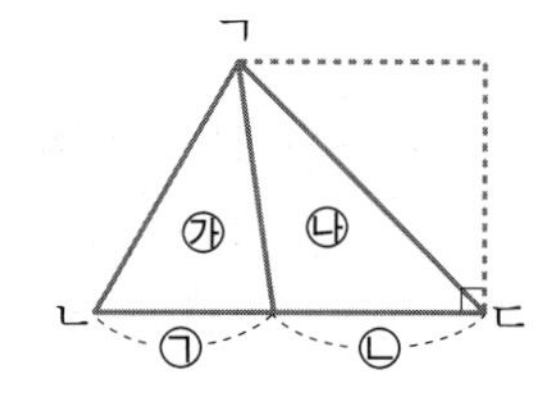


핵·심·문·제 **1** 오른쪽 사다리꼴 ㄱㄴㄷㄹ에서 삼각형 ㄱㅇㄴ의 넓이가 $8\text{cm}^2$, 삼각형 ㄴㅇㄷ의 넓이가 $15\text{cm}^2$일 때, 사다리꼴 ㄱㄴㄷㄹ의 넓이를 구하여라.

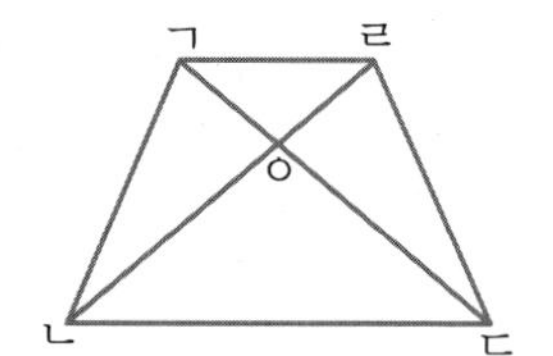


**| 생각하기 |** 삼각형 ㄱㄴㄷ과 삼각형 ㄹㄴㄷ은 넓이가 같다. 삼각형 ㅇㄴㄷ이 공통이므로 삼각형 ㄱㄴㅇ과 삼각형 ㄹㄷㅇ은 넓이가 같다. 또, 삼각형 ㄱㄴㅇ과 삼각형 ㄴㅇㄷ은 높이가 같은 삼각형이므로 변 ㄱㅇ과 변 ㅇㄷ의 길이의 비는 8 : 15이다. 또, 삼각형 ㄱㅇㄹ과 삼각형 ㄹㅇㄷ도 높이가 같은 삼각형이므로 넓이의 비는 변 ㄱㅇ과 변 ㅇㄷ의 길이의 비와 같다.

**| 풀이 |** (삼각형 ㄱㄴㅇ의 넓이) = (삼각형 ㄹㄷㅇ의 넓이) = $8\text{cm}^2$
변 ㄱㅇ과 변 ㅇㄷ의 길이의 비가 8:15이므로
(삼각형 ㄱㅇㄹ의 넓이) $= 8 \div 15 \times 8 = \frac{64}{15} = 4\frac{4}{15}$ $(\text{cm}^2)$
(사다리꼴 ㄱㄴㄷㄹ의 넓이) $= 8 + 15 + 8 + 4\frac{4}{15} = 35\frac{4}{15}$ $(\text{cm}^2)$

답 $35\frac{4}{15}\text{cm}^2$

핵·심·문·제 **2** 오른쪽 그림은 사다리꼴 ㄱㄴㄷㄹ에서 사다리꼴의 넓이를 이등분 하는 선분 ㅁㅂ을 그려 넣은 것이다. 점 ㅁ이 변 ㄱㄴ의 중점일 때, 선분 ㄹㅂ의 길이를 구하여라.

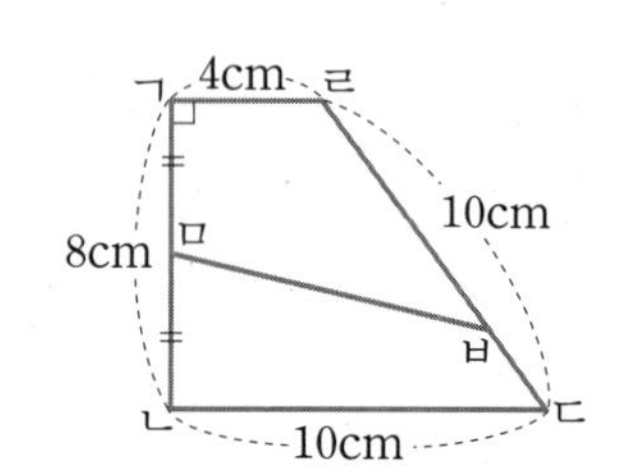


**| 생각하기 |** 사다리꼴 ㄱㄴㄷㄹ과 삼각형 ㄱㄹㅁ, 삼각형 ㄴㄷㅁ의 넓이를 구할 수 있으므로 삼각형 ㅁㄹㅂ의 넓이를 구할 수 있다. 삼각형 ㅁㄹㅂ과 삼각형 ㅁㄷㅂ은 높이가 같은 삼각형이므로 선분 ㄹㅂ과 선분 ㅂㄷ의 길이의 비를 구할 수 있다.

**| 풀이 |**

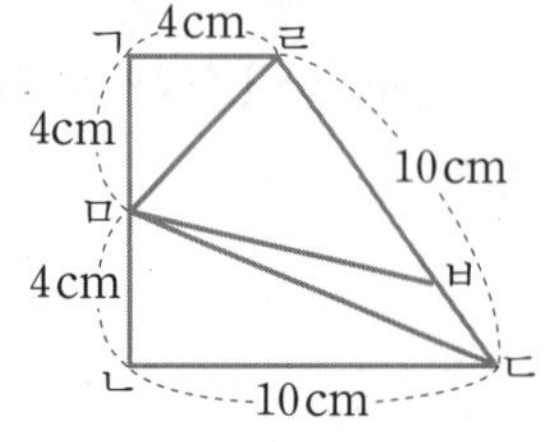


(사다리꼴의 ㄱㄴㄷㄹ의 넓이) $= (4+10) \times 8 \div 2 = 56$ $(\text{cm}^2)$
(사각형 ㄱㅁㅂㄹ의 넓이) = (사각형 ㅁㄴㄷㅂ의 넓이) $= 28$ $(\text{cm}^2)$
(삼각형 ㄱㄹㅁ의 넓이) $= 4 \times 4 \div 2 = 8$ $(\text{cm}^2)$이므로
(삼각형 ㅁㄹㅂ의 넓이) $= 20$ $(\text{cm}^2)$
(삼각형 ㅁㄴㄷ의 넓이) $= 10 \times 4 \div 2 = 20$ $(\text{cm}^2)$이므로
(삼각형 ㅁㄷㅂ의 넓이) $= 8$ $(\text{cm}^2)$
따라서 선분 ㄹㅂ과 선분 ㅂㄷ의 길이의 비는 20 : 8 = 5 : 2이다.
(선분 ㄹㅂ의 길이) $= 10 \div 7 \times 5 = \frac{50}{7} = 7\frac{1}{7}$ (cm)

답 $7\frac{1}{7}$ cm

유제 **1** 오른쪽 그림에서 삼각형 ㄱㄴㅁ의 넓이는 $12cm^2$이고, 선분 ㄴㅁ의 길이는 선분 ㄹㅁ의 길이의 2배이다. 사다리꼴 ㄱㄴㄷㄹ의 넓이를 구하여라.

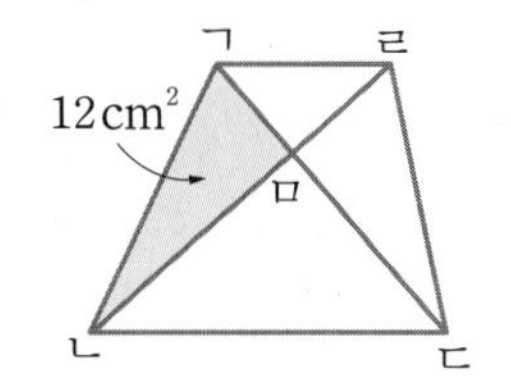


삼각형 ㄱㄴㄷ과 삼각형 ㄹㄴㄷ은 높이가 같은 삼각형이므로 삼각형 ㄱㄴㅁ의 넓이는 삼각형 ㄹㅁㄷ의 넓이와 같다.

유제 **2** 오른쪽 그림에서 선분 ㄱㄹ의 길이는 선분 ㄱㄴ의 길이의 4배이고, 선분 ㄱㅁ의 길이는 선분 ㄱㄷ의 길이의 5배이다. 삼각형 ㄱㄴㄷ의 넓이가 $2cm^2$일 때, 삼각형 ㄱㄹㅁ의 넓이를 구하여라.

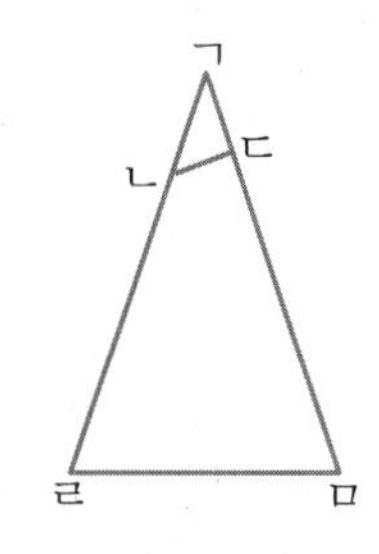


선분 ㄴㅁ을 긋고 생각해 보자.

유제 **3** 주어진 조건을 이용하여 삼각형 ㄱㄴㄷ의 넓이는 색칠한 삼각형 ㅅㅂㅇ의 넓이의 몇 배인지 구하여라.

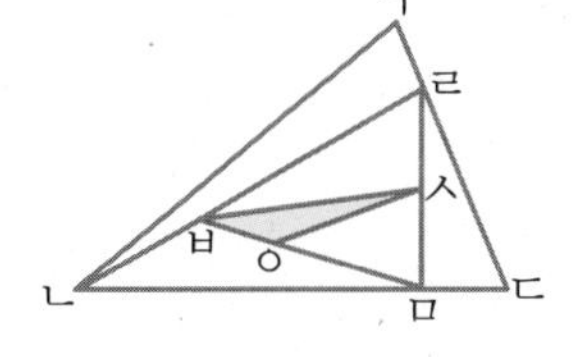


(선분 ㄴㅁ의 길이)$=4\times$(선분 ㅁㄷ의 길이)
(선분 ㄷㄹ의 길이)$=3\times$(선분 ㄱㄹ의 길이)
(선분 ㄹㅂ의 길이)$=2\times$(선분 ㄴㅂ의 길이)
(선분 ㄹㅅ의 길이)$=$(선분 ㅅㅁ의 길이)
(선분 ㅇㅁ의 길이)$=2\times$(선분 ㅂㅇ의 길이)

색칠한 부분의 넓이를 □라 하면, 삼각형 ㅅㅂㅁ의 넓이는 $3\times$□이다.

유제 **4** 오른쪽 직사각형 ㄱㄴㄷㄹ에서 사각형 ㅁㅂㅇㅅ의 넓이가 $5cm^2$이고 색칠한 부분의 넓이의 합이 $30cm^2$일 때, 직사각형 ㄱㄴㄷㄹ의 넓이를 구하여라.

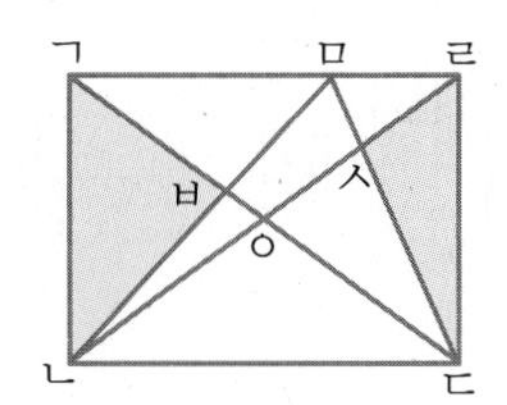


삼각형 ㄱㄴㄷ과 삼각형 ㅁㄴㄷ은 밑변과 높이가 같은 삼각형이므로 삼각형 ㄱㄴㅂ과 삼각형 ㅁㄷㅂ의 넓이는 같다.

## 특강탐구문제

**1** 오른쪽 삼각형에서 변 ㄱㄹ과 변 ㄹㄴ의 길이의 비는 1 : 2이고, 변 ㄴㅁ과 변 ㅁㄷ의 길이의 비는 5 : 3이다. 삼각형 ㉰의 넓이가 $24 cm^2$일 때, 삼각형 ㉮의 넓이를 구하여라.

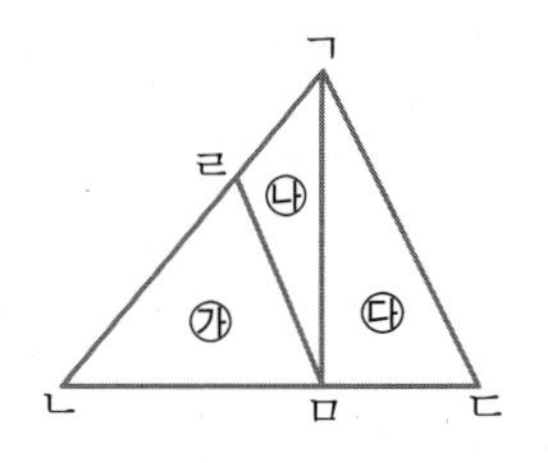


**2** 오른쪽 그림에서 사각형 ㄱㄴㄷㄹ은 직사각형이다. 점 ㅁ은 변 ㄴㄷ의 연장선 위에 있고, 점 ㅂ은 선분 ㄱㅁ과 변 ㄷㄹ이 만나는 점이다. 삼각형 ㄹㅁㅂ의 넓이가 $20 cm^2$일 때, 삼각형 ㄷㅁㅂ의 넓이를 구하여라.

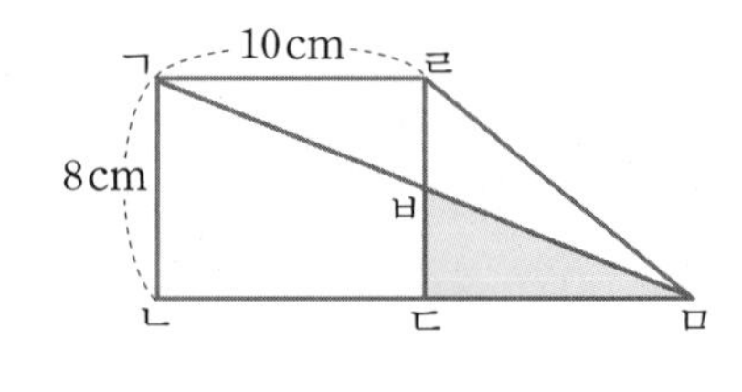


**3** 오른쪽 사각형 ㄱㄴㄷㄹ에서 점 ㅇ은 두 대각선의 교점이다. 삼각형 ㄱㄴㄷ의 넓이는 $24 cm^2$, 삼각형 ㄴㄷㄹ의 넓이는 $20 cm^2$, 삼각형 ㄱㄴㄹ의 넓이는 $12 cm^2$, 삼각형 ㄱㄷㄹ의 넓이는 $8 cm^2$일 때, 삼각형 ㄱㅇㄹ의 넓이와 삼각형 ㄴㅇㄷ의 넓이의 비를 구하여라.

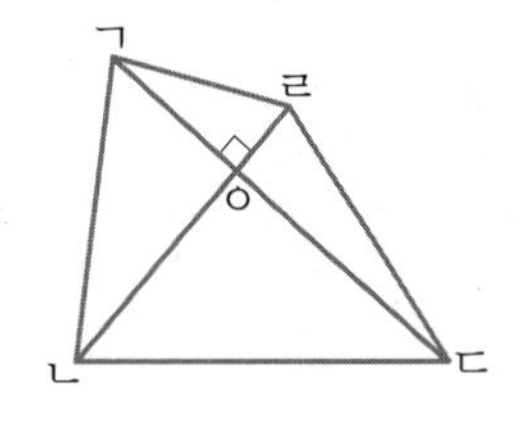


**4** 오른쪽 그림에서 삼각형 ㅁㄴㄷ의 넓이는 사다리꼴 ㄱㄴㄷㄹ의 넓이의 $\frac{1}{2}$이다. 선분 ㄷㅁ의 길이를 구하여라.

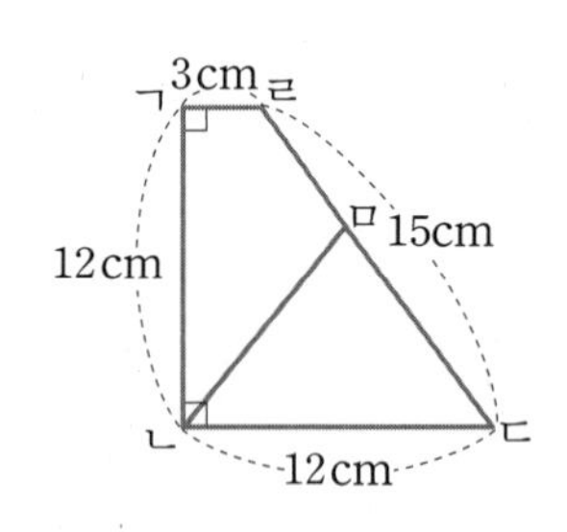


**5** 오른쪽 그림에서 삼각형 ㄹㄴㅁ의 넓이는 삼각형 ㄱㄴㄷ의 넓이의 몇인가?

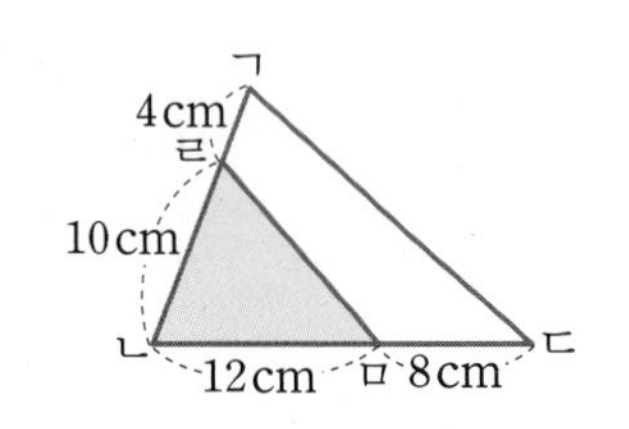

**6** 오른쪽 그림에서 선분 ㄴㄹ의 길이는 선분 ㄴㄷ의 길이의 $\frac{1}{3}$이고, 삼각형 ㅁㄹㄷ의 넓이는 삼각형 ㄱㄴㄷ의 넓이의 $\frac{2}{5}$이다. 선분 ㄱㄷ의 길이가 10cm일 때, 선분 ㄱㅁ의 길이를 구하여라.

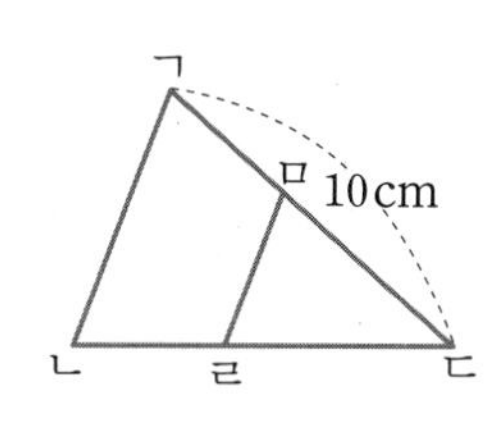


**7** 오른쪽 그림에서 점 ㅁ은 변 ㄱㄴ을 1 : 2로 나누는 점이고, 점 ㄹ은 변 ㄴㄷ을 1 : 1로 나누는 점이다. 점 ㅂ이 선분 ㅁㄹ을 1 : 3으로, 점 ㅅ이 선분 ㄱㄹ을 2 : 1로 나눌 때, 색칠한 부분의 넓이는 삼각형 ㄱㄴㄷ의 넓이의 몇인가?

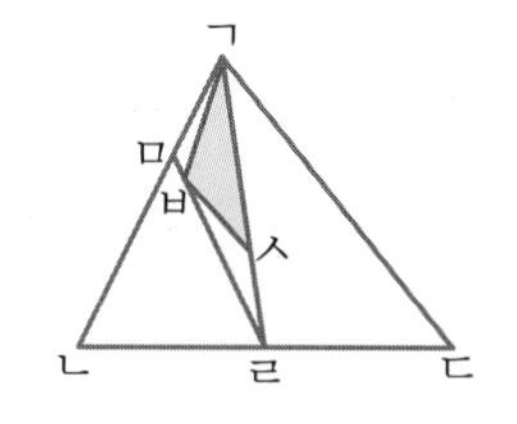


**8** 오른쪽 그림의 평행사변형 ㄱㄴㄷㄹ에서 점 ㅇ은 대각선의 교점이다. 사각형 ㅁㅂㅇㅅ의 넓이가 $3cm^2$이고 평행사변형 ㄱㄴㄷㄹ의 넓이가 $48cm^2$일 때, 색칠한 부분의 넓이를 구하여라.

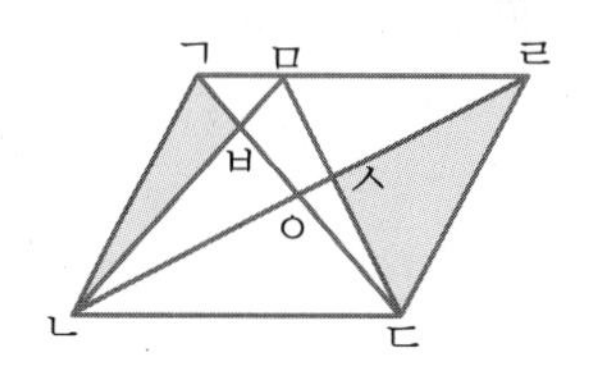


**9** 오른쪽 그림에서 점 ㅅ, 점 ㅇ, 점 ㅈ은 변 ㄱㄷ을 4등분하는 점이고, 점 ㄹ, 점 ㅁ, 점 ㅂ은 변 ㄴㄷ을 4등분 하는 점이다. 색칠한 부분의 넓이의 합이 $14cm^2$일 때, 삼각형 ㄱㄴㄷ의 넓이를 구하여라.

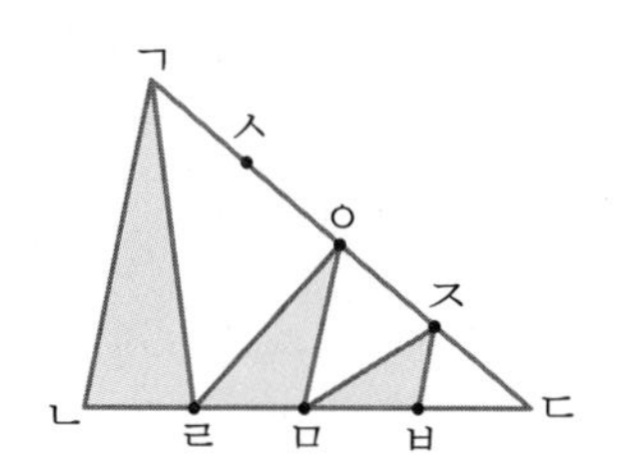


**10** 정육각형을 오른쪽 그림과 같이 각 변을 이등분, 삼등분 또는 사등분 하여 점 ㅅ, 점 ㅇ, 점 ㅈ, 점 ㅊ, 점 ㅋ, 점 ㅌ을 표시하여 삼각형 ㄴㅇㅅ, 삼각형 ㅈㄹㅊ, 삼각형 ㅋㅌㅂ을 만들었다. 색칠한 부분을 잘라내고 남은 도형의 넓이는 처음 정육각형의 넓이의 몇인지 구하여라.

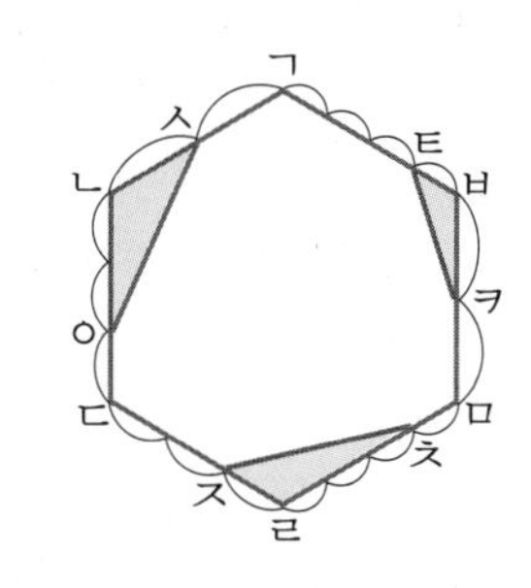

Chapter

# 15 쌓기나무 ①

- 쌓기나무로 만들어진 입체도형의 모양을 상상하여 여러 가지 문제를 해결할 수 있다.
- 쌓기나무로 만들어진 입체도형의 모양을 한 층씩 따로 떼어 놓고 생각해 보면 문제를 쉽게 해결할 수 있다.
- 쌓기나무로 만들어진 입체도형에서 한 면도 보이지 않는 쌓기나무, 한 면만 보이는 쌓기나무, 두 면이 보이는 쌓기나무, 세 면이 보이는 쌓기나무 등으로 나누어 세어 볼 수 있다.

핵·심·문·제 **1** 쌓기나무를 쌓아 놓고 위, 앞, 오른쪽 옆에서 본 모양을 오른쪽과 같이 그려 놓았다. 쌓기나무의 개수는 최소 몇 개에서 최대 몇 개인지 구하여라.

(위) (앞) (오른쪽 옆)

**| 생각하기 |** 위에서 본 그림을 기준으로 생각한다.

| | | |
|---|---|---|
| | | ㉴ |
| ㉯ | ㉱ | ㉳ |
| ㉮ | ㉰ | ㉲ |

앞에서 본 그림의 가장 왼쪽에 한 개의 쌓기나무가 있으므로 ㉮와 ㉯에는 모두 한 개의 쌓기나무만 있다. 앞에서 본 그림의 가운데에 2개의 쌓기나무가 있고 옆에서 본 그림의 왼쪽과 가운데에 각각 2개의 쌓기나무가 있으므로 ㉰, ㉱, ㉲, ㉳에는 모두 각각 최대 2개의 쌓기나무가 있을 수 있다.
앞에서 본 그림의 오른쪽과 옆에서 본 그림의 오른쪽에 각각 3개의 쌓기나무가 있으므로 ㉴에는 3개의 쌓기나무가 있다.

**| 풀이 |** 위에서 본 그림에 쌓기나무의 개수를 표시하면 최대일 때는 13개이다. 또, 최소일 때는 11개이다.

| | | |
|---|---|---|
| | | 3 |
| 1 | 2 | 2 |
| 1 | 2 | 2 |

| | | |
|---|---|---|
| | | 3 |
| 1 | 2 | 1 |
| 1 | 1 | 2 |

| | | |
|---|---|---|
| | | 3 |
| 1 | 2 | 1 |
| 1 | 2 | 1 |

| | | |
|---|---|---|
| | | 3 |
| 1 | 1 | 2 |
| 1 | 2 | 1 |

답 최소 11개, 최대 13개

핵·심·문·제 **2** 정육면체의 겉면에 모두 색을 칠하고 가로, 세로, 높이를 각각 8등분 하여 잘랐더니 똑같은 크기의 작은 정육면체가 여러 개 만들어졌다. 작은 정육면체 중에서 한 면에만 색이 칠해진 것의 개수와 한 면도 색이 칠해지지 않은 것의 개수의 차를 구하여라.

**| 생각하기 |** 오른쪽 정육면체에서 색칠한 부분은 한 면만 색칠된 것이다. 한 면에 $6\times6=36$(개)씩 있고, 여섯 개의 면에 있으므로 $36\times6=216$(개)이다.
또, 색칠된 겉면에 있는 작은 정육면체를 모두 떼어내고 나면 한 면도 색이 칠해지지 않은 작은 정육면체가 $6\times6\times6=216$(개) 생긴다.

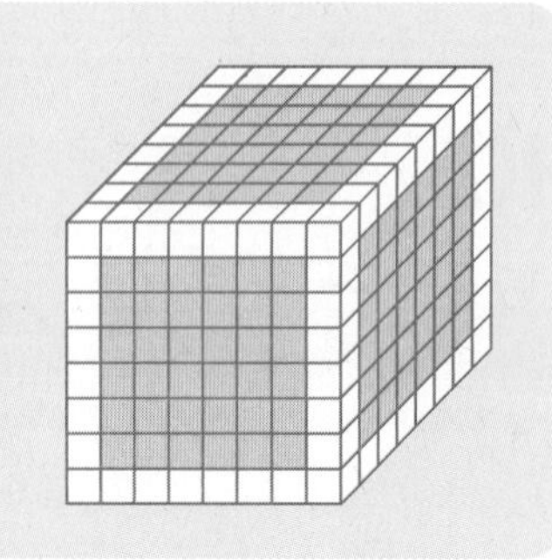

**| 풀이 |** 한 면만 색이 칠해진 것은 $(6\times6)\times6=216$(개)이고, 한 면도 색이 칠해지지 않은 작은 정육면체는 $6\times6\times6=216$(개)이다. 따라서 개수의 차는 0이다.

답 0

유제 **1** 오른쪽 그림은 쌓기나무를 쌓아 만든 입체도형이다. 이 입체도형의 겉면에 놓인 쌓기나무를 모두 걷어내면 몇 개의 쌓기나무가 남게 되는지 구하여라.

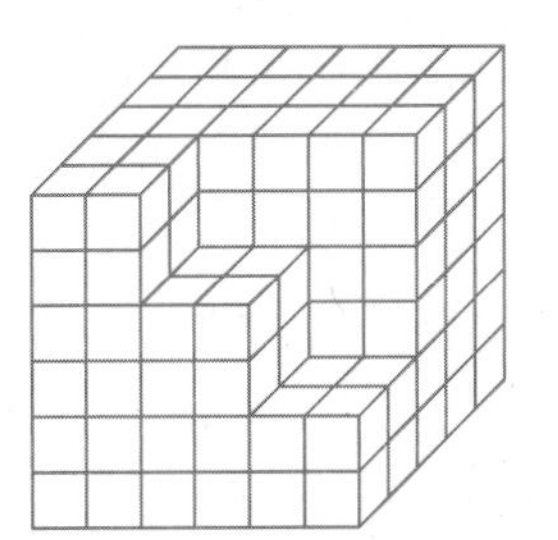

1층은 모두 없어진다.
2층에는

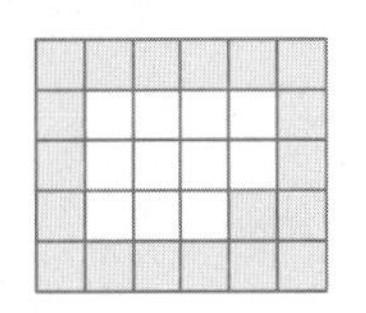

11개의 쌓기나무가 남게 된다.

유제 **2** 한 모서리의 길이가 1cm인 정육면체 모양의 쌓기나무를 쌓아서 커다란 정육면체를 만든 후, 6개의 면에 모두 색칠을 하였다. 이 때, 2개의 면에만 색칠이 된 쌓기나무의 개수를 세어 보니 156개였다. 커다란 정육면체를 만드는 데 사용된 쌓기나무는 모두 몇 개였는지 구하여라.

두 면에만 색칠된 쌓기나무의 위치를 찾아본다.

유제 **3** 아래의 왼쪽 그림과 같이 성냥개비 20개로 쌓기나무 두 개를 붙여 놓은 것과 같은 모양을 만들었다. 오른쪽에 있는 모양을 성냥개비로 나타내려면 몇 개의 성냥개비가 필요한지 구하여라. (단, 성냥개비로 만든 쌓기나무 모양은 모두 13개이다.)

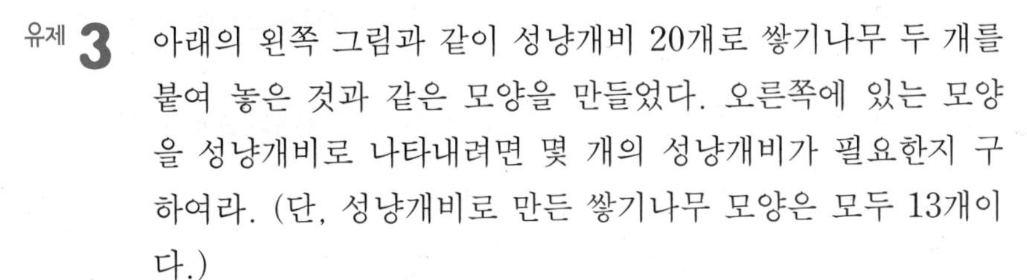

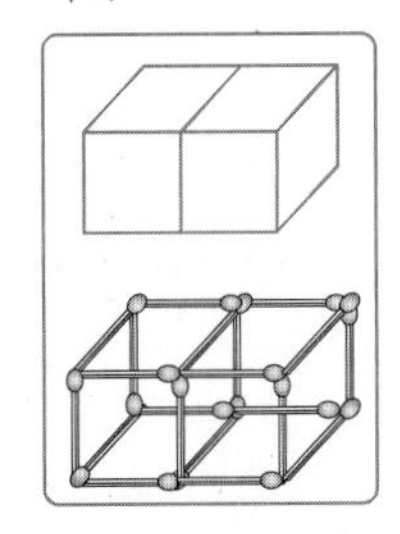

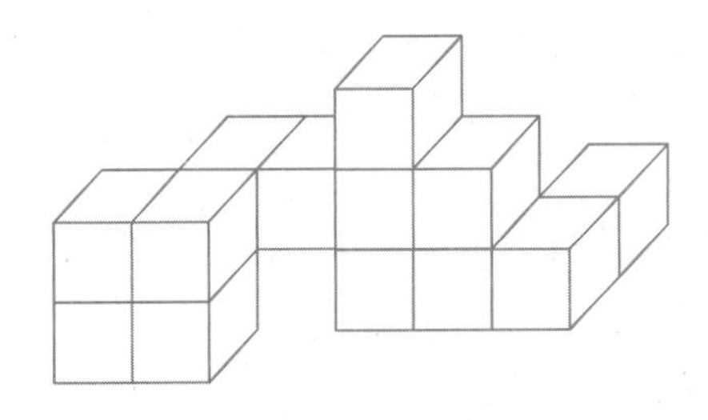

1층 바닥에는 성냥개비가 다음과 같이 놓인다.

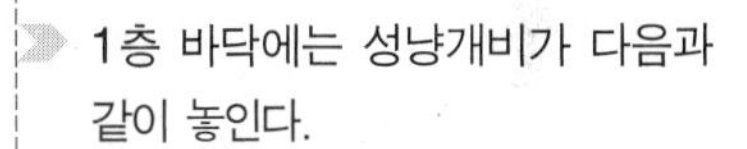

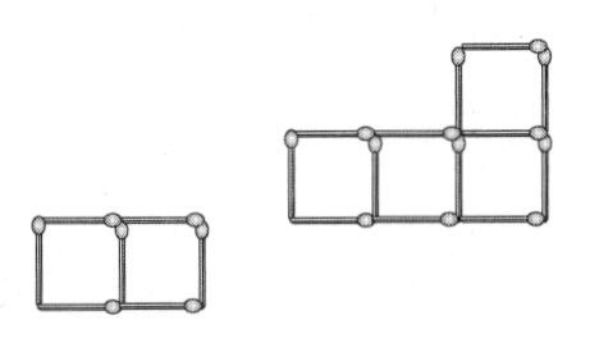

2층 바닥에는 성냥개비가 다음과 같이 놓인다.

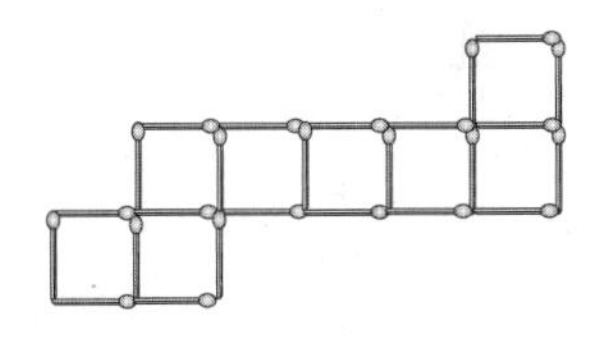

유제 **4** 정육면체를 오른쪽 그림과 같이 접착제로 붙여 쌓았다. 면끼리 꼭 맞게 붙일 때, 서로 붙은 두 면 중 한 쪽 면에만 접착제를 발랐다. 접착제를 바른 면은 모두 몇 개인지 구하여라.

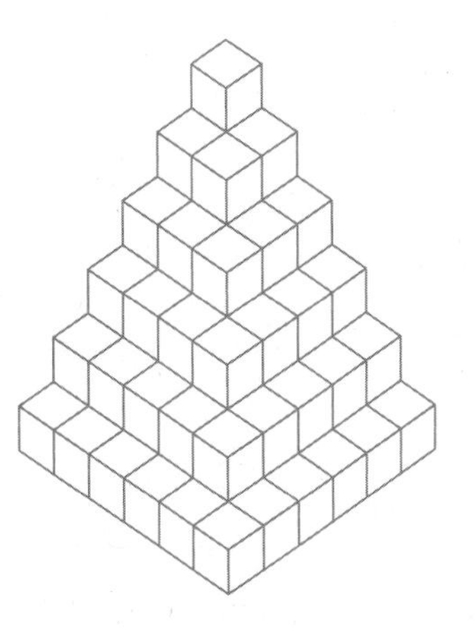

사용된 전체 정육면체 개수는
$1+4+9+16+25+36=91$(개)
이 때, 면은 모두
$91\times6=546$(개)
면끼리 닿지 않는 면의 개수는
$6\times6\times2+(1+2+3+4+5+6)\times4=156$(개)이다.

## 특강탐구문제

**1**

오른쪽 그림과 같이 정육면체를 10층까지 쌓아서 입체도형을 만들었다. 1층에는 몇 개의 정육면체가 놓여 있는가?

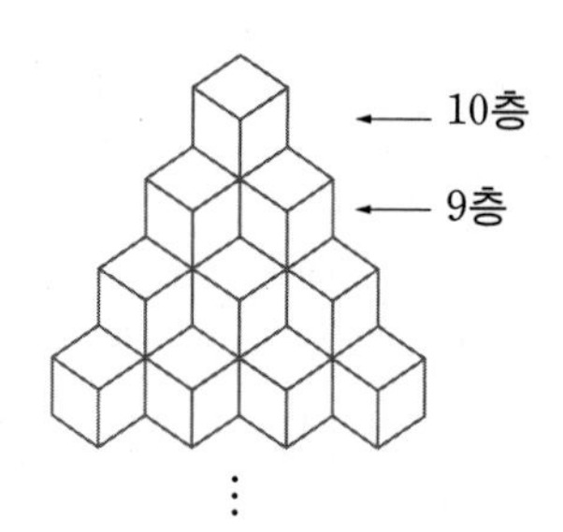


**2**

오른쪽 그림은 쌓기나무를 쌓아 놓고 위, 앞, 오른쪽 옆에서 본 모양을 그린 것이다. 쌓기나무 몇 개를 쌓은 것인지 구하여라.

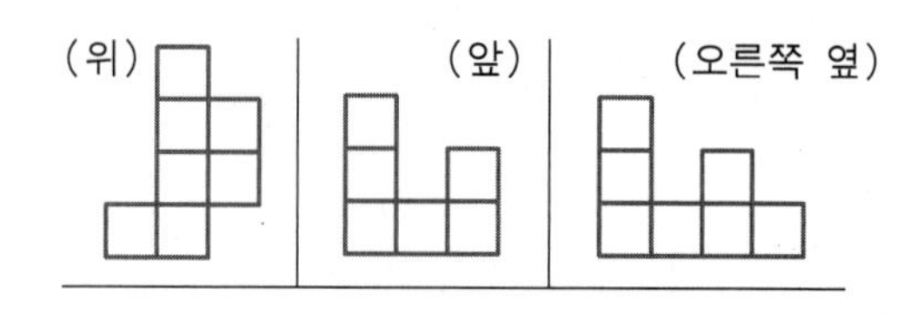


**3**

다음은 쌓기나무를 쌓아 놓고 위, 앞, 옆에서 본 모양을 그린 것이다. 쌓기나무가 가장 많을 경우와 가장 적을 경우의 쌓기나무의 개수의 차를 구하여라.

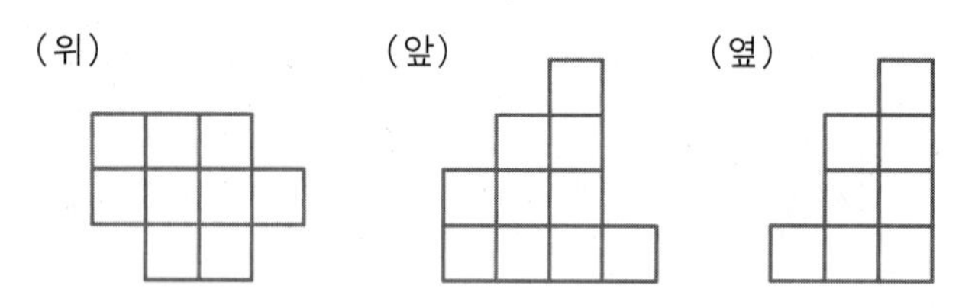


**4**

쌓기나무를 오른쪽 그림과 같이 쌓아 놓았다. 어느 한 면도 보이지 않는 쌓기나무는 모두 몇 개인지 구하여라.
(단, 바닥에 닿은 면은 보이는 것으로 한다.)

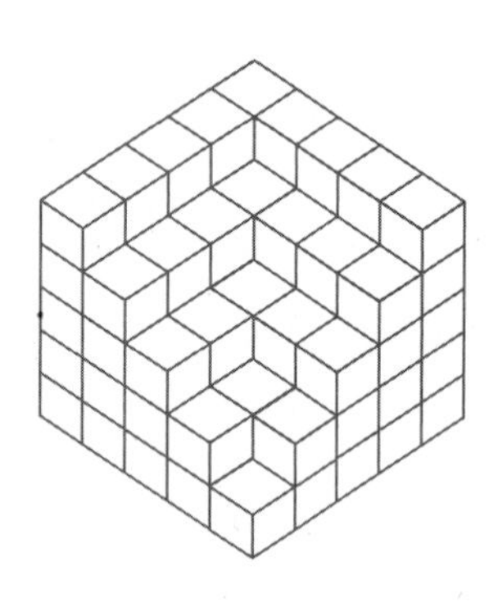

**5**

아래 그림은 쌓기나무를 쌓아 놓고 위, 앞에서 본 모양을 그려 놓은 것이다. 이 입체도형을 오른쪽 옆에서 본 모양을 그려 보아라.

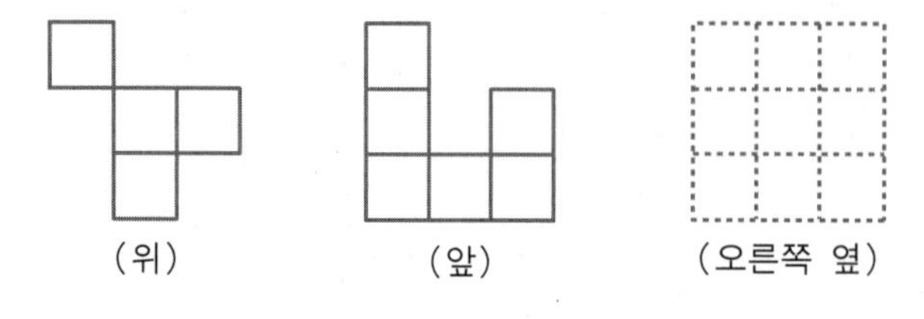

**6**

오른쪽 그림과 같이 정육면체 모양의 쌓기나무를 쌓아서 입체도형을 만들었다. 이 입체도형의 겉면에 있는 쌓기나무는 모두 몇 개인가?

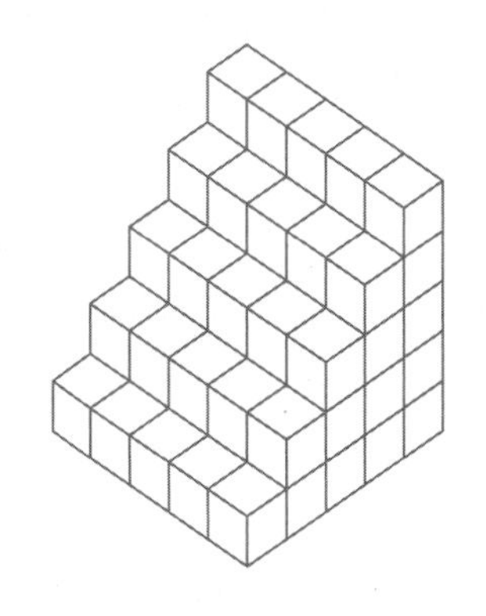

**7**

오른쪽 그림과 같이 쌓기나무를 7층까지 쌓았다. 면과 면이 맞닿는 면은 모두 몇 개인지 구하여라.

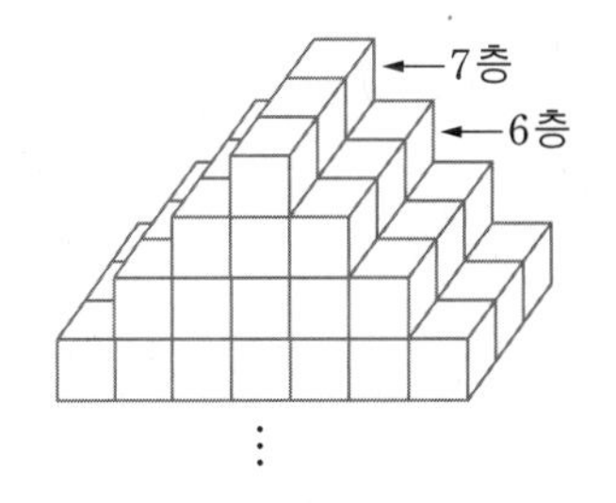


**8**

오른쪽 그림과 같이 쌓기나무를 쌓아 만든 입체도형을 길이가 같은 나무 막대를 사용하여 보기와 같이 만들려고 한다. 필요한 나무 막대의 개수를 구하여라.(단, 1층에 5개, 2층에 4개, 3층에 4개, 4층에 1개의 쌓기나무가 사용되었다.)

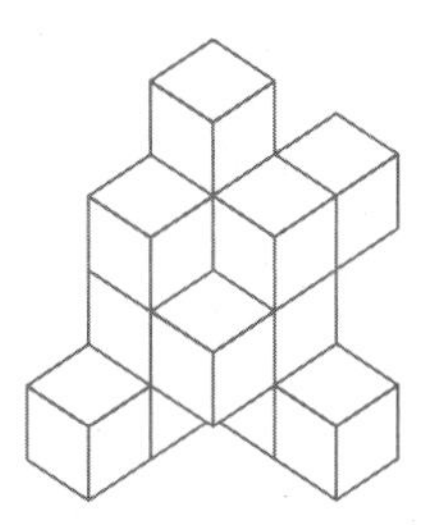

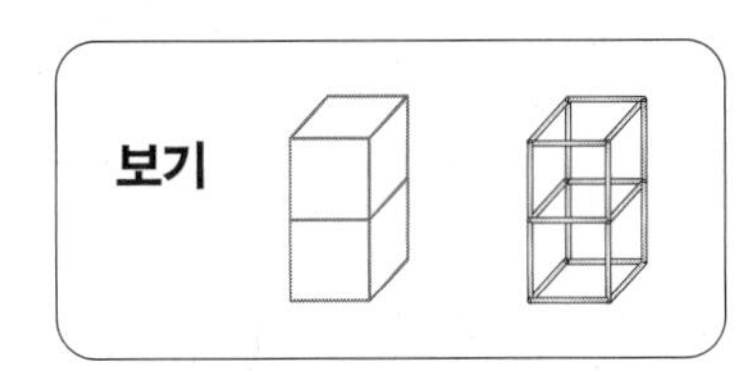


**9**

정육면체의 겉면에 페인트를 칠한 후 가로로 3등분, 세로로 4등분, 높이로 5등분 하였다. 이 때, 생기는 작은 직육면체들 중에서 어느 면에도 페인트가 칠해지지 않은 직육면체의 개수와 한 면에만 페인트가 칠해진 직육면체의 개수를 각각 구하여라.

**10**

길이가 5cm인 나무 막대를 사용하여 오른쪽 그림과 같이 가로, 세로, 높이가 모두 25cm인 정육면체 모양의 입체 구조물을 만들었다. 또, 한 점에서 나무 막대가 만나는 개수에 따라 구분하여 세어 보고 아래의 표도 만들었다. ㉠, ㉡, ㉢에 알맞은 수를 써 넣어라.

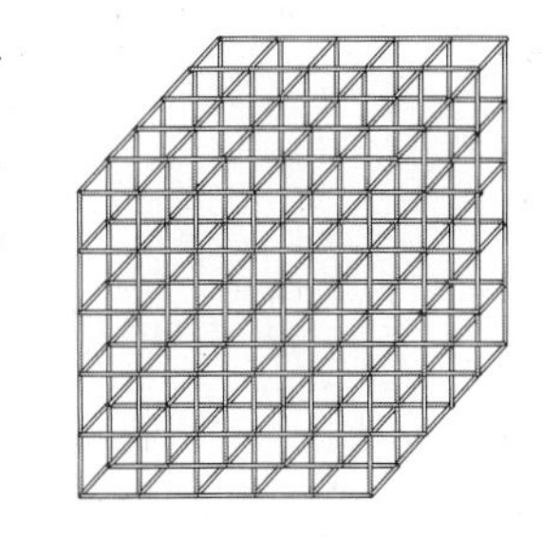

| 만나는 나무 막대의 수(개) | 2 | 3 | 4 | 5 | 6 | 7 |
|---|---|---|---|---|---|---|
| 만나는 곳의 수(개) | 0 | 8 | ㉠ | ㉡ | ㉢ | 0 |

Chapter 16 

# 새 연산

- '새 연산' 은 새로 약속되는 규칙에 따라 계산하는 것이다.
- 규칙에 따라 계산하면 문제를 쉽게 해결할 수 있다.

핵·심·문·제 **1** 두 자연수 ㉠, ㉡에서 ㉠◎㉡은 ㉠을 ㉡으로 나눈 나머지를 나타낸다. 또, ㉠ * ㉡은 (㉠+㉡)을 5로 나눈 나머지를 나타낸다. 이 규칙을 이용하여 다음을 계산하여라.

59 ◎ [{(32 ◎ 7) * 13} * 7]

**| 생각하기 |** 32◎7은 32를 7로 나눈 나머지이다. → 32◎7=4
4 * 13은 4+13=17을 5로 나눈 나머지이다. → 4 * 13=2
2 * 7은 2+7=9를 5로 나눈 나머지이다. → 2 * 7=4
59◎4는 59를 4로 나눈 나머지이다.

**| 풀이 |** 59◎[{(32◎7) * 13} * 7]=59◎{(4 * 13) * 7}
=59◎(2 * 7)
=59◎4
=3

답 3

핵·심·문·제 **2** $\begin{vmatrix} ㉠ & ㉡ \\ ㉢ & ㉣ \end{vmatrix}$=㉠×㉣−㉡×㉢으로 계산한다. 이 규칙을 이용하여 다음 □ 안에 알맞은 수를 구하여라.

$$\begin{vmatrix} 5 & \begin{vmatrix} 2 & 2 \\ \square & 9 \end{vmatrix} \\ 3 & 4 \end{vmatrix}=8$$

**| 생각하기 |** $\begin{vmatrix} ㉠ & ㉡ \\ ㉢ & ㉣ \end{vmatrix}$의 규칙대로 계산하면 $\begin{vmatrix} 2 & 2 \\ \square & 9 \end{vmatrix}$=4임을 알 수 있다.
2×9−2×□=4에서 □ 안에 알맞은 수를 구할 수 있다.

**| 풀이 |** $\begin{vmatrix} 5 & \begin{vmatrix} 2 & 2 \\ \square & 9 \end{vmatrix} \\ 3 & 4 \end{vmatrix}=8 \rightarrow 5\times4-\begin{vmatrix} 2 & 2 \\ \square & 9 \end{vmatrix}\times3=8 \rightarrow \begin{vmatrix} 2 & 2 \\ \square & 9 \end{vmatrix}\times3=12 \rightarrow \begin{vmatrix} 2 & 2 \\ \square & 9 \end{vmatrix}=4$

2×9−2×□=4
18−2×□=4
2×□=14
□=7

답 7

**유제 1** 기호 #이 다음과 같은 규칙을 가질 때, (1#2)#3의 값을 구하여라.

| | |
|---|---|
| 2#1=2+1 | 3#2=3×3+2 |
| 5#3=5×5×5+3 | 6#5=6×6×6×6×6+5 |

> $a\#b=\underbrace{a\times a\times\cdots\times a}_{b번}+b$

**유제 2** 기호 △가 다음과 같은 일정한 규칙을 가질 때, 5△3=㉠, 3△㉡=15, ㉢△4=20의 식에 맞는 ㉠, ㉡, ㉢의 합을 구하여라.

3△2=11　4△1=17　1△5=6　2△6=10

> a△b의 계산 규칙을 알아본다.

**유제 3** 기호 *, ◎가 다음과 같은 규칙을 가지고 있을 때, 아래 계산식에 맞는 □ 안에 알맞은 수를 구하여라.

$\overset{*}{4}=1+2+3+4$　$\overset{◎}{4}=1\times2\times3\times4$

$\overset{◎}{7}\times8-\overset{◎}{7}\div7=\overset{◎}{6}\times\overset{*}{\square}$

> $\overset{◎}{7}\times8=\overset{◎}{8}$
> $\overset{◎}{7}\div7=\overset{◎}{6}$

**유제 4** 자연수 $a$의 약수의 합을 〈 $a$ 〉로 나타내기로 하자. 예를 들면 6의 약수가 1, 2, 3, 6이므로, 〈 6 〉=1+2+3+6=12이다. 식 〈 $a$ 〉$=1\frac{1}{3}\times a+4$를 만족하는 50 미만의 가장 큰 수 $a$를 구하여라.

> $a$의 약수에는 1과 $a$가 반드시 포함된다.
> $a$의 약수의 합이 $1\frac{1}{3}\times a+4$이므로 1과 $a$를 제외한 나머지 약수의 합은 $\frac{1}{3}\times a+3$이다.

# 특강탐구문제

**1**

두 수 ㉮, ㉯에 대하여 ㉮ $*$ ㉯를 다음과 같이 약속한다. $5 * (2 * \square)=11$일 때, $\square$를 구하여라.

㉮ $*$ ㉯ $=(3\times$ ㉮ $+$ ㉯ $)\div 2$

**2**

㉠ $\cdot$ ㉡ $=\dfrac{㉠+㉡}{2}$, ㉠ $*$ ㉡ $=\dfrac{㉠-㉡}{2}$이라고 약속할 때, 다음을 계산하여라.

$$1\frac{2}{3} * \left\{\frac{2}{5}\cdot\left(1\frac{1}{3} * \frac{4}{9}\right)\right\}$$

**3**

$\begin{vmatrix} ㉠ & ㉡ \\ ㉢ & ㉣ \end{vmatrix}=㉠\times㉣-㉡\times㉢$으로 약속할 때, 다음 식이 성립하도록 ㉮에 알맞은 수를 구하여라.

$$3\times\begin{vmatrix} 4 & 1 \\ 7 & ㉮ \end{vmatrix}-\begin{vmatrix} 5 & 3 \\ 3 & 2 \end{vmatrix}=14$$

**4**

두 수 $a$, $b$에서 $a\sim b$는 두 수 $a$와 $b$의 차를 나타낸다. 예를 들어 $5\sim8=3$이다. $\{(4\sim9)\sim(a\sim10)\}=3$을 만족하는 $a$를 모두 구하여라.

**5**

㉮ $*$ ㉯는 다음과 같은 계산 규칙을 가질 때, 이 규칙대로 $\left\{1\frac{1}{4} * (3 * 4)\right\} * \frac{1}{5}$을 계산하여라.

㉮≥㉯일 때는 ㉮ $*$ ㉯ $=\dfrac{㉮-㉯}{㉮\div㉯}$

㉮<㉯일 때는 ㉮ $*$ ㉯ $=\dfrac{㉯-㉮}{㉯\div㉮}$

**6**

다음 식을 보고 ☆이 나타내는 규칙을 찾아 □ 안에 알맞은 수를 구하여라.

2☆7=12　　4☆3=10　　2☆0=5
11☆7=21　　□☆6=18

**7**

오른쪽은 두 기호 ◎, ◇의 규칙을 사용하여 계산한 것이다. 각 기호가 나타내는 규칙을 찾아 (4◎5)◇6을 계산하여라.

1◎1=1　　3◎1=5
6◎9=3　　7◎8=6
2◇1=5　　5◇2=11
8◇3=17　　9◇1=12

**8**

자연수 ㉮에 대하여 $\overset{*}{㉮}=1+2+3+4+5+\cdots+㉮$로 나타내기로 하자. 즉 $\overset{*}{1}=1$, $\overset{*}{5}=1+2+3+4+5$이다. 이 규칙대로 계산할 때, 다음 식이 성립하도록 ㉮에 알맞은 수를 구하여라.

$\overset{*}{16}-\overset{*}{9}=\overset{*}{㉮}$

**9**

두 자연수 ㉠, ㉡에 대하여 (㉠, ㉡)을 ㉠을 ㉡으로 나누었을 때의 나머지로 정하였다. 다음 식에서 ㉮는 두 자리 자연수일 때, ㉮가 될 수 있는 수는 모두 몇 개인가?

$12\times\{(㉮,\ 4)+5\}=96$

**10**

분수 ㉮가 있다. [㉮]는 ㉮가 진분수이면 그대로 나타내고, 가분수이면 대분수로 고친 후 자연수 부분을 뺀 진분수 부분으로 나타낸다. 예를 들어 $\left[\frac{4}{7}\right]=\frac{4}{7}$, $\left[\frac{19}{6}\right]=\left[3\frac{1}{6}\right]=\frac{1}{6}$이다. 다음 식에서 ㉠, ㉡에 알맞은 한 자리 자연수를 각각 구하여라.

$\left[\frac{73+㉡}{5+㉠}\right]=\left[\frac{13}{5}\right]$

# Chapter 17 시침과 분침의 각도 문제 ②

- 분침은 60분 동안 360° 움직이므로, 1분 동안 6° 움직인다.
- 시침은 60분 동안 30° 움직이므로, 1분 동안 0.5° 움직인다.
- 분침은 시침보다 1분 동안 5.5° 더 움직인다.
- 분침은 시침보다 한 시간 동안 330° 더 움직인다.

핵·심·문·제 **1** 1시와 2시 사이에 시계의 시침과 분침이 이루는 각이 70°일 때의 시각을 모두 구하여라.

**| 생각하기 |** 1시 정각에는 시침이 분침보다 30°만큼 앞서 있다.
그런데 분침이 시침보다 1분에 5.5°씩 더 가므로 분침이 시침을 따라잡고 나서 70°만큼 다시 앞서게 되는 시각을 구하면 된다.
또, 70°만큼 앞선 분침이 계속 앞서 가다가 시침과 만나기 70° 전의 시각을 구하면 된다.

**| 풀이 |** 1시 정각에서 시침보다 30° 뒤에 있던 분침이 30°를 따라잡고 다시 70° 더 앞서려면 모두 100°만큼 더 움직여야 한다.

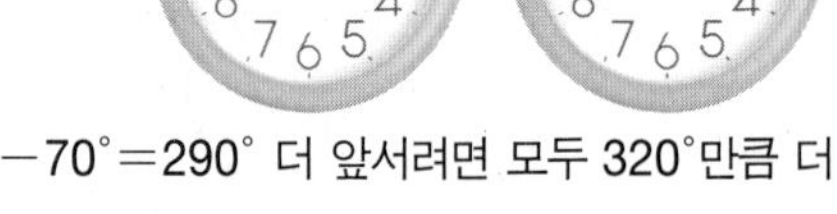


$100° \div 5.5° = \frac{100}{5.5} = \frac{1000}{55} = \frac{200}{11} = 18\frac{2}{11}$이므로

구하는 시각은 1시 $18\frac{2}{11}$분이다.

또, 시침보다 30° 뒤에 있던 분침이 30°를 따라 잡고, 다시 $360° - 70° = 290°$ 더 앞서려면 모두 320°만큼 더 움직여야 한다.

$320° \div 5.5° = \frac{320}{5.5} = \frac{3200}{55} = \frac{640}{11} = 58\frac{2}{11}$이므로 구하는 시각은 1시 $58\frac{2}{11}$분이다.

답 1시 $18\frac{2}{11}$분, 1시 $58\frac{2}{11}$분

핵·심·문·제 **2** 9시와 10시 사이에 시계의 시침과 분침이 오른쪽 그림과 같이 정오각형의 두 꼭짓점의 위치에 있었다. 이 때의 시각을 구하여라.

**| 생각하기 |** 시계의 중심과 정오각형의 각 꼭짓점을 이으면 꼭지각이 $360° \div 5 = 72°$인 다섯 개의 이등변삼각형이 생긴다. 그러므로 구하는 시각의 시침과 분침이 이루는 각도는 $72° \times 2 = 144°$이다. 9시 정각에는 시침이 분침보다 270° 앞서 있으나 문제의 시계는 시침이 분침보다 144° 앞서 있으므로 분침이 $270° - 144° = 126°$ 더 움직였다.

**| 풀이 |** 9시 정각에는 시침이 분침보다 270° 앞서 있으나 문제의 시계는 시침이 분침보다 144° 앞서 있으므로 분침이 $270° - 144° = 126°$ 더 움직였다.

분침은 시침보다 1분에 5.5°씩 더 움직이므로 $126° \div 5.5° = \frac{126}{5.5} = \frac{1260}{55} = \frac{252}{11} = 22\frac{10}{11}$이므로 9시에서 $22\frac{10}{11}$분 더 지났다. 구하는 시각은 9시 $22\frac{10}{11}$분이다.

답 9시 $22\frac{10}{11}$분

유제 **1** 4시 정각에 시계의 시침과 분침이 이루는 각도는 $120^\circ$이다. 4시 이후 처음으로 다시 시침과 분침이 이루는 각도가 $120^\circ$일 때는 몇 시 몇 분인지 구하여라.

▶ 4시 정각에는 분침이 시침보다 $120^\circ$ 뒤에 있다. 또 4시 이후 시침과 분침이 $120^\circ$를 이루는 때는 분침이 시침보다 $120^\circ$ 앞에 있는 때이다.

유제 **2** 3시와 4시 사이에 시계의 시침과 분침이 이루는 각도가 $180^\circ$일 때의 시각을 구하여라.

▶ 3시 정각에는 분침이 시침보다 $90^\circ$ 뒤에 있다. 시침과 분침이 $180^\circ$를 이루는 때는 분침이 시침보다 $180^\circ$ 앞서는 때이다.

유제 **3** 7시와 8시 사이에 시계의 시침과 분침이 이루는 각도가 직각일 때의 시각을 모두 구하여라.

▶ 7시 정각에는 분침이 시침보다 $210^\circ$ 뒤에 있다. 7시 이후 처음으로 시침과 분침이 $90^\circ$를 이루는 때는 분침이 시침보다 $210^\circ-90^\circ=120^\circ$ 더 갔을 때이다.

유제 **4** 경인이는 낮잠을 잤다. 낮잠을 자기 시작한 시각은 4시가 조금 안 된 시각으로, 시계의 시침과 분침이 이루는 각도가 $150^\circ$였다. 낮잠에서 깬 시각은 5시가 조금 넘은 시각으로, 시침과 분침이 이루는 각도가 $100^\circ$였다. 경인이가 낮잠을 잔 시간은 몇 시간 몇 분 동안인지 구하여라.

▶ 4시가 조금 안 된 시각에서 분침과 시침이 $150^\circ$를 이루었을 때 분침이 시침보다 $150^\circ$ 더 많이 가면 시침과 분침은 겹쳐진다. 또 5시 조금 넘은 시각으로, 시침과 분침이 이루는 각도가 $100^\circ$일 때는 겹쳐진 후로 분침이 $360^\circ-100^\circ=260^\circ$ 더 많이 갔을 때이다.

# 특강탐구문제

**1**

선주는 아빠와 공원을 산책하였다. 산책을 하기 위해 집을 나설 때 시계를 보니 5시와 6시 사이에서 시침과 분침이 겹쳐져 있었다. 산책을 하고 나서 집에 도착해 시계를 보니 7시가 조금 넘은 시각으로 시침과 분침이 이루는 각도가 $180^\circ$였다. 선주와 아빠가 산책을 한 시간은 몇 시간 몇 분인가?

**2**

시계의 시침과 분침이 겹쳐진 때부터 처음으로 다시 겹쳐질 때까지 걸리는 시간을 구하여라.

**3**

시계의 시침과 분침이 직각을 이루는 때부터 처음으로 다시 직각을 이루는 때까지 걸린 시간을 구하여라.

**4**

10시와 11시 사이에 시계의 시침과 분침이 일치하는 시각을 구하여라.

**5**

2시와 3시 사이에 시계의 시침과 분침이 이루는 각도가 $120^\circ$인 시각을 모두 구하여라.

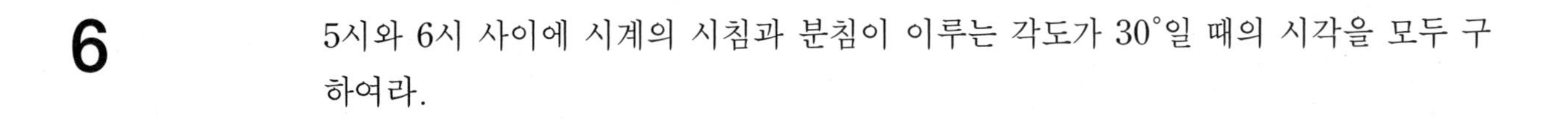

**6**

5시와 6시 사이에 시계의 시침과 분침이 이루는 각도가 30°일 때의 시각을 모두 구하여라.

**7**

9시 이후, 시계의 분침이 시침보다 140° 앞서 있을 때 집에서 출발한 승용차가 그 후 처음으로 분침이 시침과 만나고 나서 다시 50° 앞섰을 때 공원에 도착하였다. 집에서 공원까지의 거리가 90km일 때, 이 승용차의 시속을 구하여라.

**8**

7시에서 8시 사이에 시계의 분침이 시침보다 34° 뒤에 있던 때부터 아침 식사를 하기 시작하였다. 8시 정각에 식사를 마쳤다면, 아침 식사를 한 시간은 몇 분인가?

**9**

성종이는 2시 이후 처음으로 시계의 시침과 분침이 10°를 이룰 때 공부를 시작했다. 공부를 시작한 뒤로 시침과 분침이 3번 더 10°를 이루고 넷째 번으로 10°를 이룰 때 공부를 마쳤다. 성종이가 공부한 시간은 몇 시간 몇 분인지 구하고, 성종이가 공부를 마친 시각도 구하여라.

**10**

시계의 시침과 분침이 135°를 이룬 후 처음으로 다시 135°를 이룰 때까지 걸리는 시간을 모두 구하여라.

Chapter 18

# 분수 계산 문제

다음 방법을 이용하여 분수 계산을 간단히 할 수 있다.

방법 1 $\frac{㉮+㉯}{㉮\times㉯}=\frac{1}{㉮}+\frac{1}{㉯}$

방법 2 ㉮<㉯일 때 $\frac{㉯-㉮}{㉮\times㉯}=\frac{1}{㉮}-\frac{1}{㉯}$

방법 3 $\frac{\frac{㉱}{㉰}}{\frac{㉯}{㉮}}=\frac{㉱}{㉰}\div\frac{㉯}{㉮}=\frac{㉱}{㉰}\times\frac{㉮}{㉯}$

방법 4 ㉮<㉯일 때, $\frac{1}{㉮\times㉯}=\frac{1}{㉯-㉮}\times\left(\frac{1}{㉮}-\frac{1}{㉯}\right)$

핵·심·문·제 **1** 다음을 계산하여라.

$$\left(\frac{1}{12}+\frac{1}{20}+\frac{1}{30}+\frac{1}{42}+\frac{1}{56}+\frac{1}{72}\right)\times 9-2$$

| 생각하기 | 방법 4를 이용하면 $\frac{1}{12}=\frac{1}{3\times4}=\frac{1}{4-3}\times\left(\frac{1}{3}-\frac{1}{4}\right)=\frac{1}{3}-\frac{1}{4}$

$\frac{1}{20}=\frac{1}{4\times5}=\frac{1}{4}-\frac{1}{5}$, $\frac{1}{30}=\frac{1}{5\times6}=\frac{1}{5}-\frac{1}{6}$, $\frac{1}{42}=\frac{1}{6\times7}=\frac{1}{6}-\frac{1}{7}$

$\frac{1}{56}=\frac{1}{7\times8}=\frac{1}{7}-\frac{1}{8}$, $\frac{1}{72}=\frac{1}{8\times9}=\frac{1}{8}-\frac{1}{9}$

| 풀이 | $\left(\frac{1}{12}+\frac{1}{20}+\frac{1}{30}+\frac{1}{42}+\frac{1}{56}+\frac{1}{72}\right)\times9-2$

$=\left(\frac{1}{3}-\frac{1}{4}+\frac{1}{4}-\frac{1}{5}+\frac{1}{5}-\frac{1}{6}+\frac{1}{6}-\frac{1}{7}+\frac{1}{7}-\frac{1}{8}+\frac{1}{8}-\frac{1}{9}\right)\times9-2$

$=\left(\frac{1}{3}-\frac{1}{9}\right)\times9-2=\frac{3-1}{9}\times9-2=2-2=0$

답 0

핵·심·문·제 **2** 오른쪽 분수식을 계산하여라.

$$\frac{1-\frac{1}{1+\frac{1}{2}}}{1+\frac{1}{1-\frac{1}{2}}}$$

| 생각하기 | 방법 3을 이용하여 계산한다.

$1+\frac{1}{2}=\frac{3}{2}$이므로 $\frac{1}{1+\frac{1}{2}}=\frac{1}{\frac{3}{2}}=1\div\frac{3}{2}=1\times\frac{2}{3}=\frac{2}{3}$

$1-\frac{1}{2}=\frac{1}{2}$이므로 $\frac{1}{1-\frac{1}{2}}=\frac{1}{\frac{1}{2}}=1\div\frac{1}{2}=1\times2=2$

| 풀이 | $\frac{1-\frac{1}{1+\frac{1}{2}}}{1+\frac{1}{1-\frac{1}{2}}}=\frac{1-\frac{1}{\frac{3}{2}}}{1+\frac{1}{\frac{1}{2}}}=\frac{1-\frac{2}{3}}{1+2}=\frac{\frac{1}{3}}{3}=\frac{1}{3}\div3=\frac{1}{3}\times\frac{1}{3}=\frac{1}{9}$

답 $\frac{1}{9}$

유제 **1** 다음을 계산하여라.

$$\frac{1}{3}-\frac{7}{12}+\frac{9}{20}-\frac{11}{30}+\frac{13}{42}$$

$\frac{7}{12}=\frac{3+4}{3\times4}=\frac{1}{3}+\frac{1}{4}$

$\frac{9}{20}=\frac{4+5}{4\times5}=\frac{1}{4}+\frac{1}{5}$

유제 **2** $\frac{1}{3}+\frac{1}{15}+\frac{1}{35}+\frac{1}{63}+\cdots+\frac{1}{575}$을 계산하여라.

$\frac{1}{3}=\frac{1}{1\times3}$

$=\frac{1}{3-1}\times\left(\frac{1}{1}-\frac{1}{3}\right)$

$\frac{1}{15}=\frac{1}{3\times5}$

$=\frac{1}{5-3}\times\left(\frac{1}{3}-\frac{1}{5}\right)$

유제 **3** 다음 분수식을 계산하여라.

$$\cfrac{1}{1+\cfrac{1}{2+\cfrac{1}{3+\cfrac{1}{4}}}}$$

$\frac{1}{3+\frac{1}{4}}=\frac{1}{\frac{13}{4}}$

$=1\div\frac{13}{4}$

$=1\times\frac{4}{13}$

$=\frac{4}{13}$

유제 **4** 다음을 계산하여라.

$$\frac{1}{1\times2\times3}+\frac{1}{2\times3\times4}+\frac{1}{3\times4\times5}+\cdots+\frac{1}{98\times99\times100}$$

$\frac{2}{1\times2\times3}=\frac{1}{1\times2}-\frac{1}{2\times3}$

$\frac{2}{2\times3\times4}=\frac{1}{2\times3}-\frac{1}{3\times4}$

$\frac{2}{3\times4\times5}=\frac{1}{3\times4}-\frac{1}{4\times5}$

# 특강탐구문제

**1**

다음 분수의 덧셈을 하여라.

$$\frac{1}{2}+\frac{1}{6}+\frac{1}{12}+\frac{1}{20}+\frac{1}{30}+\frac{1}{42}+\frac{1}{56}+\frac{1}{72}+\frac{1}{90}$$

**2**

다음 분수식을 계산하여라.

$$\frac{1}{\dfrac{1}{2+\dfrac{1}{2}}+\dfrac{1}{3+\dfrac{1}{3}}}$$

**3**

다음을 계산하여라.

$$1-\frac{1}{1+\dfrac{1}{1-\dfrac{1}{2}}}$$

**4**

$\dfrac{43}{30}=1+\dfrac{1}{㉰+\dfrac{1}{㉯+\dfrac{1}{㉮}}}$ 에서 ㉮, ㉯, ㉰에 알맞은 수를 각각 구하여라.

**5**

다음을 계산하여라.

$$\frac{3}{10}+\frac{8}{15}+\frac{7}{18}-\frac{4}{21}-\frac{5}{36}+\frac{7}{44}$$

**6**

$5\frac{1}{3}-2\frac{7}{12}+6\frac{9}{20}-3\frac{11}{30}+2\frac{13}{42}-7\frac{15}{56}$를 계산하여라.

**7**

$\frac{1}{1\times3}+\frac{1}{3\times5}+\frac{1}{5\times7}+\cdots+\frac{1}{97\times99}$을 계산하여라.

**8**

다음을 계산하여라.

$$\frac{2}{1\times(1+2)}+\frac{3}{(1+2)\times(1+2+3)}+\frac{4}{(1+2+3)\times(1+2+3+4)}+\cdots+\frac{10}{(1+2+3+\cdots+9)\times(1+2+3+\cdots+10)}$$

**9**

다음을 계산하여라.

$$\frac{1}{1}+\frac{1}{1+2}+\frac{1}{1+2+3}+\frac{1}{1+2+3+4}+\cdots+\frac{1}{1+2+3+\cdots+100}$$

**10**

2000에서 2000의 $\frac{1}{2}$을 빼고 남은 수에서 그 남은 수의 $\frac{1}{3}$을 빼고, 다시 계산되고 남은 수에서 그 남은 수의 $\frac{1}{4}$을 빼는 방법으로 계속 빼 나갈 때, 마지막 계산되고 남은 수에서 그 남은 수의 $\frac{1}{2000}$을 뺀 값은 얼마인지 구하여라.

Take a Break 03

# 바코드

우리는 책 등에서 다음 그림과 같은 표식을 쉽게 보게 된다. 이것을 바코드라고 부른다.

ISBN 89-89414-77-6
① ② ③ ④
①국가번호 ②발행자번호
③상품번호 ④검사번호

불과 몇 센티밖에 안 되는 막대표시에는 그 상품을 제조한 국가번호, 회사번호, 제품번호가 숨겨져 있다. 상품이나, 책 등에 바코드를 붙이는 이유는 팔린 물건의 종류와 수량들을 컴퓨터에 의하여 바르고 쉽게 파악하기 위해서이다. 바코드는 각 숫자에 따라 선의 굵기와 개수가 다른 줄무늬의 배열이다. 바코드에는 13개 숫자(30개의 줄무늬)로 된 표준형과 8개 숫자(22개의 줄무늬)로 된 단축형이 있다.

다음은 표준형 바코드에 대한 설명이다. 바코드는 흰색 바와 검은색 바로 구성되어 있는데, 이를 좀더 자세히 살펴보면, 양쪽 끝에 두 줄의 바가 바로 시작과 끝을 나타낸다. 중앙의 두 줄의 바는 생산국가. 제조업체 등의 상품 정보가 들어 있는 영역을 구분해 준다. 출판물에 표시하는 ISBN(국제표준 도서번호)의 바코드는 일반적으로 국가 식별 코드 2자리, 제조업체 코드 2자리, 상품코드 5자리, 검사 숫자 1자리 등 전체 10자리로 구성된다.

바코드를 읽는 기계는 줄무늬와 함께 13자리의 숫자도 읽어서 옳게 읽었는지 판단한다. 13개의 숫자 중 가장 오른쪽의 검사 숫자의 판단 방법은 다음과 같다.
검사 숫자를 제외한 12개의 숫자에 대하여

10−〔{(홀수째 번 숫자의 합)+(짝수째 번 숫자의 합)}의 일의 자리 수〕

임을 확인할 수 있다.

이 바코드는 유통 업체뿐만 아니라 병원의 환자 관리카드, 서점의 서적 관리, 우체국의 우편물 관리, 목장의 가축관리를 비롯한 많은 분야에서 이용이 확대되고 있다.
바코드의 판독 원리는 검은색 바와 흰색바의 반사율 차이를 스캐너가 전기신호로 바꾸게 된다. 아날로그인 전기신호의 폭을 디지털인 '1'과 '0'으로 나타내어 그 조합에 해당되는 숫자를 판별한다. 끝으로 체크디지트가 확인되고, 그것이 올바르면 스캐닝이 중단됨으로써 동일 상품의 심벌에 대한 복수 등록이 방지된다.

그렇다면 바코드를 사용하면 무엇이 좋은가?

· 정보처리가 정확하다.

· Data 입력이 신속하다.

· 작업장의 제한을 받지 않는다.

· 기존 시스템의 변형이 필요없다.

· 기구부가 없어 고장이 적다.

· 인건비와 관리비 등의 유지비를 절감시킨다.

· 운영에 숙련이 불필요하다.

이와 같은 장점으로 바코드는 우리의 실생활에 많은 편리함을 제공하고 있다. 여러분도 무언가(?) 우리 생활에 필요한 것을 생각해 보자. 혹시 인류 문명의 발전에 기여할 수학자가 나올지도 모를 일이니까…

Chapter 19

# 배수 판정법 ②

- 11의 배수 : 홀수째 번 자리의 숫자들의 합과 짝수째 번 자리의 숫자들의 합의 차가 0이거나 11의 배수이면 11의 배수이다.

  ㊀ $91828=(9\times10000)+(1\times1000)+(8\times100)+(2\times10)+8$

  $=(9\times9999+9)+(1\times1001-1)+(8\times99+8)+(2\times11-2)+8$

  $=\underbrace{9\times9999+1\times1001+8\times99+2\times11}_{\text{항상 11의 배수}}+\underbrace{9+8+8-1-2}_{\text{홀수째 번 자리의 숫자들의 합과 짝수째 번 자리의 숫자들의 합의 차}}$

$(9+8+8)-(1+2)=22$이고, 22는 11의 배수이므로 91828은 11의 배수이다.

핵·심·문·제 **1** 여섯 자리 수 ㉠9719㉡은 33으로 나누어떨어진다. ㉠, ㉡에 알맞은 수를 모두 구하여라.

**| 생각하기 |** $33=3\times11$이므로 ㉠9719㉡은 3의 배수이고 11의 배수이어야 한다.
㉠+9+7+1+9+㉡이 3의 배수가 되려면 ㉠+㉡은 1, 4, 7, 10, 13, 16이 되어야 한다.
또 ㉠+7+9와 9+1+㉡의 차가 0 또는 11의 배수이려면 ㉠+6=㉡이 되거나 ㉠=㉡+5가 되어야 한다.

**| 풀이 |** 3의 배수가 되려면 ㉠+㉡은 1, 4, 7, 10, 13, 16이어야 한다.
11의 배수가 되려면 ㉠+7+9=9+1+㉡에서 ㉠+6=㉡이거나
또는 ㉠+7+9=(9+1+㉡)+11에서 ㉠=㉡+5이어야 한다.
㉠+6=㉡일 때 ㉠+㉡=10에서 ㉠=2, ㉡=8
㉠+㉡=16에서 ㉠=5, ㉡=11(→㉡은 한 자리 수이므로 적절하지 않다.)
㉠=㉡+5 일 때 ㉠+㉡=7에서 ㉠=6, ㉡=1
㉠+㉡=13에서 ㉠=9, ㉡=4

답 {㉠=2, ㉡=8}, {㉠=6, ㉡=1}, {㉠=9, ㉡=4}

핵·심·문·제 **2** 십만의 자리의 숫자가 3인 여섯 자리 수가 있다. 이 수의 각 자리의 숫자는 서로 다르고 이 수는 11로 나누어떨어진다고 한다. 이러한 여섯 자리 수 중에서 가장 작은 수를 구하여라.

**| 생각하기 |** 3㉠㉡㉢㉣㉤에서 11의 배수이면서 가장 작은 수가 되도록 ㉠, ㉡, ㉢, ㉣, ㉤에 알맞은 숫자를 정해야 한다. ㉠=0, ㉡=1, ㉢=2, ㉣=4일 때 가장 작은 수가 되므로 30124㉤으로 하고 11의 배수가 되도록 ㉤에 알맞은 숫자를 정하면 된다.

**| 풀이 |** 가장 작은 11의 배수이므로 여섯 자리 수 30124□에서 3+1+4=8이므로 0+2+□=8에서 □=6이다.

답 301246

유제 **1** 다섯 자리 수 ㉠㉡40㉢은 45의 배수이다. 이러한 다섯 자리 수는 모두 몇 가지인지 구하여라.

45=5×9이므로 ㉠㉡40㉢은 5의 배수이고 9의 배수이다. 따라서 ㉢은 0 또는 5이다.

유제 **2** 6개의 숫자 카드 [1], [2], [3], [4], [5], [6]을 사용하여 5개의 숫자를 만들었다. ㉠㉡이 2의 배수, ㉠㉡㉢이 3의 배수, ㉠㉡㉢㉣이 4의 배수, ㉠㉡㉢㉣㉤이 5의 배수, ㉠㉡㉢㉣㉤㉥이 6의 배수일 때 여섯 자리 수 ㉠㉡㉢㉣㉤㉥이 될 수 있는 수를 모두 구하여라.

짝수 2, 4, 6은 ㉡, ㉣, ㉥에 하나씩 정해져야 한다.

유제 **3** 일곱 자리 수 $25ab33c$는 8의 배수이고 9의 배수이며, 11의 배수라고 한다. $a$, $b$, $c$에 알맞은 숫자를 구하여라.

8의 배수이므로 $33c$에서 $c=6$

유제 **4** 0에서 9까지 10개의 숫자를 사용하여 만들 수 있는 열 자리 자연수 중 가장 큰 11의 배수를 구하여라.

$0+1+2+3+\cdots+9=45$이므로 합이 같도록 두 조로 나눌 수는 없다. 따라서 홀수째 번 자리 숫자의 합과 짝수째 번 자리 숫자의 합의 차가 11이 되도록 두 조로 나누어야 한다.

# 특강탐구문제

**1**

여섯 자리 수 7ABABA가 6의 배수일 때, 이러한 여섯 자리 수는 모두 몇 가지나 되는지 구하여라.

**2**

비밀 번호를 입력해야 열리는 자물쇠가 있다. 그런데 비밀 번호를 적어둔 종이가 물에 젖어 다음과 같이 처음과 끝의 숫자를 알아볼 수 없게 되었다. 그러나 비밀 번호가 8의 배수이고 11의 배수라는 사실을 기억하고 있다고 한다. 이 자물쇠의 비밀 번호를 구하여라.

◯2 1 5 7◯

**3**

여섯 자리 수 ㉠2468㉡은 55로 나누어떨어지는 수이다. ㉠2468㉡이 될 수 있는 수를 모두 구하여라.

**4**

[3], [6], [9], [ ], [ ]의 서로 다른 숫자가 쓰인 숫자 카드 5장을 한 번씩 사용하여 다음과 같이 99의 배수인 다섯 자리 수를 만들었다. 보이지 않는 2장의 카드에 알맞은 숫자를 찾아 다섯 자리 수를 구하여라.

| 6 | 3 | 9 | | |
|---|---|---|---|---|

**5**

각 자리의 숫자가 서로 다른 일곱 자리 수가 있다. 이 수가 11로 나누어떨어진다고 할 때, 가장 큰 수와 가장 작은 수의 차를 구하여라.

**6**

여섯 자리 수 ㉠15㉡94가 99의 배수일 때, ㉠, ㉡에 알맞은 수를 구하여라.

**7**

일곱 자리 수 $2ab765c$는 396의 배수이다. $a+b+c$의 값을 구하여라.

**8**

1부터 9까지 9개의 숫자를 한 번씩 사용하여 아홉 자리 수를 만들었다. 이 수가 55의 배수일 때, 가장 작은 아홉 자리 수를 구하여라.

**9**

일곱 자리 수 32954㉠㉡에서 ㉡에 어떤 수가 오면 절대로 11의 배수를 만들 수 없다. 이 때, ㉡에 알맞은 숫자를 구하여라.

**10**

일곱 개의 숫자 0, 1, 2, 3, 4, 5, 6을 한 번씩 사용하여 일곱 자리 수를 만들었다. 이 수가 55의 배수일 때, 가장 큰 수와 가장 작은 수를 각각 구하여라.

Chapter 20

# 도형의 합동

- 세 변의 길이가 각각 같은 두 삼각형은 합동이다.
  두 변의 길이가 각각 같고, 그 사이의 각의 크기가 같은 두 삼각형은 합동이다.
  한 변의 길이가 같고, 그 양 끝각의 크기가 각각 같은 두 삼각형은 합동이다.
- 합동인 두 삼각형에서 대응각의 크기와 대응변의 길이는 각각 같다.
- 삼각형의 외각 : 삼각형의 한 외각의 크기는 그와 이웃하지 않는 두 내각의 크기의 합과 같다.

핵·심·문·제

**1** 오른쪽 그림에서 삼각형 ABC와 삼각형 ECD는 정삼각형이다. 선분 AD와 선분 BE와 교점을 P라 할 때, 각 APB의 크기를 구하여라.

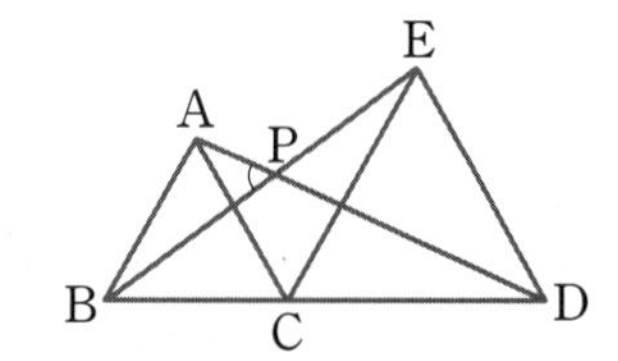


**| 생각하기 |** 각 APB의 크기를 구하려면 삼각형 ABP에서 각 ABP와 각 BAP의 크기의 합을 구해야 한다. 그런데 삼각형 BCE와 삼각형 ACD가 합동이므로 각 CAP의 크기는 각 CBP의 크기와 같다.

**| 풀이 |** 삼각형 BCE와 삼각형 ACD에서
(변 BC의 길이)=(변 AC의 길이), (변 CE의 길이)=(변 CD의 길이), (각 BCE)=(각 ACD)=$120^\circ$이므로 삼각형 BCE와 삼각형 ACD는 합동이다. 그러므로 (각 CBE)=(각 CAD)이다.
(각 ABP)+(각 BAP)=(각 ABP)+(각 BAC)+(각 CAP)=(각 ABP)+(각 BAC)+(각 CBP)
=(각 ABC)+(각 BAC)=$60^\circ+60^\circ=120^\circ$
따라서 (각 APB)=$180^\circ-${(각 ABP)+(각 BAP)}$=180^\circ-120^\circ=60^\circ$

답 $60^\circ$

핵·심·문·제

**2** 오른쪽 그림에서 점 ㅁ, 점 ㅂ은 정사각형 ㄱㄴㄷㄹ의 변 ㄴㄷ, 변 ㄷㄹ 위의 점이다. 각 ㄱㅂㄹ의 크기를 구하여라.

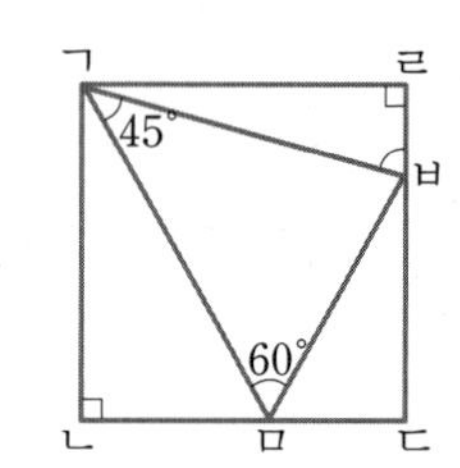


**| 생각하기 |** 삼각형 ㄱㅂㄹ을 점 ㄱ을 중심으로 회전 하여 변 ㄱㄹ이 변 ㄱㄴ과 맞닿도록 옮기면, (각 ㄱㄴㅂ')=(각 ㄱㄴㅁ)=$90^\circ$이므로 점 ㅂ', 점 ㄴ, 점 ㅁ은 일직선 위에 있다.
또 삼각형 ㄱㅂㅁ과 삼각형 ㄱㅂ'ㅁ은 합동이다.

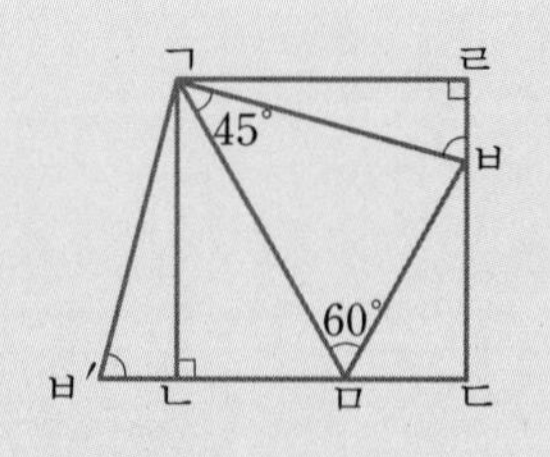


**| 풀이 |** 삼각형 ㄱㅂㄹ을 점 ㄱ을 중심으로 회전 하여 변 ㄱㄹ이 변 ㄱㄴ과 맞닿도록 옮기면, 삼각형 ㄱㅂ'ㅁ과 삼각형 ㄱㅂㅁ에서 (각 ㄹㄱㅂ)+(각 ㄴㄱㅁ)=$90^\circ-45^\circ=45^\circ$이고 (각 ㄹㄱㅂ)=(각 ㅂ'ㄱㄴ)이므로
(각 ㄹㄱㅂ)+(각 ㄴㄱㅁ)=(각 ㅂ'ㄱㄴ)+(각 ㄴㄱㅁ)=$45^\circ$이다. (각 ㅂ'ㄱㅁ)=$45^\circ$이다.
(변 ㄱㅂ'의 길이)=(변 ㄱㅂ의 길이), (각 ㅂ'ㄱㅁ)=(각 ㅂㄱㅁ)=$45^\circ$, 변 ㄱㅁ은 공통이므로 삼각형 ㄱㅂ'ㅁ과 삼각형 ㄱㅂㅁ은 합동이다.
따라서 (각 ㄱㅂㄹ)=(각 ㄱㅂ'ㄴ)=(각 ㄱㅂㅁ)=$180^\circ-45^\circ-60^\circ=75^\circ$

답 $75^\circ$

유제 **1** 오른쪽 그림의 정오각형 ㄱㄴㄷㄹㅁ에서 선분 ㄴㅂ의 길이와 선분 ㄷㅅ의 길이가 같을 때, 각 ㄱㅇㅅ의 크기를 구하여라.

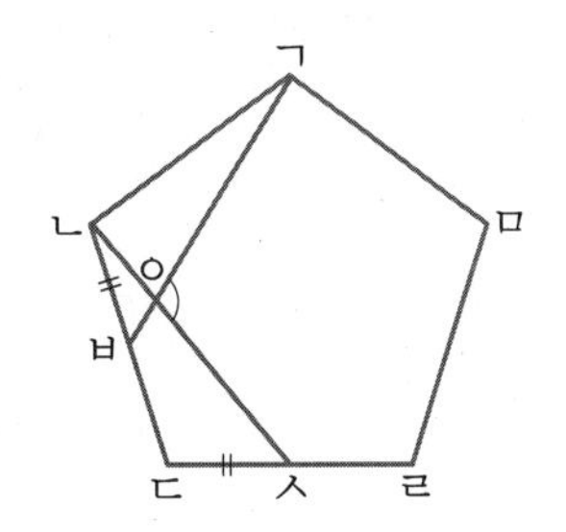


▶ 삼각형 ㄱㄴㅂ과 삼각형 ㄴㄷㅅ은 합동이다.

유제 **2** 오른쪽 그림에서 이등변삼각형 ㄹㅂㄷ은 이등변삼각형 ㄱㄴㄷ을 점 ㄷ을 중심으로 45°만큼 회전 시킨 것이다. 변 ㄱㄷ과 변 ㄹㅂ이 만나는 점을 점 ㅁ이라고 할 때, 각 ㄷㅁㅂ의 크기는 몇 도인가?(단, 변 ㄱㄴ과 변 ㄱㄷ의 길이가 같다.)

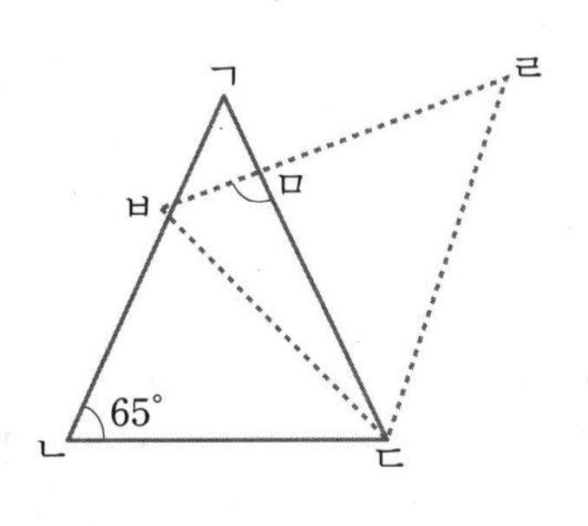


▶ (각 ㄷㅁㅂ)
=(각 ㄹㄷㅁ)+(각 ㄷㄹㅁ)

유제 **3** 오른쪽 그림에서 삼각형 ABC와 삼각형 BDE는 모두 정삼각형이다. 각 DCE의 크기가 54°일 때, 각 ADC의 크기를 구하여라.

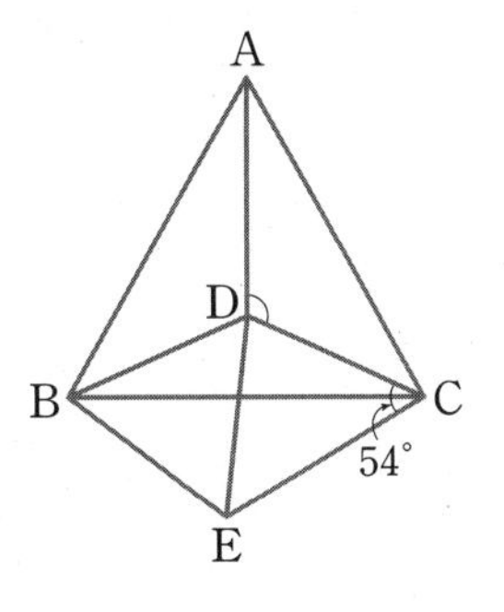


▶ (각 ADC)
=360°−{(각 ADB)+60°+(각 EDC)}
=360°−{(각 CEB)+60°+(각 EDC)}

유제 **4** 오른쪽 그림에서 사각형 ABCD와 사각형 GCEF는 정사각형이다. 변 AB의 길이가 4cm일 때, 삼각형 DCE의 넓이를 구하여라.

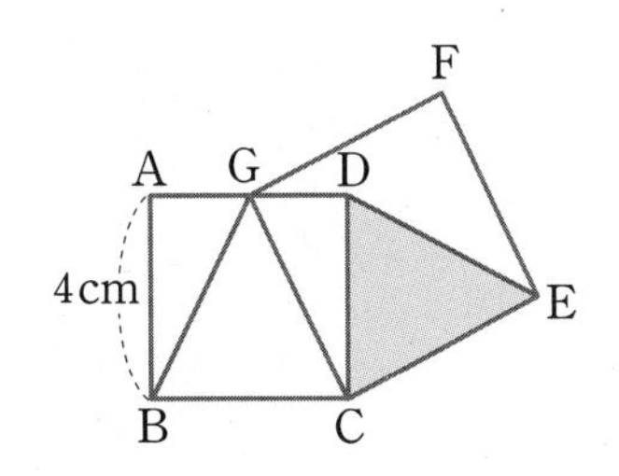


▶ 삼각형 GBC와 삼각형 EDC는 합동이다.

# 특강탐구문제

**1** 오른쪽 그림은 직각삼각형 ㄱㄴㄷ을 꼭짓점 ㄷ을 중심으로 변 ㄴㄷ과 변 ㄹㅁ이 서로 평행이되게 회전이동시킨 것이다. 각 ㄴㄱㄷ의 크기를 구하여라.

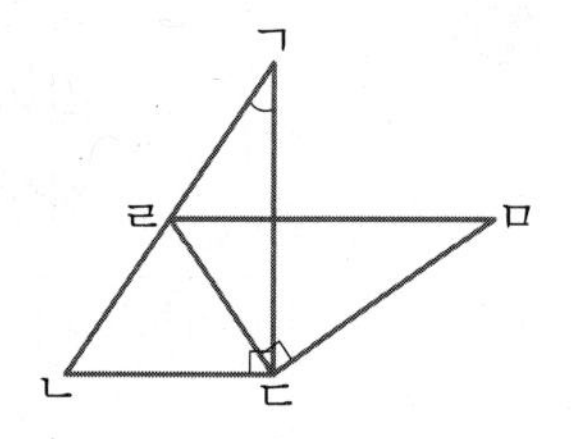


**2** 오른쪽 그림에서 사각형 ㄱㄴㄷㄹ과 사각형 ㅅㄷㅁㅂ은 모두 정사각형이다. 변 ㄹㅁ의 길이를 구하여라.

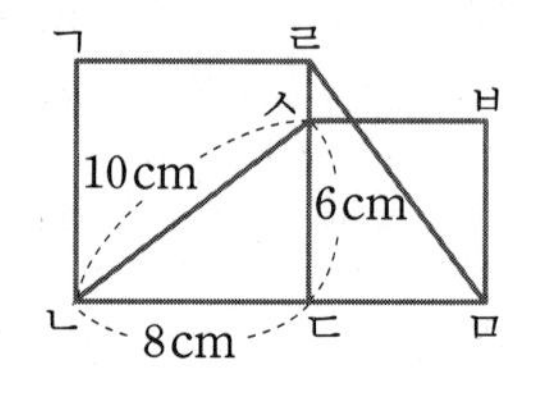


**3** 오른쪽 그림에서 삼각형 ABC는 정삼각형이고, 변 AD의 길이는 변 BE의 길이와 같다. 각 BFC의 크기를 구하여라.

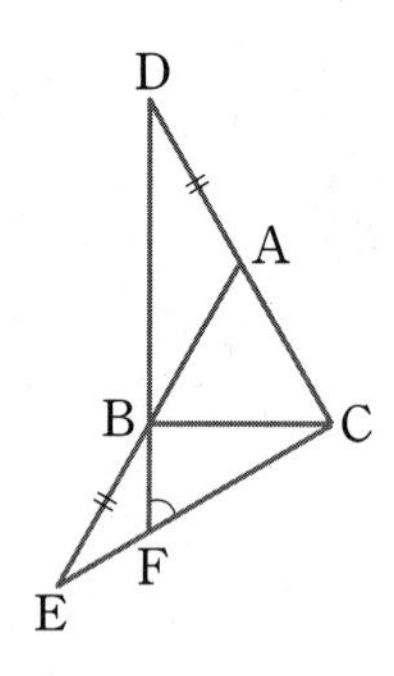


**4** 오른쪽 그림에서 삼각형 ㄱㄴㄷ과 삼각형 ㄱㄹㅁ은 모두 한 각이 50°이고 나머지 두 각의 크기가 서로 같은 이등변삼각형이다. 각 ㄹㅂㅁ의 크기를 구하여라.

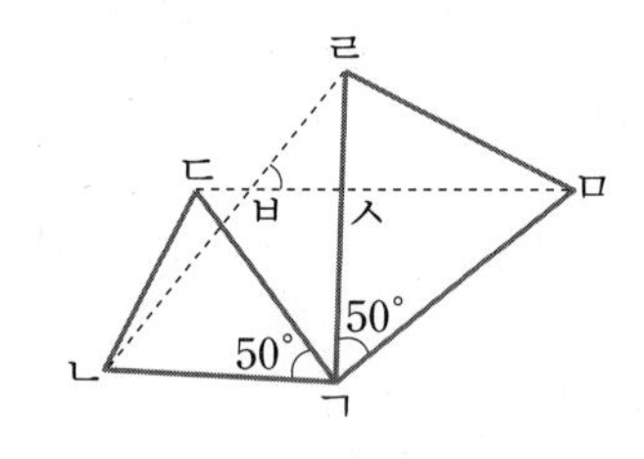


**5** 오른쪽 그림에서 삼각형 ㄱㄴㄷ과 삼각형 ㄹㄴㅁ은 합동인 이등변삼각형이다. 각 ㄱㄹㅅ의 크기를 구하여라.

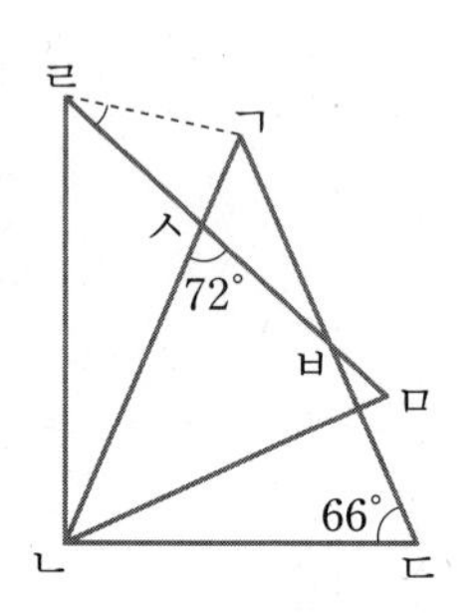

**6**

오른쪽 그림에서 삼각형 ABC는 정삼각형이다. 선분 BD의 길이와 선분 CE의 길이가 같을 때, 각 AFE의 크기를 구하여라.

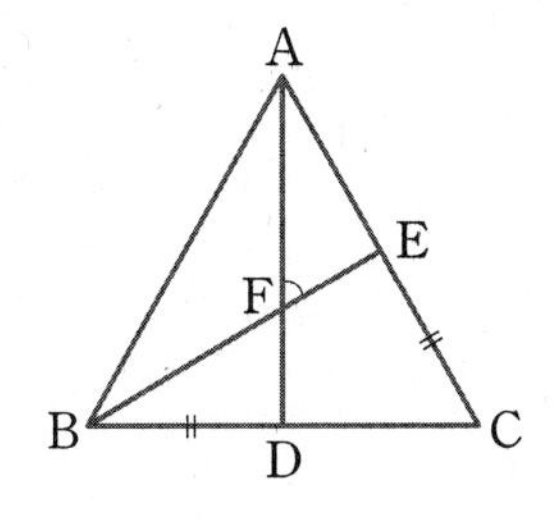


**7**

직각을 낀 두 변이 각각 8cm, 15cm인 두 직각삼각형을 오른쪽 그림과 같이 세 점 ㄴ, ㄱ, ㄹ이 일직선 위에 놓이도록 붙여 놓았다. 변 ㄱㄷ의 길이를 구하여라.

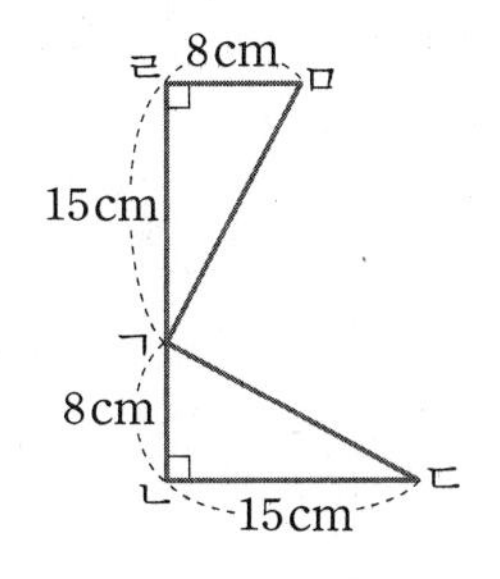


**8**

오른쪽 그림에서 변 ㄱㄴ, 변 ㄱㅁ, 변 ㅁㄹ, 변 ㄹㄷ의 길이는 같다. 각 ㄴㄱㅁ과 각 ㄷㄹㅁ의 크기는 60°이고 각 ㄱㄴㄷ의 크기는 105°, 각 ㄱㅁㄹ의 크기는 150°일 때, 각 ㄱㄷㄴ의 크기를 구하여라.

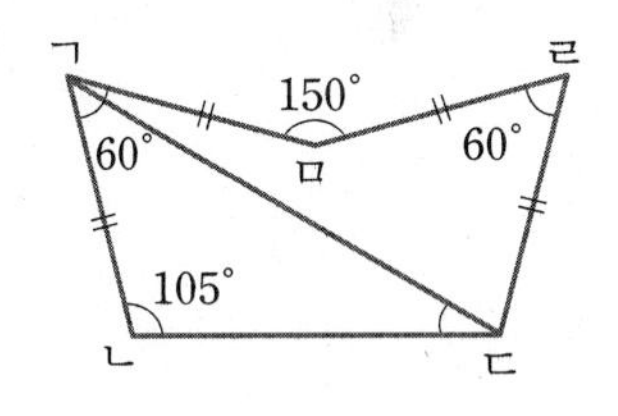


**9**

오른쪽 그림은 삼각형 ㄱㄴㄷ의 변 ㄱㄴ, 변 ㄱㄷ을 각각 한 변으로 하는 정사각형 ㄱㄴㄹㅁ과 ㄱㄷㅂㅅ을 그린 것이다. 각 ㄴㅇㄷ의 크기를 구하여라.

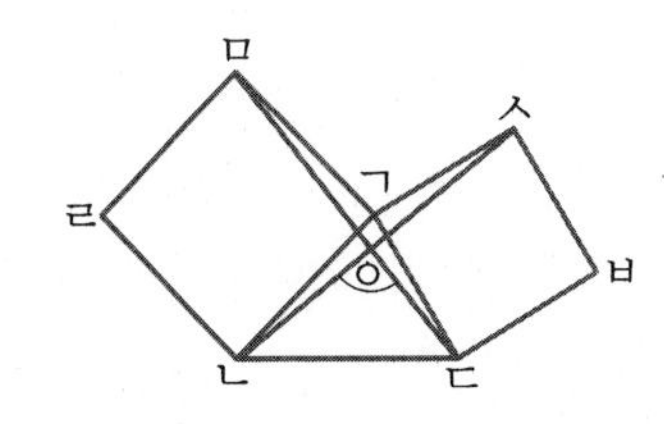


**10**

오른쪽 그림의 이등변삼각형 ABC에서 각 ABC와 각 ACB의 크기는 각각 80°이다. 각 DBC의 크기는 60°, 각 ECB의 크기는 50°일 때, 각 EDB의 크기를 구하여라.

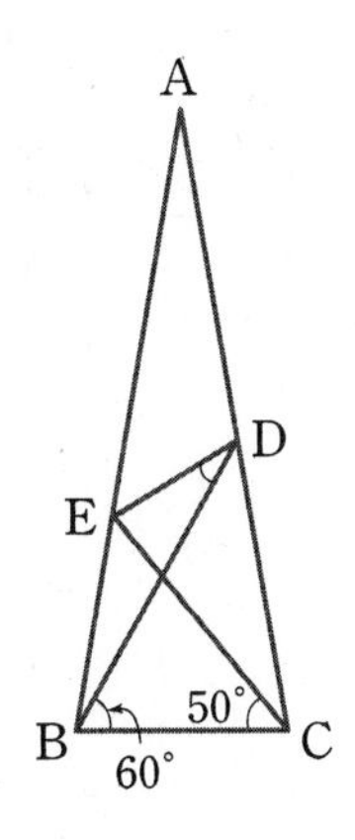

Chapter 21

# 도형의 평행이동

• 도형이 평행이동할 때 정해진 순간의 겹친 모양을 생각해 보면 문제를 쉽게 해결할 수 있다.
• 겹치기 시작할 때부터 서로 떨어질 때까지 겹쳐지면서 생기는 도형의 모양을 차례로 생각해 보면 문제를 쉽게 해결할 수 있다.
• 두 도형이 마주 보고 이동할 때 한 도형은 제자리에 있고 다른 도형이 두 도형이 움직이는 거리의 합만큼씩 이동한다고 생각하면 문제를 쉽게 해결할 수 있다.
• 두 도형이 같은 방향으로 이동할 때 천천히 움직이는 도형이 제자리에 있고 빠르게 움직이는 도형이 두 도형이 움직이는 거리의 차만큼씩 이동한다고 생각하면 문제를 해결할 수 있다.

핵·심·문·제 **1** 오른쪽 그림과 같이 두 개의 직각이등변삼각형 ㄱㄴㄷ과 ㄹㅁㅂ이 있다. 이 두 삼각형이 매초 1cm의 빠르기로 각각 화살표 방향으로 이동한 지 5초 후에 두 삼각형이 만드는 도형의 넓이를 구하여라.

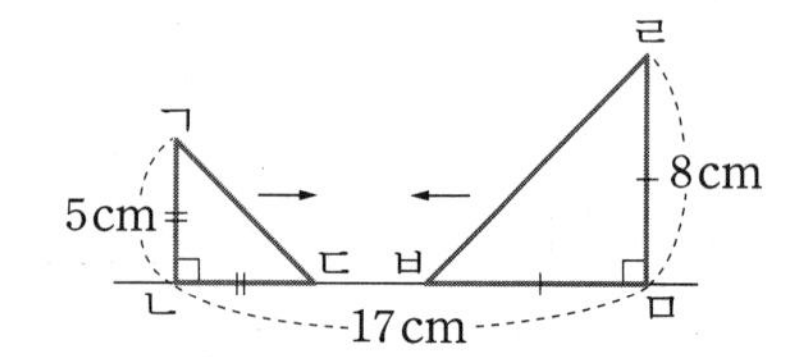


**| 생각하기 |** 매초 1cm의 빠르기로 각각 이동하므로 삼각형 ㄱㄴㄷ은 제자리에 있다고 생각하고 삼각형 ㄹㅁㅂ이 매초 2cm의 속력으로 왼쪽으로 이동한다고 생각하면 5초 후에는 점 ㅂ이 점 ㄴ보다 1cm 왼쪽에 놓이게 된다. 또, 두 삼각형이 만드는 도형의 넓이는 삼각형 ㄹㅁㅂ의 넓이에 삼각형 ㄱㅅㅇ의 넓이를 더하여 구한다.

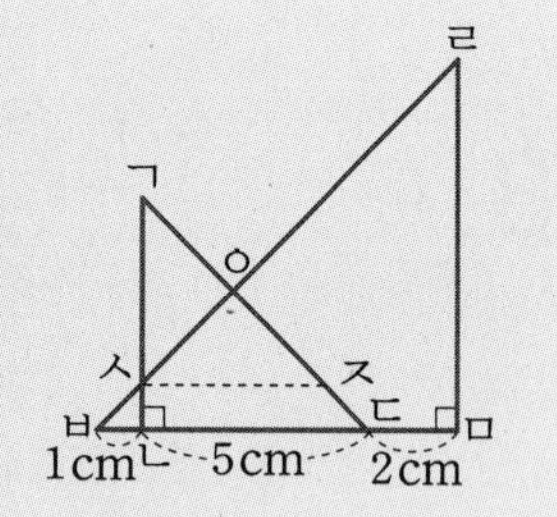


**| 풀이 |** 처음 선분 ㄷㅂ의 길이는 $17-5-8=4$(cm)이고, 점 ㅂ이 왼쪽으로 10cm 이동한 후에는 점 ㅂ이 점 ㄴ보다 $10-4-5=1$(cm) 왼쪽에 놓이게 된다.
또, 삼각형 ㅅㄴㅂ, 삼각형 ㄱㅇㅅ은 직각이등변삼각형이고, (변 ㅅㄴ)=1cm, (변 ㄱㅅ)=(변 ㅅㅈ)=4cm이다.
따라서 두 직각삼각형이 만드는 도형의 넓이는 $8\times8\times\frac{1}{2}+4\times4\times\frac{1}{2}\times\frac{1}{2}=36$(cm²)　　답 36cm²

핵·심·문·제 **2** 오른쪽 그림과 같이 직각삼각형과 직사각형이 있다. 각각 매초 3cm와 1cm의 빠르기로 화살표 방향으로 평행인 두 직선 ㉮, ㉯를 따라 이동하고 있다. 이동한 지 15초부터 21초까지의 겹치는 부분의 넓이가 항상 16cm²일 때, ㉠, ㉡에 알맞은 수를 구하여라.

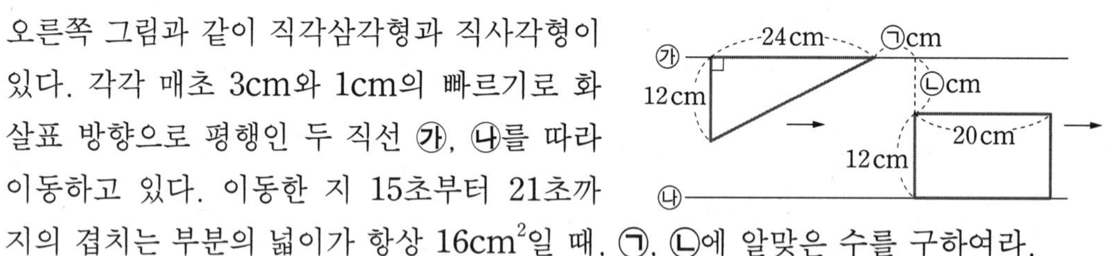


**| 생각하기 |** 직사각형은 제자리에 있고 직각삼각형만 매초 $3-1=2$(cm)씩 움직인다고 생각하자. 15초 후는 직각삼각형이 30cm 이동한 때이고, 이 때, 직각삼각형과 직사각형의 12cm인 변이 일직선이 된다. 15초부터 21초까지 겹치는 부분이 16cm²이다.

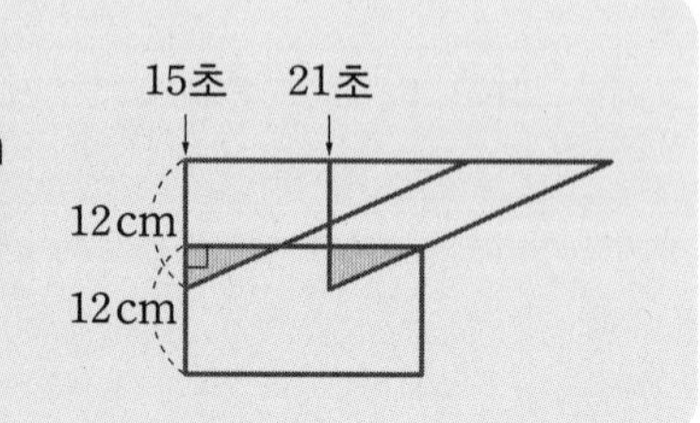


**| 풀이 |** 출발한 지 15초부터 21초까지의 겹치는 부분의 넓이가 16cm²이고, 15초 후에는 직각삼각형이 30cm 이동하였으므로 ㉠$=30-24=6$이다. 또, 겹치는 부분의 직각을 낀 두 변의 길이는 한 변이 다른 한 변의 길이의 2배이므로 $\square\times(\square\times2)\times\frac{1}{2}=16$, $\square\times\square=16$, $\square=4$ 따라서, ㉡$=12-4=8$이다.　　답 ㉠ : 6, ㉡ : 8

**유제 1** 오른쪽 그림에서 삼각형 ㄹㅁㅂ은 직각삼각형 ㄱㄴㄷ을 왼쪽으로 평행이동 시킨 것이다. 색칠한 부분의 넓이가 $54cm^2$일 때, 선분 ㄹㅅ의 길이를 구하여라.

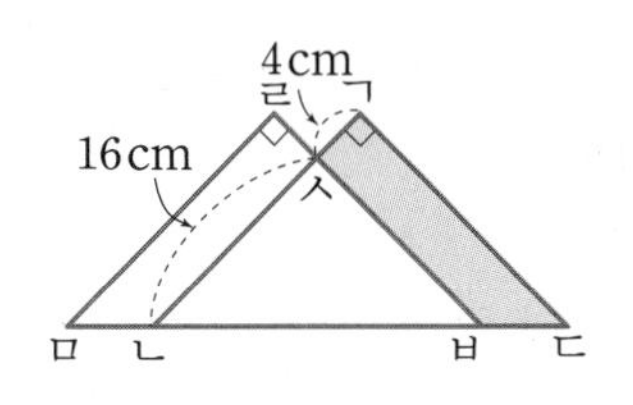


색칠한 부분의 넓이는 사다리꼴 ㄹㅁㄴㅅ의 넓이와 같다.

**유제 2** 다음 그림과 같이 정사각형과 사다리꼴이 한 직선 위에 놓여 있다. 정사각형만 매초 2cm씩 화살표 방향으로 움직일 때, 두 도형이 겹치는 부분의 넓이가 $40cm^2$가 되는 때는 몇 초 후인지 모두 구하여라.

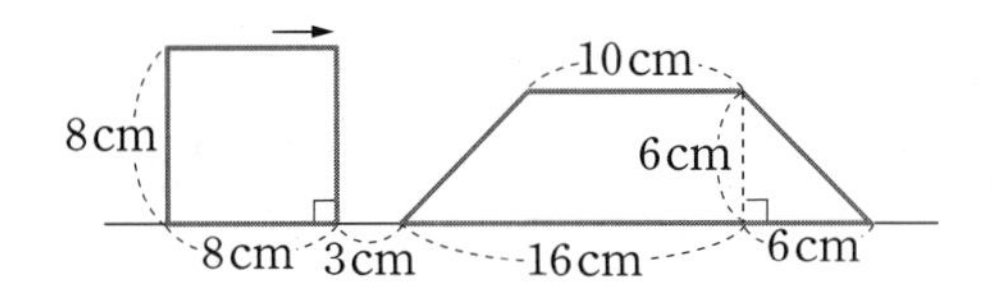


5.5초 후에 두 도형은 아래와 같이 겹쳐진다.

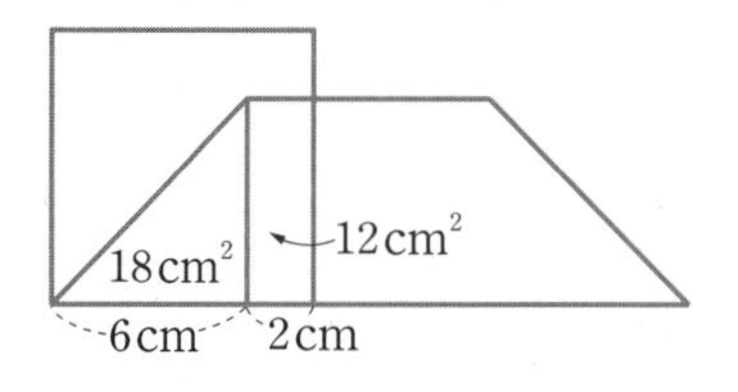


**유제 3** 다음 그림과 같이 평행사변형과 직각이등변삼각형이 한 직선 위에 놓여 있다. ㉮는 매초 2cm씩, ㉯는 매초 3cm씩 동시에 왼쪽 방향으로 움직일 때, 두 도형이 겹쳐지는 부분이 오각형이 되는 때는 언제인지 모두 구하여라.

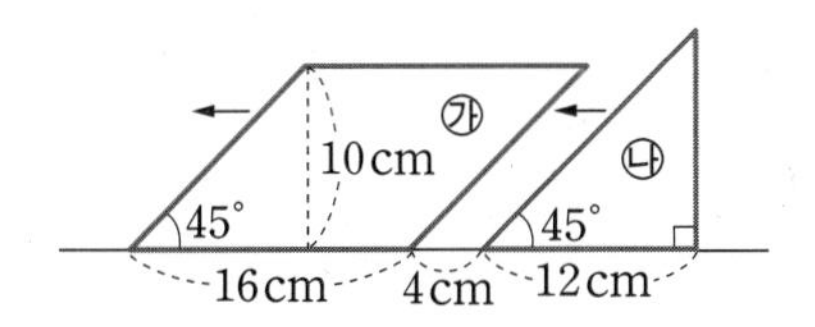


㉮는 제자리에 있고 ㉯가 매초 1cm씩 왼쪽으로 이동하는 셈이다. 겹쳐지는 부분이 오각형이 되기 시작하는 때는 아래와 같이 놓이고 난 이후부터이다.

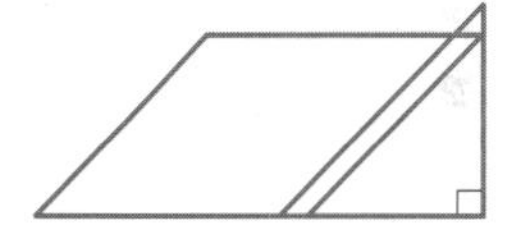

**유제 4** 직각이등변삼각형 ㉮와 직사각형 ㉯가 아래 그림과 같이 일직선 위에 놓여 있다. ㉮는 1초에 0.5cm씩, ㉯는 1초에 1.5cm씩 마주 보고 이동한다고 할 때, 두 도형 ㉮, ㉯가 겹쳐지는 부분의 넓이가 최대일 때는 출발한 지 몇 초 후인지 구하여라.

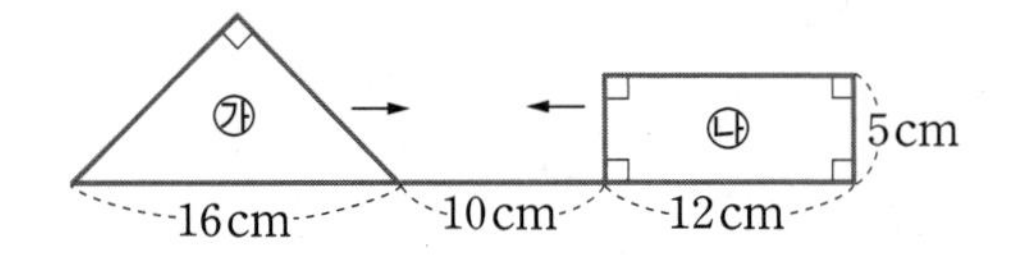


㉮는 제자리에 두고 ㉯만 1초에 0.5+1.5=2(cm)씩 이동하는 것으로 생각하자.
㉯의 가로의 중점과 ㉮의 빗변의 중점이 일치할 때 겹치는 부분의 넓이를 구해 보고, 그 전후의 겹치는 부분의 넓이를 생각해 보자.

# 특강탐구문제

**1**

오른쪽 그림은 삼각형 ㄱㄴㄷ을 아래쪽으로 평행이동 시켜 삼각형 ㄹㅁㅂ을 만든 것이다. 색칠한 부분의 넓이를 구하여라.

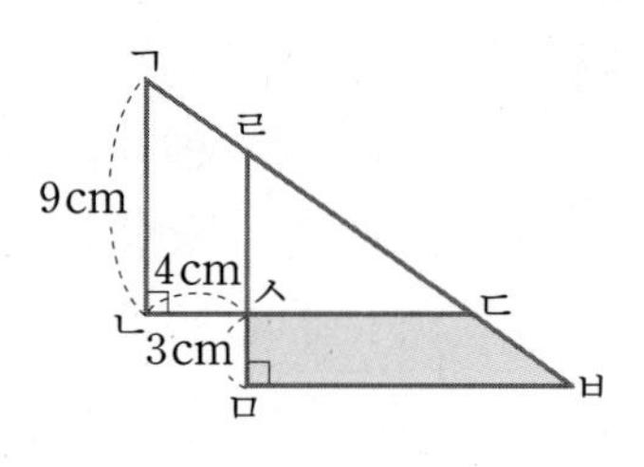


**2**

삼각형 ㄹㅁㅂ은 직각삼각형 ㄱㄴㄷ을 오른쪽으로 6cm, 아래로 6cm 평행이동 시킨 것이다. 색칠한 부분의 넓이를 구하여라.

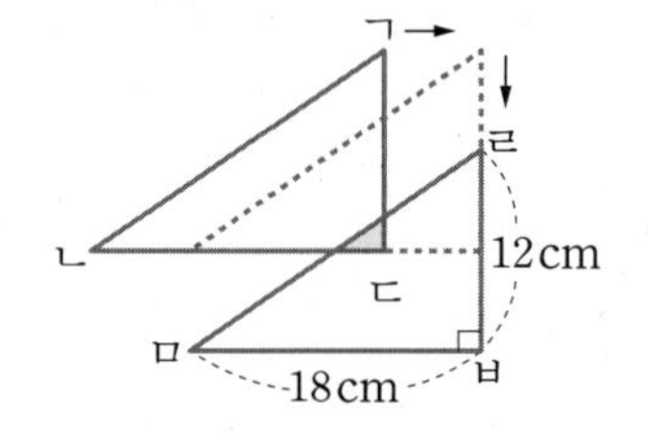


**3**

오른쪽 그림과 같이 직사각형 ㄱㄴㄷㄹ이 매초 1cm의 빠르기로 화살표 방향으로 평행이동할 때, 16초 후 직각삼각형 ㅁㅂㅅ과 겹쳐지는 부분의 넓이를 구하여라.

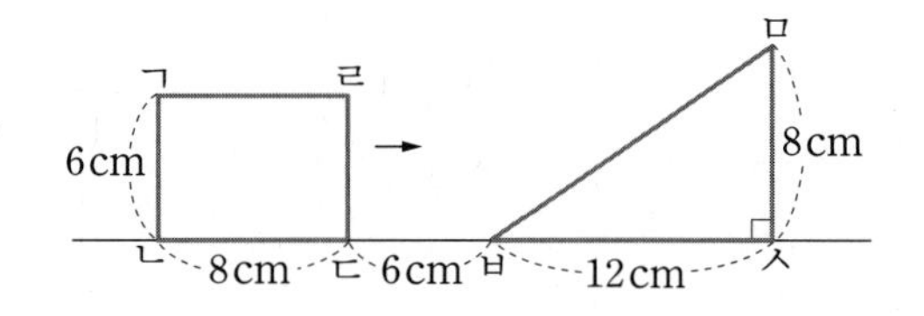


**4**

오른쪽 그림에서 도형 ㄱㄴㄷㄹ은 사다리꼴이고, 직선 ㉮는 사다리꼴의 평행인 두 변과 수직이다. 직선 ㉮가 점 ㄱ과 만나는 지점에 있다가 1초에 0.5cm씩 오른쪽으로 이동하기 시작했다. 사다리꼴이 직선 ㉮에 의해 두 부분으로 나누어지는 중 오른쪽 부분의 넓이가 왼쪽 부분의 넓이의 2배가 되는 때는 직선 ㉮가 움직이기 시작한 지 몇 초 후인지 구하여라.

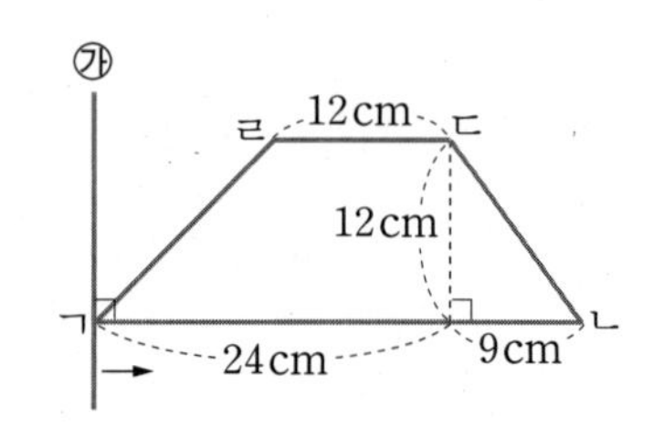


**5**

오른쪽 그림과 같이 직사각형 ㉮와 직각삼각형 ㉯가 한 직선 위에 놓여 있다. 도형 ㉯가 매초 2cm의 빠르기로 화살표 방향으로 움직일 때 두 도형이 겹쳐지는 부분이 직사각형 모양이 되는 때는 언제인지 모두 구하여라.

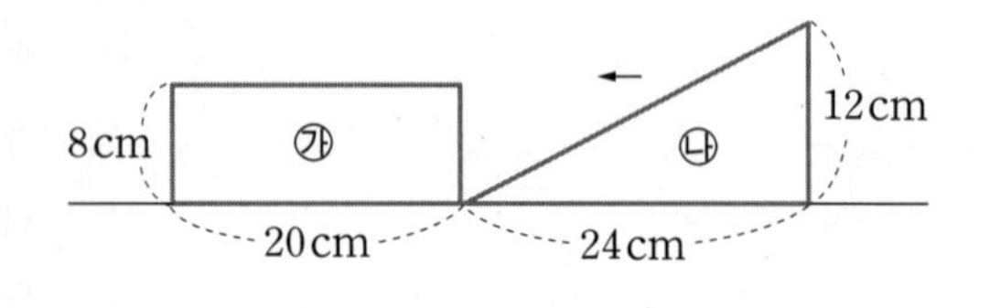

**6** 오른쪽 그림과 같이 두 개의 직각이등변삼각형 ㉮, ㉯가 한 직선 위에 놓여 있다. 두 도형 모두 오른쪽 방향으로 ㉮는 1초에 3cm, ㉯는 1초에 1cm씩 이동한다고 할 때, 이동한 지 7초 후와 8초 후에 두 도형이 겹쳐진 부분의 넓이의 차를 구하여라.

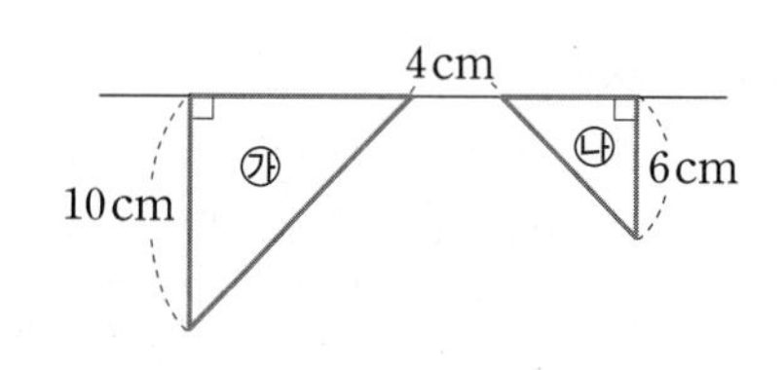


**7** ⇨ 모양으로 생긴 합동인 두 도형이 다음 그림과 같이 놓여 있다. 왼쪽에 놓인 도형이 매초 0.5cm씩 점선을 따라 오른쪽으로 평행이동할 때, 이동한 지 7초 후 두 도형이 겹쳐지는 부분의 넓이를 구하여라.

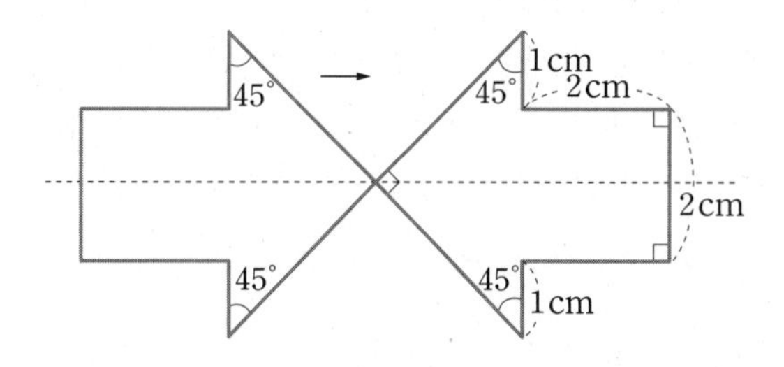


**8** 오른쪽 그림은 삼각형 ㉮와 직사각형 ㉯가 한 직선 위에 놓인 그림이다. 직사각형 ㉯가 1초에 2cm씩 왼쪽으로 이동할 때, 두 도형이 겹쳐진 부분의 넓이가 삼각형 ㉮ 넓이의 $\frac{1}{4}$이 되는 때는 이동한 지 몇 초 후인지 모두 구하여라.

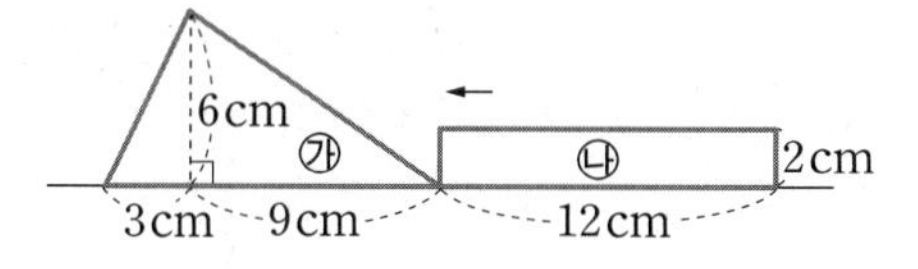


**9** 다음 그림 (가)와 같이 가로 4cm, 세로 3cm인 직사각형을 도형 ㉠, ㉡으로 잘랐다. 두 개의 도형 ㉠, ㉡을 그림 (나)와 같이 한 직선 위에 3cm 떨어뜨려 놓고 각각 매초 0.5cm의 빠르기로 마주 보는 방향으로 이동시킬 때, 4.5초 후 두 도형 ㉠, ㉡이 겹치는 부분의 넓이를 구하여라.

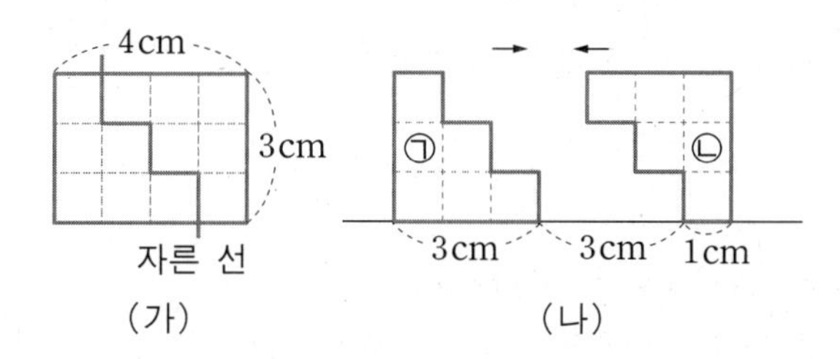


**10** 오른쪽 그림과 같이 크기가 같은 두 개의 직각이등변삼각형이 6cm 떨어진 위치에 놓여 있다가 3초에 1cm씩 화살표 방향으로 각각 이동하였다. 겹치는 부분의 넓이가 처음으로 $60cm^2$가 되는 때는 이동한 지 몇 초 후인지 구하여라.

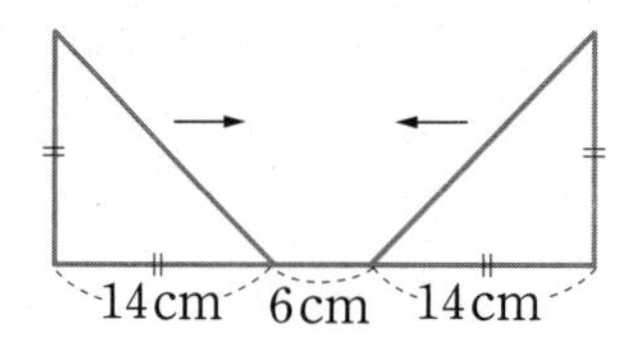

Chapter 22

# 포함과 배제 ②

• 세 가지에 대하여 포함과 배제의 상황을 알고 있다면 세 가지 중 적어도 하나 이상에 속하는 것의 개수는 ㉠+㉡+㉢−㉣−㉤−㉥−2×㉦ 또는 ㉠+㉡+㉢−(㉣+㉦)−(㉤+㉦)−(㉥+㉦)+㉦ 으로 구할 수 있다.

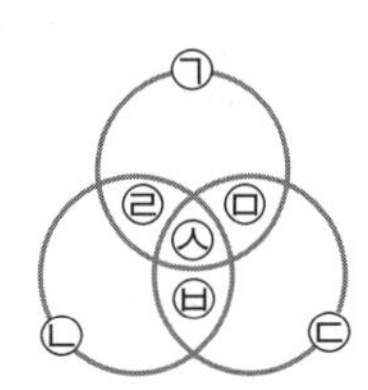


핵·심·문·제 **1** 어느 학급 학생들 모두가 세 가지 특별활동반에 가입하였다. 글짓기반에 26명, 수학반에 28명, 과학반에 29명이 가입하였는데 그 중 글짓기반과 수학반에 모두 가입한 학생이 17명, 수학반과 과학반에 모두 가입한 학생이 19명, 글짓기반과 과학반에 모두 가입한 학생이 20명이다. 세 가지 특별활동반에 모두 가입한 학생이 13명일때, 이 학급의 학생은 모두 몇 명인지 구하여라.

**| 생각하기 |** 세 가지 특별활동반에 가입한 학생 수를 각각 더하면 두 번, 세 번 중복해서 더해지는 학생이 있다. 따라서 26+28+29=83(명)에서 두 가지에 모두 가입한 학생 17명, 19명, 20명을 빼고 세 가지에 모두 가입한 학생이 완전히 제외되었으므로 세 가지에 모두 가입한 학생 수를 다시 더해 주어야 한다.

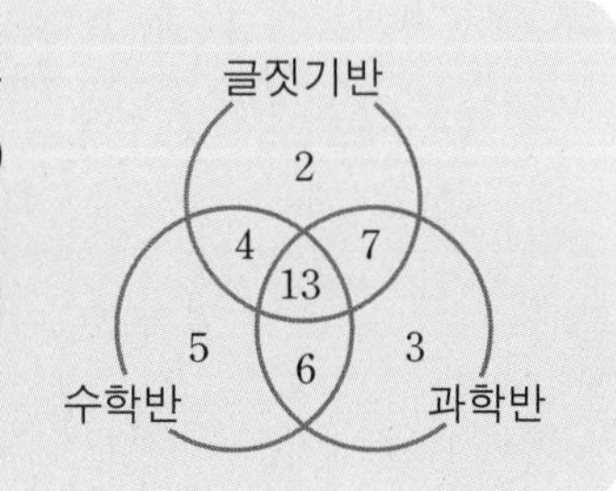


**| 풀이 |** 26+28+29−17−19−20+13=40(명)

답 40명

핵·심·문·제 **2** 성종이네 반 학생 중 36명이 영어, 과학, 수학 학원 중 적어도 하나의 학원에 다닌다. 영어 학원에만 다니거나 과학 학원에만 다니는 학생은 없고, 영어 학원과 과학 학원 두 곳만 다니는 학생 수는 수학 학원만 다니는 학생 수의 반이고, 세 학원을 모두 다니는 학생 수는 영어 학원과 수학 학원 두 곳만 다니는 학생 수의 $\frac{1}{10}$이며 짝수 명이다. 또, 과학과 수학 학원 두 곳만 다니는 학생 수는 세 학원에 모두 다니는 학생 수와 영어 학원과 과학 학원 두 곳만 다니는 학생 수의 합과 같다. 과학 학원과 수학 학원에 모두 다니는 학생 수를 구하여라.

**| 생각하기 |** 문제의 뜻에 알맞게 그림을 그려 보자.
수학 학원만 다니는 학생 수는 영어와 과학 학원만 다니는 학생 수의 두 배이고, 영어와 수학 학원만 다니는 학생 수는 세 학원 모두 다니는 학생 수의 10배이다.

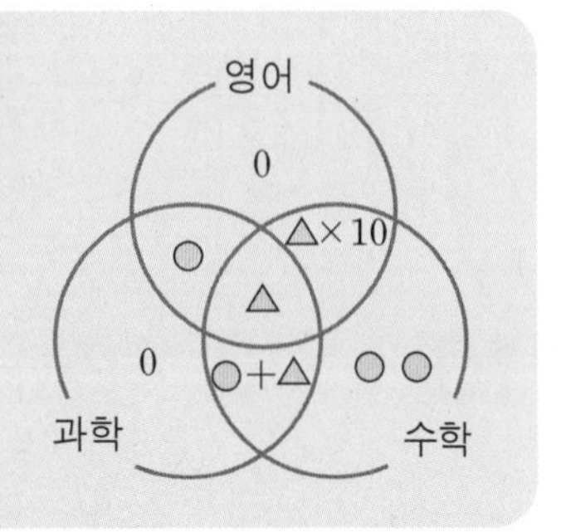


**| 풀이 |** 그림을 보면 ● 4개와 ▲ 12개의 합이 36이다. 그러므로 ● 1개와 ▲ 3개의 합이 9인데 ▲가 짝수이므로 ▲=2, ●=3이다. 과학 학원과 수학 학원에 모두 다니는 학생 수는 (●+▲)+▲=(3+2)+2=7(명)이다.

답 7명

유제 **1** 디딤돌 학교의 5학년 학생 중 탁구부는 9명, 테니스부는 15명, 축구부는 200명이다. 탁구와 테니스부인 학생은 2명인데 이 학생은 모두 축구부에도 가입했다. 축구부 학생 중 탁구부 학생은 5명, 테니스부 학생은 6명이다. 탁구부, 테니스부, 축구부에 모두 가입하지 않은 학생이 4명일 때, 이 학교의 5학년 학생은 모두 몇 명인지 구하여라.

탁구부, 테니스부, 축구부인 학생은 2명이다.

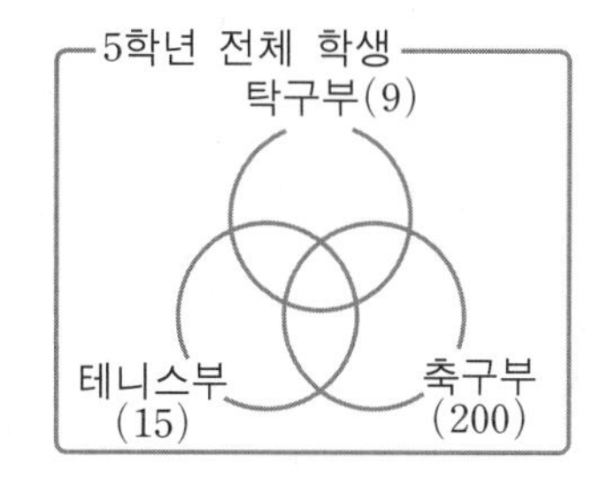


유제 **2** 경인이네 반 학생들의 필통 속을 조사했는데 샤프가 들어 있는 필통이 22개, 연필이 들어 있는 필통이 21개, 형광펜이 들어 있는 필통이 17개였다. 샤프만 들어 있는 필통은 10개, 연필만 들어 있는 필통은 8개, 형광펜만 들어 있는 필통은 4개, 샤프와 연필은 들어 있는데 형광펜은 들어 있지 않은 필통이 5개였다. 샤프, 연필, 형광펜이 모두 들어 있는 필통은 몇 개인지 구하여라.

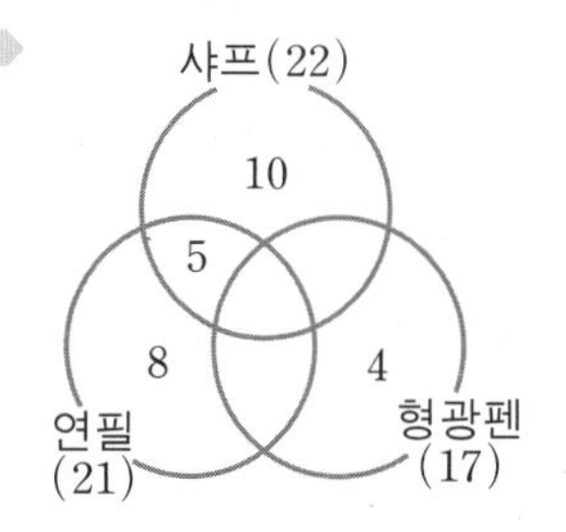


유제 **3** 소풍을 갔는데 수지네 반 학생 모두가 음료수를 가지고 왔다. 과일 주스를 가지고 온 학생은 19명, 탄산음료를 가지고 온 학생은 21명, 우유를 가지고 온 학생은 20명이었다. 그 중 과일 주스만 가지고 온 학생은 6명, 탄산음료만 가지고 온 학생은 10명, 우유만 가지고 온 학생은 8명이었다. 세 가지를 모두 가지고 온 학생이 2명일 때, 과일 주스와 우유만 가지고 오고 탄산음료는 가지고 오지 않은 학생은 몇 명인지 구하여라.

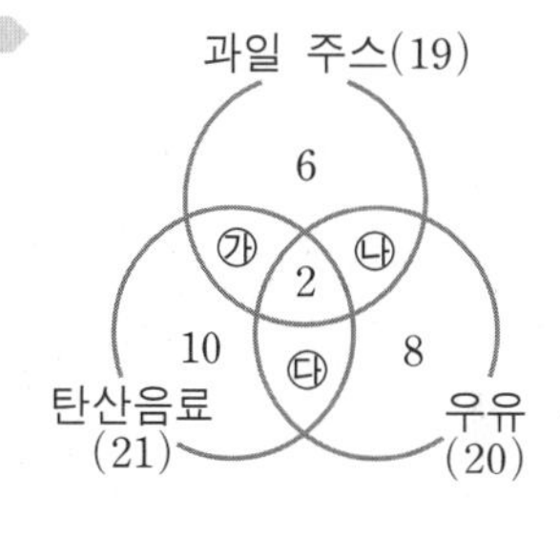


유제 **4** 어느 학급에서 ㉮, ㉯, ㉰ 세 종류의 신문 중 ㉮, ㉯ 두 신문을 보는 학생이 8명, ㉯, ㉰ 두 신문을 보는 학생이 7명, ㉮, ㉰ 두 신문을 보는 학생이 9명이고, ㉮, ㉯ 두 신문 중 적어도 한 신문을 보는 학생이 39명, ㉯, ㉰ 두 신문 중 적어도 한 신문을 보는 학생이 45명, ㉮, ㉰ 두 신문 중 적어도 한 신문을 보는 학생이 42명이었다. ㉮ 신문만 보는 학생이 11명이었다면 ㉮, ㉯, ㉰ 세 신문을 모두 보는 학생은 몇 명인지 구하여라.

㉮, ㉯, ㉰ 세 종류의 신문을 모두 보는 학생 수를 □라 하고 문제 뜻에 맞게 그림으로 그려 본다.

# 특강탐구문제

**1**

크기가 같은 원 3개를 오른쪽 그림과 같이 그렸다. 원 하나의 넓이는 $40\text{cm}^2$이고 2개의 원으로만 겹쳐진 부분의 넓이의 합이 $34\text{cm}^2$, 3개의 원이 모두 겹쳐진 부분의 넓이가 $12\text{cm}^2$일 때, 3개의 원으로 만들어진 도형의 전체 넓이는 몇 $\text{cm}^2$인지 구하여라.

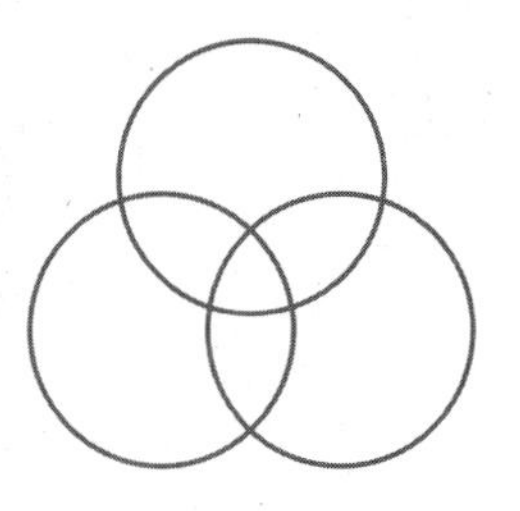

**2**

정민이네 학급 남학생 28명 중에서 농구를 좋아하는 학생이 15명, 배구를 좋아하는 학생은 13명, 축구를 좋아하는 학생이 8명이다. 농구, 배구, 축구를 모두 좋아하는 학생은 2명이고 농구와 배구를 모두 좋아하는 학생은 3명, 배구와 축구를 모두 좋아하는 학생은 4명이다. 세 가지를 모두 좋아하지 않는 학생이 1명일 때, 농구와 축구를 모두 좋아하는 학생은 몇 명인지 구하여라.

**3**

동영이네 반에서 세 가지 책 ㉮, ㉯, ㉰를 읽은 학생 수를 조사하였다. 모든 학생이 3권 중 한 권 이상은 읽었고, ㉮를 읽은 학생은 전체의 56%, ㉯를 읽은 학생은 67%, ㉰를 읽은 학생은 74%, 두 가지 이상을 읽은 학생은 전체의 52%였다. 세 가지 책을 모두 읽은 학생은 전체의 몇 %인지 구하여라.

**4**

어느 대학 부설 영재교육센터에서 수학, 과학, 정보 세 분야에서 교육받을 학생을 선발하는데 지원한 학생 수는 수학 380명, 과학 410명, 정보 390명이었다. 이 중 2개 이상에 지원한 학생 수가 다음과 같을 때, 영재교육센터에 지원한 학생은 모두 몇 명인지 구하여라.

수학 : 380명, 과학 : 410명, 정보 : 390명
수학과 과학 : 190명, 과학과 정보 : 200명, 수학과 정보 : 180명
수학과 과학과 정보 : 54명

**5**

150명의 학생들에게 ㉮, ㉯, ㉰ 세 문제를 풀게 하였더니 한 문제도 풀지 못한 학생이 9명이고, ㉮ 문제를 푼 학생은 100명, ㉯ 문제를 푼 학생은 99명, ㉰ 문제를 푼 학생은 106명, ㉮, ㉯ 문제를 푼 학생은 62명, ㉯, ㉰ 문제를 푼 학생은 75명, ㉮, ㉰ 문제를 푼 학생은 67명이었다. 세 문제 중 두 문제만 푼 학생은 몇 명인지 구하여라.

**6**

50명의 학생이 미술반, 합창반, 컴퓨터반에 모두 가입하였다. 미술반에 가입한 학생은 25명, 합창반에 가입한 학생은 32명, 컴퓨터반에 가입한 학생은 39명, 세 가지 반에 모두 가입한 학생은 8명이라고 한다. 두 가지 이상의 반에 가입한 학생 수는 몇 명인지 구하여라.

**7**

철수네 반 학생 30명에게 간식으로 빵, 과자, 음료수 중 어느 것이 좋겠는지 물었다. 과자만 좋다고 대답한 학생과 빵만 좋다고 대답한 학생들은 각각 1명씩이고, 과자와 빵만 좋다고 대답한 학생 수와 음료수만 좋다고 대답한 학생 수는 같았다. 또 빵과 음료수만 좋다고 대답한 학생 수는 6명이고, 과자와 음료수만 좋다고 대답한 학생 수는 세 가지 모두 좋다고 대답한 학생 수의 5배였다. 세 가지 모두 좋다고 대답한 학생 수가 짝수일 때, 음료수만 좋다고 대답한 학생 수를 구하여라. (단, 대답하지 않은 학생은 없다.)

**8**

소라네 반 학생 중에서 야구를 좋아하는 학생은 28명, 농구를 좋아하는 학생은 26명, 배구를 좋아하는 학생은 23명이다. 그 중 11명은 야구만 좋아하고, 13명은 농구만 좋아하며, 8명은 배구만 좋아한다. 모든 학생이 야구, 농구, 배구 중 적어도 한 가지씩은 좋아하며, 세 가지를 모두 좋아하는 학생이 9명이라고 할 때, 소라네 반 학생은 모두 몇 명인가?

**9**

어느 비행기에 14명의 한국인이 탔는데 그 중 6명은 한국인 남자이고, 한국인 남자 중에서 5명은 한국인 소년이다. 또 7명은 외국인 여자이고, 9명은 남자 어른, 9명은 소년이다. 이 비행기에 탄 사람은 모두 몇 명인지 구하여라. (단, 비행기에 탄 남자는 어른이 아니면 모두 소년이다.)

**10**

어느 초등 학교 학생 200명에게 수학, 영어, 과학 중 어느 과목을 좋아하는지 물었다. 수학, 영어, 과학을 좋아하는 학생은 각각 142명, 168명, 105명이었다. 수학, 영어, 과학 세 과목을 모두 좋아하는 학생은 최소 몇 명에서 최대 몇 명인지 구하여라.

Chapter 23

# 차가 늘어나는 수열의 응용

• 각 단계에 대응되는 수들이 차가 늘어나는 수열을 이룰 경우 ☆째 번 수는 첫째 번 수에 (☆－1)개의 차를 모두 더하여 구한다.

핵·심·문·제 **1** 모눈종이에 오른쪽 그림과 같이 직사각형을 계속 그리려고 한다. 세로는 한 칸씩 늘어나고 가로는 두 칸, 세 칸, 네 칸씩… 늘어나게 그릴 때, 도형 ①의 넓이는 $5cm^2$이고, 도형 ②의 넓이는 $12cm^2$, 도형 ③의 넓이는 $22cm^2$가 된다. 도형 ㉕의 넓이를 구하여라.

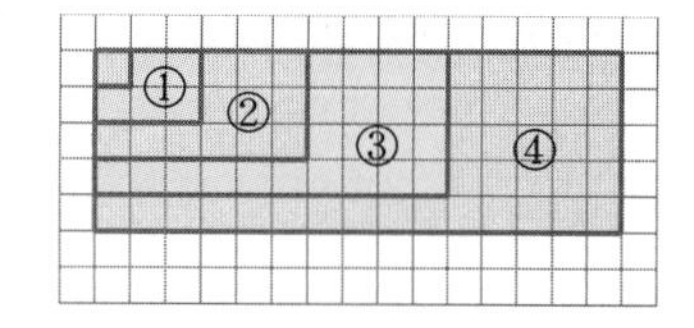


**| 생각하기 |** 도형 ①의 넓이 $3\times2-1\times1=5$
도형 ②의 넓이 $6\times3-3\times2=12$ (+7)
도형 ③의 넓이 $10\times4-6\times3=22$ (+10)
도형 ④의 넓이 $15\times5-10\times4=35$ (+13)
차가 늘어나는 수열이다.

**| 풀이 |** 각 도형의 넓이를 구해 보면 다음과 같다.

5, 12, 22, 35, …
(+7 +10 +13)

차가 늘어나는 수열이므로 도형 ㉕의 넓이는 $5+(\underbrace{7+10+13+\cdots+\square}_{24개})$이다.

$\square=7+3\times23=76$

(도형 ㉕의 넓이)$=5+(7+10+13+\cdots+76)=5+(7+76)\times24\div2=1001(cm^2)$

답 $1001cm^2$

핵·심·문·제 **2** 직사각형 모양의 종이 위에 12개의 원을 그렸다. 이 12개의 원에 의해 직사각형 종이가 가장 많은 부분으로 나뉜다면 몇 개의 부분으로 나누어지는지 구하여라.

**| 생각하기 |** 원 한 개에 의해 2개의 부분으로 나뉜다. 여기에 원 한 개를 더 그리면 2개의 부분이 더 늘어 4개의 부분이 된다. 또 다시 원 한 개를 더 그리면 4개의 부분이 각각 둘씩 나뉘므로 4개의 부분이 더 생긴다. 원을 4개 그리면 4째 번 원에 의해 6개의 부분이 둘씩 나뉘므로 6개의 부분이 늘어 모두 14개의 부분으로 나뉜다.

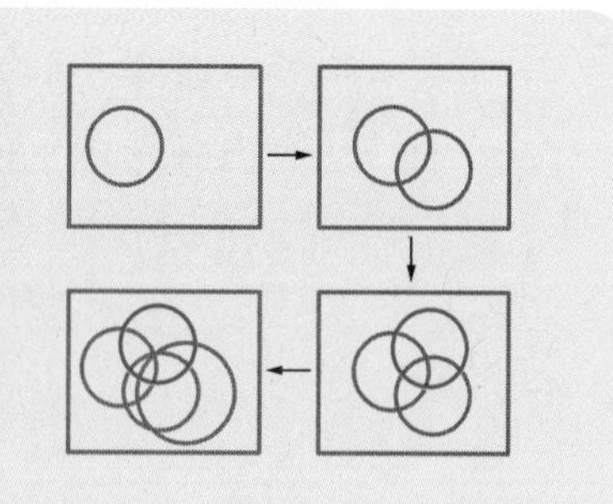

**| 풀이 |**

| 원의 수(개) | 1 | 2 | 3 | 4 | … | 12 |
|---|---|---|---|---|---|---|
| 부분의 수(부분) | 2 | 4 | 8 | 14 | … | $2+(\underbrace{2+4+6+\cdots+\boxed{22}}_{11개})$ |

(+2, +4, +6)

즉 $2+(2+22)\times11\div2=134$(부분)으로 나뉜다.

답 134부분

유제 **1** 성냥개비를 이용하여 다음과 같은 모양을 만들었다. 30째 번 모양을 만드는 데 필요한 성냥개비는 모두 몇 개인가?

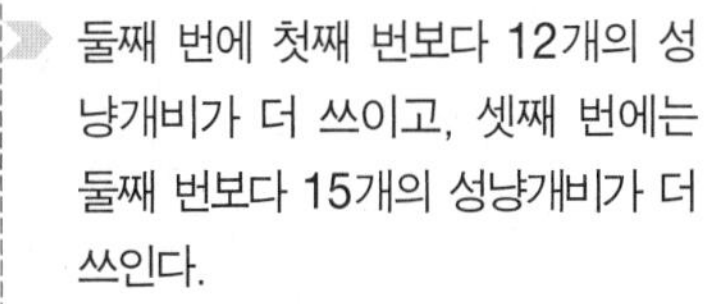
둘째 번에 첫째 번보다 12개의 성냥개비가 더 쓰이고, 셋째 번에는 둘째 번보다 15개의 성냥개비가 더 쓰인다.

첫째

둘째

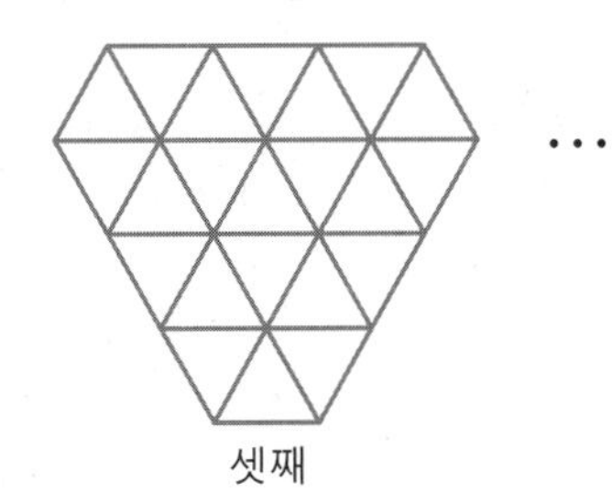
셋째

…

유제 **2** 정사각형 모양의 색종이를 다음 그림과 같이 일정한 규칙으로 이어 붙였다. 24단계에는 색종이가 몇 장 필요한가?

| 1단계 | 2단계 | 3단계 | 4단계 | … |
|---|---|---|---|---|
| 1 | 5 | 13 | 25 | … |

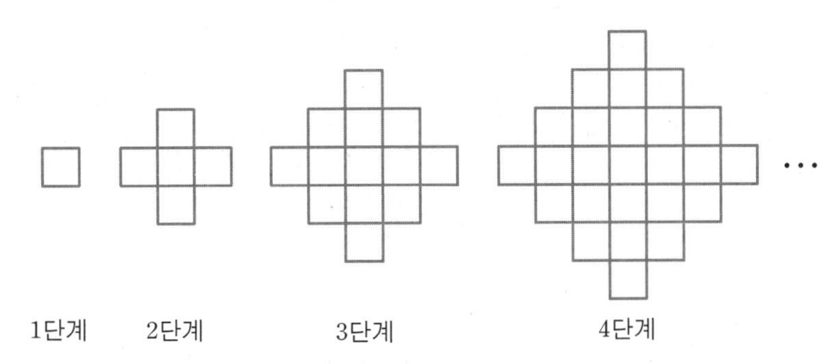
1단계 2단계 3단계 4단계

유제 **3** 종이 위에 직선이 한 개 그어져 있다. 이 직선과 평행이 되지 않게 한 개의 직선을 더 그리면 교점이 1개 생기고, 다시 두 직선과 평행이지도 않고 교점을 지나지도 않게 한 개의 직선을 더 그리면 교점이 3개가 된다. 이런 방법으로 나머지 직선과 평행이지도 않고 다른 교점을 지나지도 않게 직선을 15개 그리면 교점은 몇 개가 되겠는가?

| 직선 수 | 1 | 2 | 3 | 4 | … |
|---|---|---|---|---|---|
| 교점 수 | 0 | 1 | 3 | 6 | … |

유제 **4** 오른쪽 그림과 같이 바둑돌을 정육각형 모양으로 늘어놓았다. 한 변에 바둑돌이 13개 놓일 때까지 늘어놓았다면 사용된 바둑돌을 모두 몇 개인가?

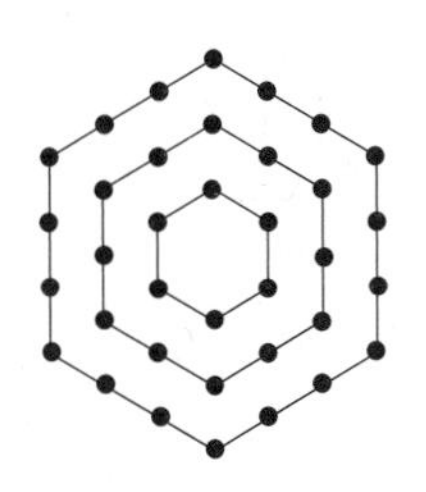

| 순서 | 1 | 2 | 3 | 4 | … |
|---|---|---|---|---|---|
| 한 변에 놓인 바둑돌의 수 | 2 | 3 | 4 | 5 | … |
| 사용된 바둑돌의 수 | 6 | 18 | 36 | 60 | … |

# 특강탐구문제

**1**

성냥개비를 사용하여 오른쪽과 같은 모양을 만들었다. 이와 같은 방법으로 20째 줄까지 만들면, 사용된 성냥개비의 개수는 모두 몇 개인가?

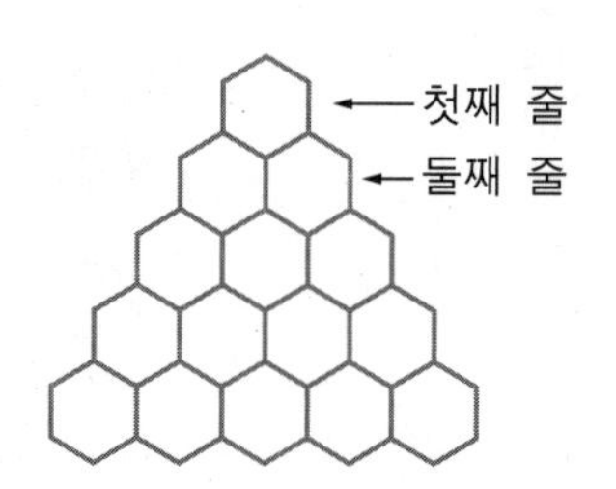


**2**

오른쪽 그림과 같이 마름모 안에 직사각형 한 개를 그리면 5개의 부분으로 나뉜다. 직사각형을 한 개 더 그리면 4개 부분이 더 생겨 모두 9개의 부분으로 나뉘고, 또 한 개를 더 그리면 6개 부분이 생겨 모두 15개의 부분으로 나뉜다. 이와 같은 방법으로 마름모를 75개의 부분으로 나누려면 모두 몇 개의 직사각형을 그려야 하는지 구하여라.

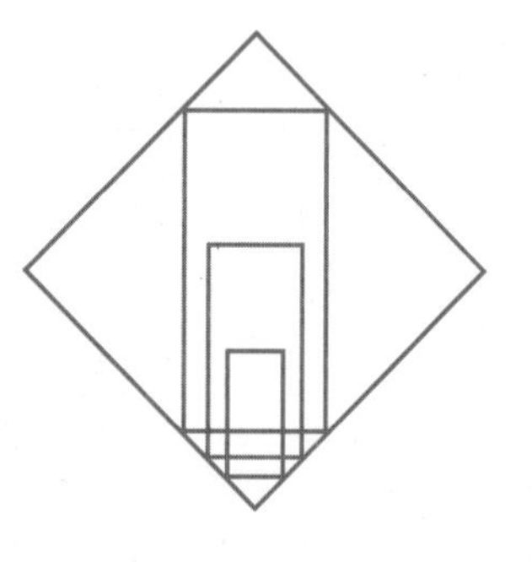

**3**

다음 그림과 같이 성냥개비를 늘어놓았다. 8단계에 사용된 성냥개비는 모두 몇 개인지 구하여라.

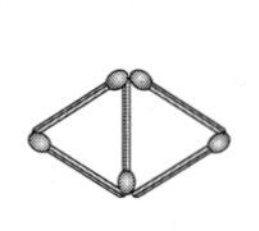
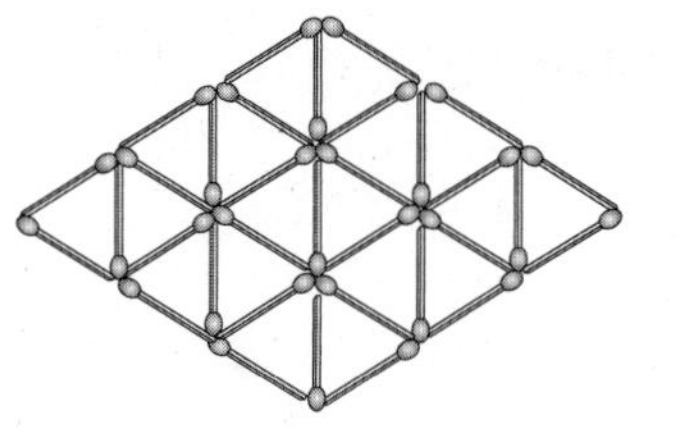

1단계 2단계 3단계 …

**4**

정사각형 모양의 색종이를 다음 그림과 같이 일정한 규칙에 따라 이어 붙였다. 사용된 색종이가 모두 313장이었다면 몇 단계까지 이어 붙인 것인지 구하여라.

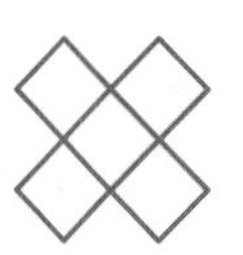
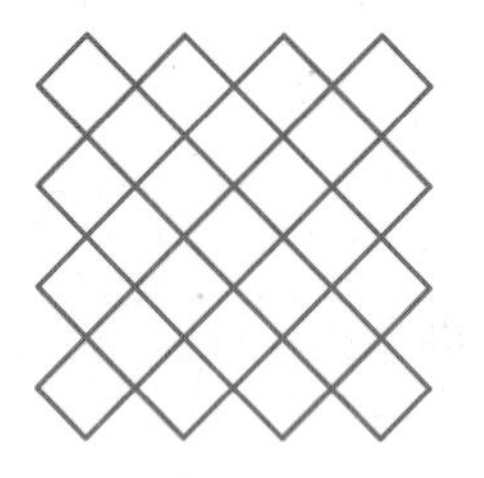

1단계 2단계 3단계 4단계 …

**5**

한 변의 길이가 1cm인 정육면체를 다음 그림과 같이 규칙적으로 쌓아 올렸다. 16층까지 쌓았을 때, 겉에 있는 정사각형은 모두 몇 개인지 구하여라.

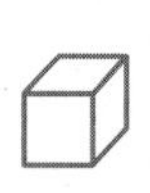
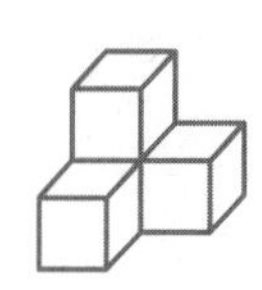
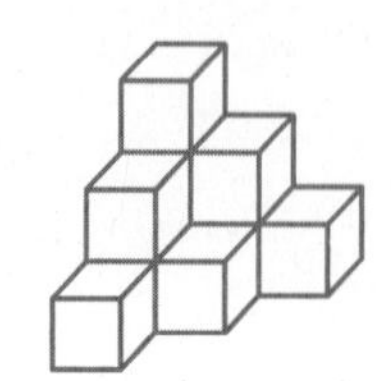

…

**6**

다음 그림과 같이 삼각형 모양으로 자른 색종이를 이어 붙였다. 27째 번에 사용된 색종이는 모두 몇 장인가?

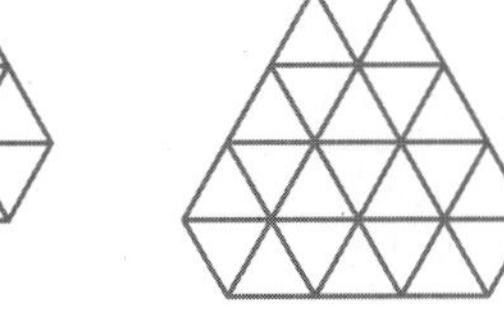


…

**7**

성냥개비로 오른쪽 그림과 같은 도형을 계속 만들려고 한다. 성냥개비 200개로 몇 층까지 쌓을 수 있고 몇 개가 남는지 구하여라.

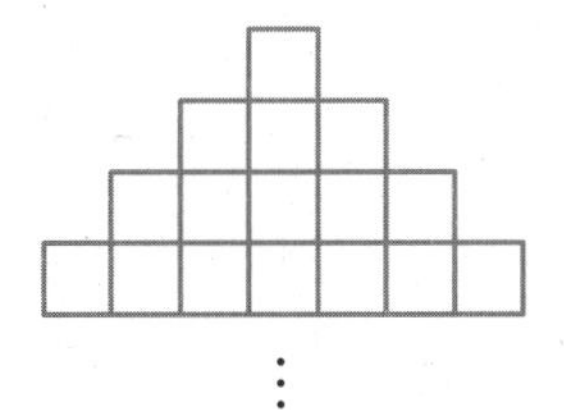

**8**

종이 위에 평행이 아닌 두 직선을 그리면 교점이 한 개 생긴다. 어느 두 직선도 평행이지 않고 어느 세 직선도 한 점에서 만나지 않게 직선을 계속해서 그렸더니 교점이 91개 생겼다. 그린 직선은 모두 몇 개인지 구하여라.

**9**

직사각형 내부에 직선 하나를 그으면 직사각형은 2부분으로 나누어진다. 직선 20개를 그어 가능한 한 많은 부분으로 직사각형을 나누려고 한다면 최대 몇 개의 부분으로 나눌 수 있는지 구하여라.

**10**

다음은 성냥개비를 접착제로 붙여서 정육면체 모양을 만든 것이다. 10단계에서 사용된 성냥개비의 개수를 구하여라.

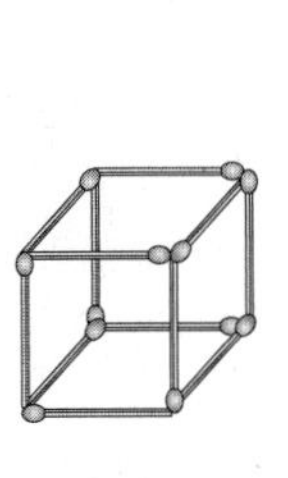
1단계

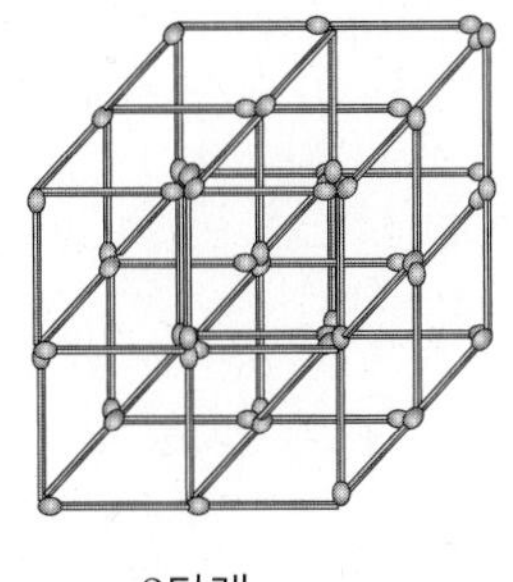
2단계

…

Chapter 24

# 분수 응용 문제 ②

- 기준량이 다를 때 기준량을 같게 만들어야 문제를 바르게 해결할 수 있다.
- 문제의 뜻에 맞게 그림으로 나타내면 문제를 해결할 수 있다.

핵·심·문·제 **1** 어느 디딤돌 수학교실 5학년 학생 중에서 여학생 전체의 $\frac{1}{11}$과 남학생 22명이 수학경시대회에 참가하였다. 참가하지 않은 여학생 수는 참가하지 않은 남학생 수의 2배라고 한다. 5학년 전체 여학생 수가 5학년 전체 남학생 수보다 2명 더 많다면, 이 디딤돌 수학교실에 다니는 5학년 학생은 모두 몇 명인지 구하여라.

**| 생각하기 |** 문제의 뜻에 맞게 그림으로 나타내어 보자.

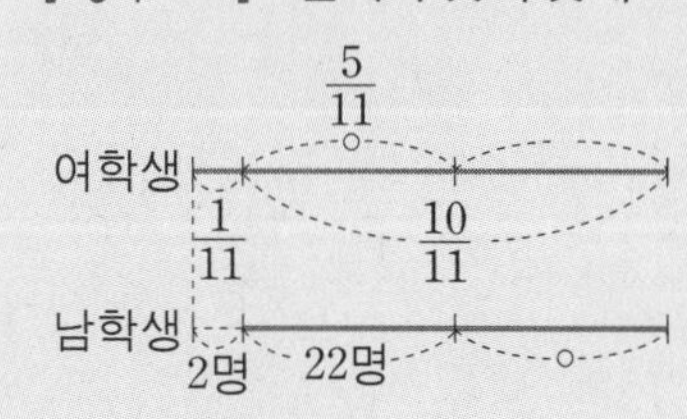


수학경시대회에 참가하지 않은 여학생 수는 여학생 전체의 $\frac{10}{11}$이고, 참가하지 않은 남학생 수의 2배이므로 여학생 전체의 $\frac{5}{11}+\frac{1}{11}=\frac{6}{11}$이 $22+2=24$(명)이 된다.

**| 풀이 |** 여학생 전체의 $\frac{6}{11}$이 24명이므로 (여학생 수)$=24\div6\times11=44$(명), (남학생 수)$=44-2=42$(명)
따라서 (5학년 학생 수)$=42+44=86$(명)

답 86명

핵·심·문·제 **2** 주머니에 구슬이 여러 개 들어 있다. 처음에 전체의 $\frac{1}{4}$을 꺼내고, 둘째 번에 24개를 꺼내고, 셋째 번에 나머지의 $\frac{1}{5}$을 꺼내었더니, 꺼낸 구슬의 수는 처음 주머니에 있던 구슬 수의 $\frac{2}{3}$와 같았다. 주머니에 들어 있던 구슬은 모두 몇 개인지 구하여라.

**| 생각하기 |** 셋째 번에 나머지의 $\frac{1}{5}$을 꺼내면 나머지의 $\frac{4}{5}$가 남고, 이것은 전체의 $\frac{1}{3}$과 같다.
즉 (나머지)$\times\frac{4}{5}=$(전체)$\times\frac{1}{3}$ → (나머지)$=$(전체)$\times\frac{1}{3}\div4\times5=$(전체)$\times\frac{5}{12}$
따라서 전체의 $\left(\frac{1}{4}+\frac{5}{12}\right)$, 즉 전체의 $\frac{2}{3}$와 24개를 더하면 전체가 된다.

**| 풀이 |** 전체의 $\frac{2}{3}$와 24개를 더하면 전체가 되므로 전체의 $\frac{1}{3}$이 24개이다.
따라서 처음 구슬은 $24\times3=72$(개)이다.

답 72개

**참고*** 전체의 $\frac{1}{4}$, 전체의 $\frac{2}{3}$를 나타내야 하므로 전체를 12로 나타내어 보자. 즉 전체의 $\frac{4}{12}$가 24개임을 알 수 있다.

$\frac{3}{12}=\frac{2}{3}$
$\frac{3}{12}=\frac{1}{4}$ 24개 나머지의 $\frac{1}{5}$ 나머지의 $\frac{4}{5}$

**유제 1** 법재와 태호는 각각 약간의 돈을 가지고 있었다. 법재가 자기 돈의 $\frac{1}{4}$을 태호에게 주고, 태호가 다시 법재한테 받은 돈과 자기가 처음에 가지고 있었던 돈의 합의 $\frac{1}{9}$을 법재에게 주었더니 두 사람이 가진 돈은 각각 처음에 가지고 있던 돈과 같다고 한다. 처음 법재가 가지고 있던 돈은 처음 태호가 가지고 있던 돈의 몇인가?

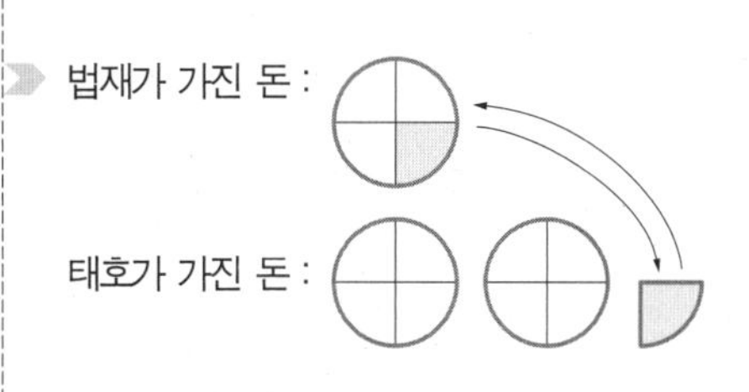


**유제 2** 어느 축구 경기장에 입장한 관람객 중 남자는 전체의 $\frac{2}{3}$보다 123명 많고, 여자는 전체의 $\frac{2}{7}$보다 52명이 많다. 이 축구 경기장에 입장한 전체 관람객 수는 모두 몇 명인지 구하여라.

여자는 전체의 $\frac{2}{7}$보다 52명 많으므로 남자는 전체의 $\frac{5}{7}$보다 52명 적다.

**유제 3** 선재는 가지고 있던 돈의 $\frac{1}{3}$보다 240원 적은 돈으로 식빵을 사고, 나머지의 $\frac{3}{4}$보다 600원 많은 돈으로 과일을 샀다. 그리고 나서 남은 돈과 언니에게 받은 돈 940원을 합한 돈의 $\frac{2}{5}$보다 80원 많은 돈을 우유값으로 냈더니 640원이 남았다. 처음 가진 돈은 얼마였는지 구하여라.

$640+80=720$(원)이 과일을 사고 남은 돈과 언니에게 받은 돈의 합의 $\frac{3}{5}$이므로 $720\div3\times5=1200$(원)이 과일을 사고 남은 돈과 언니에게 받은 돈의 합이다.

**유제 4** 집에서 학교까지 가는 길에는 동사무소, D마트, 은행, 문방구점이 차례로 있다. 집에서 동사무소까지는 집에서 학교까지의 전체 거리의 $\frac{2}{5}$이고, 동사무소에서 D마트까지의 거리는 전체 거리의 $\frac{1}{4}$이다. D마트에서 은행까지의 거리는 D마트에서 학교까지 거리의 $\frac{2}{7}$로 문구점에서 학교까지의 거리와 같다. 은행에서 문구점까지의 거리가 150m일 때, 집에서 학교까지의 거리는 몇 km인지 구하여라.

문제의 뜻에 맞게 그림으로 나타내어 보자.
전체 거리의 $\frac{2}{5}$와 전체 거리의 $\frac{1}{4}$을 그림으로 나타내야 하므로 전체를 20으로 나누어 나타내자.

# 특강탐구문제

**1**

성종이는 산에서 밤을 따서 세 바구니에 나누어 담았다. 첫째 바구니에는 전체 밤의 $\frac{1}{4}$보다 12개 더 많이 담았고, 둘째 바구니에는 첫째 바구니에 넣고 남은 나머지 밤의 $\frac{1}{3}$보다 16개 더 많이 담았다. 셋째 바구니에는 둘째 바구니에 담고 남은 나머지 밤의 $\frac{1}{2}$보다 26개 더 많이 담았더니 남은 밤 없이 모두 봉지에 담게 되었다. 성종이가 딴 밤은 모두 몇 개인지 구하여라.

**2**

경인이는 가지고 있던 끈을 세 부분으로 나누었다. 처음에는 전체의 $\frac{3}{5}$보다 24cm 길게 자르고, 다시 남은 끈의 $\frac{1}{3}$을 잘라내었다. 그리고 나서 남은 끈의 길이를 재어 보니 처음 끈의 $\frac{1}{10}$이었다. 경인이가 처음에 가지고 있던 끈의 길이를 구하여라.

**3**

들이가 다른 ㉮, ㉯, ㉰ 세 개의 병이 있다. ㉮ 병에는 $\frac{1}{4}$, ㉯ 병에는 $\frac{1}{5}$, ㉰ 병에는 $\frac{1}{6}$만큼 물을 부었더니 모두 750mL의 물이 사용되었다. 만약 ㉮ 병에 있던 물을 모두 ㉯ 병에 부으면 ㉯ 병에는 $\frac{1}{4}$만큼 물이 차게 되고, 처음 ㉯ 병에 있던 물을 모두 ㉰ 병에 부으면 ㉰ 병에는 $\frac{1}{5}$만큼 물이 차게 된다고 한다. ㉮, ㉯, ㉰ 병에 부은 물의 양을 각각 구하여라.

**4**

쌀이 가득 들어 있는 쌀통에서 처음에 전체의 $\frac{1}{4}$을 퍼냈다. 그리고 나서 다시 남은 쌀의 $\frac{2}{5}$를 퍼내고 마지막으로 지금까지 퍼낸 양의 $1\frac{1}{3}$보다 34kg 적게 퍼냈더니 남은 쌀이 없었다고 한다. 처음 쌀통에 들어 있던 쌀은 몇 kg인지 구하여라.

**5**

세 개의 상자에 사과와 배를 섞어 담았다. 각 상자에 담겨 있는 과일의 수는 모두 같고, 첫째 번 상자에 들어 있는 사과와 둘째 번 상자에 들어 있는 배의 개수는 같다. 또, 셋째 번 상자에 들어 있는 사과의 수는 세 상자에 들어 있는 전체 사과 수의 $\frac{3}{7}$이다. 전체 과일 개수에 대하여 전체 배의 개수는 몇 분의 몇인지 구하여라.

**6**

근욱이는 딱지 몇 장을 가지고 있었다. 며칠 후 근욱이가 딱지를 세어 보니 처음 수의 3배가 되었다. 이 중 10장을 빼고 나머지의 $\frac{1}{4}$을 누나에게 주었다. 그런데 근욱이가 처음 가지고 있던 딱지 수에서 8장을 뺀 수가 누나에게 준 딱지의 수와 같다고 한다. 근욱이가 처음 가지고 있던 딱지는 몇 장인가?

**7**

두 개의 A, B 물통에 각각 물이 들어 있다. A 물통에는 물통의 $\frac{3}{5}$만큼, B 물통에는 물통의 $\frac{2}{3}$만큼 물이 들어 있다. 이 두 개의 물통에서 같은 양의 물을 떠내면 A 물통에는 물통의 $\frac{1}{2}$만큼, B 물통에는 물통의 $\frac{1}{6}$만큼 물이 남는다고 한다. 처음에 두 물통에 담긴 물의 양의 합이 44L일 때, 두 물통에서 떠낸 물의 양의 합은 몇 L인지 구하여라.

**8**

수지네 학교의 남학생은 전체의 $\frac{3}{5}$보다 105명 적고, 여학생은 전체의 $\frac{3}{7}$보다 42명 많다. 수지네 학교의 학생은 모두 몇 명인가?

**9**

어느 학교의 입학 시험에서 합격자 수는 전체 응시자의 $\frac{4}{7}$보다 10명 많고, 불합격자는 합격자의 $\frac{3}{5}$보다 20명 많다. 이 학교의 입학 시험에 응시한 학생은 몇 명인지 구하여라.

**10**

호근이는 3일 동안 책 한 권을 모두 읽었다. 첫째 날에는 전체의 $\frac{2}{3}$보다 95쪽 적게 읽었고, 둘째 날에는 전체의 $\frac{1}{4}$을 읽었다. 또, 마지막 날에는 첫째 날 읽은 양의 $\frac{3}{5}$을 읽었다. 이 책의 쪽수를 구하여라.

# 무한이라는 수

우리가 바라보는 별의 숫자는 얼마나 될까? 또, 바닷가의 모래알의 숫자는 얼마나 될까? 모래알의 숫자는 충분한 시간과 인력이 있다면 셀 수 있을 것이다. 실제로 지금부터 2200여 년 전, 그리스의 수학자 아르키메데스는 전 우주를 모래알로 채우려면 얼마나 많은 모래알이 필요한지를 계산했다고 한다. 지구로부터 우주의 지평선까지는 150억~200억 광년이고, 거기까지에는 약 1000억 개의 항성이 있고, 항성의 $\frac{1}{3}$이 태양계와 마찬가지로 행성을 갖고 있다. 그 개수를 평균 10개라고 하면 은하계에는 1조 3천억 개의 행성이 있다고 예측하기 때문에 하늘의 별의 개수는 상상할 수 없을 만큼 '유한'이다. 그러나, 별의 수이든 모래알의 수이든 우리가 다루기 힘든 수임에는 틀림없다.

칸토어
(Georg Ferdinand Ludwig Philip Cantor, 1845~1918)
러시아 상트페테르부르크 출생. 집합론의 창시자로 알려져 있다. 유대계의 부유한 상인의 아들로서 1850년 아버지와 함께 독일의 프랑크푸르트로 이사한 후로는 그 곳에서 성장하였다. 취리히대학과 베를린대학에서 공부하였고 괴팅겐대학에서도 한 학기를 보냈다. 베를린에서는 E.E.쿠머, K.바이에르슈트라스, L.크로네커 등의 강의를 들었으며, 가우스의 정수론(整數論)에 심취하였다. 1869년 할레대학 강사와 조교수를 거쳐 1879년 정교수가 되었으나, 그 사이에 전개한 혁명적인 무한집합(無限集合)에 관한 연구는, 당시의 학계에 격렬한 논쟁을 불러일으켰으며, 특히 크로네커를 대표로 하는 일부 사람들의 비난 · 공격은 치열했다고 한다.

무한을 세기 위해서는 무한이 무엇이가에 대한 이해가 있어야 한다. 무한의 수학을 창시한 칸토어(G. Cantor, 1845~1918)가 무한에 대한 연구를 발표하기 이전에는 무한은 유한이 아니다라는 정도의 인간이 셈할 수 있는 한계를 초월한다는 의미로 쓰였다. 이 시절까지도 무한을 분석, 규명하는 것은 수학계의 금기로 여겨지면서 수학은 유한인 경우만 다루고 있었다. 칸토어는 무한의 세계를 파헤치고 이것을 '수학의 언어'로 나타내는 작업에 착수하였다. 인간의 손이 미치지 않았던 '무한'을 새롭게 조명하고, 유한 수를 셈하듯이 무한 수를 셈해 보려고 하였던 것이다. 그는 무한의 문제를 깊이 성찰한 철학자였다. 집합론의 바탕에는 실제로 무한에 관한 그의 사상이 깔려 있다. 무한을 다루는 방법으로 그가 선택한 것은 원소의 개수를 하나하나 비교하는 아주 간단한 방법이다. 즉 일대일 대응을 이용하여 무한을 셈한 것이다. 칸토어는 '무한의 수학'인 집합론을 29세 때인 1874년에 최초로 발표하였다. 그러나 그 논문을 발표하기까지 10년 간이나 스스로도 확신과 회의를 반복하였다고 한다. 스승이었던 바이에르슈트라스(Weierstrass, 1818~1897)와 동료 데데킨트(Dedekind, 1831~1916)는 칸토어에 호의적이었다. 그러나 무한을 셀 수도 있고, 크기도 비교할 수 있다는 당시의 상식으로는 너무도 엉뚱한 생각 때문에 세상은 엄청난 비난을 퍼부었고, 결국 칸토어는 그 충격으로 정신병원에 입원하게 된다. 흔히 천재들의 업적이 그러하듯이 칸토어의 업적이 제대로 인정을 받게 된 것은 몇 해가 지난 후였다. 그러나 그로부터 얼마 지나지 않아 그는 독일의 한 시골 정신병원에서 생애를 마쳤다. 너무나 거센 반대와 비난 때문에 정신 이상까지 일으켰지만 그의 수학은 이후 20세기에 모든 수학의 기초를 집합론 위에서 새로 다지도록 만드는 엄청난 영향을 끼치게 된다.

당시 유럽의 사상계를 지배하던 권위적인 견해와 새로운 것을 일단 거부하는 세계에 맞섰던 칸토어는 그의 논문 속에서 '수학의 본질은 자유에 있다.' 고 주장하였다.

Chapter 25

# 배수의 개수 구하기

• 포함과 배제의 원리를 이용하여 배수의 개수를 쉽게 구할 수 있다.
• 조건에 맞는 배수들을 차례로 구해야 할 경우에는 1부터 최소공배수까지만 직접 구해 보고 그 뒤에는 1부터 최소공배수까지와 같은 모양으로 배수가 들어 있으므로 적절히 계산하여 구한다.

핵·심·문·제 **1** 1부터 1000까지의 자연수 중에서 3, 5, 7 중 어느 것으로도 나누어떨어지지 않는 수의 개수를 구하여라.

**| 생각하기 |** 1부터 1000까지의 자연수 1000개에서 3의 배수이거나 5의 배수, 또는 7의 배수인 수의 개수를 빼면 된다. 우선 3의 배수이거나 5의 배수, 또는 7의 배수인 수의 개수를 각각 구하자. 3의 배수, 5의 배수, 7의 배수인 수의 개수를 더한 후 3과 5의 공배수인 15의 배수, 5와 7의 공배수인 35의 배수, 3과 7의 공배수인 21의 배수인 수의 개수를 빼고 다시 3과 5와 7의 공배수인 105의 배수의 개수를 더해 주면 된다.

**| 풀이 |** $1000 \div 3 = 333 \cdots 1$, $1000 \div 5 = 200$, $1000 \div 7 = 142 \cdots 6$, $1000 \div 15 = 66 \cdots 10$
$1000 \div 35 = 28 \cdots 20$, $1000 \div 21 = 47 \cdots 13$, $1000 \div 105 = 9 \cdots 55$이므로
$333 + 200 + 142 - 66 - 28 - 47 + 9 = 543$이므로
(구하는 답)$= 1000 - 543 = 457$(개)

답 457개

핵·심·문·제 **2** 긴 나무 막대 한 개에 빨간색, 노란색, 파란색으로 눈금을 그었다. 빨간색 눈금은 막대를 12등분 하고, 노란색 눈금은 막대를 15등분 하고, 파란색 눈금은 막대를 18등분 한다. 그어진 눈금을 따라 이 막대를 자른다면 모두 몇 도막이 되겠는지 구하여라.

**| 생각하기 |** 12등분, 15등분, 18등분이 되어야 하므로 막대의 길이를 12, 15, 18의 최소공배수인 180cm라고 생각하자. 12등분 하면 15의 배수마다, 15등분 하면 12의 배수마다, 18등분 하면 10의 배수마다 눈금이 생긴다. 15, 12, 10의 최소공배수는 60이므로 60cm, 120cm인 곳에는 3번 겹쳐진 눈금이 생긴다.

**| 풀이 |** 막대의 길이를 180cm라고 하자.
15의 배수, 12의 배수, 10의 배수마다 눈금이 생긴다. 1에서 180까지 15의 배수는 12개이므로 빨간색 눈금 수는 11개, 12의 배수는 15개이므로 노란색 눈금 수는 14개, 10의 배수는 18개이므로 파란색 눈금 수는 17개이다. 15와 12의 공배수는 3개, 12와 10의 공배수도 3개, 15와 10의 공배수는 6개이므로 두 번 표시된 눈금의 개수는 1개씩 적게 생겨 그림으로 나타내면 오른쪽과 같다. 눈금의 개수는 $11 + 14 + 17 - 2 - 2 - 5 + 2 = 35$(개)이므로 36도막이 생기게 된다.

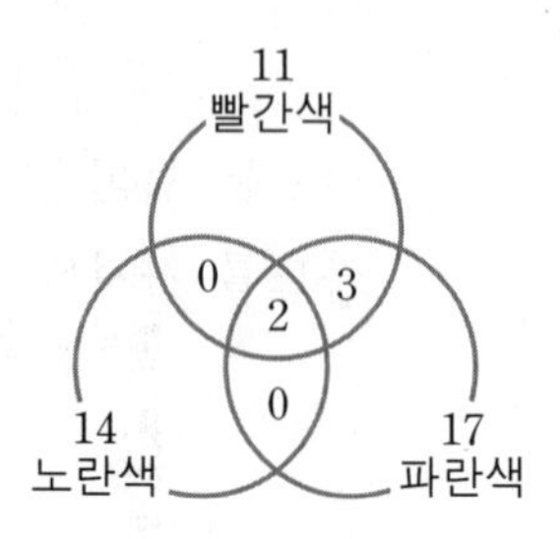


답 36도막

유제 **1** 50보다 작고, 분모가 15인 분수 중에서 기약분수만을 모두 더하면 그 합은 얼마가 되겠는지 구하여라.

> $\left(\frac{1}{15}, \frac{2}{15}, \frac{3}{15}, \cdots, \frac{15}{15}\right)$, $\left(\frac{16}{15}, \frac{17}{15}, \frac{18}{15}, \cdots, \frac{30}{15}\right)$, $\cdots$ $\left(\frac{736}{15}, \frac{737}{15}, \frac{738}{15}, \cdots, \frac{750}{15}\right)$ 로 묶어 생각해 보자.

유제 **2** 1에서 1000까지의 자연수 중에서 5로는 나누어떨어지고, 2나 3으로는 나누어떨어지지 않는 수의 개수를 구하여라.

> (5의 배수의 개수)－(10의 배수의 개수)－(15의 배수의 개수)＋(30의 배수의 개수)

유제 **3** $\frac{1}{504}, \frac{2}{504}, \frac{3}{504}, \cdots, \frac{504}{504}$ 중에서 기약분수가 아닌 분수는 모두 몇 개인가?

> $504=2\times2\times2\times3\times3\times7$ 이므로 분자가 2의 배수이거나 3의 배수이거나 또는 7의 배수인 수의 개수를 구한다.

유제 **4** 1에서 100까지의 자연수 중 서로 다른 하나의 수가 적혀 있는 숫자 카드가 100장 있다. 갑, 을, 병 세 사람이 놀이를 하는데 갑부터 시작하여 을, 병이 차례로 5 또는 7 또는 9를 말하고, 말한 수의 배수가 되는 카드를 한 장씩 가져오기로 하였다. 더이상 가져올 수 없을 때까지 하고 나서 각자 가져온 카드를 세어 보았다. 가장 많이 가져 온 사람은 최대 몇 장의 카드를 가져왔겠는가?

> 1부터 100까지의 자연수 중 5의 배수이거나 7의 배수, 또는 9의 배수인 수의 개수를 구한다.

# 특강탐구문제

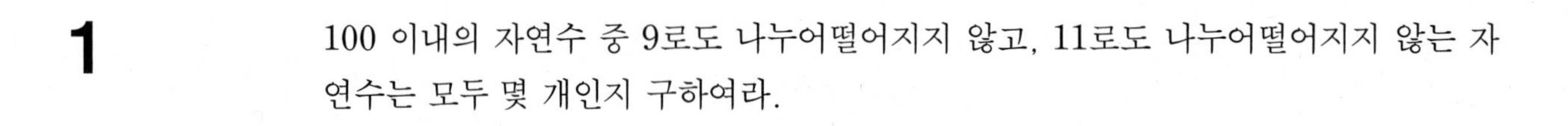

**1**

100 이내의 자연수 중 9로도 나누어떨어지지 않고, 11로도 나누어떨어지지 않는 자연수는 모두 몇 개인지 구하여라.

**2**

세 자리 자연수 중에서 7의 배수이지만 5의 배수가 아닌 수는 모두 몇 개인가?

**3**

분자가 1인 분수를 단위분수라고 한다. 분모가 세 자리 자연수인 단위분수 중에서 세 번을 더하거나 네 번을 더해도, 또는 다섯 번을 더해도 다시 단위분수가 되는 분수는 모두 몇 개인지 구하여라.

**4**

1부터 차례로 자연수를 적은 후, 다음과 같이 4의 배수와 5의 배수, 6의 배수를 지워나가려고 한다. 이렇게 하여 남은 수만을 다시 차례로 나열하였을 때, 처음부터 세어 90째 번에 있는 수를 구하여라.

1, 2, 3, ~~4~~, ~~5~~, ~~6~~, 7, ~~8~~, 9, ~~10~~, 11, ~~12~~, 13, 14, ~~15~~, ~~16~~, 17, ~~18~~, 19, ⋯

**5**

10보다 작고, 분모가 30인 기약분수를 모두 더하면 그 합은 얼마가 되는지 구하여라.

**6** 긴 끈이 있다. 이 끈을 24등분 하여 23군데에 표시를 하고, 또 다시 28등분 하여 27군데에 표시를 하고, 또 다시 30등분 하여 29군데에 표시를 하였다. 표시한 곳을 모두 가위로 자르면, 끈은 모두 몇 도막이 되겠는지 구하여라.

**7** 분모가 495이고 분자가 1부터 495까지인 분수 중 기약분수는 모두 몇 개인지 구하여라.

**8** 100 이하인 자연수 중에서 2, 3, 4, 5, 6 중 어느 것으로도 나누어떨어지지 않는 수의 개수를 구하여라.

**9** 예지는 1부터 50까지의 자연수가 각각 한 개씩 적혀 있는 숫자 카드 50장을 가지고 있다. 예지는 주사위를 던져 나온 눈의 배수가 적혀 있는 숫자 카드 중 한 장을 동생에게 주기로 했다. 예지가 주사위를 50번 던졌는데 1의 눈과 2의 눈은 각각 6번씩, 3의 눈과 4의 눈은 각각 9번씩, 5의 눈과 6의 눈은 각각 10번씩 나왔다. 나온 눈의 배수가 적혀 있는 숫자 카드가 한 장도 없으면 동생에게 숫자 카드를 주지 않고 다시 주사위를 던진다고 할 때, 주사위를 50번 던진 후 예지가 가지고 있는 숫자 카드의 수가 최소가 되는 경우는 몇 장이 남았을 때인가?

**10** 갑, 을, 병 세 사람은 각각 폭죽을 30개씩 가지고 있다. 갑, 을, 병 세 사람이 동시에 폭죽을 한 개씩 터뜨리고 나서 갑은 3분마다 한 개씩, 을은 4분마다 한 개씩, 병은 5분마다 한 개씩 터뜨리기로 하였다. 폭죽은 반드시 터지고, 동시에 터뜨린 폭죽은 한 번만 소리가 들리는 것으로 할 때, 폭죽 터지는 소리는 모두 몇 번 들리겠는지 구하여라.

Chapter 26

# 둘레를 이용하여 계산하기 ②

• 둘레에 대한 조건을 활용하면 문제를 해결할 수 있다.

핵·심·문·제 **1** 오른쪽 그림은 21개의 크고 작은 정사각형을 한 변의 길이가 112cm인 정사각형 속에 완전히 채운 그림이다. 각 정사각형 안에 그 정사각형의 한 변의 길이를 적으려고 한다. ㉠에 알맞은 수를 구하여라.

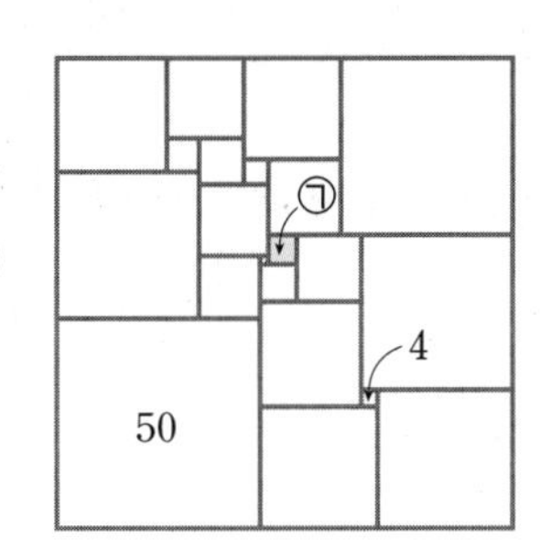


**| 생각하기 |** 그림과 같이 각 정사각형 안에 ㉮, ㉯, ㉰, … 로 기호를 붙여 생각해 보자.
큰 정사각형의 한 변의 길이가 112cm이므로 ㉮+㉯=62
또 ㉯－㉮=4이다.
따라서 ㉯=33, ㉮=29이다.
㉰=29－4=25, ㉱=33+4+4－25=16이다.

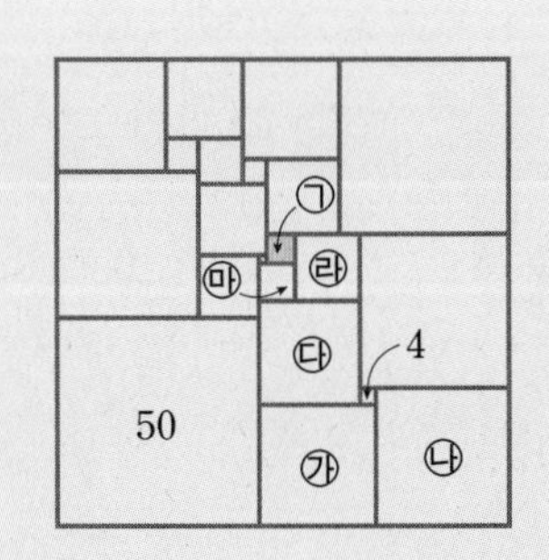


**| 풀이 |** ㉮+㉯=112－50=62, ㉯－㉮=4이므로 ㉯=33, ㉮=29
㉰=29－4=25, ㉱=33+4+4－25=16, ㉲=25－16=9, ㉠=16－9=7

답 7

핵·심·문·제 **2** 오른쪽 그림은 정사각형을 8개의 직사각형과 1개의 정사각형으로 나눈 그림이다. 8개의 직사각형은 모두 긴 변의 길이가 짧은 변의 길이의 4배이고, 큰 정사각형과 작은 정사각형의 한 변의 길이의 차는 272cm이다. 큰 정사각형의 한 변의 길이를 구하여라.

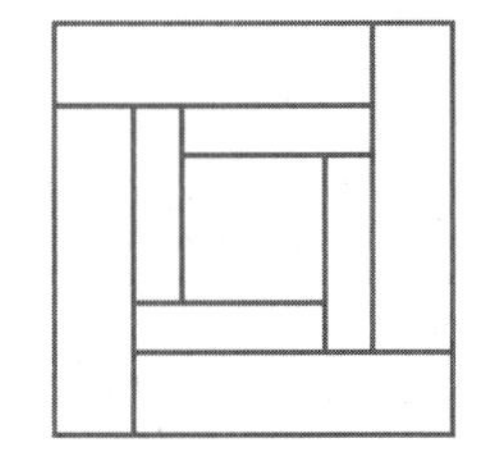

**| 생각하기 |** ㉡ : ○, ㉢ : ○+○+○+○이라 하면,
㉠=(㉡+㉢)의 $\frac{1}{3}$=(○+○+○+○+○)÷3이므로
㉡의 길이를 세 덩어리 (●+●+●)로 생각하자.

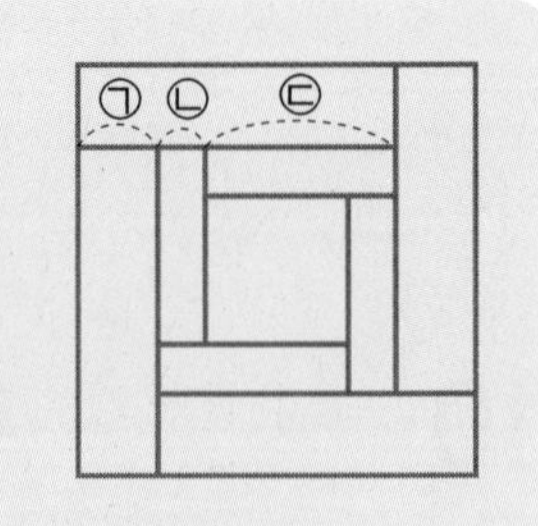


**| 풀이 |** ㉡=3×●라 하면 ㉢=12×●이고 ㉡+㉢=15×●이다.
㉠=(㉡+㉢)÷3=(15×●)÷3=5×●이므로
큰 정사각형의 한 변의 길이는 5×●+15×●+5×●=25×●, 작은 정사각형의 한 변의 길이는 12×●－3×●=9×●이므로 두 정사각형의 한 변의 길이의 차는 16×●이다.
16×●=272, ●=17, (큰 정사각형의 한 변의 길이)=25×●=25×17=425

답 425cm

유제 **1** 모양과 크기가 같은 직사각형 12장을 다음 그림과 같이 겹치는 부분이 없게 이어 큰 직사각형을 만들었다. 큰 직사각형의 넓이가 3780$cm^2$일 때, 큰 직사각형의 둘레의 길이를 구하여라.

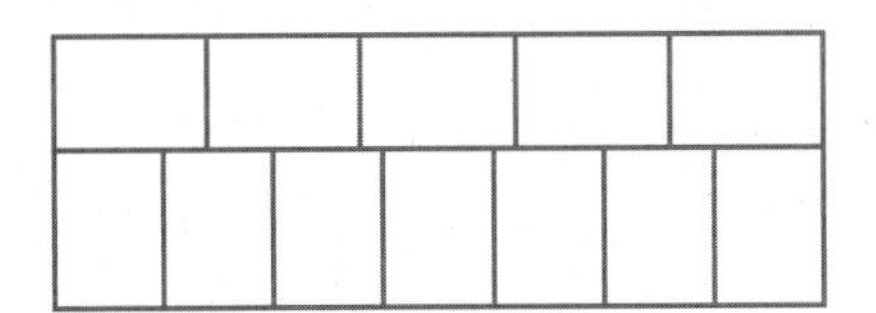

작은 직사각형의 긴 변과 짧은 변의 길이 사이에는 다음과 같은 관계가 있다.
(긴 변의 길이)×5
=(짧은 변의 길이)×7

유제 **2** 오른쪽 그림은 한 변의 길이가 20cm인 정사각형 모양의 종이 3장을 겹쳐 놓아 만든 것이다. 만들어진 도형의 둘레의 길이가 116cm일 때, 3장의 종이가 모두 겹쳐진 부분의 넓이를 구하여라.

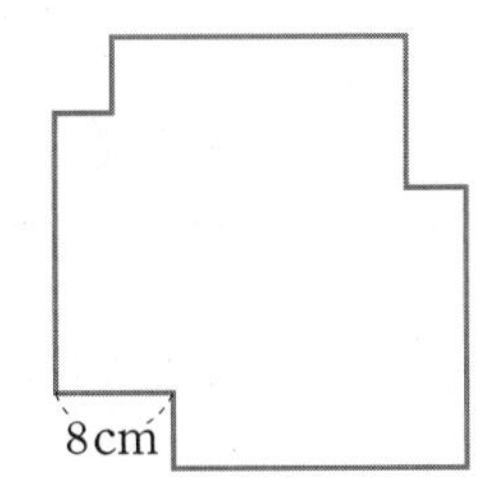


세 장의 종이가 놓인 모양을 모두 그려 보자.

유제 **3** 모양과 크기가 같은 두 개의 직사각형을 1cm씩 겹쳐 두 종류의 직사각형을 만들었다. ㉮의 넓이가 ㉯의 넓이보다 16$cm^2$ 더 넓고, ㉯의 둘레의 길이가 90cm일 때, 처음 직사각형 한 개의 넓이는 몇 $cm^2$인가?

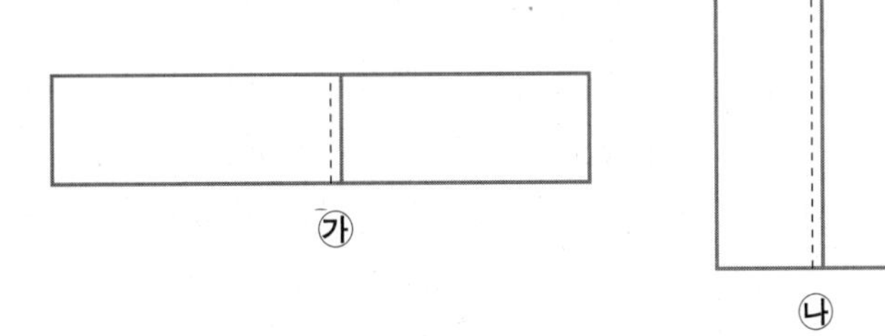


㉮의 넓이가 ㉯보다 16$cm^2$ 더 넓으므로 처음 직사각형의 긴 변의 길이는 짧은 변의 길이보다 16cm 더 길다.

유제 **4** 다음 그림에서 색칠한 부분은 정사각형이다. 직사각형 ㄱㄴㄷㄹ의 둘레의 길이를 구하여라.

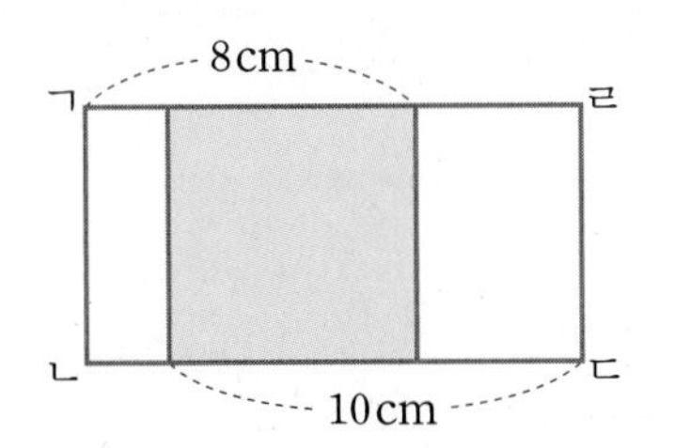


변 ㄱㄴ과 변 ㄷㄹ의 길이는 색칠한 정사각형의 한 변의 길이와 같다.

# 특강탐구문제

**1**

오른쪽과 같이 직사각형에 가로를 2등분 하는 선을 그으면 두 개의 정사각형이 되고, 가로를 5등분 하는 선을 그으면 둘레의 길이가 70cm인 직사각형 5개가 된다. 처음 직사각형의 넓이는 몇 $cm^2$인지 구하여라.

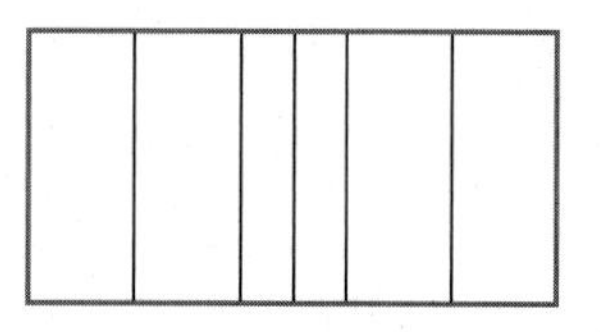

**2**

오른쪽 그림은 직사각형 모양의 꽃밭 주위에 폭 4m의 길을 만든 것이다. 길의 넓이가 $212m^2$일 때, 꽃밭의 둘레의 길이를 구하여라.

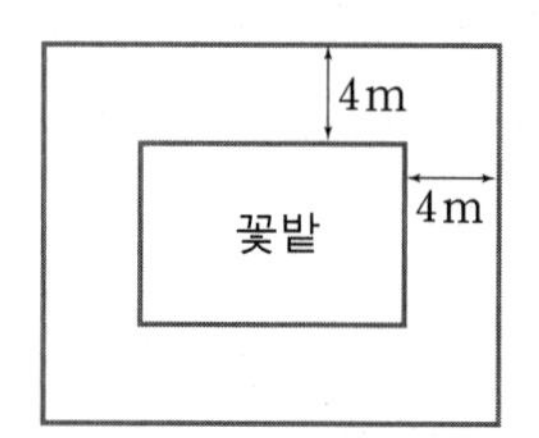


**3**

아래 그림과 같이 가로가 15cm, 세로가 3cm인 직사각형 모양의 종이 2장을 겹쳐 놓았다. 오른쪽 도형에서 굵은 선으로 표시된 둘레의 길이가 48cm일 때, 오른쪽 도형의 넓이를 구하여라.

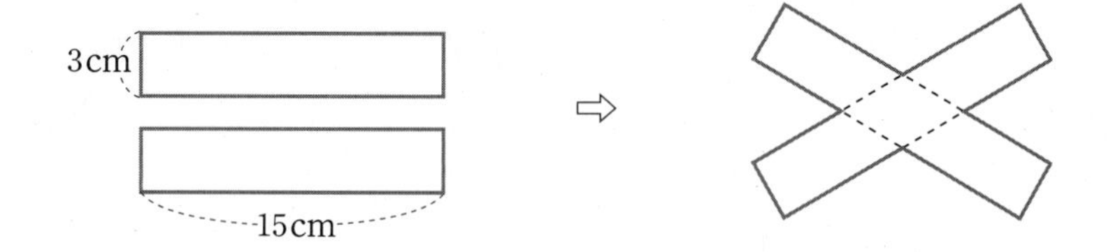


**4**

오른쪽 그림은 정사각형을 8개의 직사각형과 1개의 정사각형으로 나눈 그림이다. 8개의 직사각형은 모두 긴 변의 길이가 짧은 변의 길이의 3배이고, 큰 정사각형과 작은 정사각형의 한 변의 길이의 차는 $5\frac{1}{4}$cm이다. 처음 정사각형의 넓이를 구하여라.

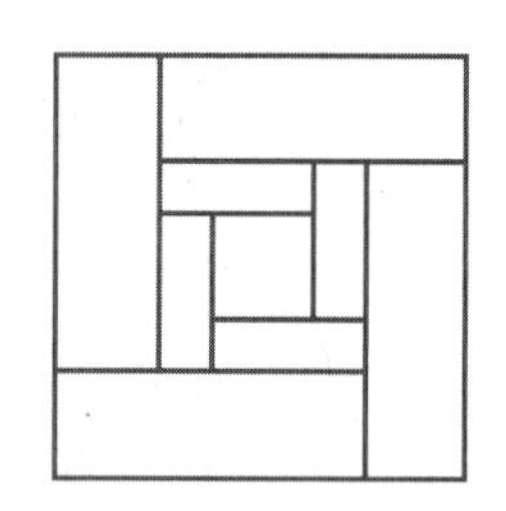

**5**

오른쪽 직사각형의 가로는 48cm이다. 크기가 각각 같은 큰 원 4개와 작은 원 23개를 그림과 같이 직사각형의 네 변과 겹치지 않게 만나면서, 이웃하는 원끼리 겹치지 않게 만나도록 그려 넣었을 때, 색칠한 부분의 넓이를 구하여라.

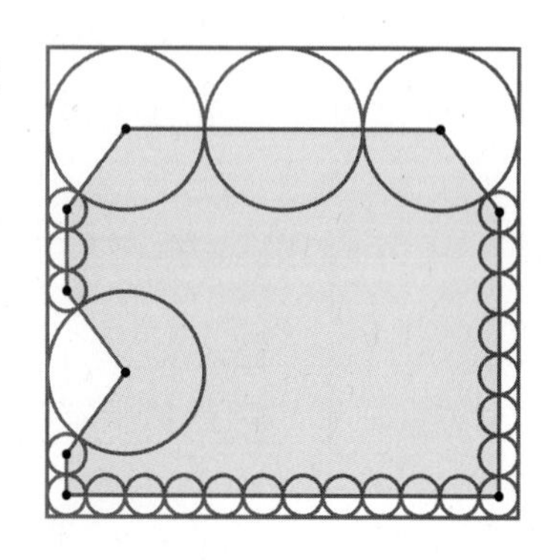

**6**

다음 그림은 모양과 크기가 같은 직사각형 17개를 서로 붙여 놓은 그림이다. 정사각형 모양으로 생긴 세 개의 빈칸의 넓이가 각각 $9cm^2$일 때, 직사각형 ㄱㄴㄷㄹ의 넓이를 구하여라.

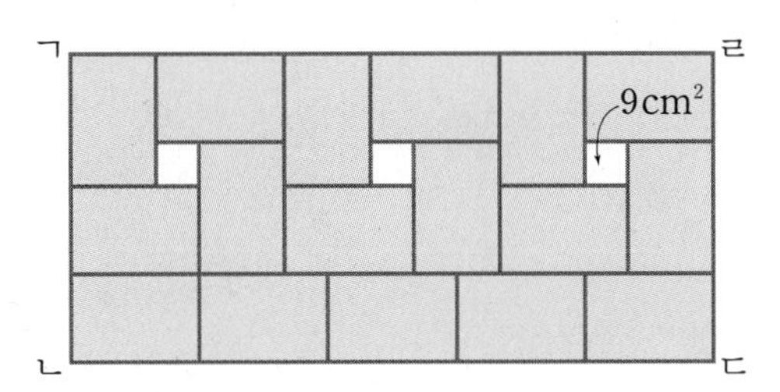


**7**

서로 합동인 4개의 직사각형을 ㉮, ㉯와 같이 겹치는 부분이 없게 늘어놓았다. 도형 ㉮의 둘레의 길이가 90cm이고 도형 ㉯의 둘레의 길이가 100cm일 때, 작은 직사각형 하나의 둘레의 길이를 구하여라.

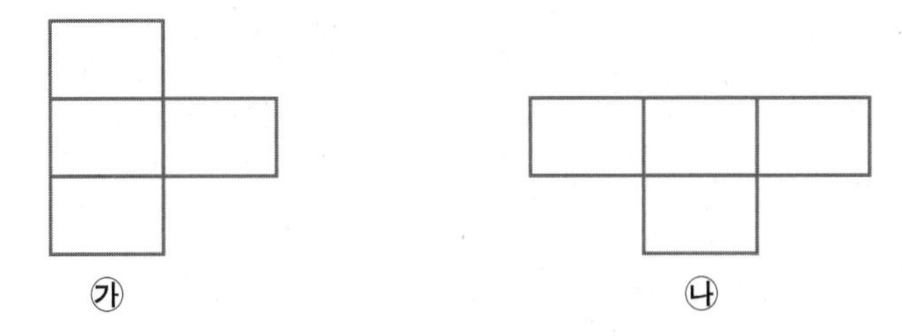


**8**

모양과 크기가 같은 세 개의 직사각형을 2cm씩 겹쳐 다음 그림과 같이 두 가지로 늘어놓았다. ㉯의 넓이가 ㉮보다 $24cm^2$ 넓고, ㉯의 둘레의 길이가 84cm일 때, ㉮의 둘레를 구하여라.

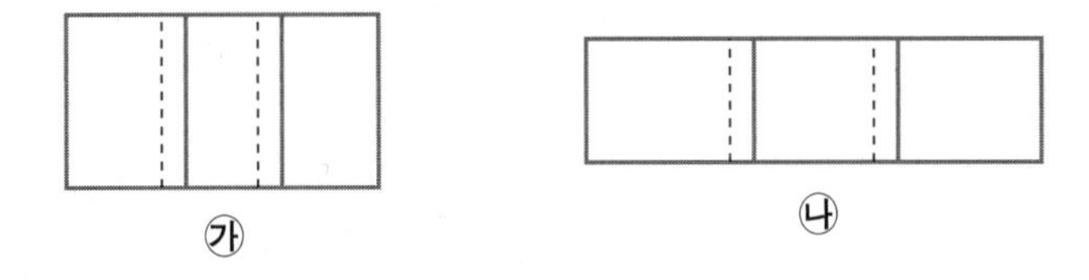


**9**

오른쪽 그림은 한 변의 길이가 15cm인 정사각형 3장을 겹쳐 놓은 그림이다. 세 장 모두 겹쳐진 부분의 가로의 길이가 9cm, 세로의 길이가 8cm일 때 이 도형의 둘레를 구하여라.

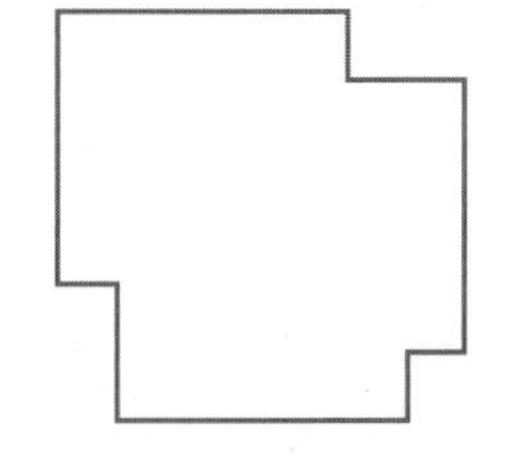

**10**

오른쪽 그림은 한 변의 길이가 224cm인 정사각형 안에 21개의 크고 작은 정사각형을 늘어놓은 것이다. 정사각형 ㉠의 한 변의 길이는 84cm, ㉡의 한 변의 길이는 54cm, ㉢의 한 변의 길이는 22cm, ㉣의 한 변의 길이는 12cm, ㉤의 한 변의 길이는 14cm일 때, ㉥의 한 변의 길이를 구하여라.

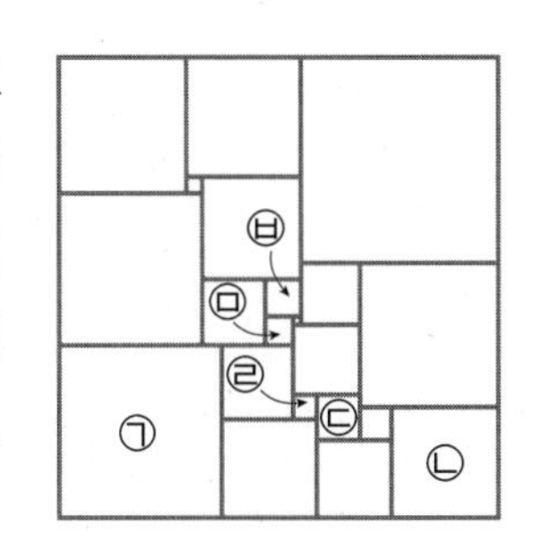

Chapter 27

# 쪼개어 구하기 ②

• 주어진 도형의 성질을 이용하여 적절히 쪼개면 문제를 쉽게 해결할 수 있다.
• 같은 모양으로 옮겨 놓고 길이나 넓이를 구할 수 있다.

핵·심·문·제 **1** 오른쪽 그림과 같이 정삼각형 ㄱㄴㄷ의 한 꼭짓점 ㄴ에서 변 ㄱㄷ에 수선을 긋고, 점 ㄹ에서 변 ㄴㄷ에 수선을 긋고, 또 점 ㅁ에서 변 ㄱㄷ에 수선을 긋고, 다시 점 ㅂ에서 변 ㄴㄷ에 수선을 그었다. 정삼각형 ㄱㄴㄷ의 넓이는 삼각형 ㄷㅂㅅ의 넓이의 몇 배인지 구하여라.

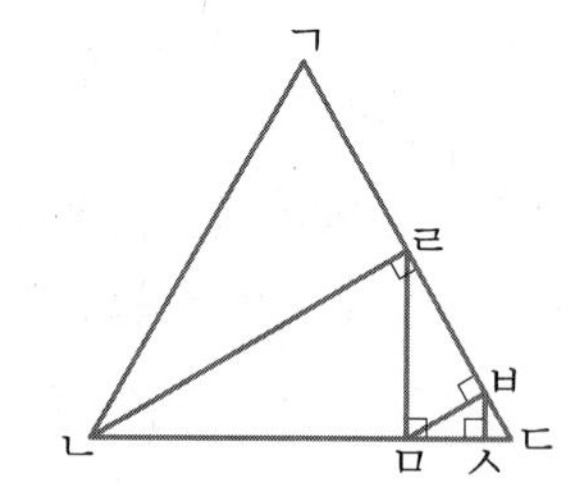


**| 생각하기 |** 정삼각형의 성질을 이용하여 처음 정삼각형 ㄱㄴㄷ의 한 변의 길이가 변 ㅂㄷ의 길이의 몇 배인지 알 수 있다. 변 ㅅㄷ의 길이를 1이라 하면 변 ㅂㄷ의 길이는 2, 변 ㅁㄷ의 길이는 4, 변 ㄹㄷ의 길이는 8, 변 ㄴㄷ의 길이는 16이 되므로 정삼각형 ㄱㄴㄷ의 한 변의 길이는 변 ㅂㄷ의 길이의 8배이다.

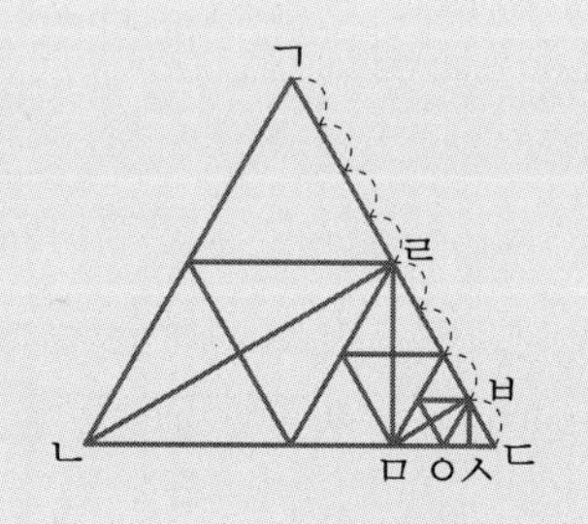


**| 풀이 |** 정삼각형 ㄱㄴㄷ의 한 변의 길이는 변 ㅂㄷ의 길이의 8배이다.
위 그림과 같이 쪼개면 정삼각형 ㄱㄴㄷ의 넓이는 정삼각형 ㅂㅇㄷ의 넓이의 $4\times4\times4=64$(배)이고, 삼각형 ㄷㅂㅅ의 넓이의 $64\times2=128$(배)이다.

답 128배

핵·심·문·제 **2** 오른쪽 도형은 정팔각형이다. 색칠한 부분은 전체 넓이의 몇분의 몇인지 구하여라.

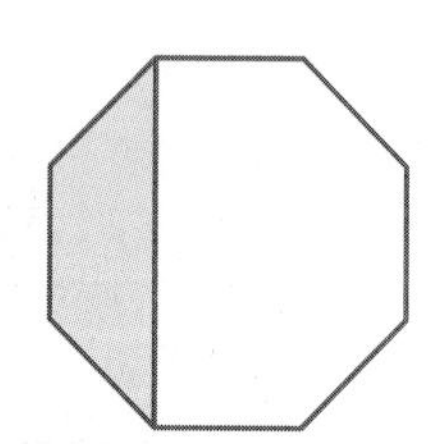

**| 생각하기 |**

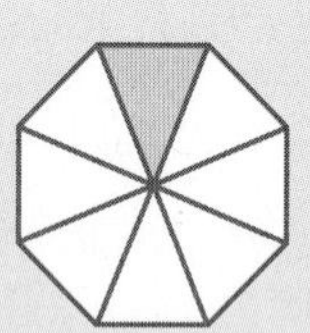

색칠한 삼각형의 넓이는 전체 넓이의 $\frac{1}{8}$이다.

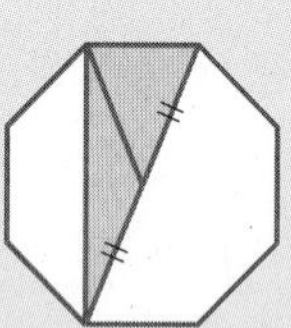

색칠한 두 삼각형은 높이가 같으므로 넓이는 전체 넓이의 $\frac{1}{4}$이다.

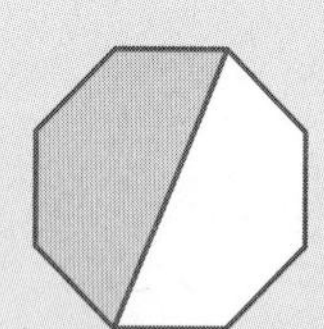

색칠한 부분의 넓이는 전체 넓이의 $\frac{1}{2}$이다.

**| 풀이 |** 오른쪽 그림에서 삼각형 OAB의 넓이는 전체의 $\frac{1}{8}$, 삼각형 ABC의 넓이는 전체의 $\frac{1}{4}$이다. 선분 BC는 전체 넓이를 이등분하므로 색칠한 부분의 넓이는 전체 넓이의 $\frac{1}{2}-\frac{1}{4}=\frac{1}{4}$이다.

답 $\frac{1}{4}$

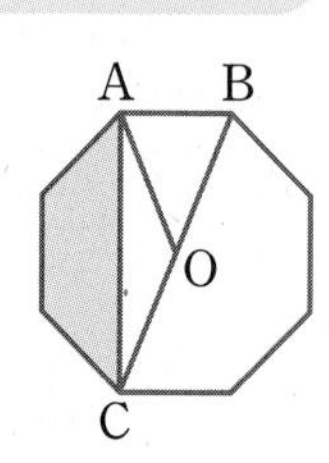

**유제 1** 정육각형의 각 변의 연장선이 만나는 점들을 꼭짓점으로 하는 정육각형의 넓이는 처음 정육각형의 넓이의 몇 배인지 구하여라.

> 정육각형은 정삼각형 6개로 쪼갤 수 있으므로 같은 크기의 정삼각형으로 쪼개어 보자.

**유제 2** ㉮와 같이 직각이등변삼각형 ㄱㄴㄷ 안에 정사각형 ㄹㄴㅁㅂ을 그렸더니 정사각형 ㄹㄴㅁㅂ의 넓이가 $36\text{cm}^2$가 되었다. 이 때, ㉯와 같이 직각이등변삼각형 ㄱㄴㄷ 안에 정사각형 ㅅㅇㅈㅊ을 그리면, 정사각형 ㅅㅇㅈㅊ의 넓이는 몇 $\text{cm}^2$가 되는지 구하여라.

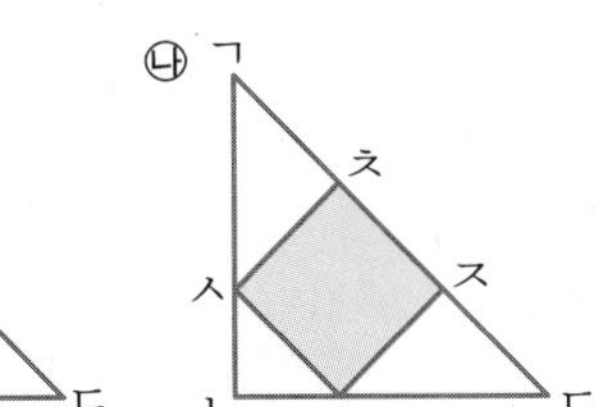


> 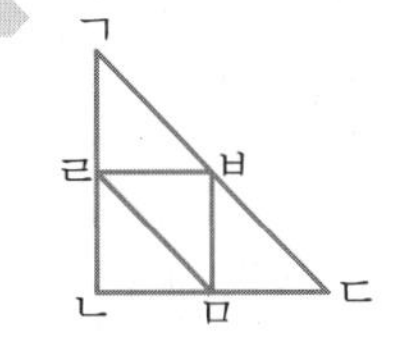

> 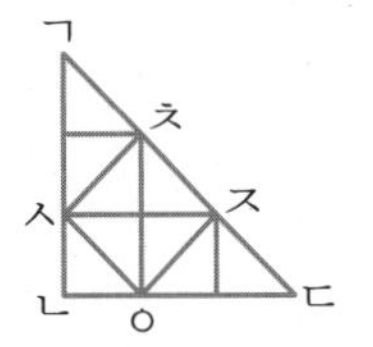

> 위의 그림과 같이 쪼개어 보자.

**유제 3** 다음 도형에서 가장 작은 정삼각형 1개의 넓이가 $2\text{cm}^2$일 때, 사각형 ㄱㄴㄷㄹ의 넓이를 구하여라.

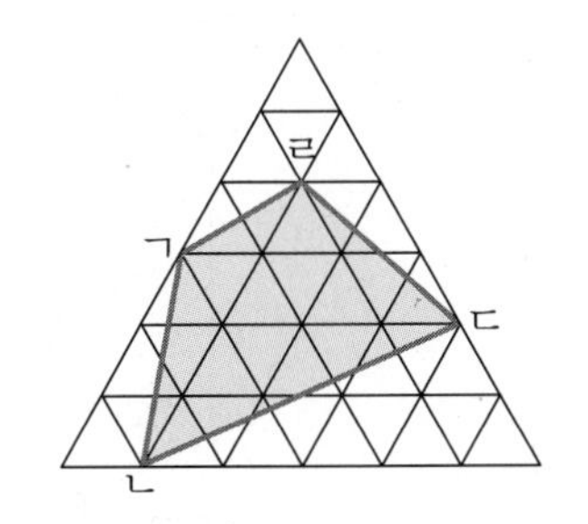


> 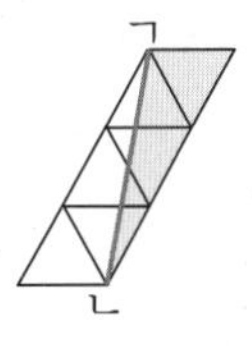

> 색칠한 부분의 넓이는 가장 큰 평행사변형 넓이의 $\frac{1}{2}$이고, 가장 큰 평행사변형의 넓이는 $2\times6=12$ $(\text{cm}^2)$이다.

**유제 4** 정사각형 2개를 겹치는 부분이 없게 이어 직사각형 ㄱㄴㄷㄹ을 만들었다. 직사각형 ㄱㄴㄷㄹ의 대각선 ㄱㄷ의 길이가 30cm일 때, 정사각형 한 개의 넓이를 구하여라.

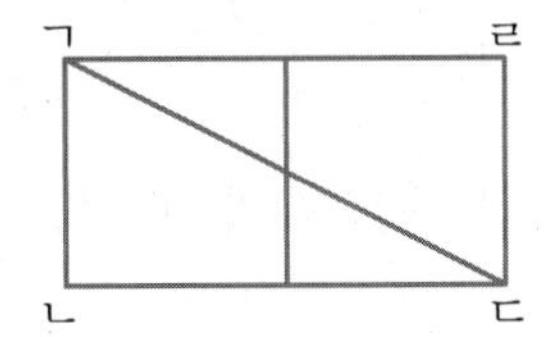


> 직사각형의 대각선을 한 변으로 하는 정사각형을 그려 보자.

# 특강탐구문제

**1** 오른쪽 정삼각형을 8개의 합동인 작은 삼각형으로 나누어 보아라.

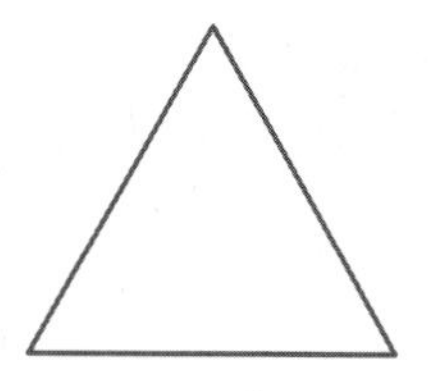

**2** 오른쪽 그림은 정육각형 ㄱㄴㄷㄹㅁㅂ 안에 2개의 정삼각형 ㄱㄷㅁ, ㄴㄹㅂ을 그려 넣은 것이다. 정육각형의 넓이가 $216cm^2$일 때, 색칠한 부분의 넓이를 구하여라.

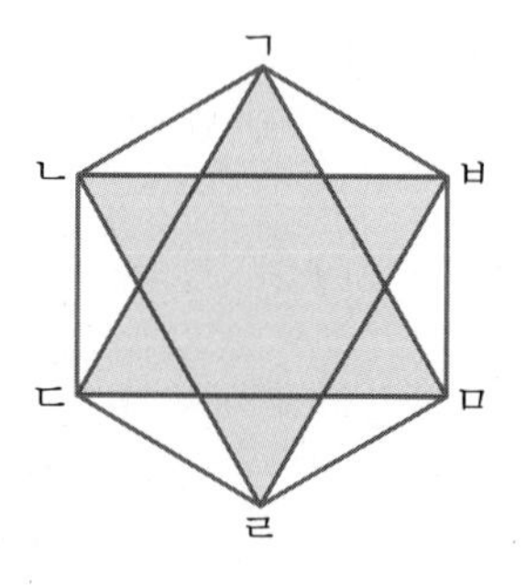


**3** 오른쪽 그림은 정육각형의 각 변의 중점을 이어 정육각형 안에 작은 정육각형을 그린 것이다. 작은 정육각형의 넓이가 $108cm^2$일 때, 색칠한 부분의 넓이를 구하여라.

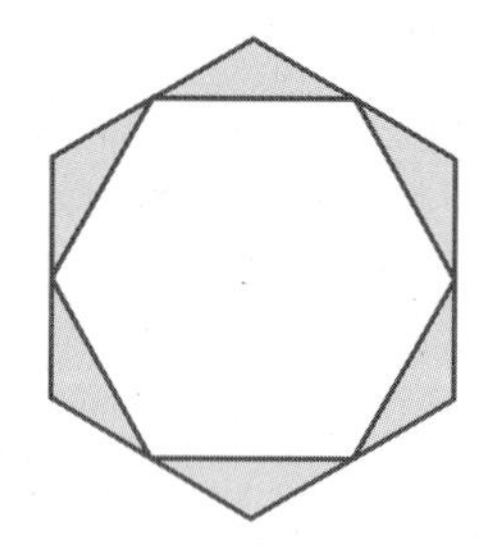

**4** 오른쪽 그림은 서로 이웃하는 점과 점 사이의 간격이 일정하도록 21개의 점이 정삼각형 모양으로 배열된 것이다. 4개의 점을 서로 이어 그림과 같은 사각형을 만들었을 때, 이 사각형의 넓이를 구하여라.(단, 세 점을 이어 만들 수 있는 가장 작은 정삼각형의 넓이는 $1cm^2$이다.)

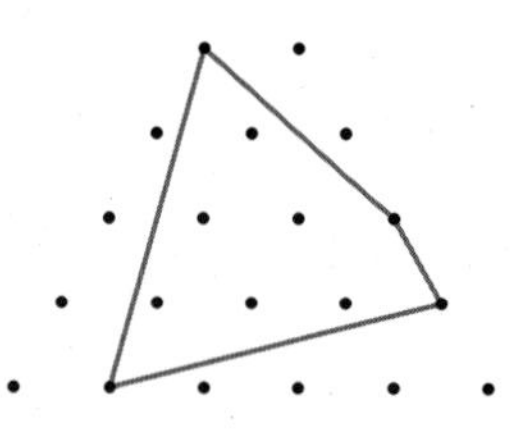

**5** 크기가 같은 정사각형 2개를 겹치는 부분이 없게 이어 직사각형을 만들었다. 이 직사각형의 대각선의 길이가 25cm일 때, 정사각형 한 개의 대각선을 한 변으로 하는 정사각형의 넓이를 구하여라.

**6**

오른쪽 그림은 크기가 다른 2개의 정사각형을 대각선의 교점이 포개지도록 겹쳐 놓았다가 대각선의 교점을 중심으로 한 정사각형을 90° 회전 시킨 것이다. ㉮, ㉯ 두 부분의 넓이가 각각 $12cm^2$, $6cm^2$일 때, 두 정사각형의 넓이의 차는 얼마인가?

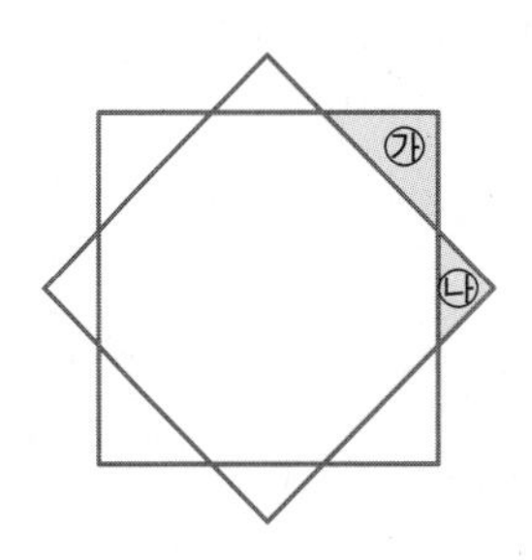


**7**

오른쪽 그림과 같이 직각이등변삼각형 안에 2개의 정사각형을 그렸다. 색칠한 부분의 넓이를 구하여라.

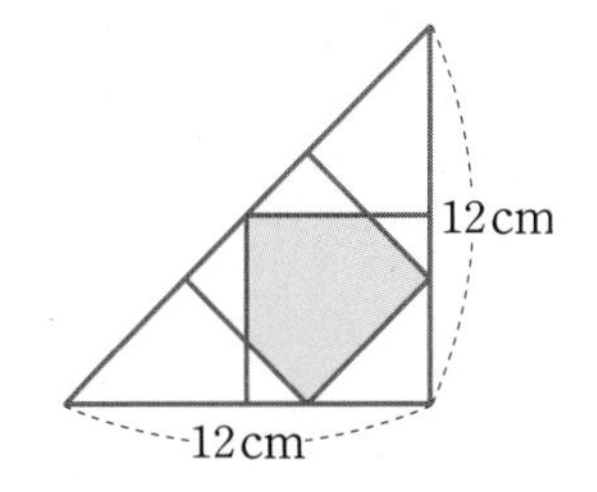


**8**

오른쪽 그림과 같이 정팔각형을 나누었을 때, 가운데 생긴 정사각형 ㅈㅊㅋㅍ의 넓이가 $96cm^2$이다. 삼각형 ㄱㄴㅈ의 넓이를 구하여라.

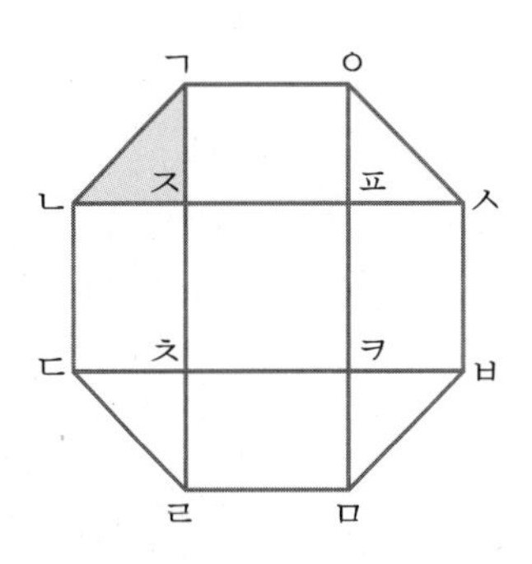


**9**

오른쪽 그림과 같이 정사각형의 네 변에 각 꼭짓점으로부터 3cm 떨어진 점에서 각 변과 45°를 이루는 선을 그었다. 이 때, 가운데 생긴 정사각형의 넓이를 구하여라.

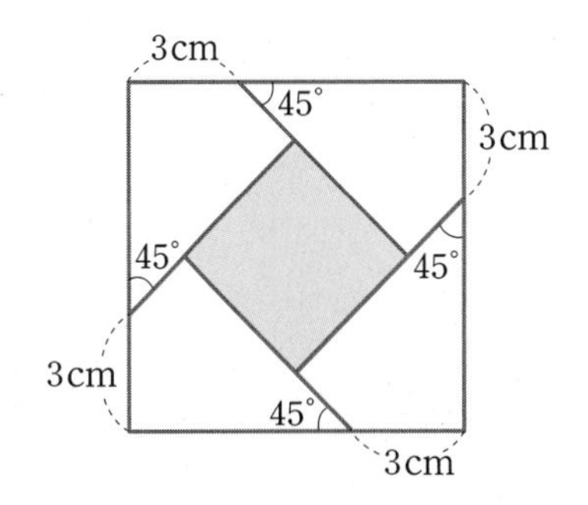


**10**

오른쪽 도형은 각각의 넓이가 $64cm^2$인 정삼각형 3개를 겹치는 부분이 없게 이어 사다리꼴을 만든 것이다. 점 ㄱ에서 변 ㄴㅁ에 수선을 긋고, 점 ㅂ에서 변 ㄷㅁ에 수선을 긋고, 또 점 ㅅ에서 변 ㅁㄹ에 수선을 그었을 때 생긴 사각형 ㄱㅂㅅㅇ의 넓이를 구하여라.

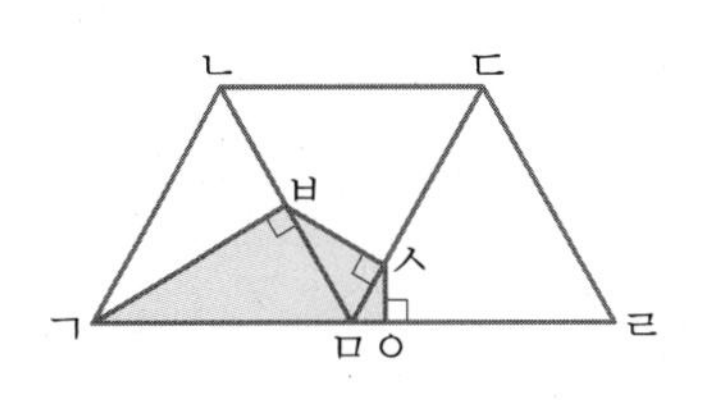

# Chapter 28 추리하여 연산식 완성하기

- 연산식에서 계산 과정을 생각해 보면 문제를 쉽게 해결할 수 있다.
- 괄호의 위치에 따라 계산 순서가 바뀌므로 여러 가지 계산 결과를 얻을 수 있다.
- 계산 결과가 자연수일 때는 그것을 이용하여 빈칸의 숫자를 쉽게 정할 수 있다.

핵·심·문·제 **1** 다음 식의 □ 안에 1부터 9까지의 자연수 중에서 8개를 각각 한 번씩 넣어 계산하였을 때, 계산한 값이 가장 클 경우 그 값이 얼마인지 구하여라.

$(\square+\square)\times\square\div\square-(\square+\square\times\square-\square)$

**| 생각하기 |** $\underbrace{(\square+\square)\times\square\div\square}_{㉮}-\underbrace{(\square+\square\times\square-\square)}_{㉯}$

㉮ 식의 값은 될 수 있는 대로 크고 ㉯ 식의 값은 될 수 있는 대로 작아야 계산한 값이 가장 크다. 따라서 ㉮ 식은 $(8+7)\times9\div1=135$가 되어야 한다. 또, ㉯ 식은 $4+2\times3-6=4$가 되어야 한다.

**| 풀이 |** 계산한 값이 가장 클 때,
$(8+7)\times9\div1-(4+2\times3-6)=131$이 된다.

답 131

참고* ㉯ 식의 값은 $3+1\times2-5=0$이 가장 작지만 나머지 숫자들로 ㉮ 식을 만들면 $(8+7)\times9\div4=\frac{135}{4}$가 되므로 식을 계산한 값이 가장 큰 수가 안 된다.

핵·심·문·제 **2** 다음 식이 성립하도록 숫자 사이에 +, −, ×, ÷, ( )의 기호를 알맞게 넣어라.
(단, 모든 숫자 사이에 기호가 반드시 들어갈 필요는 없다.)

9 8 7 6 5 4 3 2 1 = 1
9 8 7 6 5 4 3 2 1 = 10
9 8 7 6 5 4 3 2 1 = 100
9 8 7 6 5 4 3 2 1 = 1000

**| 생각하기 |** 사칙 혼합 계산의 계산 순서에 맞게 계산 과정을 생각해 보자.
답이 100, 1000인 경우는 기호가 들어가지 않고 두 자리 수 이상의 수로 계산되는 경우도 생각해 보자.

**| 풀이 |** 예 $9-8+7-6+5-4-3+2-1=1$
$9-8+7-6+5-4+3\times2+1=10$
$98-7+6+5-4+3-2+1=100$
$987+6+5-4+3+2+1=1000$

답 풀이 참조

참고* 위의 풀이와 다른 여러 가지 경우를 생각해 보자. 다른 방법도 많이 있다.

유제 **1** 다음 식에 괄호를 1개 사용하여 여러 가지 다른 방법으로 계산할 때, 나올 수 있는 가장 큰 값과 가장 작은 값의 차를 구하여라.

$$100-5+20\div5\times4$$

> 가장 큰 값을 얻으려면 4배 하는 계산을 마지막에 해야 한다. 또 가장 작은 값을 얻으려면 100에서 가능한 한 큰 값을 빼야 한다.

유제 **2** ●, ■, ▲, ◆, ★은 각각 다른 한 자리 수이고, 다음과 같은 관계가 있다. ■+★+▲−(●+◆)의 값을 구하여라.

●÷▲=★, ●−★=◆
▲×▲=■, ■−▲=●

> ▲×▲=■에서
> $2\times2=4$ 또는
> $3\times3=9$인 경우뿐이다.

유제 **3** 다음 식에서 □ 안에 들어갈 한 자리 숫자는 모두 같다고 한다. □ 안에 알맞은 수를 구하여라.

(□0−□)×3+□4÷3=6□

> □4÷3이 자연수이므로 □에는 2, 5, 8 중 하나가 들어갈 수 있다.

유제 **4** 다음 식의 [가], [나], [다], [라], [마]는 서로 다른 숫자이며, 5장의 숫자 카드 [1], [3], [5], [7], [9] 중 하나씩 들어간다. 다섯 자리 수 [가][나][다][라][마]를 구하여라.(단, 등호를 기준으로 왼쪽 식과 오른쪽 식의 값은 자연수이다.)

{[가]20−(8+[나])×2}÷5=1[다]+[라]0÷[마]−7

> (8+[나])×2가 5로 나누어떨어져야 하므로 [나]=7이다.

## 특강탐구문제

**1** 다음 등식이 성립하도록 괄호를 1개 이상 사용하여 식을 완성하여라.

$$6+3\times7-2+9\div3\div4=18$$

**2** 1, 2, 3, 4, 5를 다음 식의 □ 안에 한 번씩 넣어 계산할 때, 계산 결과가 가장 큰 경우 그 계산 결과를 구하여라.

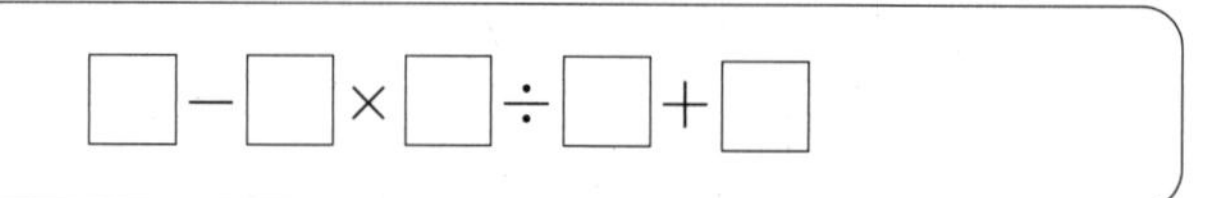

**3** 다음 식에서 ㉠, ㉡, ㉢, ㉣, ㉤, ㉥은 0, 1, 2, 3, 4, 5 중 하나의 수이다. 다음 식을 보고, ㉤에 알맞은 수를 구하여라.

㉤+㉣=㉤　　㉢+㉢=㉥

㉠×㉡=㉠　　㉠−㉢=㉡

**4** 아홉 개의 숫자 1, 2, 3, 4, 5, 6, 7, 8, 9를 다음 식의 □ 안에 한 번씩 써넣어 식이 성립하도록 하였다. ㉢=1일 때, ㉡에 알맞은 수를 구하여라.

□×□=㉠, □+□=㉡, □−□=㉢

**5** 다음 식의 □ 안에 들어갈 숫자는 모두 같다고 한다. □ 안에 알맞은 숫자를 구하여라.

{71+(□1−5)÷□}+5□=13□

## 6

다음 등식이 성립하도록 괄호와 □ 안에 +, −, ×, ÷를 알맞게 써넣어라.

(1) 99□9□9□9=19

(2) 5□5□5□5□5□5=26

## 7

다음 왼쪽의 숫자들 사이에 +, −, ×, ÷, ( )를 넣어서 식이 성립하도록 하여라.(단, 모든 숫자 사이에 기호가 반드시 들어갈 필요는 없다.)

(1) 8 8 8 8 8 8 8 8=100

(2) 8 8 8 8 8 8 8 8=1000

## 8

다음 식의 □ 안에 +, −, ×, ÷를 한 번씩만 넣어 계산할 때, 계산한 값이 자연수가 되는 경우 중 계산한 값이 가장 클 때와 가장 작을 때의 차를 구하여라.

36□24□8□4□2

## 9

다음 식의 □ 안에 다섯 개의 분수 $\frac{1}{6}$, $\frac{2}{6}$, $\frac{3}{6}$, $\frac{4}{6}$, $\frac{5}{6}$를 한 번씩만 넣어 계산할 때, 계산한 값이 가장 큰 경우, 그 계산한 값을 구하여라.

(□−□)×□+□÷□

## 10

다음 식의 가, 나, 다, 라에는 4장의 숫자 카드 3, 5, 7, 9 중 하나가 들어간다. 네 자리 수 가나다라를 구하여라.(단, 18÷라의 몫은 자연수이다.)

4가+89−나0=다3×(18÷라)

Chapter 29

# 평균에 관한 문제 ①

- (평균)=(자료의 총합)÷(자료의 개수)
- 평균이란 평균보다 높은 값에서 평균보다 낮은 값을 채워 주어 전체가 하나의 고른값이 되는 것을 뜻한다. 이 뜻을 잘 활용하면 문제를 쉽게 해결할 수 있다.

핵·심·문·제 **1** 경시반 학생 5명이 수학 시험을 친 결과 평균 점수가 81.6점이었다. 가장 높은 점수를 빼고 평균을 내면 가장 낮은 점수를 빼고 평균을 낸 것보다 6점이 낮다고 한다. 가장 높은 점수와 가장 낮은 점수를 제외한 나머지 3명의 점수가 88점, 84점, 76점이라고 할 때, 가장 높은 점수와 가장 낮은 점수를 각각 구하여라.

**| 생각하기 |** 가장 높은 점수를 뺀 4명의 평균이 가장 낮은 점수를 뺀 4명의 평균보다 6점 낮으므로 총점(자료의 총합)은 4(자료의 개수)×6=24(점) 낮다. 따라서 가장 높은 점수는 가장 낮은 점수보다 24점 높다.

**| 풀이 |** 5명의 점수의 총합은 81.6×5=408(점)이다.
가장 높은 점수와 가장 낮은 점수의 합은 408−(88+84+76)=160(점)이고
가장 높은 점수가 가장 낮은 점수보다 24점 높으므로
(가장 높은 점수)=(160+24)÷2=92(점)
(가장 낮은 점수)=(160−24)÷2=68(점)

답 92점, 68점

핵·심·문·제 **2** 성영이가 올해 5학년이 되고 나서 지난 달까지 본 시험의 평균 점수는 82점이다. 이 달에는 96점을 받아 이 달까지의 평균 점수가 84점이 되었다. 성영이는 지금까지 시험을 모두 몇 번 보았는지 구하여라.

**| 생각하기 |** 이 달에 받은 96점은 지난 달까지의 평균 점수 82점보다 14점 높다. 이 14점이 전체 평균을 2점 높여 준 것이다.

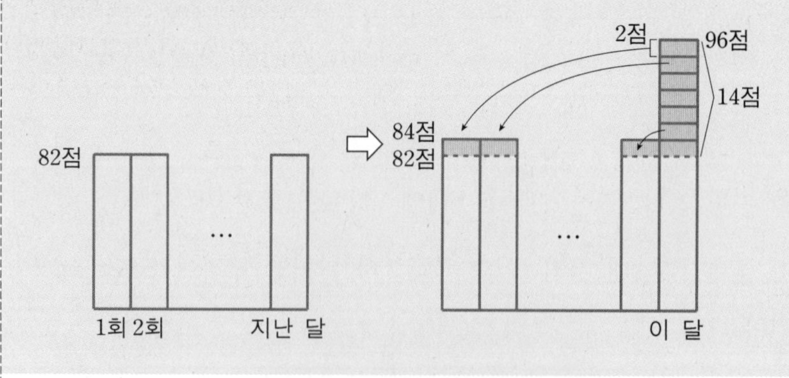


**| 풀이 |** 14점이 2점씩 1회 시험부터 모든 시험의 점수를 2점씩 높여 주었으므로 14÷2=7, 즉 성영이는 지금까지 시험을 모두 7번 보았다. (96−82)÷(84−82)=7(번)

답 7번

참고* 지난 달까지 시험을 □번 보았다고 하고 총점을 구하는 식을 세워 보자.
(총점)=82×□+96=84×(□+1)
위의 식을 풀어 □의 값에 1을 더하면 답이 된다.

유제 **1** 한준이는 5회에 걸쳐 본 수학 시험에서 평균 86.8점을 받았다. 1회, 2회, 3회 시험 점수의 평균은 91점이고, 3회, 4회, 5회 시험 점수의 평균은 86점이다. 2회 시험 점수는 1회보다 8점 적고, 4회 시험 점수는 2회보다 6점 적다. 한준이의 수학 시험 점수를 각각 구하여라.

5회까지의 시험 점수의 총점은 $86.8\times5=434$(점)이고 1회, 2회, 3회 시험 점수 총점은 $91\times3=273$(점), 3회, 4회, 5회 시험 점수 총점은 $86\times3=258$(점)이다.

유제 **2** 갑, 을, 병 세 사람의 평균 키는 143cm이다. 갑의 키에 4.5cm를 더하면 을과 병의 평균 키가 된다. 을이 병보다 3cm 더 크면, 병의 키는 몇 cm인지 구하여라.

세 사람의 키의 합은 429cm이다.

유제 **3** 형철이네 반 학생들이 체육 시간에 가, 나 두 모둠으로 나누어 줄넘기를 하였다. 모둠별 줄넘기 횟수의 평균을 계산해 보니 가 모둠 14명의 평균은 36회였고, 나 모둠 16명의 평균은 42회였다. 형철이네 반 학생들의 줄넘기 횟수는 평균 몇 회인지 구하여라.

가 모둠의 줄넘기 횟수의 총합은 $36\times14=504$(회)이고
나 모둠의 줄넘기 횟수의 총합은 $42\times16=672$(회)이다.

유제 **4** 이 달 수학 시험에서 가, 나, 다, 라, 마 5사람의 평균 점수보다 가, 나, 다 3사람의 평균 점수가 2점이 높고, 라의 점수는 72점, 마의 점수는 80점이라고 한다. 5사람의 평균 점수를 구하여라.

전체 평균을 구할 때는 가, 나, 다에서 각각 2점씩이 라, 마에게로 옮겨 오는 셈이 된다.

# 특강탐구문제

**1**

성수, 원용, 상민, 세웅이의 몸무게의 평균은 43kg이다. 성수와 원용이의 몸무게 평균은 42.5kg이고 성수, 상민, 세웅이의 몸무게의 평균은 45kg이다. 성수의 몸무게는 몇 kg인지 구하여라.

**2**

5명의 학생을 키가 가장 작은 사람부터 순서대로 세운 후 1번에서 5번까지 번호를 정하였다. 1번, 2번, 3번 키의 평균은 138cm이고, 3번, 4번, 5번 키의 평균은 147cm이다. 또, 5명의 키의 평균은 142.3cm이다. 3번의 키는 몇 cm인지 구하여라.

**3**

평균이 19인 7개의 자연수가 있다. 첫째 번 수가 1, 둘째 번 수가 2, 셋째 번 수가 3, 넷째 번 수가 4, 다섯째 번 수가 5, 여섯째 번 수가 6, 일곱째 번 수가 7만큼 커진다면, 7개 자연수의 평균은 얼마가 되겠는가?

**4**

다음 표는 갑과 을의 수학 점수를 나타낸 것이다. 두 사람은 모두 5번씩 시험을 쳤는데 갑의 평균 점수와 갑의 5회 점수가 같고, 을의 1회, 2회 평균 점수와 갑의 4회, 5회 평균 점수가 같다. 또, 갑의 평균 점수는 을의 평균 점수보다 3점 낮다. ㉢에 알맞은 점수를 구하여라.

| | 1회 | 2회 | 3회 | 4회 | 5회 |
|---|---|---|---|---|---|
| 갑 | 68점 | 77점 | 95점 | 100점 | ㉠ |
| 을 | ㉡ | 90점 | 82점 | ㉢ | 95점 |

**5**

A, B, C, D, E 5명의 일주일 평균 용돈은 2300원이다. A, B 두 사람의 평균 용돈은 3000원이고, C, D의 평균 용돈은 2750원이다. 또, B, C의 평균 용돈은 2100원이고, A의 용돈은 B의 용돈보다 800원이 많다. D의 일주일 용돈은 얼마인지 구하여라.

**6**

평균이 42인 10개의 자연수 중 한 수를 50으로 고치면 평균이 44가 된다고 한다. 고치기 전에 이 수는 얼마였는지 구하여라.

**7**

A, B, C 세 친구가 가지고 있는 동화책 수를 세어 보았다. A, B 두 사람이 가지고 있는 동화책 수의 평균은 세 사람의 평균보다 23권 더 많고, B, C 두 사람이 가지고 있는 동화책 수의 평균은 세 사람의 평균보다 17권 더 적다. B가 가지고 있는 동화책이 66권일 때 A, C는 각각 몇 권의 동화책을 가지고 있는지 구하여라.

**8**

디딤돌 수학 학력평가 시험에서 상위 10%의 학생들은 디딤돌 수학 올림피아드에 참가할 수 있다고 한다. 학력평가 시험의 5학년 전체 평균은 56점이고 올림피아드에 참가하지 못하게 된 학생들의 평균은 52점이라면, 올림피아드에 참가할 수 있게 된 학생들의 평균 점수는 몇 점인지 구하여라.

**9**

태훈이는 오늘 줄넘기 연습을 하면서 한 번에 넘은 횟수를 계속 기록하였다. 기록한 횟수의 평균을 구해 보니 37회였다. 다시 한 번 줄넘기를 하여 57회를 넘었고 다시 평균을 구해 보니 41회가 되었다. 태훈이는 오늘 줄넘기 연습을 모두 몇 번 했는지 구하여라.

**10**

영운이는 오늘 도덕, 국어, 수학, 사회, 과학 시험을 보았다. 5과목 시험 성적의 평균은 90.6점이고, 국어, 수학, 과학 3과목 시험 점수의 평균은 92점, 도덕, 사회, 과학 3과목 시험 점수의 평균은 89점이다. 또, 도덕, 국어 2과목 시험 점수의 평균은 91.5점, 국어, 사회 2과목 시험 점수의 평균은 85점이다. 영운이의 수학 성적은 몇 점인지 구하여라.

Chapter 30

# 분수 크기 비교 문제

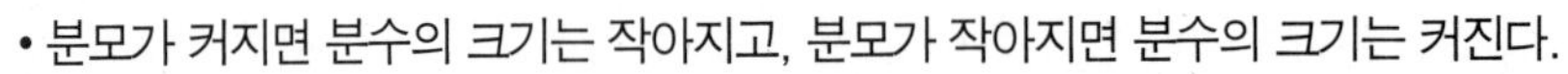

• 분모가 커지면 분수의 크기는 작아지고, 분모가 작아지면 분수의 크기는 커진다.

• $\frac{㉯}{㉮} > \frac{㉱}{㉰}$이면 $\frac{㉮}{㉯} < \frac{㉰}{㉱}$이다. 이것을 이용하여 여러 개의 분수의 크기를 비교할 수 있다.

핵·심·문·제 **1** 오른쪽과 같이 2개의 분수 A, B가 있다. 어느 것이 더 큰지 답하여라.

$$A=\frac{285675}{571352},\ B=\frac{428512}{857027}$$

**| 생각하기 |** 두 분수 A, B는 모두 분모가 분자의 2배보다 약간 크다. 분자, 분모를 계속 바꾸어가며 크기 비교가 쉽게 될 때까지 계산해 보자.

**| 풀이 |** $A=\frac{285675}{571352} \rightarrow \frac{571352}{285675}=2\frac{2}{285675} \rightarrow \frac{285675}{2}=142837\frac{1}{2}$

$B=\frac{428512}{857027} \rightarrow \frac{857027}{428512}=2\frac{3}{428512} \rightarrow \frac{428512}{3}=142837\frac{1}{3}$

$\frac{1}{2}>\frac{1}{3}$이므로 $\frac{2}{285675}<\frac{3}{428512}$이고 A>B이다.

답 A

핵·심·문·제 **2** □ 안에 알맞은 자연수를 구하여라.

$$\square<\frac{1}{\frac{1}{100}+\frac{1}{101}+\frac{1}{102}+\cdots+\frac{1}{124}}<\square+1$$

**| 생각하기 |** 분수 $\frac{1}{\frac{1}{100}+\frac{1}{101}+\frac{1}{102}+\cdots+\frac{1}{124}}$은 100, 101, 102, ⋯, 124의 최소공배수로 통분하여 분모를 계산하여야 하므로 직접 계산하는 것이 불가능하다.

$\frac{1}{100}+\frac{1}{101}+\frac{1}{102}+\cdots+\frac{1}{124}<\frac{1}{100}+\frac{1}{100}+\frac{1}{100}+\cdots+\frac{1}{100}=\frac{25}{100}=\frac{1}{4}$

$\frac{1}{100}+\frac{1}{101}+\frac{1}{102}+\cdots+\frac{1}{124}>\frac{1}{124}+\frac{1}{124}+\frac{1}{124}+\cdots+\frac{1}{124}=\frac{25}{124}$

**| 풀이 |** $\frac{1}{4}>\frac{1}{100}+\frac{1}{101}+\frac{1}{102}+\cdots+\frac{1}{124}>\frac{25}{124}$

$\frac{1}{\frac{1}{4}}<\frac{1}{\frac{1}{100}+\frac{1}{101}+\frac{1}{102}+\cdots+\frac{1}{124}}<\frac{1}{\frac{25}{124}}$

$\frac{1}{\frac{1}{4}}=1\div\frac{1}{4}=1\times4=4,\ \frac{1}{\frac{25}{124}}=1\div\frac{25}{124}=1\times\frac{124}{25}=4\frac{24}{25}$이므로

$4<\frac{1}{\frac{1}{100}+\frac{1}{101}+\frac{1}{102}+\cdots+\frac{1}{124}}<4\frac{24}{25}<5$, 따라서 □=4이다.

답 4

유제 **1** $\frac{2}{3}$보다 크고 $\frac{3}{4}$보다 작은 분수 중에서 분자가 17인 분수를 모두 구하여라.

> $\frac{2}{3}<\frac{17}{\square}<\frac{3}{4}$
> $\frac{102}{153}<\frac{102}{\square\times 6}<\frac{102}{136}$
> $\square\times 6$은 136보다 크고 153보다 작다.

유제 **2** 다음 분수를 수직선에 나타낼 때, $\frac{4}{5}$와 가장 가까이 있는 분수는 어느 것인지 찾아라.

$\frac{7}{9}$, $\frac{241}{400}$, $\frac{42}{55}$, $\frac{7}{10}$

> 각 분수와 $\frac{4}{5}$와의 차를 구하여 크기를 비교한다.

유제 **3** 다음 분수들을 큰 수부터 차례로 나열하여라.

$\frac{17}{501}$, $\frac{37}{1090}$, $\frac{42}{1237}$, $\frac{53}{1561}$, $\frac{76}{2239}$

> 역수를 대분수로 고치면 자연수 부분이 같으므로, 진분수 부분만 비교한다.

유제 **4** 다음과 같은 숫자 카드가 있다. 이 중에서 3장을 골라 분수를 만들 때, 분수의 크기가 3에 가장 가까운 분수를 모두 만들어라.

[1], [2], [3], [9], [10], [11]

> 3에 가까운 분수는
> $2\frac{10}{11}$, $2\frac{9}{10}$, $2\frac{11}{10}$,
> $2\frac{10}{9}$, $3\frac{1}{9}$, $3\frac{1}{10}$,
> $3\frac{1}{11}$, $\frac{31}{10}$, $\frac{29}{10}$
> 등이 있다.

## 특강탐구문제

**1** 다음 중 1에 가장 가까운 분수는 어느 것인지 찾아라.

$$\frac{53}{50},\ \frac{17}{16},\ \frac{77}{80},\ \frac{14}{15}$$

**2** $\frac{3}{5}$보다 크고 $\frac{7}{9}$보다 작은 분수 중에서 분모가 15인 분수의 분자가 될 수 있는 자연수를 모두 구하여라.

**3** □ 안에 알맞은 수를 모두 구하여라.

$$\frac{7}{8} < \frac{43}{\square} < \frac{11}{12}$$

**4** 다음 분수 중에서 0.7에 가장 가까운 분수를 찾아라.

$$\frac{9}{13},\ \frac{11}{15},\ \frac{16}{21},\ \frac{27}{35},\ \frac{11}{14}$$

**5** 다음 분수 중에서 가장 큰 분수와 가장 작은 분수의 차를 구하여라.

$$\frac{10}{23},\ \frac{13}{27},\ \frac{17}{31},\ \frac{18}{37},\ \frac{19}{41},\ \frac{20}{43}$$

**6**

○ 안에 >, <를 알맞게 써 넣어라.

$$\frac{9262999}{9263003} \bigcirc \frac{6947249}{6947252}$$

**7**

다음 분수들을 작은 수부터 차례로 나열하여라.

$$\frac{159}{640}, \frac{198}{797}, \frac{278}{1119}, \frac{438}{1763}$$

**8**

다음 분수들을 큰 수부터 차례로 나열하여라.

$$\frac{24}{2207}, \frac{19}{1758}, \frac{17}{1571}, \frac{8}{785}, \frac{7}{673}, \frac{5}{634}$$

**9**

다음과 같이 숫자 카드가 7장 있다. 이 중 3장을 골라 5에 가장 가까운 분수를 만들어라.

[2], [3], [4], [5], [6], [7], [8]

**10**

다음 분수를 대분수로 고치면 자연수 부분은 얼마인지 구하여라.

$$\frac{1}{\frac{2}{2003}+\frac{2}{2004}+\frac{2}{2005}+\cdots+\frac{2}{2022}}$$

# 이집트인의 단위분수

단위분수는 1을 분자로 하는 분수를 말한다. 단위분수는 고대 이집트인들의 특별한 사랑을 받았는데 고대인들은 단위분수가 아닌 분수는 취급하지 않으려 했다. (단, $\frac{2}{3}$와 같은 분수는 예외인데, 이 분수는 특별 상형문자로 표기되었다.)

파피루스(Papirus)
서양 종이의 원조 파피루스. 파피루스는 중국의 종이 제조 방법이 아랍세계를 통해 유럽에 전해진 8세기 이전까지 유럽의 기록매체로 이용되었다. 이 파피루스를 최초로 만든 곳은 바로 이집트이며 현재의 종이 페이퍼의 어원이 되었다.

우리들이 고대 이집트 수학에 대해서 알고 있는 것은 대부분, 3500년 이상 보존되어온 파피루스 두루마리에서 나온 것이다. 그 중 가장 유명한 것이 18피트 길이에 1피트 넓이의 린드 Rhind 즉, 아흐메스 Ahmes파피루스(1650 B.C)이다. (아흐메스는 이 파피루스보다 더 오래된 파피루스에서 내용을 복사한 필경사인데, "존재하는 모든 것에 대한 통찰, 애매한 비밀의 지식을 약속했다." 헨리 린드 Henry Rhind는 1858년 룩소르에 있는 나일강 레조트에서 이 파피루스를 사들인 스코틀랜드의 골동품 애호가이다.)

린드 파피루스는 $\frac{2}{n}$를 서로 다른 단위분수의 합으로 표현한 계산표로 시작하고 있다. ($n$은 5부터 101까지의 모든 홀수), 예를 들면 이렇게 표기하고 있는 것이다.

$$\frac{2}{5}=\frac{1}{3}+\frac{1}{15}$$

$$\frac{2}{7}=\frac{1}{4}+\frac{1}{28}$$

이집트인들이 왜 분수를 이런 식으로 표기했는지는 분명하게 알려져 있지는 않지만 물건을 똑같이 분배하는 과정에서 사용하였음을 알 수 있다.

예를 들면

4개를 5사람이 똑같이 나누는 방법을 보면 다음과 같다.

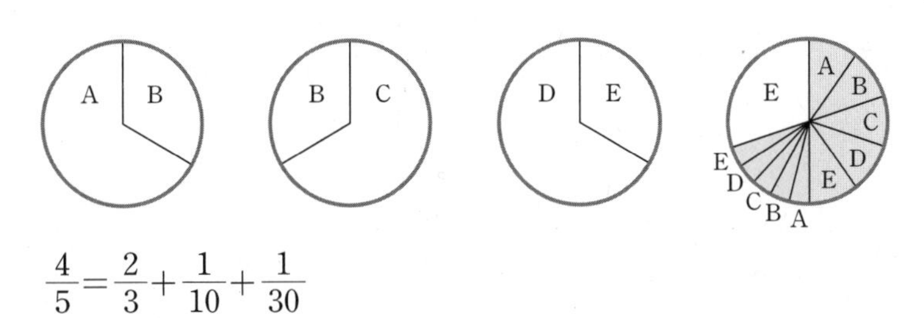


$$\frac{4}{5}=\frac{2}{3}+\frac{1}{10}+\frac{1}{30}$$

다섯 사람이 먼저 $\frac{2}{3}$씩을 갖는다. 그런 다음 또 다섯 사람이 $\frac{1}{10}$씩을 나누어 갖는다. 그런 다음 또 다섯 사람이 $\frac{1}{30}$씩을 나누어 가지면 다섯 사람이 똑같이 나누어 갖게 된다.

이처럼 이집트인들은 단위분수를 사용하면서도 유독 $\frac{2}{3}$를 즐겨 사용했음을 알 수 있다. 되도록이면 먼저 $\frac{2}{3}$를 구하고, 그 나머지를 단위분수로 나타내는 방법을 사용했던 것이다. 모든 분수를 단위분수의 합으로 나타내는 것은 실제로 번거로운 일이지만 이집트인들은 오늘날의 곱셈구구표처럼 어떤 분수를 단위분수로 고치는 환산표를 따로 가지고 있었다.

Chapter 31 배수만들기

- 일의 자리의 숫자부터 주어진 수의 배수가 되도록 맞추어 나가면서 배수를 만들 수 있다.
- 배수 판정법을 사용할 수 없는 수의 배수는 직접 나누어 만들어야 한다.

핵·심·문·제 **1** 어느 할인점에 갔더니 사탕 한 봉지에 591원이었다. 사탕을 몇 봉지 샀더니 아래와 같이 그 금액이 영수증에 찍혔는데 □ 안의 숫자는 흐려서 읽을 수가 없었다. 사탕을 몇 봉지 샀는지 구하여라.

3□0□1

**| 생각하기 |** $591=3\times197$이므로 배수판정법을 이용하여 구할 수 없다.
$30000\div197=152\cdots56$, $197-56=141$
따라서 30141이 30000보다 큰 수 중에서 가장 작은 591의 배수이다.
백의 자리가 0이 아니므로 30141은 영수증에 찍힌 금액이 아니다.

**| 풀이 |** $30000\div197=152\cdots56$, $197-56=141$
$30000+141=30141$은 591의 배수이다.
영수증에 찍힌 금액의 일의 자리의 숫자가 1이고, 백의 자리의 숫자가 0이므로,
$30141+591\times10=36051$이 영수증에 찍힌 금액이다.
따라서 $36051\div591=61$(봉지) 샀다.

답 61봉지

핵·심·문·제 **2** 여덟 자리 수 389㉠㉡220은 129로 나누어떨어지는 수이다. ㉠, ㉡은 얼마인지 구하여라.

**| 생각하기 |** $129\times3=387$이므로 389㉠㉡220에서 38700000을 빼면 2㉠㉡220이 되고 이 수도 129의 배수이다.
$129\times10=129\underline{0}$, $1290+1290\times7=103\underline{20}$, $10320+12900\times1=23\underline{220}$
위와 같이 하여 조건에 맞는 수를 구한다.

**| 풀이 |** 389㉠㉡220$=38700000+$2㉠㉡220이고 38700000이 129의 배수이므로 2㉠㉡220도 129의 배수가 되어야 한다.
$129\times10=129\underline{0}$, $1290+1290\times7=103\underline{20}$, $10320+12900\times1=23\underline{220}$
$23\underline{220}+129000=152\underline{220}$, $152\underline{220}+129000=281\underline{220}$,

답 ㉠ : 8, ㉡ : 1

**참고*** 핵심문제 1도 핵심문제 2와 같은 방법으로 풀 수 있다.
$591+5910\times4=24231$, $24231+5910=30141$, $30141+5910=36051$
$36051+5910=41961$
따라서 36051이 영수증에 찍힌 금액임을 알 수 있다.

유제 **1** 네 자리 수 4㉠8㉡은 93의 배수이다. 이 때, ㉠+㉡의 값을 구하여라.

> 4000을 93으로 나누어 보자.

유제 **2** 여섯 자리 수 637㉠㉡㉢은 2, 7, 13으로 나누어떨어진다. 이 여섯 자리 수의 각 자리의 숫자가 모두 서로 다르다고 할 때, ㉠㉡㉢이 될 수 있는 수를 모두 구하여라.

> $2\times7\times13=182$이므로
> 637㉠㉡㉢은 182의 배수이어야 한다.
> 637000을 182로 나누어 보자.

유제 **3** 여섯 자리 수 12□□□8은 137의 배수이다. 이 때, 세 자리 수 □□□에 알맞은 수는 모두 몇 가지인지 구하여라.

> 12㉠㉡㉢8
> $=120000+$㉠㉡㉢$\times10+8$
> $120000\div137=875\cdots125$
> ㉠㉡㉢$\times10+8+125$
> $=$㉠㉡㉢$\times10+133$
> 따라서 □□□3은 137의 배수가 되어야 한다.

유제 **4** 48763에서 어떤 자리의 숫자 하나만 다른 숫자로 바꾸면 그 수는 463의 배수가 된다고 한다. 바뀐 후의 수를 구하여라.

> 우선, 만의 자리의 숫자 4와 천의 자리의 숫자 8은 그대로 둔 48□□□의 수 중 463의 배수를 찾아보자.

## 특강탐구문제

**1** 네 자리 수 4㉠㉡5는 175로 나누어떨어진다고 한다. ㉠, ㉡을 모두 구하여라. (단, ㉠, ㉡은 모두 0보다 크다.)

**2** 다섯 자리 수 ㉠㉡358은 57로 나누어떨어진다고 한다. 그 몫은 얼마인지 구하여라.

**3** 여섯 자리 수 341㉠㉡㉢이 7, 9, 13으로 나누어떨어질 때, 세 자리 수 ㉠㉡㉢은 얼마인지 구하여라.

**4** 여섯 자리 수 716㉠㉡㉢은 273으로 나누어떨어진다. 이 여섯 자리 수의 각 자리의 숫자가 모두 다를 때, 716㉠㉡㉢을 273으로 나눈 몫은 얼마인지 구하여라.

**5** 300을 두 자연수의 합으로 나타내었더니 한 수는 23의 배수이고, 나머지 한 수는 29의 배수가 되었다. 이 두 자연수의 차를 구하여라.

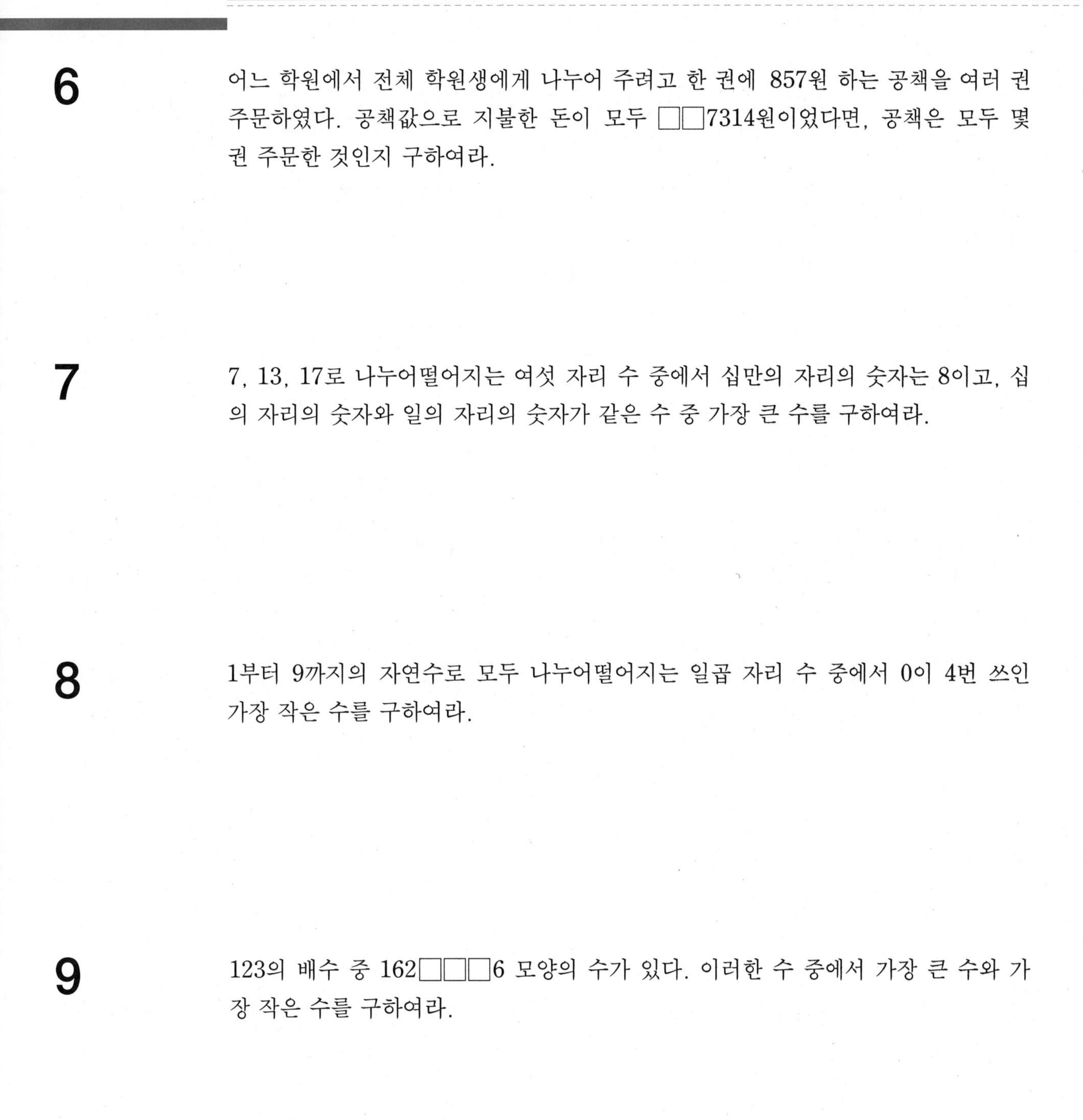

**6**

어느 학원에서 전체 학원생에게 나누어 주려고 한 권에 857원 하는 공책을 여러 권 주문하였다. 공책값으로 지불한 돈이 모두 □□7314원이었다면, 공책은 모두 몇 권 주문한 것인지 구하여라.

**7**

7, 13, 17로 나누어떨어지는 여섯 자리 수 중에서 십만의 자리의 숫자는 8이고, 십의 자리의 숫자와 일의 자리의 숫자가 같은 수 중 가장 큰 수를 구하여라.

**8**

1부터 9까지의 자연수로 모두 나누어떨어지는 일곱 자리 수 중에서 0이 4번 쓰인 가장 작은 수를 구하여라.

**9**

123의 배수 중 162□□□6 모양의 수가 있다. 이러한 수 중에서 가장 큰 수와 가장 작은 수를 구하여라.

**10**

여덟 자리 수 757㉠㉡384는 357로 나누어떨어지는 수이다. ㉠, ㉡에 알맞은 수를 구하여라.

Chapter 32 사다리꼴의 넓이

- (사다리꼴의 넓이)＝{(윗변)＋(아랫변)}×(높이)÷2
- 높이가 같은 서로 다른 사다리꼴의 넓이는 윗변과 아랫변의 길이의 합을 비교하면 관계를 알 수 있다.

핵·심·문·제 **1** 오른쪽 그림에서 평행사변형 ㄱㄴㄷㄹ의 넓이를 구하여라.

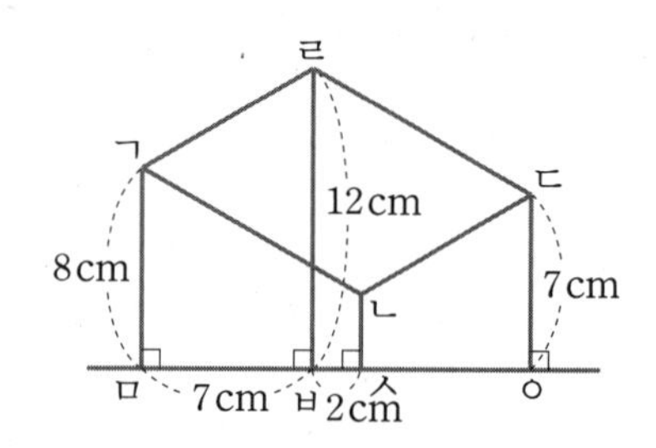


**| 생각하기 |** 평행사변형 ㄱㄴㄷㄹ의 넓이는 사다리꼴 ㄱㅁㅂㄹ과 사다리꼴 ㄷㅇㅂㄹ의 넓이의 합에서 사다리꼴 ㄱㅁㅅㄴ과 사다리꼴 ㄷㅇㅅㄴ의 넓이의 합을 빼면 구할 수 있다.

**| 풀이 |** 오른쪽 그림에서 삼각형 ㄱㄹㄱ′와 삼각형 ㄴㄷㄴ′가 합동이므로, 선분 ㄴㄴ′의 길이는 7cm, 선분 ㄷㄴ′의 길이는 4cm이다.

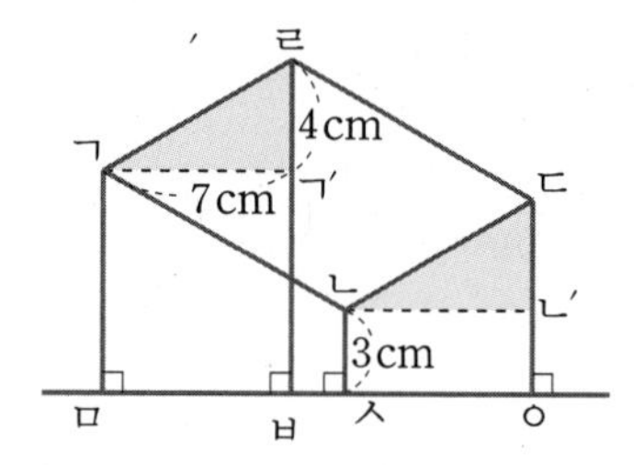


그러므로 (선분 ㄴㅅ의 길이)
＝(선분 ㄷㅇ의 길이)－(선분 ㄷㄴ′의 길이)
＝7－4＝3(cm)
(평행사변형 ㄱㄴㄷㄹ의 넓이)
＝(사다리꼴 ㄱㅁㅂㄹ의 넓이) ＋(사다리꼴 ㄷㅇㅂㄹ의 넓이)－(사다리꼴 ㄱㅁㅅㄴ의 넓이)－(사다리꼴 ㄷㅇㅅㄴ의 넓이)
$=(8+12)\times7\div2+(7+12)\times9\div2-(3+8)\times9\div2-(3+7)\times7\div2$
$=71(\text{cm}^2)$

답 $71\text{cm}^2$

핵·심·문·제 **2** 오른쪽 그림은 사다리꼴 ㄱㄴㄷㄹ을 사다리꼴 ㄱㄴㅂㅁ과 사다리꼴 ㅁㅂㄷㄹ로 나눈 것이다. 나누어진 두 사다리꼴의 넓이의 비가 2 : 3일 때, 선분 ㅂㄷ의 길이를 구하여라.

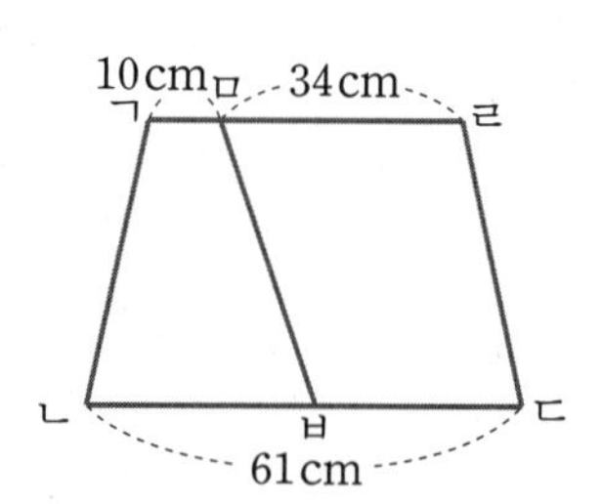


**| 생각하기 |** 나누어진 두 사다리꼴의 높이가 같으므로
(선분 ㄱㅁ의 길이)＋(선분 ㄴㅂ의 길이)와 (선분 ㅁㄹ의 길이)＋(선분 ㅂㄷ의 길이)의 비는 2 : 3이 되어야 한다.

**| 풀이 |** 10＋34＋61＝105(cm)이므로
(선분 ㅁㄹ의 길이)＋(선분 ㅂㄷ의 길이)＝105÷5×3＝63(cm)이다.
따라서 (선분 ㅂㄷ의 길이)＝63－(선분 ㅁㄹ의 길이)＝63－34＝29(cm)이다.

답 29cm

**유제 1** 오른쪽 그림과 같이 사다리꼴 ㄱㄴㄷㄹ의 변 ㄷㄹ을 변 ㄴㄷ의 연장한 선분 위로 변 ㄱㄴ과 평행이 되게 오른쪽으로 당겨 여러 개의 사다리꼴을 만들었다. 색칠한 부분의 넓이를 구하여라.

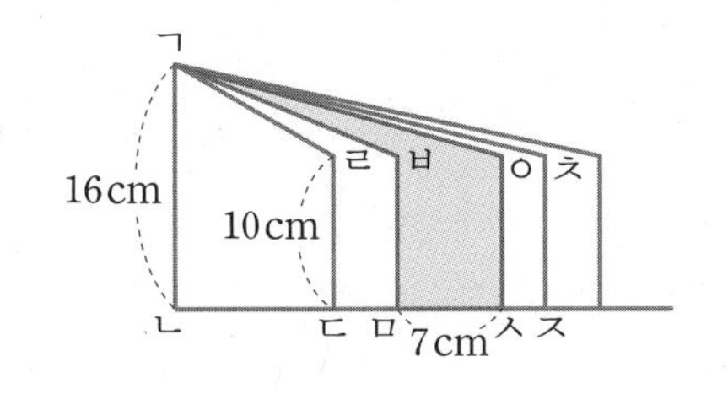


> 사다리꼴 ㄱㄴㅅㅇ은 사다리꼴 ㄱㄴㅁㅂ보다 높이가 7cm 더 높다.

**유제 2** 오른쪽 그림과 같이 사다리꼴 ㄱㄴㄷㄹ의 변 ㄴㄷ 위에 점 ㅇ이 점 ㄴ에서부터 점 ㄷ까지 매초 1cm의 속도로 움직이고 있다. 삼각형 ㄱㄴㅇ의 넓이가 사다리꼴 ㄱㄴㄷㄹ의 넓이의 $\frac{1}{4}$이 될 때는 점 ㅇ이 점 ㄴ에서 출발한지 몇 초 후인지 구하여라.

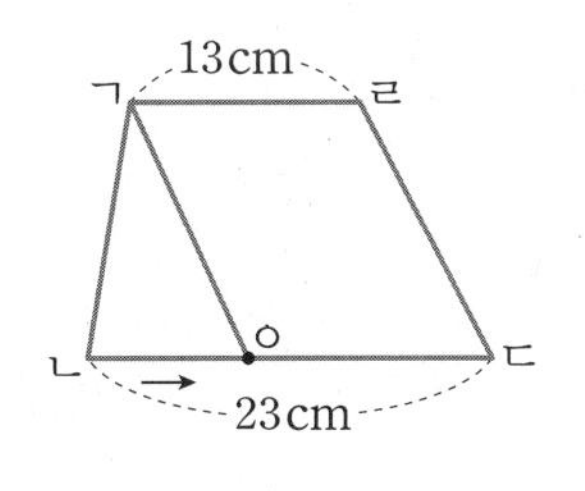


> 삼각형 ㄱㄴㅇ과 사다리꼴 ㄱㄴㄷㄹ의 높이는 같다. 사다리꼴 ㄱㄴㄷㄹ의 윗변과 아랫변의 길이의 합의 $\frac{1}{4}$이 삼각형 ㄱㄴㅇ의 밑변의 길이이다.

**유제 3** 오른쪽 그림과 같이 평행사변형 ㄱㄴㄷㄹ의 변 ㄴㄷ 위에 변 ㄴㅁ의 길이가 변 ㅁㄷ의 길이의 4배가 되도록 점 ㅁ을 잡았다. 이 때, 사다리꼴 ㄱㅁㄷㄹ의 넓이는 삼각형 ㄱㄴㅁ의 넓이의 몇 배가 되는지 분수로 나타내어라.

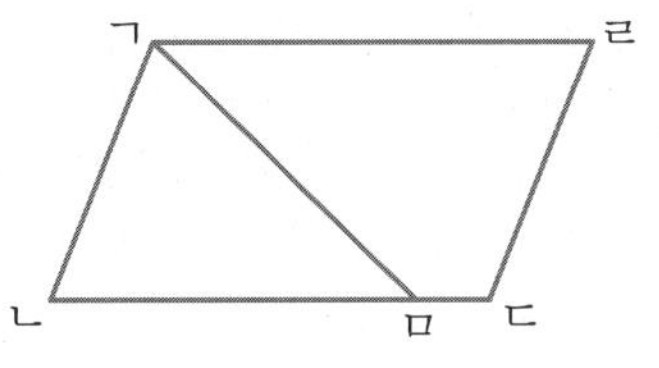


> 변 ㅁㄷ의 길이를 한 덩어리(◯)라고 하면, 변 ㄴㅁ의 길이는 네 덩어리(◯◯◯◯)이고, 변 ㄱㄹ의 길이는 다섯 덩어리(◯◯◯◯◯)이다.

**유제 4** 오른쪽 그림은 직사각형 ㄱㄴㄷㄹ에 선분 ㄱㅁ과 선분 ㅂㅅ을 평행이 되도록 그려 넣은 것이다. 삼각형 ㉮의 넓이의 3배는 평행사변형 ㉯의 넓이이고, 삼각형 ㉮의 넓이의 4배는 사다리꼴 ㉰의 넓이이다. 선분 ㄴㅁ, 선분 ㅁㅅ, 선분 ㅅㄷ의 길이가 각각 몇 cm씩인지 구하여라.

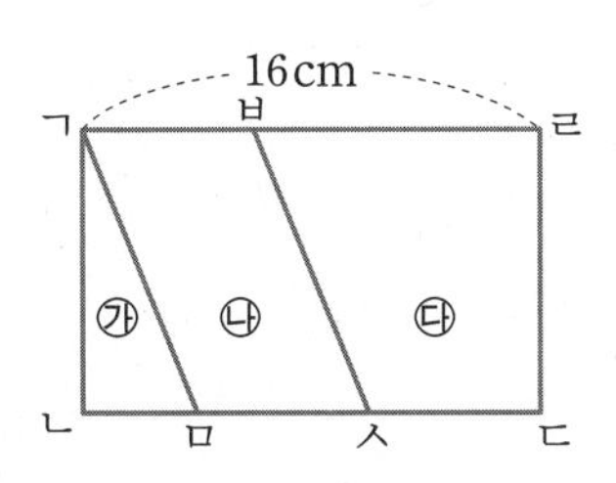


> 평행사변형 ㉯의 넓이를 {(변 ㄱㅂ의 길이)+(변 ㅁㅅ의 길이)}×(높이)÷2로 생각하자.

**1**

오른쪽과 같이 한 변의 길이가 15cm인 정사각형 ㄱㄴㄷㄹ의 대각선의 교점 ㅇ에서 변 ㄱㄹ, 변 ㄱㄴ, 변 ㄹㄷ에 닿는 선분을 그어 합동인 사다리꼴 2개와 오각형 1개를 만들었다. 만들어진 세 도형의 넓이가 같을 때, 선분 ㅂㄴ의 길이를 구하여라.

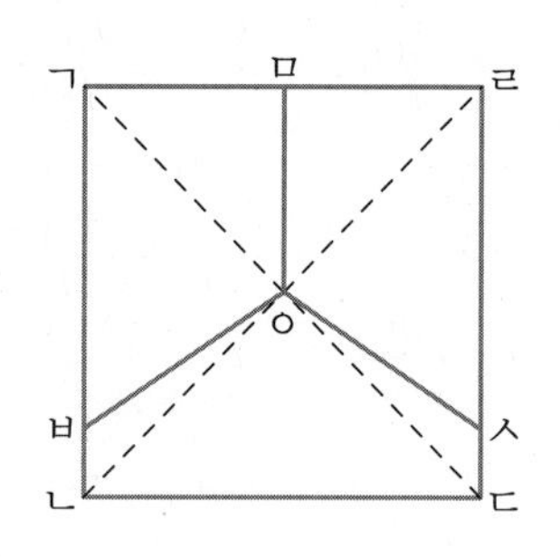


**2**

오른쪽 그림과 같은 사다리꼴 ㄱㄴㄷㄹ에서 점 ㅁ은 점 ㄱ을 출발하여 점 ㄹ까지 1초에 1cm씩 이동하고, 점 ㅂ은 점 ㄴ을 출발하여 점 ㄷ까지 1초에 2cm씩 이동한다. 사다리꼴 ㄱㄴㅂㅁ의 넓이가 사다리꼴 ㄱㄴㄷㄹ의 넓이의 $\frac{1}{3}$이 될 때는 점 ㅁ과 점 ㅂ이 점 ㄱ과 점 ㄴ에서 동시에 출발한지 몇 초 후인지 구하여라.

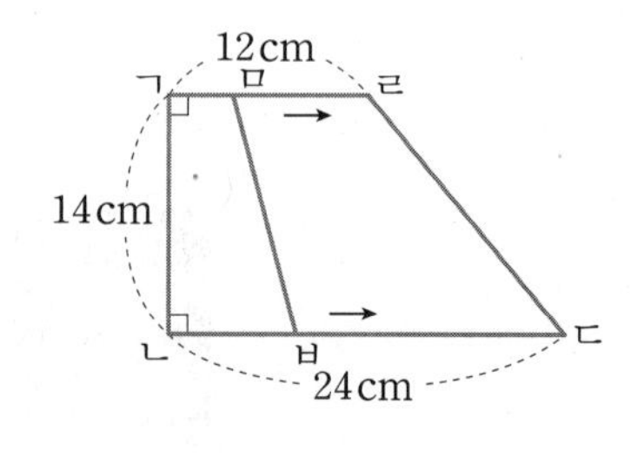


**3**

오른쪽 그림은 직사각형 ㄱㄴㄷㄹ을 직사각형 ㉮와 2개의 사다리꼴 ㉯와 ㉰로 나눈 모양이다. 사다리꼴 ㉯와 ㉰의 넓이가 같다면, 직사각형 ㉮의 넓이는 몇 $cm^2$인지 구하여라.

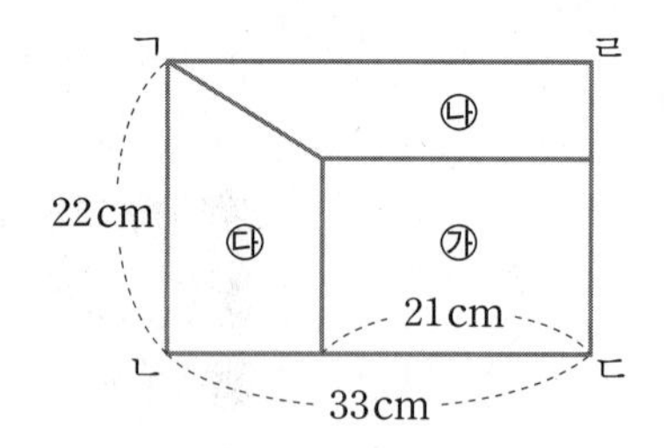


**4**

오른쪽과 같이 넓이가 $336cm^2$인 사다리꼴 ㄱㄴㄷㄹ에서 삼각형 ㄱㄴㅁ과 사다리꼴 ㄱㅁㄷㄹ의 넓이의 비가 3 : 4가 되도록 점 ㅁ을 변 ㄴㄷ 위에 잡았다. 변 ㅁㄷ의 길이를 구하여라.

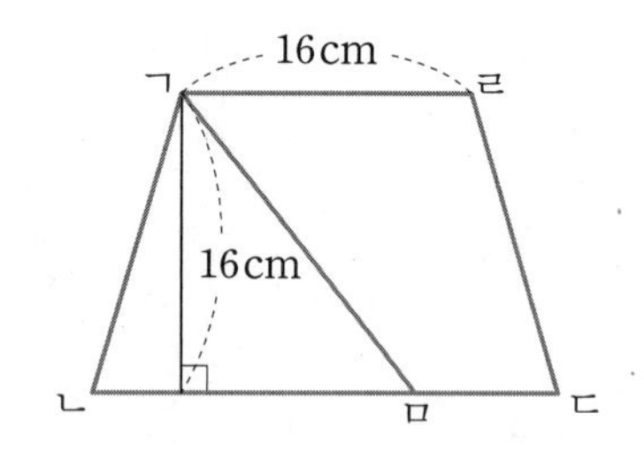


**5**

오른쪽 사다리꼴 ㄱㄴㄷㄹ에서 삼각형 ㄹㅁㄷ의 넓이는 사다리꼴 ㄱㄴㄷㄹ의 넓이의 $\frac{2}{5}$라고 한다. 변 ㄴㅁ의 길이를 구하여라.

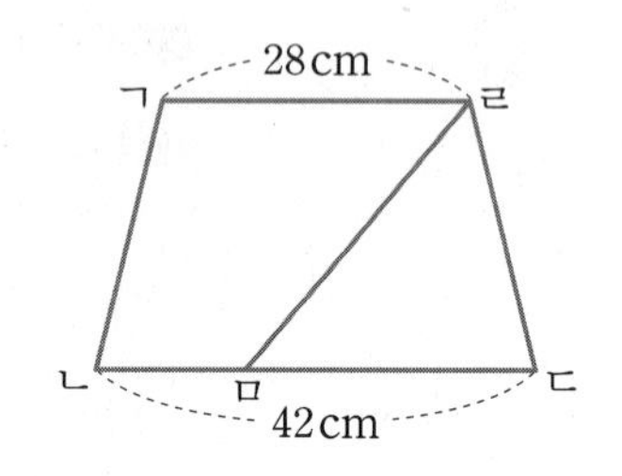

**6**

오른쪽 그림은 사다리꼴 ㄱㄴㄷㄹ을 넓이의 비가 13 : 9인 두 사다리꼴 ㉮, ㉯로 나눈 것이다. 변 ㄴㅂ과 변 ㅂㄷ의 길이의 비를 가장 간단한 자연수의 비로 나타내어라.

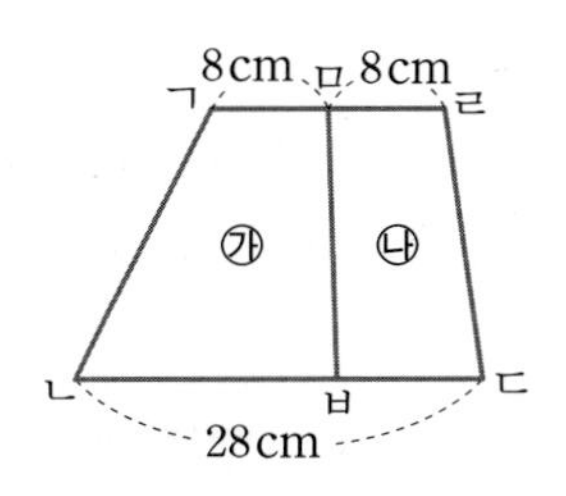


**7**

오른쪽 그림은 사다리꼴 ABCD의 평행인 두 변에 각각 놓인 점 P, 점 Q가 점 A, 점 B에서 동시에 출발하여 오른쪽으로 매초 각각 1cm, 1.5cm씩 이동하는 그림이다. 두 사다리꼴 ㉮, ㉯의 넓이의 비가 2 : 5일 때는 점 P와 점 Q가 점 A와 점 B를 출발한지 몇 초 후인지 구하여라.

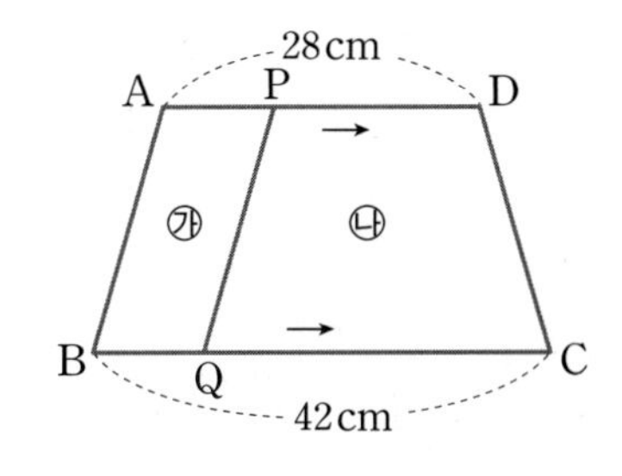


**8**

오른쪽 직사각형 ㄱㄴㄷㄹ에서 변 ㄱㅁ과 변 ㅁㄹ의 길이의 비는 2 : 3이고, 변 ㄴㅂ과 변 ㅂㄷ의 길이의 비는 5 : 1이다. 두 사다리꼴의 넓이의 비를 가장 간단한 자연수의 비로 구하여라.

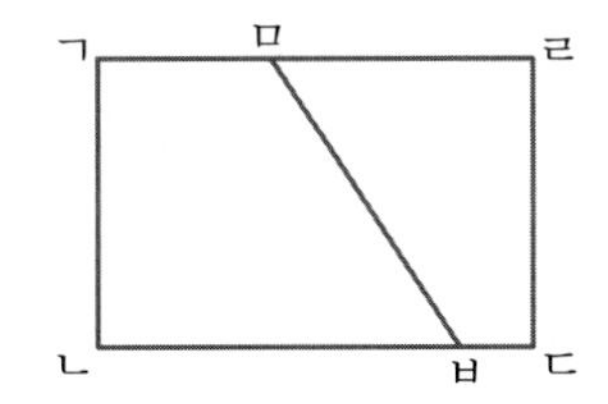


**9**

오른쪽 그림은 평행사변형 ㄱㄴㄷㄹ을 삼각형, 평행사변형, 사다리꼴로 나눈 것이다. 평행사변형 ㉯의 넓이는 삼각형 ㉮의 넓이의 1.5배이고, 사다리꼴 ㉰의 넓이는 삼각형 ㉮의 넓이의 2.5배이다. 변 ㅂㄹ의 길이는 변 ㄱㅁ의 길이의 얼마인지 구하여라.

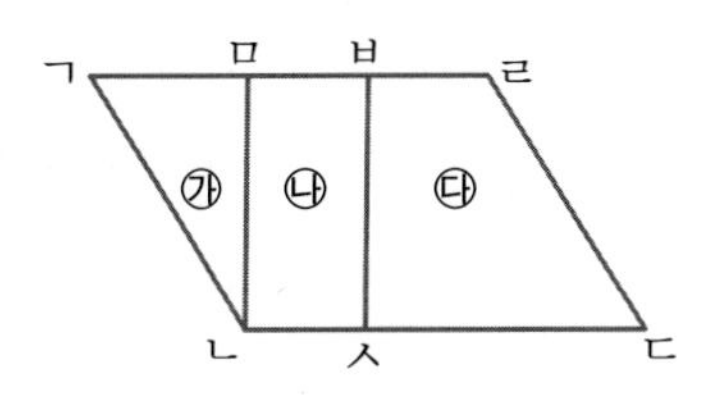


**10**

오른쪽 평행사변형 ABCD에서 변 AE의 길이는 변 ED의 길이의 $\frac{1}{3}$이고, 변 FC의 길이는 변 ED의 길이의 $\frac{4}{7}$라고 한다. 사다리꼴 ㉮의 넓이는 사다리꼴 ㉯의 넓이의 얼마인지 구하여라.

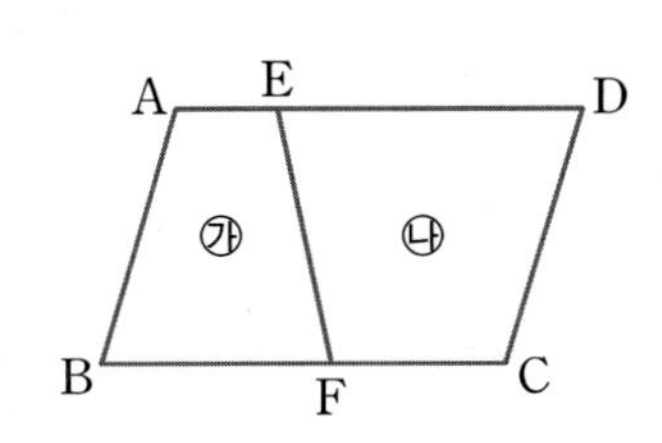

Chapter 33 원에 내접하는 다각형

- 원에 다각형이 내접할 때 원의 중심과 다각형의 꼭짓점을 이어 만든 삼각형은 이등변삼각형이 된다. 이를 이용하여 문제를 쉽게 해결할 수 있다.
- 원에 정다각형이 내접할 때는 정다각형의 한 내각의 크기를 계산하여 문제를 쉽게 해결할 수 있다.

핵·심·문·제 **1** 오른쪽 그림은 원 안에 정사각형과 정오각형이 내접해 있는 그림이다. 점 ㅁ과 점 ㄴ을 이어 이것을 한 변으로 하는 원 안에 내접하는 정다각형을 그린다면 어떤 도형이 그려지겠는가?

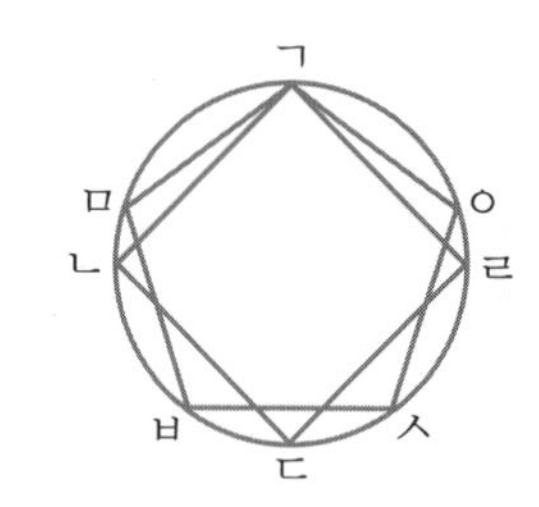


**| 생각하기 |** 원의 중심을 ㅈ이라 하면
(각 ㄱㅈㄴ)$=360^\circ \div 4=90^\circ$
(각 ㄱㅈㅁ)$=360^\circ \div 5=72^\circ$
따라서 (각 ㅁㅈㄴ)$=90^\circ-72^\circ=18^\circ$

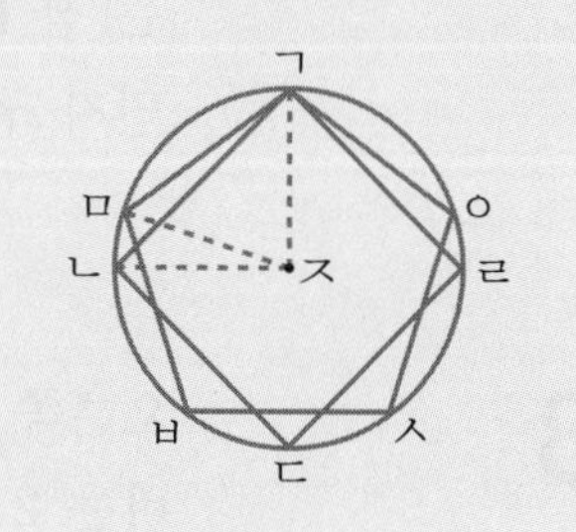


**| 풀이 |** (각 ㄱㅈㄴ)$=360^\circ \div 4=90^\circ$, (각 ㄱㅈㅁ)$=360^\circ \div 5=72^\circ$이므로
(각 ㅁㅈㄴ)$=90^\circ-72^\circ=18^\circ$ 따라서 $360^\circ \div 18^\circ=20$이므로 정이십각형이 그려진다.

답 정이십각형

핵·심·문·제 **2** 오른쪽 그림과 같이 세 점 ㄱ, ㄴ, ㄷ을 호 ㄱㄴ, 호 ㄴㄷ, 호 ㄷㄱ의 길이의 비가 2 : 3 : 4가 되도록 원 위에 잡아 삼각형 ㄱㄴㄷ을 만들었다. 점 ㅇ이 원의 중심일 때, 각 ㄴㄱㄷ의 크기를 구하여라.

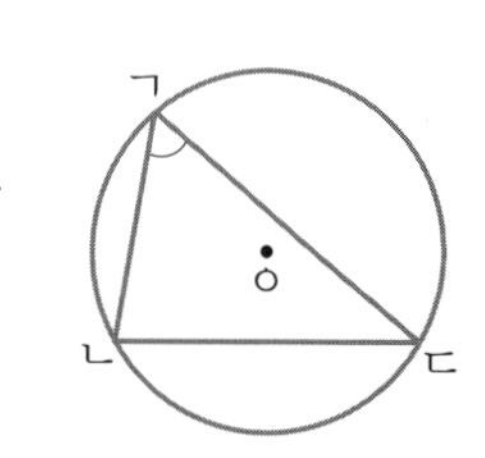


**| 생각하기 |** 호 ㄱㄴ, 호 ㄴㄷ, 호 ㄷㄱ의 길이의 비가 2 : 3 : 4이므로
각 ㄱㅇㄴ, 각 ㄴㅇㄷ, 각 ㄷㅇㄱ의 크기의 비도 2 : 3 : 4이다.
또, 삼각형 ㅇㄱㄴ, 삼각형 ㅇㄴㄷ, 삼각형 ㅇㄱㄷ은 모두 이등변삼각형이므로 두 밑각의 크기가 각각 같다.

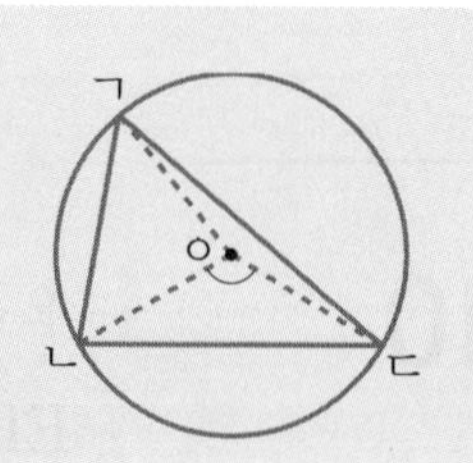


**| 풀이 |** (각 ㄱㅇㄴ)$=360^\circ \div 9 \times 2=80^\circ$이므로, (각 ㄴㄱㅇ)$=(180^\circ-80^\circ)\div 2=50^\circ$
(각 ㄱㅇㄷ)$=360^\circ \div 9 \times 4=160^\circ$이므로, (각 ㄷㄱㅇ)$=(180^\circ-160^\circ)\div 2=10^\circ$
따라서 (각 ㄴㄱㄷ)$=$(각 ㄴㄱㅇ)$+$(각 ㄷㄱㅇ)$=50^\circ+10^\circ=60^\circ$

답 $60^\circ$

유제 **1** 오른쪽 그림과 같이 원 안에 정삼각형과 정오각형이 그려져 있다. 각 ㉮, ㉯의 크기를 각각 구하여라.

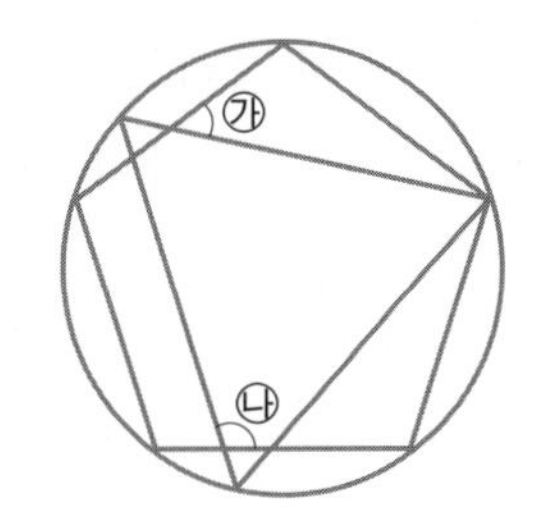


> 주어진 도형은 선대칭도형이다.

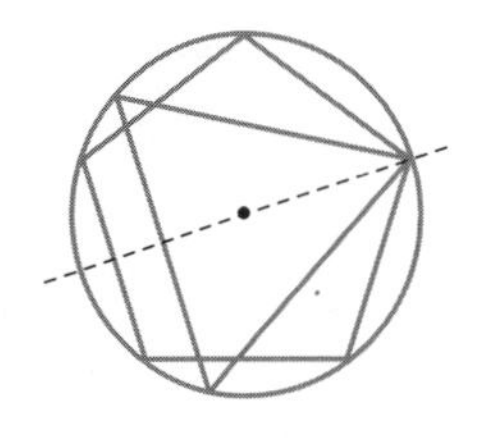

유제 **2** 오른쪽 그림에서 원 위에 있는 12개의 점이 원주를 12등분 할 때, 각 ㉮의 크기를 구하여라.

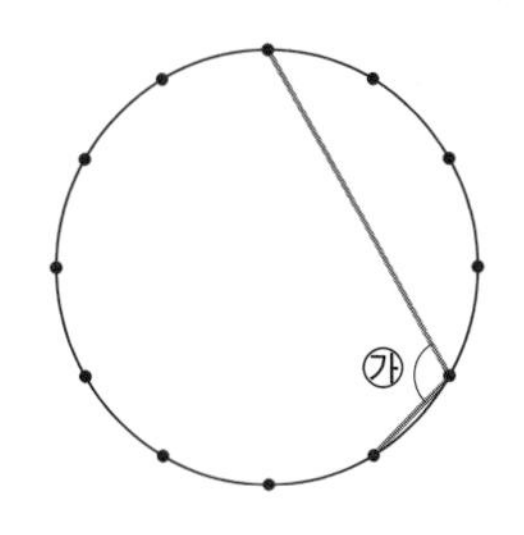


> 두 선분의 양 끝점과 원의 중심을 이으면 두 개의 이등변삼각형이 생긴다.

유제 **3** 오른쪽 그림에서 각 ㄱㄴㄷ의 크기를 구하여라.

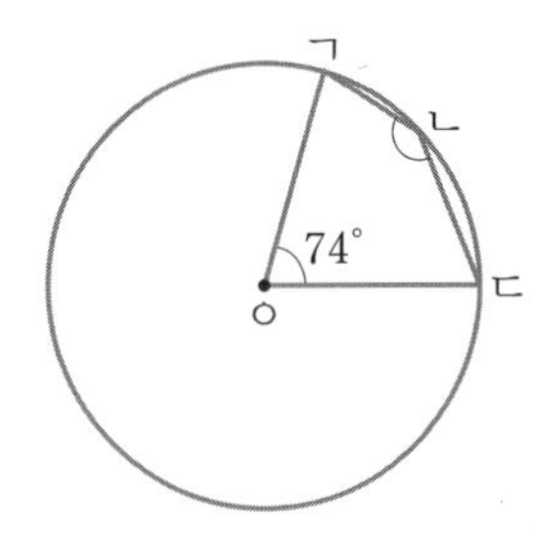


> 점 ㄴ과 점 ㅇ을 이어 본다.

유제 **4** 오른쪽 그림에서 원 주위에 있는 6개의 점은 원주를 6등분 하는 점들이다. 각 ㉮와 각 ㉯의 크기를 구하여라.

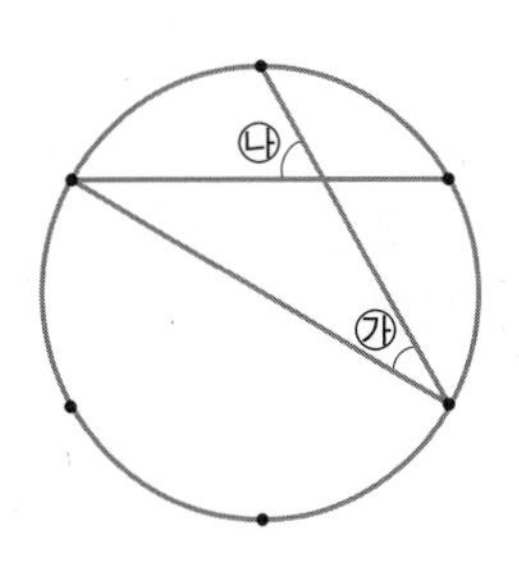


> 원주를 6등분 하는 점이므로 이 점들을 이어 정육각형을 만든다.

# 특강탐구문제

**1**

오른쪽 그림은 원에 내접하는 삼각형을 그린 것이다. 변 ㄴㄷ이 원의 지름일 때, 각 ㉮의 크기를 구하여라.

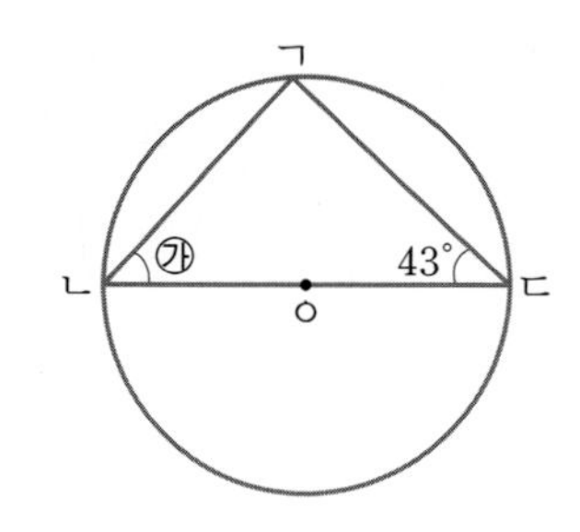


**2**

오른쪽 그림은 점 ㅇ을 중심으로 하는 원의 일부를 그린 것이다. 각 ㄱㅇㄷ의 크기가 86°일 때, 각 ㄱㄴㄷ의 크기를 구하여라.

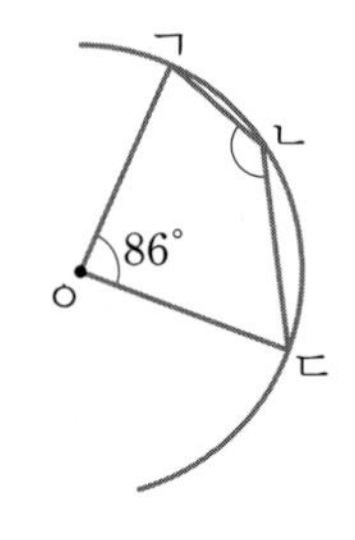


**3**

오른쪽 그림과 같이 호 ㄱㄴ, 호 ㄴㄷ, 호 ㄷㄱ의 길이의 비가 5 : 6 : 7이 되도록 점 ㄱ, 점 ㄴ, 점 ㄷ을 원 위에 잡아 삼각형 ㄱㄴㄷ을 만들었다. 각 ㄱㄷㄴ의 크기를 구하여라.

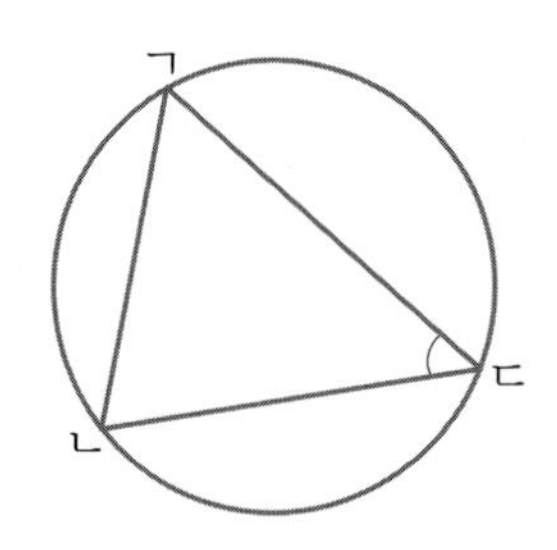


**4**

오른쪽 그림에서 각 ㄱㄴㄷ의 크기를 구하여라.

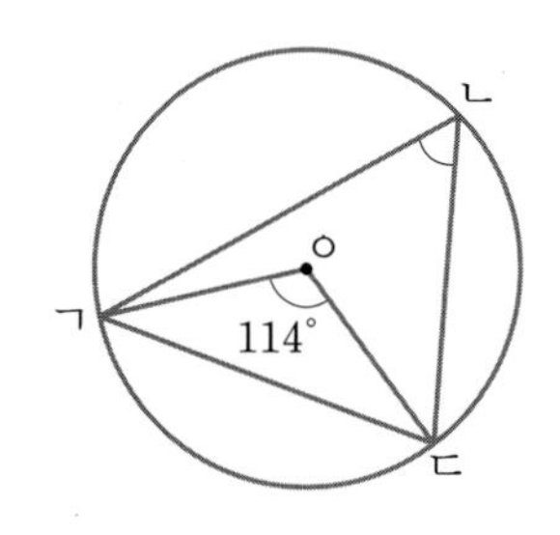


**5**

오른쪽 그림은 바늘을 그리지 않은 시계 그림이다. 각 ㄱㄴㄷ의 크기를 구하여라.

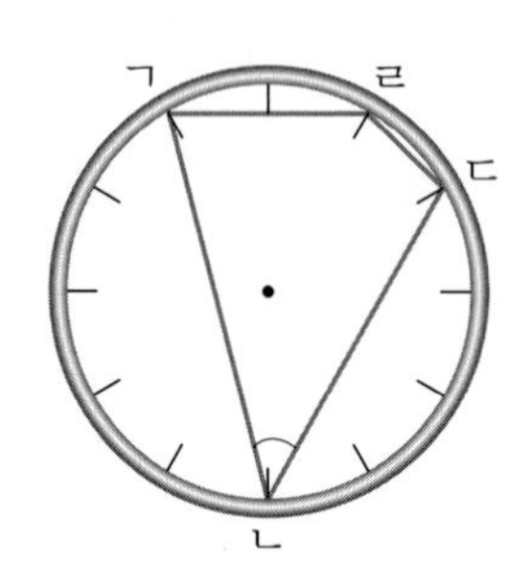

**6**

오른쪽 그림과 같이 원 안에 정삼각형 ㄱㄴㄷ과 정오각형 ㄱㄹㅁㅂㅅ을 그렸다. 점 ㅇ이 원의 중심일 때, 각 ㄷㅇㅅ의 크기는 각 ㅂㅇㄷ의 크기의 몇 배인지 구하여라.

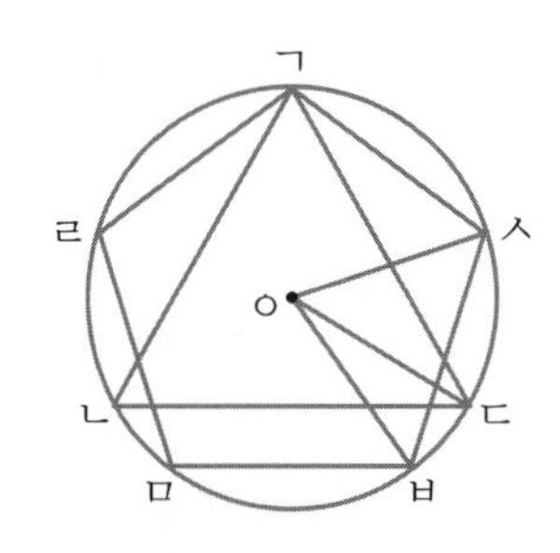


**7**

오른쪽 그림은 원 안에 정오각형과 정육각형을 그린 것이다. 점 ㅇ이 원의 중심일 때, 각 ㉮의 크기를 구하여라.

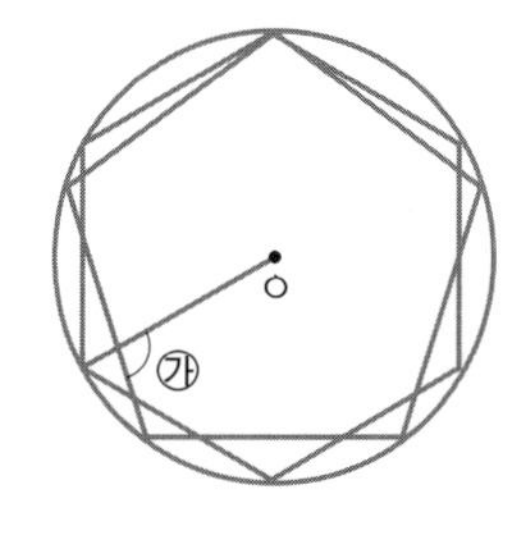


**8**

오른쪽 그림에서 각 ㄱㄹㄷ의 크기를 구하여라.

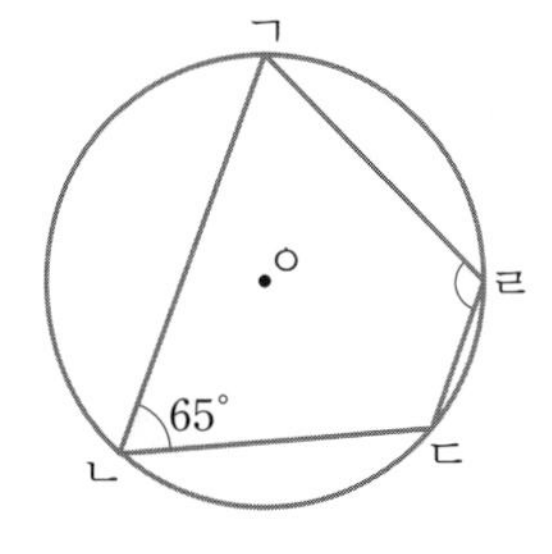


**9**

오른쪽 그림과 같이 사각형 ㄱㄴㄷㄹ이 원에 내접해 있다. 점 ㅇ이 원의 중심이고, 변 ㄱㄴ과 변 ㄱㄷ의 길이가 같을 때 각 ㄱㄹㄷ의 크기를 구하여라.

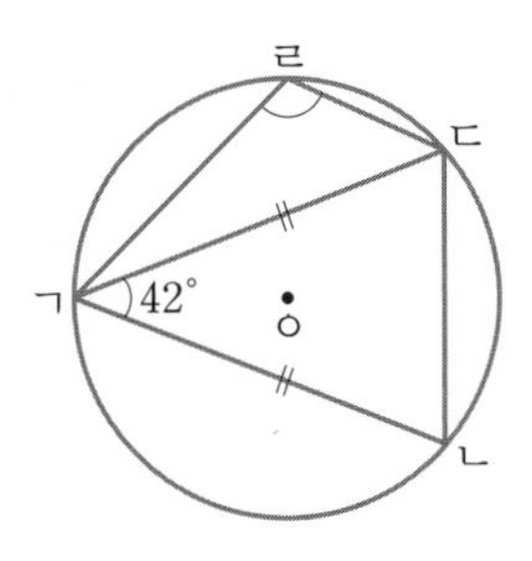


**10**

오른쪽 그림과 같이 원의 둘레를 12등분 하는 점 12개가 있다. 이 중 4개의 점을 이어 오른쪽과 같이 원에 내접하는 사각형을 만들었다. 이 사각형의 두 대각선이 만나 생기는 작은 각의 크기를 구하여라.

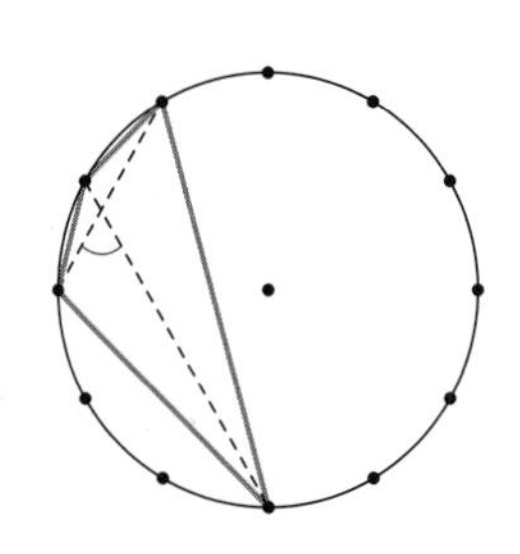

# Chapter 34 점수맞히기

- 리그전 경기에서는 각 팀의 이긴 횟수의 합과 진 횟수의 합이 같고, 각 팀의 무승부의 횟수의 합은 반드시 짝수이다. 또, 각 팀의 득점의 합과 실점의 합도 같다.
- ○, × 문제의 점수맞히기는 두 명씩 답안을 비교해 보고, 정답 수를 생각한다.

핵·심·문·제 **1** 아래의 표는 갑, 을, 병, 정 4명의 학생이 ○, ×로 답하는 10문제를 푼 결과이다. 갑, 을, 병이 각각 7문제씩 맞혔다면 정은 몇 문제를 맞혔는지 구하여라.

| | 1 | 2 | 3 | 4 | 5 | 6 | 7 | 8 | 9 | 10 | 정답 수 |
|---|---|---|---|---|---|---|---|---|---|---|---|
| 갑 | ○ | × | × | × | ○ | ○ | ○ | × | × | ○ | 7 |
| 을 | × | × | ○ | × | ○ | × | × | ○ | ○ | ○ | 7 |
| 병 | ○ | × | ○ | ○ | × | × | ○ | × | ○ | × | 7 |
| 정 | ○ | × | ○ | × | ○ | × | ○ | ○ | ○ | ○ | |

**| 생각하기 |** 갑, 을, 병의 답을 비교해 보면 3명이 같은 답을 쓴 문제는 2번 뿐이고, 나머지 9문제는 두 명이 틀렸거나, 한 명이 틀렸다.

**| 풀이 |** 3명이 같은 답을 쓴 2번 문제를 제외한 9개의 문제는 모두 답이 다른 한 사람이 틀린 것이다. 즉 정답은 ○×○×○×○×○○이고, 정은 9문제를 맞혔다.

답 9문제

핵·심·문·제 **2** A, B, C 세 학교가 서로 한 번씩 축구 경기를 하였다. A 학교는 2득점, 4실점 하였다. 또, B 학교는 두 번 모두 이겼는데 3실점 하였고, C 학교는 한 번 이기고 한 번은 졌는데, 2득점, 3실점 하였다. A 학교와 B 학교의 경기 결과는 몇 대 몇인가?

**| 생각하기 |** 세 학교가 치른 전체 경기에서 이긴 횟수의 합과 진 횟수의 합은 같고 세 학교의 득점의 합은 실점의 합과 같으므로 경기 상황은 오른쪽과 같다.

| | 승 | 패 | 득점 | 실점 |
|---|---|---|---|---|
| A | | 2 | 2 | 4 |
| B | 2 | | 6 | 3 |
| C | 1 | 1 | 2 | 3 |

**| 풀이 |** 조건에 맞게 경기 결과를 표로 나타내 보면

- A 학교가 넣은 2골 모두 B와의 경기에서 넣은 경우

| | 득점 | 실점 |
|---|---|---|
| A | 2 < 2B, 0C | 4 < 1C, 3B |
| B | 6 < 3A, 3C | 3 < 2A, 1C |
| C | 2 < 1B, 1A | 3 < 3B, 0A |

A : B = 2 : 3
A : C = 0 : 1
B : C = 3 : 1

모두 조건에 맞는다.

- A 학교가 넣은 2골 중 1골은 B, 1골은 C와의 경기에서 넣은 경우

| | 득점 | 실점 |
|---|---|---|
| A | 2 < 1B, 1C | 4 < 2C, 2B |
| B | 6 < 2A, 4C | 3 < 1A, 2C |
| C | 2 < 2A, 2B | |

A : B = 1 : 2
A : C = 1 : 2
B : C =

조건에 맞지 않는다.

- A 학교가 넣은 2골 모두 C와의 경기에서 넣은 경우

| | 득점 | 실점 |
|---|---|---|
| A | 2 < 0B, 2C | 4 < 1B, 3C |

C의 총 득점이 2점이므로 A에게서 3점을 얻을 수 없다.

답 2 : 3

유제 **1** ㉮, ㉯, ㉰, ㉱, ㉲, ㉳ 6개의 학교가 축구 경기를 하였는데 각 학교는 모든 학교와 한 번씩 경기를 하였다고 한다. ㉮ 학교는 한 번만 이겼고, ㉯ 학교는 4번 이기고 1번 졌다. ㉰ 학교는 3번 이기고 2번 졌으며, ㉱ 학교는 5번 모두 이겼다. 또, ㉲ 학교는 한 번 이기고 3번 졌으며 한 번은 무승부일 때, ㉮ 학교는 어느 학교와의 경기에서 이겼는지 구하여라.

> ㉱ 학교가 5번 이기고, ㉯ 학교가 4번 이기고 한 번 졌음을 먼저 표시하자.

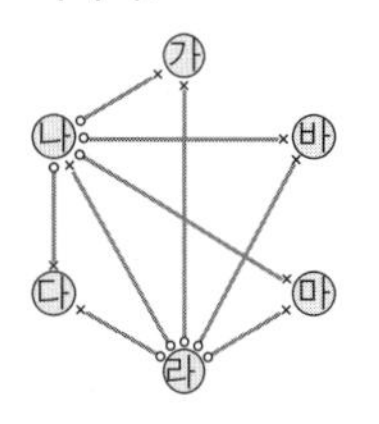


유제 **2** A, B, C, D, E 5명의 학생이 국어, 수학, 사회, 과학, 영어 5과목의 시험을 치뤘다. 각 학생의 과목별 점수는 아래 표와 같은데 학생 이름과 과목이 적혀 있지 않았다. 다음 글을 읽고 D의 영어 점수와 E의 사회 점수의 합을 구하여라.

| 과목 / 이름 | | | | | |
|---|---|---|---|---|---|
| | 20 | 60 | 50 | 10 | 70 |
| | 40 | 30 | 60 | 50 | 20 |
| | 30 | 20 | 70 | 10 | 80 |
| | 80 | 50 | 10 | 70 | 10 |
| | 50 | 40 | 20 | 80 | 30 |

- A의 수학, B의 수학, B의 국어 점수의 합은 190점이다.
- 5명의 과학 점수의 평균은 40점이다.
- A와 C의 수학 점수의 합은 150점이다.
- C의 사회, D의 과학 점수의 합은 140점이다.

> 과학 점수의 총합은 $40\times5=200$(점)이므로, 둘째 번 세로줄이 과학이다. 또, A와 C의 수학 점수의 합이 150점이므로 수학은 넷째 번 또는 다섯째 번 세로줄이다.

유제 **3** A, B, C, D, E 5명의 학생이 한 문제에 5점씩인 20문제를 풀었다. C의 점수를 구하여라.

- 5명 중 가장 낮은 점수는 15점이다.
- 5명의 평균 점수는 47점이다.
- A의 점수는 C보다는 낮고 D보다는 높다.
- E의 점수는 C의 점수보다 40점이 낮다.
- E의 점수는 D보다 높고 5명의 평균 점수보다 낮다.
- C의 점수는 A와 B의 평균 점수와 같다.

> C의 점수가 A, B의 평균 점수이므로 A, B, C 세 학생의 점수의 합은 C의 점수의 3배이다.

유제 **4** 다음 표는 가, 나, 다, 라 네 학생이 ○, ×로 답하는 10문제를 푼 결과이다. 맞으면 2점, 틀리면 0점, 답을 안 쓰면 1점을 주기로 하고 채점을 하였다. 라의 점수를 구하여라.

| | 1 | 2 | 3 | 4 | 5 | 6 | 7 | 8 | 9 | 10 | 점수 |
|---|---|---|---|---|---|---|---|---|---|---|---|
| 가 | ○ | | | ○ | × | × | ○ | × | ○ | ○ | 14 |
| 나 | ○ | ○ | × | | | ○ | × | × | × | ○ | 12 |
| 다 | × | × | ○ | ○ | × | | | ○ | ○ | × | 12 |
| 라 | ○ | × | ○ | ○ | ○ | × | ○ | | | × | |

> 답을 안 쓴 문제가 2개씩이므로 가, 나, 다가 맞힌 문제 수는 각각 6문제, 5문제, 5문제이다. 나, 다의 1, 2, 3, 8, 9, 10번 답을 비교하면 모두 다르므로 이 중에서 각각 세 문제씩 맞힌 것이 된다.
> 따라서, 나는 6, 7번을, 다는 4, 5번을 맞힌 것이다.

# 특강탐구문제

**1**

갑, 을, 병, 정 네 명의 친구들이 팔씨름을 하였다. 두 사람씩 모두 팔씨름을 한 결과, 갑이 을을 이겼고 을, 병, 정이 이긴 횟수가 같았다. 갑은 몇 번 이기고 몇 번 졌는지 구하여라. (단, 무승부는 없다.)

**2**

A, B, C, D 4개 팀이 리그전으로 야구 경기를 하였다. 경기 결과 A 팀은 B 팀과 D 팀에게 지고, C 팀은 B 팀을 이기고 D 팀과는 비겼다. 이기면 2점, 지면 0점, 비기면 1점을 주는 방식으로 점수를 계산하여 순위를 정하였더니 C가 1위, B가 2위였다. A의 점수는 몇 점인지 구하여라. (단, 점수가 같은 경우는 없다.)

**3**

A, B, C, D, E, F 6개 팀이 리그전으로 탁구 경기를 치른 결과는 다음과 같다. 이 때 F가 이긴 경기는 어느 팀과의 경기인지 구하여라.

- A는 2승 3패이다.
- E는 3승 2패이다.
- E는 D에게 졌다.
- B는 이긴 경기가 없다.
- D는 1승 2패 2무이다.
- F가 이긴 경기는 한 경기 뿐이다.

**4**

다음은 A, B, C 세 팀이 서로 한 번씩 축구 경기를 한 결과를 적은 것이다. B 팀과 C 팀의 경기 결과는 몇 대 몇인지 구하여라.

- A는 한 번 비겼으며, 3골을 넣고 5골을 잃었다.
- B는 두 번 이겼으며, 5골을 넣었다.
- C는 3골을 넣고 4골을 잃었다.

**5**

다음 표는 가, 나, 다 3명의 학생이 ○, ×로 답하는 10문제에 답한 결과와 정답 수를 적어 놓은 것이다. 각 문제의 정답을 구하여라.

| | 1 | 2 | 3 | 4 | 5 | 6 | 7 | 8 | 9 | 10 | 정답 수 |
|---|---|---|---|---|---|---|---|---|---|---|---|
| 가 | × | × | × | × | ○ | ○ | × | ○ | ○ | × | 8 |
| 나 | × | ○ | ○ | × | ○ | × | ○ | ○ | ○ | × | 8 |
| 다 | × | ○ | × | ○ | × | × | × | ○ | × | ○ | 6 |

**6**

갑, 을, 병, 정 4명이 한 문제에 10점씩인 문제 10문제를 각각 풀었다. 각 사람의 점수는 모두 다르고, 을이 가장 높은 점수를 받았다. 또, 갑은 정보다 2문제 더 맞혔고 병은 20점을 받았으며, 정의 점수는 4명의 평균 점수와 같다. 을의 점수를 구하여라.

**7**

A, B, C, D 4명이 테니스 경기를 하였다. 처음에는 A와 B가 경기를 하고, 다시 C와 D가 경기를 한 후, 다음에는 이긴 사람끼리, 진 사람끼리 경기를 하였다. 결과가 같은 경우에는 같은 사람끼리 순위가 결정될 때까지 경기를 하기로 하였는데, 모두 5번 경기를 하였더니 순위가 결정되었다. C는 B에게 지고, A는 D에게 이기고 C에게 졌다. A, B, C, D를 순위가 높은 사람의 순서대로 구하여라.

**8**

A, B, C, D 4개 팀이 서로 한 번씩 야구 경기를 하였다. 처음 열린 3회의 경기에서 A 팀은 B 팀에게 이기고, B 팀은 C 팀에게 이기고, C 팀은 D 팀에게 이겼다고 한다. 경기를 모두 마친 후 각 팀의 성적을 알아보니 D 팀이 2승 1패를 하였다. B 팀은 몇 승 몇 패를 하였는지 구하여라. (단, 무승부는 없다고 한다.)

**9**

가, 나, 다, 라 4명의 학생이 ○, ×로 답하는 문제를 아래 표와 같이 풀었다. 이 10문제 중 정답이 ○인 문제는 몇 개인지 구하여라.

| | 1번 | 2번 | 3번 | 4번 | 5번 | 6번 | 7번 | 8번 | 9번 | 10번 | 정답 수 |
|---|---|---|---|---|---|---|---|---|---|---|---|
| 가 | × | ○ | × | × | ○ | ○ | × | × | × | ○ | 9 |
| 나 | × | × | × | ○ | × | × | × | × | ○ | × | 3 |
| 다 | ○ | ○ | × | × | × | ○ | ○ | × | ○ | × | 6 |
| 라 | × | ○ | ○ | × | ○ | ○ | ○ | ○ | × | ○ | 6 |

**10**

A, B, C, D 4개의 축구 팀이 서로 한 번씩 축구 경기를 하였다. 각 팀은 서로 다른 팀과 3번씩 경기를 하였는데 한 번 이기면 2점, 비기면 1점, 지면 0점을 얻는다고 한다. 경기 결과 C 팀이 5점을 얻어 1등을 하였고, A 팀은 2승 1패, D 팀은 3등을 하였다. 경기 결과에 따라 얻은 점수는 동점인 팀도 없고 0점을 얻은 팀도 없다고 한다. 또, 무승부일 경우는 모두 경기 결과가 0 : 0이고, A 팀은 3골, B 팀은 3골, C 팀은 5골, D 팀은 1골을 넣었다고 한다. B 팀과 C 팀의 경기 결과가 3 : 4일 때, A 팀과 D 팀의 경기 결과는 몇 대 몇인지 구하여라.

Chapter 35 그림으로 푸는 속력 문제

• (속력)×(시간)=(거리)이므로 가로에 속력을 표시하고 세로에 시간을 표시하면 거리를 나타내는 직사각형을 그릴 수 있다. 이를 이용하면 문제를 쉽게 풀 수 있다.
• 같은 거리를 서로 다른 속력으로 갈 때, 그려지는 두 가지의 직사각형에서 넓이를 비교해 보면 문제를 쉽게 해결할 수 있다.

핵·심·문·제 **1** ㉮ 마을에서 ㉯ 마을까지 가는 데 1분에 45m씩 가면 1분에 25m씩 가는 것보다 $1\frac{1}{15}$시간 적게 걸린다고 한다. ㉮ 마을에서 ㉯ 마을까지의 거리를 구하여라.

**| 생각하기 |** 1분에 45m씩 가면 25m씩 가는 것보다 20m씩 더 가게 되는데, 이 때문에 $1\frac{1}{15}$시간$=1\frac{1}{15}\times60$분$=\frac{16}{15}\times60$분$=64$분 적게 걸린다. 그림으로 나타내어 보면 오른쪽과 같게 된다. 즉 1분에 25m씩 64분 동안 갈 거리를 1분에 20m씩 더 가는 것으로 해결하는 셈이다.

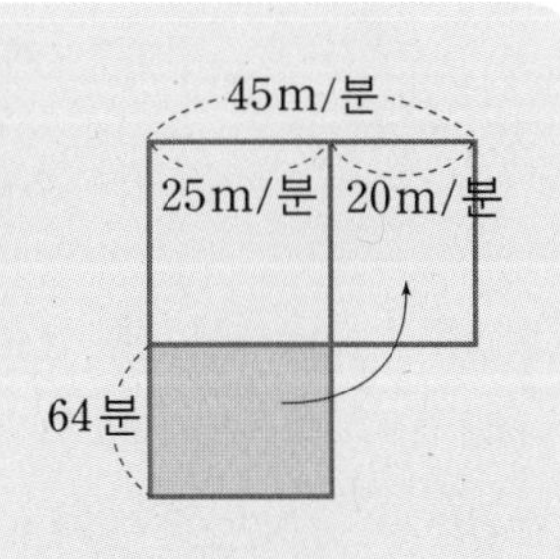


**| 풀이 |** $1\frac{1}{15}$시간$=1\frac{1}{15}\times60$분$=\frac{16}{15}\times60=64$분
$25\times64=1600$(m)이고, $1600\div20=80$(분)이므로 ㉮ 마을에서 ㉯ 마을까지의 거리는 1분에 45m씩 80분에 가는 거리이고, 이것은 1분에 25m씩 $80+64=144$(분)에 가는 거리이다.
$45\times80=25\times144=3600$(m) 답 3600m

핵·심·문·제 **2** 집에서 할아버지 댁까지 가는 데 도중에 공원이 있다. 집에서 공원까지는 자전거를 타고 시속 20km로 가고, 공원에서 할아버지 댁까지는 걸어서 시속 4km로 가서 총 3시간이 걸려 도착하였다. 집에서 할아버지 댁까지의 거리가 24km일 때, 집에서 공원까지의 거리를 구하여라.

**| 생각하기 |** 그림으로 나타내어 보자.
색칠한 부분은 4km×3시간=12km이므로 ㉠ 부분은 $24-12=12$(km)이다.
1시간에 16km씩 가는 속력으로 12km를 가야 하므로
$12\div16=\frac{3}{4}$(시간)이 걸린다.

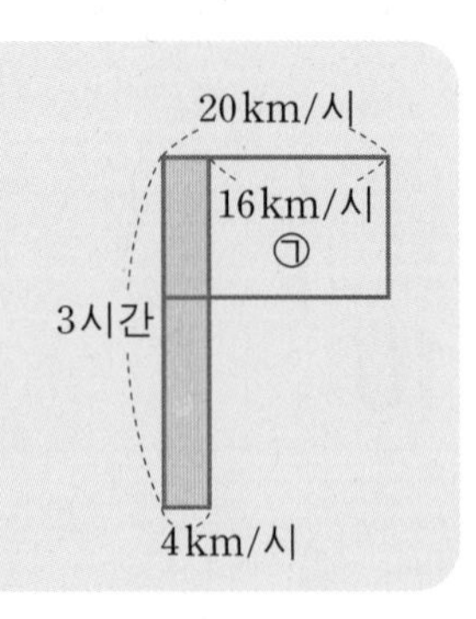


**| 풀이 |** $4\times3=12$(km), $(24-12)\div(20-4)=12\div16=\frac{3}{4}$(시간)
즉, 공원까지 가는 데 $\frac{3}{4}$시간 걸렸다.
집에서 공원까지의 거리는 $20\times\frac{3}{4}=15$(km)이다. 답 15km

유제 **1** 같은 거리를 시속 45km로 갈 때와 시속 60km로 갈 때 5분의 차가 난다면 몇 km 떨어진 거리를 간 것인가?

그림으로 나타내어 보자

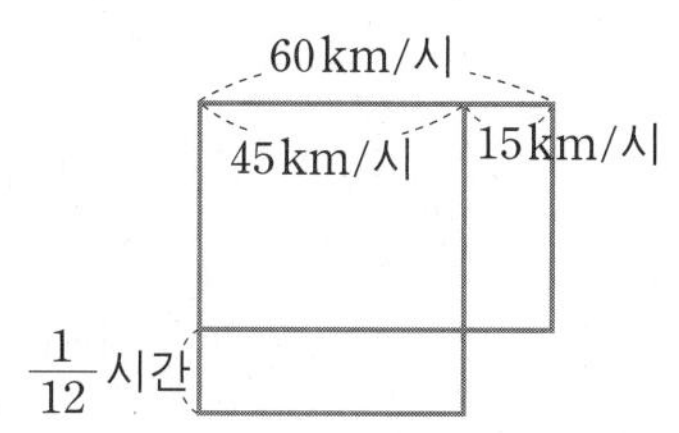


유제 **2** 집에서 학교까지 가는 데 90분이 걸린다고 한다. 이보다 1분에 30m씩 더 빠르게 가면 36분에 갈 수 있다고 한다. 집에서 학교까지의 거리는 몇 m인지 구하여라.

그림으로 나타내어 보자.

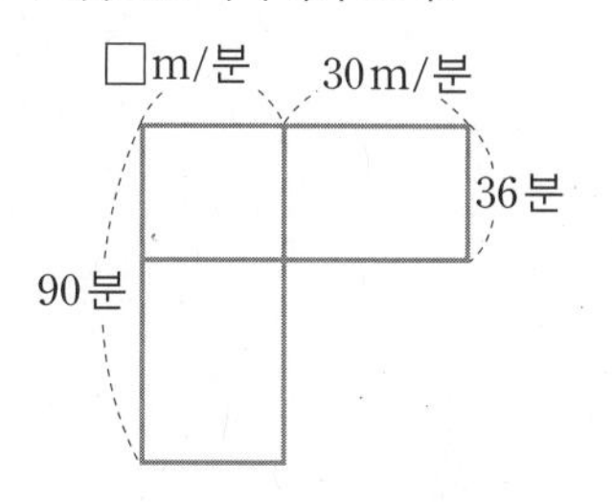


유제 **3** 자전거를 타고 집에서 기차역까지 가려고 한다. 시속 16km로 가면 기차가 출발하기 15분 전에 도착하고, 시속 9.6km로 가면 기차가 출발한지 15분 후에 도착한다고 한다. 기차가 출발하기 5분 전에 도착하려면 시속 몇 km로 가야 하는지 구하여라.

시속 16km로 가는 것과 시속 9.6km로 가는 것은 30분 차가 난다. 이것을 그림으로 나타내어 보자.

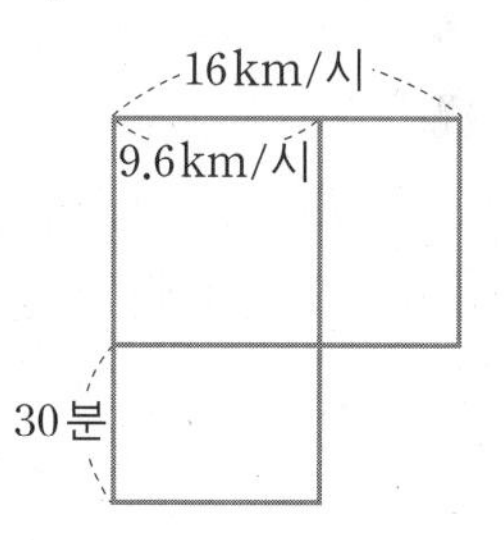


유제 **4** 집에서 거리가 6.9km인 축구 경기장까지 걸어서 가려고 한다. 처음에는 1분에 60m씩 걷다가 나중에는 1분에 90m씩 걸었더니 1시간 30분이 걸렸다. 속력을 바꾼 지점에서 축구 경기장까지의 거리는 몇 km인가?

그림으로 나타내어 보자.

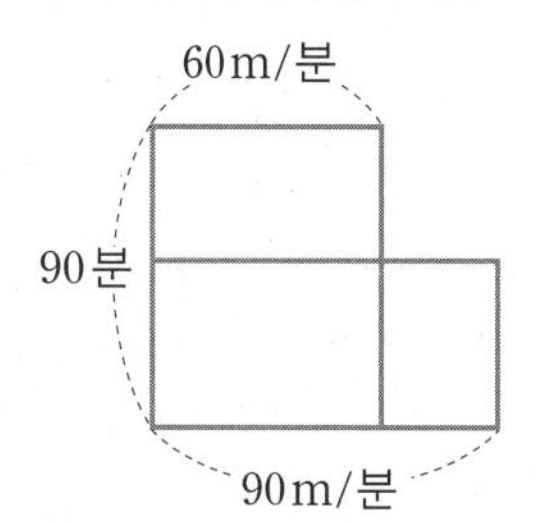

# 특강탐구문제

**1**

진규는 학교에 갈 때 시속 4km로 걸어서 간다. 어느 날 평소보다 10분 늦게 출발하게 되어 자전거를 타고 시속 12km로 갔더니 평소 걸어서 갈 때보다 오히려 10분 일찍 도착하였다. 집에서 학교까지의 거리를 구하여라.

**2**

현민이와 현수는 공원에서 달리기를 하였다. 같은 지점에서 출발하여 현민이는 시속 8km로 달렸고, 현수는 시속 10km로 달렸다. 그런데 현수가 중간에 다른 길로 달려서 현민이보다 4km를 더 달리게 되었다. 현민이가 현수보다 도착 지점에 15분 먼저 도착했다면, 현민이가 달린 거리는 몇 km인지 구하여라.

**3**

영화관에 영화를 보러 가는데 자전거를 타고 시속 15km로 가면 20분 늦게 도착하게 된다. 그래서 속력을 2배로 하여 시속 30km로 달렸더니 영화 상영 시간 10분 전에 도착하였다. 영화 상영 시간에 꼭 맞게 도착하려면 시속 몇 km로 달려야 했는지 구하여라.

**4**

정우는 일요일에 아버지와 함께 등산을 하였다. 올라갈 때는 매시 3km의 속력으로, 내려올 때는 매시 5km의 속력으로 총 12km의 산길을 걸었다. 올라간 길과 내려온 길이 다르고 총 3시간 걸렸다면, 올라간 거리는 몇 km인가?

**5**

집에서 7.6km 떨어진 공원까지 가려고 한다. 처음에는 매분 60m의 속력으로 걷다가, 너무 늦게 도착할 것 같아서 도중에 매분 100m의 속력으로 달려서 1시간 30분 만에 도착하였다. 걸은 시간을 구하여라.

**6**

선주는 매일 오전 8시에 집을 나서 학교에 간다. 만일 매분 60m씩 걷는다면 6분 지각하게 되고, 매분 80m씩 걷는다면 3분 일찍 도착하게 된다. 학교에 도착하여야 하는 시각은 몇 시 몇 분인지 구하여라.

**7**

자동차로 ㉮ 지점에서 ㉯ 지점까지 가는데 시속 75km로 달리면 오후 1시에 도착하고, 시속 60km로 달리면 오후 2시 30분에 도착하게 된다고 한다. ㉮ 지점에서 몇 시에 출발하였는지 구하여라.

**8**

형과 동생이 자전거를 타고 여행을 떠났다. 형은 동생보다 1시간에 4km씩 더 간다. 가는 도중에 철길을 건너게 되는데, 형이 동생보다 36분 앞서 건넜다. 또 동생이 철길을 건너는 순간에 형은 철길에서 9.6km 떨어진 곳에 있었다. 동생은 출발한 지 몇 시간 몇 분만에 철길을 건넜는지 구하여라.

**9**

140km 떨어진 ㉮, ㉯ 두 지점 사이를 달리는 시외버스가 있고, ㉮와 ㉯ 지점 사이에는 A, B 두 정거장이 있다. ㉮ 지점에서 A 정거장까지, A 정거장에서 B 정거장까지를 모두 시속 40km로 달리고, B 정거장에서 ㉯ 지점까지는 시속 50km로 달리면 3시간 12분이 걸린다. 그런데 ㉮ 지점에서 A 정거장까지만 시속 40km로 달리고 그 나머지는 시속 50km로 달리면 2시간 57분 걸린다. A 정거장에서 B 정거장까지의 거리를 구하여라.

**10**

준용이가 A 지점에서 B 지점까지 가는 데 평소에 가던 속력보다 한 시간에 $\frac{1}{2}$km씩 더 가면 $\frac{3}{2}$시간 적게 걸리고, 한 시간에 $\frac{1}{2}$km씩 적게 가면 $\frac{5}{2}$시간 더 걸린다고 한다. A 지점에서 B 지점까지의 거리는 몇 km인가?

Chapter 36 이상한 시계

- 눈금이 10개 또는 8개뿐인 시계의 바늘은 하루를 24시간, 1시간을 60분으로 하여 움직이는 경우와 하루를 20시간 또는 16시간으로, 1시간을 72분 또는 90분으로 하여 움직이는 경우가 있다.
- 눈금이 10개 또는 8개뿐인 시계를 관찰해 긴 바늘과 짧은 바늘이 1분에 움직이는 각도를 구해 보면 문제를 쉽게 해결할 수 있다.

핵·심·문·제 **1** 오른쪽 그림과 같이 눈금이 10까지만 적혀 있는 시계가 있다. 이 시계는 분침이 시계를 한 바퀴 도는 데 72분이 걸리고, 시침이 시계를 한 바퀴 도는 데 10시간이 걸린다. 이 시계에서 6시와 7시 사이에 시침과 분침이 겹쳐지는 시각을 구하여라.

**| 생각하기 |** 분침은 72분 동안 360°를 가므로 1분에 360°÷72=5°씩 간다.
또, 시침은 1시간 동안 즉, 72분 동안 360°÷10=36°를 가므로 1분에 36°÷72=0.5°씩 간다.
또 분침은 시침보다 1분에 5°−0.5°=4.5°씩 더 많이 간다.

**| 풀이 |** 시계의 한 눈금은 36°씩이므로 6시 정각에 시침과 분침이 이루는 각은 36°×6=216°이다.
따라서 216÷4.5=48(분) 후에 분침은 시침을 따라 잡는다. 즉, 6시와 7시 사이에 시침과 분침이 겹쳐지는 시각은 6시 48분이다.

답 6시 48분

핵·심·문·제 **2** 오른쪽 그림과 같은 시계를 만들었다. 긴 바늘은 1시간에 1회전 하고, 짧은 바늘은 8시간에 1회전 한다. 오전 10시 20분에 긴 바늘과 짧은 바늘을 모두 0의 위치에 맞추어 놓았다. 이 시계에서 3과 4 사이에 긴 바늘과 짧은 바늘이 겹쳐지는 시각은 실제로 오후 몇 시 몇 분인지 구하여라.

**| 생각하기 |** 긴 바늘은 60분에 360°를 회전 하므로 1분에 6°씩 간다.
또, 짧은 바늘은 1시간에 360°÷8=45°를 가므로 1분에 45°÷60=0.75°씩 간다.
또 분침은 시침보다 1분에 6°−0.75°=5.25°씩 더 많이 간다.

**| 풀이 |** 시계의 한 눈금은 45°씩이므로 3시 정각에 시침과 분침이 이루는 각은 45°×3=135°이다.
그러므로 $135° \div 5.25° = 135° \div 5\frac{1}{4}° = 135° \div \frac{21}{4}° = 135° \times \frac{4}{21}° = \frac{180}{7} = 25\frac{5}{7}$(분) 후
즉, 3시 $25\frac{5}{7}$분에 긴 바늘과 짧은 바늘이 겹쳐진다.
따라서 오전 10시 20분에 0의 위치에서 출발 했으므로
10시 20분+3시간 $25\frac{5}{7}$분=오후 1시 $45\frac{5}{7}$분이 된다.

답 오후 1시 $45\frac{5}{7}$분

**유제 1** 오른쪽 그림과 같이 시계판에 같은 간격으로 1부터 10까지 눈금이 그려져 있다. 이 시계의 분침이 시계를 한 바퀴 도는 데 걸리는 시간은 60분이고, 시침이 시계를 한 바퀴 도는 데 걸리는 시간은 10시간이다. 6시와 7시 사이에 시침과 분침이 일치하는 시각을 구하여라.

핵심문제1과 시계의 모양은 같지만 바늘이 움직이는 속도는 다르다.
이 시계의 경우
분침은 1분에 $360^\circ \div 60 = 6^\circ$씩 가고, 시침은 $360^\circ \div 10 \div 60 = 0.6^\circ$씩 간다.

**유제 2** 오른쪽 그림과 같이 1일을 16시간, 1시간을 90분으로 하는 시계를 만들었다. 3시와 4시 사이에 시침과 분침이 겹쳐지는 시각을 구하여라.

핵심문제2와 시계의 모양은 같지만 바늘이 움직이는 속도는 다르다.
이 시계의 경우
분침은 1분에 $360^\circ \div 90 = 4^\circ$씩 가고, 시침은 $360^\circ \div 8 \div 90 = 0.5^\circ$씩 간다.

**유제 3** 오른쪽 그림과 같이 하루를 20시간, 1시간을 72분으로 하여 시계를 만들었다. 8시와 9시 사이에 시침과 분침이 $180^\circ$를 이룰 때부터 그 뒤 처음으로 $90^\circ$를 이룰 때까지 걸리는 시간은 몇 분인가?

8시와 9시 사이에 $180^\circ$를 이룰 때는 분침이 시침보다 $180^\circ$ 뒤처져 있을 때이고, 그 뒤 처음으로 $90^\circ$를 이룰 때는 분침이 시침보다 $90^\circ$ 뒤처져 있을 때이므로 분침이 시침을 $90^\circ$ 따라 잡는 데 걸리는 시간을 구하면 된다.

**유제 4** 눈금이 8개인 시계가 있다. 이 시계는 하루에 시침이 시계를 3바퀴 돈다고 한다. 1시와 2시 사이에 시침과 분침이 $90^\circ$를 이루는 시각을 구하여라.

분침은 60분에 $360^\circ$를 가므로 1분에는 $6^\circ$씩 간다.
시침은 60분에 $45^\circ$를 가므로 1분에는 $\frac{3}{4}^\circ$씩 간다.

# 특강탐구문제

**1**

1일을 16시간, 1시간을 90분으로 하는 시계를 만들었다. 짧은 바늘이 긴 바늘보다 70° 앞서 있다면, 몇 분 뒤에 두 바늘이 서로 겹쳐지는지 구하여라.

**2**

1일을 20시간, 1시간을 72분으로 하는 시계를 만들었다. 이 시계에서 4시와 5시 사이에 시침과 분침이 처음으로 45°를 이루고 나서 90°를 이룰 때까지 걸리는 시간을 구하여라.

**3**

오른쪽 그림과 같이 시계판에 1부터 10까지 눈금이 그려져 있다. 이 시계는 긴 바늘이 한 바퀴 도는 데 60분이 걸리고, 짧은 바늘이 한 바퀴 도는 데는 10시간이 걸린다고 한다. 지금 이 시계가 정각 2시를 가리키고 있다면, 짧은 바늘과 긴 바늘이 처음 90°를 이루고 나서 서로 겹쳐지지 않고 일직선을 이룰 때까지 걸리는 시간을 구하여라.

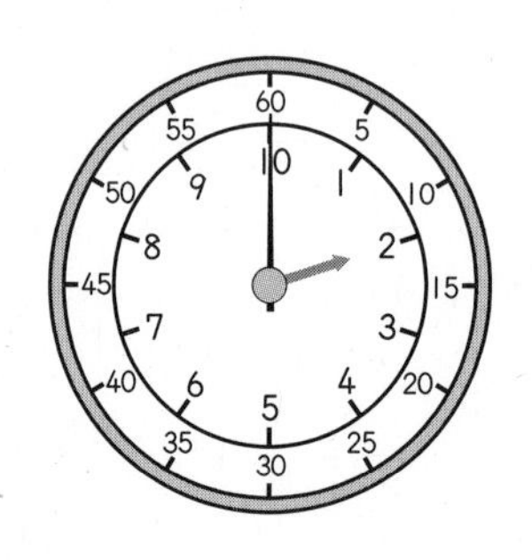


**4**

같은 간격으로 1부터 10까지 눈금이 그려져 있는 시계가 있다. 이 시계는 시침이 하루에 시계를 2바퀴씩 돌고 있다. 6시와 7시 사이에 시침과 분침이 이루는 각도가 90°가 되는 때는 2번 있다. 이 시각을 모두 구하여라.

**5**

오른쪽 그림과 같은 시계가 있다. 3시와 4시 사이에 시침과 분침이 일직선을 이루는 시각을 구하여라.

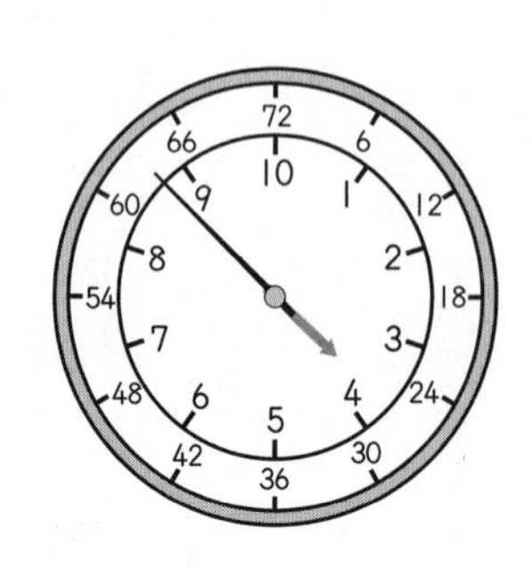

**6**

분침이 60분 동안 시계를 한 바퀴 돌고, 시침이 10시간 동안 시계를 한 바퀴 도는 시계가 있다. 지금 분침이 시침보다 54° 뒤에 있을 때, 분침이 시침보다 81° 앞서려면 지금으로부터 몇 분이 지나야 하는지 구하여라.

**7**

오른쪽 그림과 같은 시계가 있다. 7시와 8시 사이에 시침과 분침이 처음 90°를 이루는 시각과 180°를 이루는 시각을 각각 구하여라.

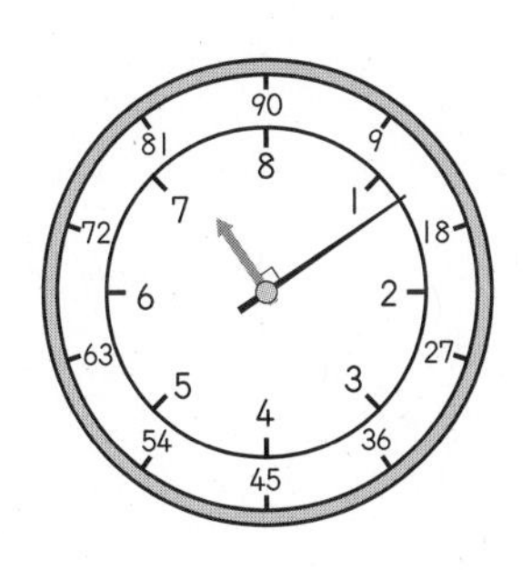


**8**

오른쪽 그림과 같은 시계가 있다. 분침이 시침보다 210° 뒤에 있는데 분침이 시침보다 105° 앞서려면 몇 분이 지나야 하겠는가?

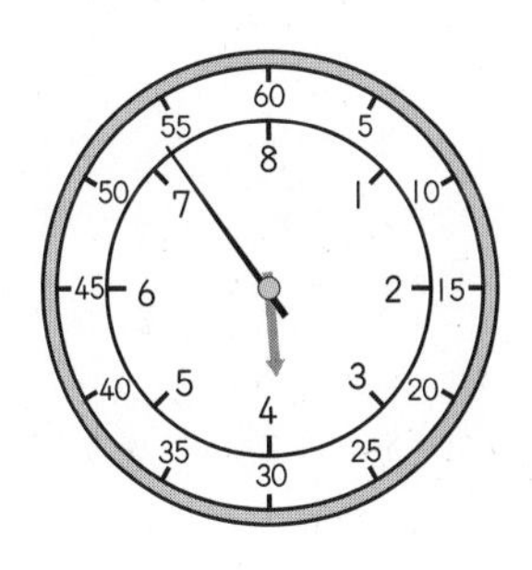


**9**

1일을 20시간, 1시간을 72분으로 하는 시계가 있다. 이 시계에서 8시 30분을 가리키는 시침과 분침이 이루는 작은 쪽의 각도를 구하여라.

**10**

눈금이 8개뿐인 시계가 있다. 분침을 1분에 6°씩 가는 시계처럼 생각하면 이 시계는 5시 48분을 가리키고 있다. 그런데 이 시계도 하루에 시침이 두 바퀴를 돈다고 생각하면 이 시계가 가리키고 있는 시각은 달라진다. 지금 이 시계가 가리키고 있는 시각은 몇 시 몇 분인가?

# 완전수

피타고라스 학파의 업적으로 '완전수' '결핍수' '과잉수'의 발견이 있다. 어떤 수의 모든 진약수의 합이 원래의 수와 같을 때, 그 수를 완전수라 하고, 원래의 수보다 작을 때를 결핍수라 하며, 원래의 수보다 클 때는 과잉수라고 한다. 이를테면 6=1+2+3이므로 6은 완전수이고, 8은 1+2+4보다 크므로 결핍수이다.

6 다음으로 이러한 성질을 갖는 수는 28이다. 28의 약수는 1, 2, 4, 7, 14와 그 자신인 28이다. 그리고 28=1+2+4+7+14가 성립한다. 이와 같은 수를 피타고라스 학파(기원전 6세기 수학자 피타고라스의 추종자들) 사람들은 완전수(perfect number)라고 이름을 붙였다.

그리스의 수학자 니코마코스(Nicomachus)는 기원 후 1세기에 저술한 책 산학의 연구(Introductio Arithmeticae)에서 완전수로 알려진 네 개의 수를 나열했다. (6과 28 뒤의) 셋째 완전수는 496이고, 그 다음은 8128이다. 유클리드는 그의 원론에서, 만약에 $2^n-1$이 소수이면, $2^{n-1}(2^n-1)$은 완전수라는 사실을 기원전 350~300년 경에 증명했다. 2천년 뒤에 오일러는 짝수인 모든 완전수는 이런 꼴임을 보였다. 따라서 메르센 소수와 완전수 사이의 밀접한 관계가 증명되었으며 이것은 현재 정확하게 30개의 짝수인 완전수가 알려지고 있다는 사실을 보여 준다. 사실 홀수인 완전수는 알려진 것이 없으며 모든 완전수가 필연적으로 짝수일 것이라는 추측이 있다. 비록 증명되지는 않았지만 이 추측에 유리한 몇 가지 증거가 있다. 만약 홀수인 완전수가 존재한다면 그 수는 $10^{100}$보다 커야만 하며 적어도 11개의 서로 다른 소인자를 가져야 한다. 한편 역사를 되돌아 볼 때 완전수에 대한 추측은 신중해야만 한다. 1811년에 바로우(Peter Barlow)는 그의 책 수론(Theory Numbers)에서 1772년에 오일러에 의해 발견된 19자리의 수인 여덟째 완전수 $2^{30}(2^{31}-1)$에 대해서 다음과 같이 썼다. "이 수는 앞으로 발견될 완전수 중에서 가장 큰 완전수이다. 왜냐하면 완전수는 단지 호기심에서 찾은 것이지 유용하지는 않기 때문에 어떤 사람도 이것보다 큰 완전수를 찾으려는 시도조차 안할 것이기 때문이다."

비록 바로우는 완전수가 단순한 호기심을 채우는 가치밖에 없다고 평가했지만 호기심의 매력을 확실히 과소평가했다. 그리고 완전수가 호기심을 매우 유발시킨다는 것은 의심할 여지도 없다. 보기를 들면, 모든 (짝수인)완전수는 삼각수이다. 이것은 정삼각형을 형성하도록 배열된 공의 개수로 이 수를 표현할 수 있음을 의미한다.(이 수는 적당한 수 $n$에 대해서 $\frac{n(n+1)}{2}$꼴이 된다.) 만약 6 이외의 다른 완전수를 취해서 각 자리의 수를 더하면, 그 결과는 9의 배수보다 1만큼 큰 수가 된다는 또 다른 사실이 있다. 이것과 관련된 것으로 임의의 완전수의 자릿수 근(digital root)은 1이라는 사실이 있다. (어떤 수의 자릿수 근을 얻기 위해서는 그 수의 모든 자리의 숫자를 더한 다음에 그와 같이 얻어진 수의 모든 자리의 숫자를 다시 더한다.) 이와 같이 진행해서 단위의 수가 될 때까지 계속한다.) 또 모든 완전수는 연속적인 홀수의 세제곱의 합이 된다. 보기를 들면 다음과 같다.

$1^3+3^3=28$, $1^3+3^3+5^3+7^3=496$

만약 n이 완전수이면, n의 모든 약수의 역수의 합은 항상 2라는 또 다른 사실이 있다. 보기를 들면 6은 1, 2, 3, 6 등의 약수를 가지는데 이것들의 역수의 합은 다음과 같다.

$1+\frac{1}{2}+\frac{1}{3}+\frac{1}{6}=2$

사실 바로우의 완전수의 무용성에 대한 주장에도 불구하고, 이런 '호기심'을 끄는 수를 찾기 위해 대단히 많은 노력을 했으며, 그러한 계산은 컴퓨터 능력을 측정하는 기준으로서의 지위를 획득했다.

# 상위권의 기준

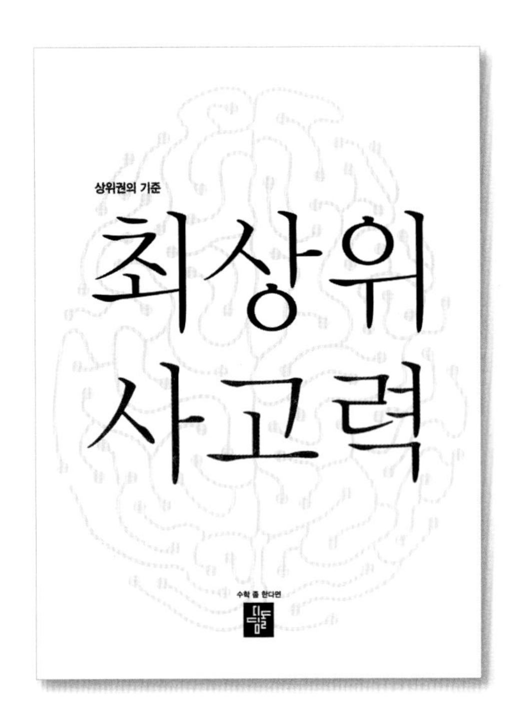


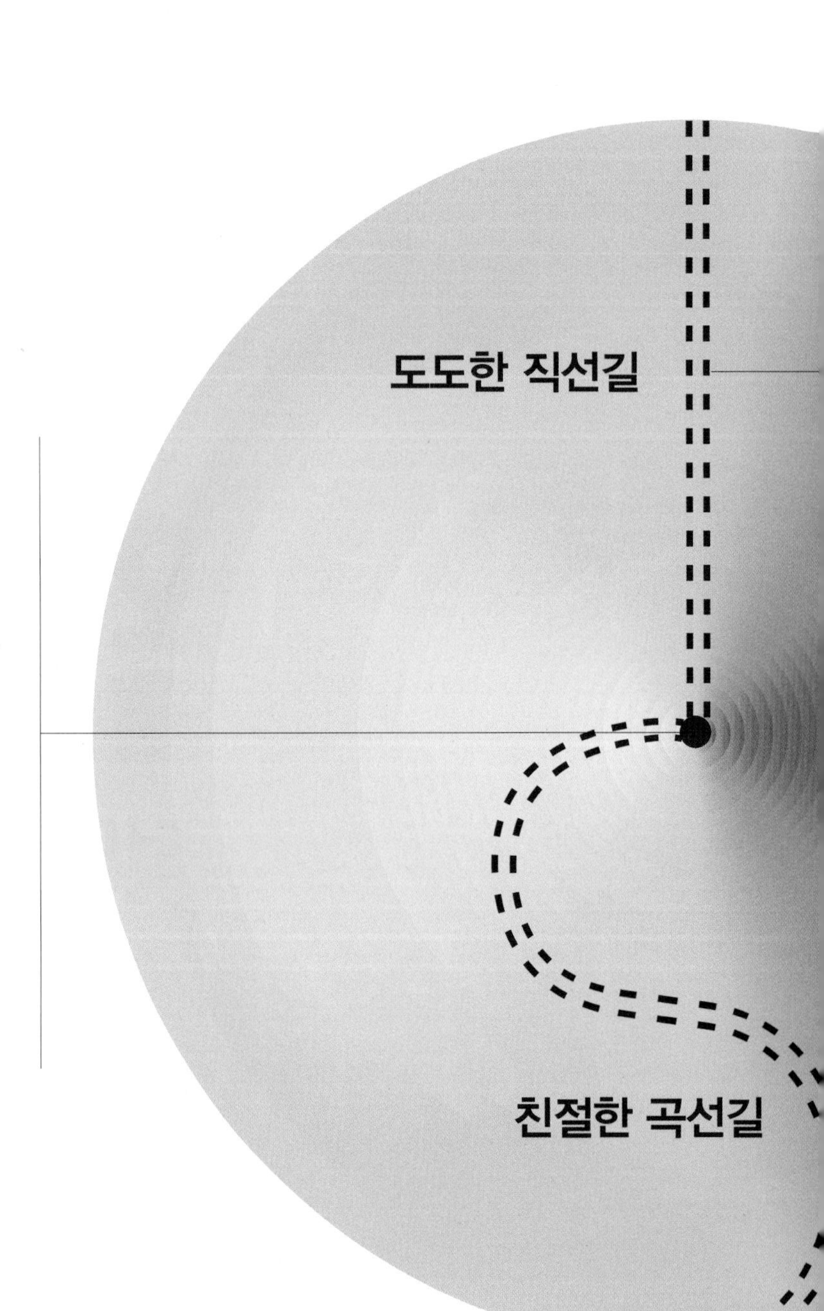

과학 영재학교•과학 고등학교 진학을 위한 필독서

3%

디딤돌 초등수학

# 올림피아드

피원아 지음

## 정답과 풀이

2과정

# 정답과 풀이

본문 8~11쪽

## 배수판정법 ① 1

### 유제

**1** 12가지 **2** 3, 7, 8 **3** 3 **4** 11가지

### 특강탐구문제

**1** 8, 17 **2** 69996 **3** 6개 **4** 4 **5** 1, 4, 7
**6** 1, 4, 7 **7** 940원 **8** 1, 2 **9** 4가지 **10** 1, 3, 5, 7, 8

### 유제풀이

**1** 만들려는 수는 2와 5의 공배수이므로 10의 배수이다. 그러므로 끝자리는 항상 0임을 알 수 있다. 또, 이 수는 3의 배수이므로 일의 자리 숫자를 제외한 나머지 세 숫자의 합은 3의 배수가 되어야 한다. 즉 1, 2, 3과 2, 3, 4가 합이 3의 배수가 되는 세 숫자이다.
이 세 개의 숫자를 배열하는 방법은 각각 6가지이므로, 조건을 모두 만족하는 수는 $6\times2=12$(가지)이다.

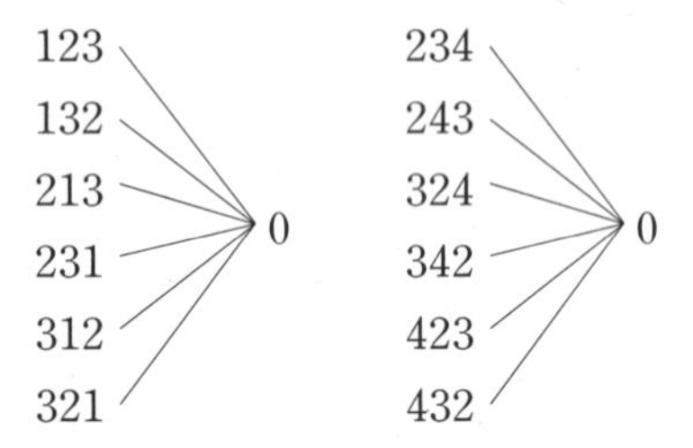


**2** $36=4\times9$이므로 이 수는 4의 배수이면서 9의 배수인 수이다. 먼저 4의 배수가 되려면 끝의 두 자리가 4의 배수이면 된다. 그러므로 6㉡에서 ㉡은 0, 4, 8이다.
- ㉡=0 ⇨ ㉠+5+6+0=㉠+11 : 9의 배수 ⇨ ㉠=7
- ㉡=4 ⇨ ㉠+5+6+4=㉠+15 : 9의 배수 ⇨ ㉠=3
- ㉡=8 ⇨ ㉠+5+6+8=㉠+19 : 9의 배수 ⇨ ㉠=8

**주의** $36=3\times12$이므로 3의 배수이면서 12의 배수인 수라고 생각하면 안 된다. 왜냐하면 ㉠56㉡은 12의 배수가 될 뿐인데 12의 배수가 모두 36의 배수가 되는 것은 아니기 때문이다.

**3** ㉠874㉡은 먼저 5의 배수이므로 ㉡은 0, 5이다.
- ㉡=0일 때, ㉠+8+7+4+0=㉠+19를 9의 배수로 만드는 ㉠은 8이다.
- ㉡=5일 때, ㉠+8+7+4+5=㉠+24를 9의 배수로 만드는 ㉠은 3이다.

따라서 8은 5 이하의 수가 아니므로 ㉠은 3이다.

**4** 조건에 따라 6+㉠+㉡+8+7=㉠+㉡+21은 9의 배수이다. ㉠, ㉡은 각각 0 또는 한 자리의 자연수이므로 ㉠+㉡+21은 21부터 39까지의 수 중 9의 배수이다. 그러므로 ㉠+㉡+21은 27과 36이다.
- ㉠+㉡+21=27일 때, ㉠+㉡=6을 만족하는 (㉠, ㉡)은 (0, 6), (1, 5), (2, 4), (3, 3), (4, 2), (5, 1), (6, 0)의 7가지이다.
- ㉠+㉡+21=36일 때, ㉠+㉡=15를 만족하는 (㉠, ㉡)은 (6, 9), (7, 8), (8, 7), (9, 6)의 4가지이다.

따라서 모두 $7+4=11$(가지)이다.

**주의** ㉠+㉡=6일 때 (0, 6)과 (6, 0)을 빼고 세지 않도록 주의하여야 한다.
또, ㉠+㉡=15일 때 (0, 15), (1, 14) 등을 포함하여 세지 않도록 주의하여야 한다.

### 특강탐구문제풀이

**1** $36=4\times9$이므로 6A4B는 4의 배수이면서 9의 배수이다. 먼저 4의 배수가 되려면 4B가 4의 배수이어야 하므로 B=0, 4, 8이다.
- B=0일 때, 6+A+4+0을 9의 배수로 만드는 A는 8이다. ⇨ A+B=8+0=8
- B=4일 때, 6+A+4+4를 9의 배수로 만드는 A는 4이다. ⇨ A+B=4+4=8
- B=8일 때, 6+A+4+8을 9의 배수로 만드는 A는 0과 9이다. ⇨ A+B=0+8=8, A+B=9+8=17

따라서 A+B의 값은 8 또는 17이다.

**주의** B=8일 때 6+A+4+8을 9의 배수로 만드는 A는 0과 9 두 가지임에 주의한다.

**2** $12=3\times4$이므로 ㉠835㉡은 3의 배수이면서 4의 배수이다. 먼저 4의 배수가 되려면 5㉡이 4의 배수이어야 하므로 ㉡=2, 6이다.
- ㉡=2일 때, ㉠+8+3+5+2=㉠+18을 3의 배수로 만드는 ㉠은 0, 3, 6, 9이다.
- ㉡=6일 때, ㉠+8+3+5+6=㉠+22를 3의 배수로 만드는 ㉠은 2, 5, 8이다.

이러한 ㉠, ㉡으로 만들 수 있는 가장 큰 수는 98352이고, 가장 작은 수는 28356이다. (다섯 자리 수이므로 0은 ㉠에 올 수 없다.)
따라서, 차는 $98352-28356=69996$이다.

**3** 4의 배수를 만들기 위해선 끝의 두 자리 수를 4의 배수로 만들어 주면 된다.
[1], [3], [5], [6]으로 만들 수 있는 두 자리 수 중 4의 배수는 [1][6], [3][6], [5][6]의 세 가지이다. 각각의 경우에 남은 카드를 가지고 2가지의 네 자리 수를 만들 수 있다. 따라서 구하는 4의 배수는 $3\times2=6$(개)이다.

**4** $32=2\times2\times2\times2\times2$이므로 32는 3의 배수도 9의 배수도 아니므로 $32\times27\square5$가 9의 배수가 되려면 $27\square5$가 9의 배수이어야 한다. 따라서 $2+7+\square+5$를 9의 배수로 만들어 주는 □는 4이다.

**5** $24=3\times8$이므로 이 수는 3의 배수이면서 8의 배수이다. 이 수가 8의 배수가 되려면 75B가 8의 배수이어야 하므로 B=2이다.
따라서 $A+3+7+5+2=A+17$을 3의 배수로 만드는 A는 1, 4, 7이다.
**주의** $24=4\times6$이므로 4의 배수도 되고 6의 배수도 되는 수라고 생각하면 안 된다.
4의 배수, 6의 배수인 수는 결국 12의 배수인데 12의 배수가 모두 24의 배수가 되는 것은 아니다.

**6** ㉠은 0에서 9까지의 숫자이므로 26㉠㉠2의 각 자리의 숫자의 합 10+㉠+㉠은 10에서 28까지의 수 중 3의 배수, 즉 12, 15, 18, 21, 24, 27이다.
10+㉠×2=12 → ㉠×2=2, ㉠=1
10+㉠×2=15 → ㉠×2=5, ㉠에 알맞은 수는 없다.
10+㉠×2=18 → ㉠×2=8, ㉠=4
10+㉠×2=21 → ㉠×2=11, ㉠에 알맞은 수는 없다.
10+㉠×2=24 → ㉠×2=14, ㉠=7
10+㉠×2=27 → ㉠×2=17, ㉠에 알맞은 수는 없다.
따라서 ㉠은 1, 4, 7이다.

**7** $168=3\times7\times8$이다.
먼저 배수판정법을 이용할 수 있는 3과 8을 이용해 본다.
8의 배수가 되려면 9㉡0이 8의 배수이어야 하므로
㉡은 2, 6이다.
- ㉡=2일 때, 1+㉠+7+9+2+0=㉠+19를 3의 배수로 만들어 주는 ㉠은 2, 5, 8이다.
- ㉡=6일 때, 1+㉠+7+9+6+0=㉠+23을 3의 배수로 만들어 주는 ㉠은 1, 4, 7이다.

한편 이 수는 7의 배수이어야 하므로 각 수를 7로 나누어 본다.
127920, 157920, 187920, 117960, 147960, 177960 중 7로 나누어떨어지는 수는 157920뿐이다.
따라서 한 사람이 낸 돈은 $157920\div168=940$(원)이다.
**참고*** 7의 배수판정법에는 스펜스 방법을 비롯하여 여러 가지 방법이 있으나 그 방법이 쓰기 편리하지 않기 때문에 잘 사용되지 않는다.

**8** $72=9\times8$이므로 28㉡은 8의 배수이고, ㉡은 0, 8이다.
- ㉡=0일 때, ㉠+7+2+8+0=㉠+17을 9의 배수로 만드는 ㉠은 1이다.
- ㉡=8일 때, ㉠+7+2+8+8=㉠+25를 9의 배수로 만드는 ㉠은 2이다.

따라서 구하는 ㉠은 1, 2이다.

**9** $6=2\times3$이므로 만들어지는 수는 2, 3, 9 모두의 배수가 되는 수이다. 이 때, 9의 배수는 모두 3의 배수이므로 2와 9의 배수가 되도록 하면 된다.
먼저 2의 배수를 만들기 위해서는 일의 자리의 숫자 카드는 항상 [0], [2], [4] 중 하나이어야 한다.
- 일의 자리가 [0]일 때, 나머지 두 숫자와의 합이 9의 배수가 되는 경우는 없다.
- 일의 자리가 [2]일 때, 나머지 두 숫자의 합이 7인 경우는 [3][4][2], [4][3][2]
- 일의 자리가 [4]일 때, 나머지 두 숫자의 합이 5인 경우는 [2][3][4], [3][2][4]

**10** 5의 배수가 되려면 ㉢은 0, 5인데 4의 배수가 되어야 하므로 ㉢은 0이다. 또, 4의 배수가 되기 위해서는 ㉡0이 4의 배수이어야 하므로 ㉡은 0, 2, 4, 6, 8이다.
- ㉡=0 ⇨ ㉠+4+7+0+0=㉠+11 : 9의 배수
 ⇨ ㉠=7
- ㉡=2 ⇨ ㉠+4+7+2+0=㉠+13 : 9의 배수
 ⇨ ㉠=5
- ㉡=4 ⇨ ㉠+4+7+4+0=㉠+15 : 9의 배수
 ⇨ ㉠=3
- ㉡=6 ⇨ ㉠+4+7+6+0=㉠+17 : 9의 배수
 ⇨ ㉠=1
- ㉡=8 ⇨ ㉠+4+7+8+0=㉠+19 : 9의 배수
 ⇨ ㉠=8

따라서 구하는 ㉠은 1, 3, 5, 7, 8이다.

본문 12~15쪽

## 높이가 같은 삼각형 ① 2

**유제**

**1** 25cm² **2** 8cm² **3** 64cm² **4** 32cm²

**특강탐구문제**

**1** 18cm² **2** 16cm² **3** 14cm² **4** 150cm²
**5** 60cm² **6** 6cm **7** 140cm² **8** 20cm²
**9** 7cm² **10** $\frac{5}{24}$

### 유제풀이

**1** 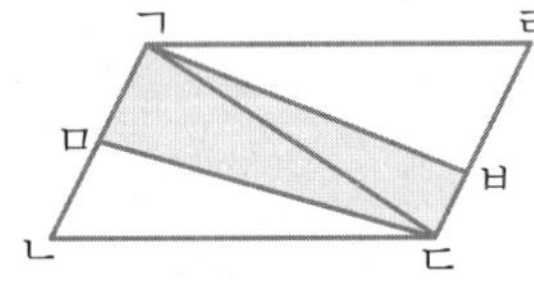

왼쪽 그림과 같이 평행사변형은 대각선 ㄱㄷ에 의해 넓이가 같은 두 개의 삼각형으로 나뉜다.

(삼각형 ㄱㄷㅂ의 넓이)$=30\times\frac{2}{6}=10(\text{cm}^2)$

(삼각형 ㄱㅁㄷ의 넓이)$=30\times\frac{3}{6}=15(\text{cm}^2)$

(색칠한 부분의 넓이)$=10+15=25(\text{cm}^2)$

**2** 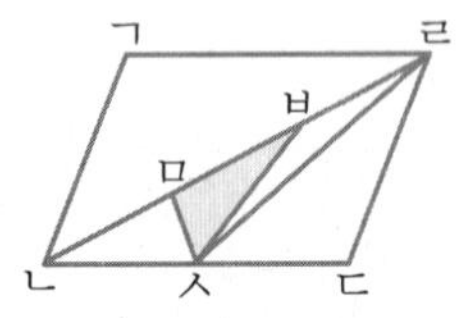

왼쪽 그림과 같이 선분 ㄹㅅ을 긋고 생각해 보면

(삼각형 ㄴㄷㄹ의 넓이)

$=$(평행사변형 ㄱㄴㄷㄹ의 넓이)$\times\frac{1}{2}$

(삼각형 ㄴㅅㄹ의 넓이)$=$(삼각형 ㄴㄷㄹ의 넓이)$\times\frac{1}{2}$

(삼각형 ㅁㅂㅅ의 넓이)$=$(삼각형 ㄴㅅㄹ의 넓이)$\times\frac{1}{3}$

$=96\times\frac{1}{2}\times\frac{1}{2}\times\frac{1}{3}=8(\text{cm}^2)$

**3** 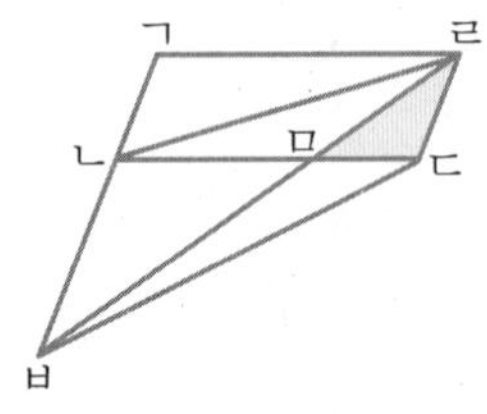

왼쪽 그림과 같이 선분 ㄴㄹ을 긋고 생각해 보면 (삼각형 ㄴㄷㄹ의 넓이)$=$(삼각형 ㅂㄷㄹ의 넓이)이고, 두 삼각형은 색칠한 부분을 공통으로 포함하므로

(삼각형 ㄴㅁㄹ의 넓이)$=$(삼각형 ㅂㅁㄷ의 넓이)$=20\text{cm}^2$

(선분 ㄴㅁ의 길이) : (선분 ㅁㄷ의 길이)$=5:3$이므로

(삼각형 ㄴㄷㄹ의 넓이)$=20\div5\times8=32(\text{cm}^2)$

(평행사변형 ㄱㄴㄷㄹ의 넓이)$=32\times2=64(\text{cm}^2)$

**4** (삼각형 ㄷㄹㅁ의 넓이)

$=$(삼각형 ㅂㅁㄷ의 넓이)$\times2$

(삼각형 ㄴㄷㄹ의 넓이)$=$(삼각형 ㄷㄹㅁ의 넓이)$\times3$

따라서 (삼각형 ㄴㄷㄹ의 넓이)$=4\times2\times3=24(\text{cm}^2)$

(변 ㄱㄹ의 길이)$=$(변 ㅁㄷ의 길이)이므로

(삼각형 ㄱㄴㄹ의 넓이)$=$(삼각형 ㄷㄹㅁ의 넓이)

$=4\times2=8(\text{cm}^2)$

(사다리꼴 ㄱㄴㄷㄹ의 넓이)$=24+8=32(\text{cm}^2)$

### 특강탐구문제풀이

**1** (삼각형 ㄱㄴㄷ의 넓이)$=4\times3\div2=6(\text{cm}^2)$

한편 삼각형 ㄱㄴㄹ과 삼각형 ㄱㄴㄷ은 높이가 같은 삼각형이고, 삼각형 ㄱㄴㄹ의 밑변의 길이는 삼각형 ㄱㄴㄷ의 밑변의 길이의 3배이므로

(삼각형 ㄱㄴㄹ의 넓이)

$=$(삼각형 ㄱㄴㄷ의 넓이)$\times3=6\times3=18(\text{cm}^2)$

**2** 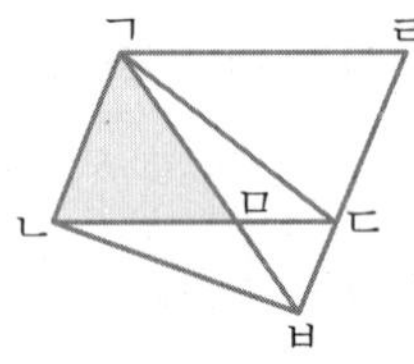

왼쪽 그림과 같이 대각선 ㄱㄷ을 긋고 생각해 보면 삼각형 ㄴㄷㅂ과 삼각형 ㄱㄷㅂ은 높이가 같은 삼각형이고 삼각형 ㅁㄷㅂ이 공통이므로

(삼각형 ㄱㅁㄷ의 넓이)$=$(삼각형 ㄴㅁㅂ의 넓이)

$=8\text{cm}^2$

구하려는 삼각형 ㄱㄴㅁ의 넓이는 평행사변형 ㄱㄴㄷㄹ의 넓이의 $\frac{1}{2}$에서 삼각형 ㄱㅁㄷ의 넓이를 뺀 것과 같으므로 (삼각형 ㄱㄴㅁ의 넓이)$=48\div2-8=16(\text{cm}^2)$

**3** 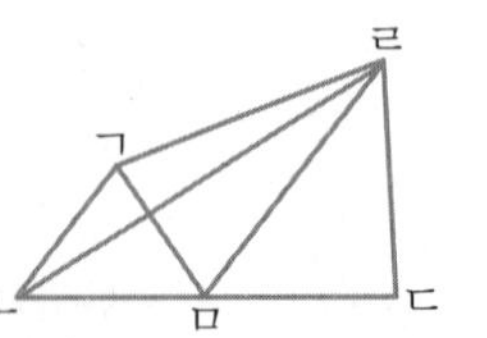

왼쪽 그림과 같이 선분 ㄴㄹ을 긋고 생각해 보면 선분 ㄱㄴ과 선분 ㄹㅁ은 평행이므로

(삼각형 ㄹㄴㅁ의 넓이)$=$(삼각형 ㄱㄹㅁ의 넓이)

$=14\text{cm}^2$

한편 변 ㄴㅁ의 길이와 변 ㅁㄷ의 길이는 같으므로

(삼각형 ㄹㅁㄷ의 넓이)$=$(삼각형 ㄹㄴㅁ의 넓이)

$=14(\text{cm}^2)$

**4** 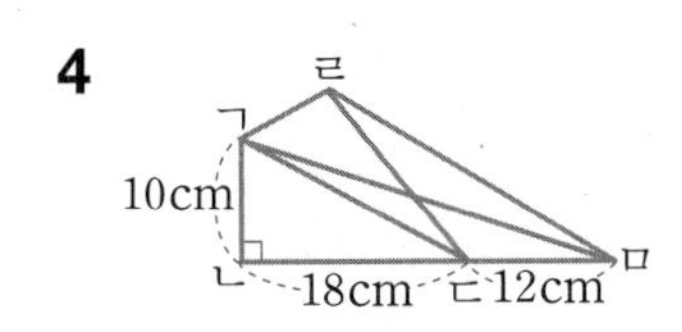


왼쪽 그림과 같이 선분 ㄱㅁ을 긋고 생각해 보면 변 ㄱㄷ과 변 ㄹㅁ이 평행이므로

(삼각형 ㄱㄷㄹ의 넓이)=(삼각형 ㄱㄷㅁ의 넓이)이다.

따라서 (사각형 ㄱㄴㄷㄹ의 넓이)

=(삼각형 ㄱㄴㄷ의 넓이)+(삼각형 ㄱㄷㄹ의 넓이)

=(삼각형 ㄱㄴㄷ의 넓이)+(삼각형 ㄱㄷㅁ의 넓이)

$=18\times10\times\frac{1}{2}+12\times10\times\frac{1}{2}=90+60=150(cm^2)$

**5** 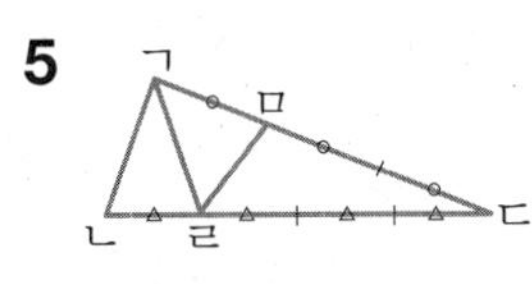


변 ㄱㄷ의 길이는 변 ㄱㅁ의 길이의 3배이다. 따라서, 삼각형 ㄱㄹㄷ의 넓이는 삼각형 ㄱㄹㅁ의 넓이의 3배이다.

(삼각형 ㄱㄹㄷ의 넓이)$=15\times3=45(cm^2)$

또, 삼각형 ㄱㄴㄹ의 넓이는 삼각형 ㄱㄹㄷ의 넓이의 $\frac{1}{3}$이므로 (삼각형 ㄱㄴㄹ의 넓이)$=45\times\frac{1}{3}=15(cm^2)$

따라서 (삼각형 ㄱㄴㄷ의 넓이)$=15+45=60(cm^2)$

**6** 삼각형 ㄱㅁㄹ과 삼각형 ㄱㅁㄴ은 각각 삼각형 ㄱㄷㄹ과 삼각형 ㄱㄴㄷ의 넓이의 $\frac{1}{3}$이다.

(직사각형 ㄱㄴㄷㄹ의 넓이)$=4.2\times3=12.6(cm^2)$

(직사각형의 가로의 길이)$=12.6\div2.1=6(cm)$

**7** (삼각형 ㄹㅁㄷ의 넓이)$=32cm^2$이므로

(삼각형 ㄹㄴㅁ의 넓이)$=9\div3\times16=48(cm^2)$

(삼각형 ㄹㄴㄷ의 넓이)

=(삼각형 ㄹㅁㄷ의 넓이)+(삼각형 ㄹㄴㅁ의 넓이)

$=32+48=80(cm^2)$

(삼각형 ㄷㄴㄹ의 넓이)$=80cm^2$이므로

(삼각형 ㄷㄱㄹ의 넓이)$=9\div3\times20=60(cm^2)$

(삼각형 ㄱㄴㄷ의 넓이)

=(삼각형 ㄴㄷㄹ의 넓이)+(삼각형 ㄱㄹㄷ의 넓이)

$=80+60=140(cm^2)$

**8** 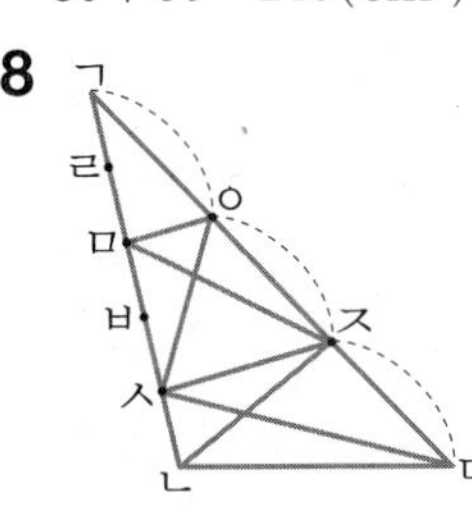


왼쪽 그림과 같이 선분 ㅇㅅ, 선분 ㅅㄷ을 긋고 생각해 보자.

(삼각형 ㄱㅅㄷ의 넓이)

=(삼각형 ㅇㄱㅁ의 넓이)

+(삼각형 ㅇㅅㅁ의 넓이)

+(삼각형 ㅅㅇㅈ의 넓이)+(삼각형 ㅅㅈㄷ의 넓이)이다.

그런데 (삼각형 ㅇㄱㅁ의 넓이)=(삼각형 ㅇㅅㅁ의 넓이), (삼각형 ㅅㅇㅈ의 넓이)=(삼각형 ㅅㅈㄷ의 넓이)이므로 (삼각형 ㄱㅅㄷ의 넓이)=2×(삼각형 ㅇㅅㅁ의 넓이)+2×(삼각형 ㅅㅇㅈ의 넓이)=2×(사각형 ㅁㅅㅈㅇ의 넓이)$=2\times8=16(cm^2)$이다.

또, (삼각형 ㄷㅅㄴ의 넓이)=(삼각형 ㄱㅅㄷ의 넓이)$\times\frac{1}{4}$

$=16\times\frac{1}{4}=4(cm^2)$이므로

(삼각형 ㄱㄴㄷ의 넓이)$=16+4=20(cm^2)$

**9** (사각형 ㄱㄴㄷㄹ의 넓이)

=(삼각형 ㄱㄴㄷ의 넓이)+(삼각형 ㄱㄷㄹ의 넓이)

(삼각형 ㄴㅁㅂ의 넓이)=(삼각형 ㄱㄴㄷ의 넓이)$\times\frac{1}{4}$

(삼각형 ㄹㅂㅅ의 넓이)=(삼각형 ㄱㄷㄹ의 넓이)$\times\frac{1}{4}$

따라서 (색칠한 부분의 넓이)

=(사각형 ㄱㄴㄷㄹ의 넓이)$\times\frac{1}{4}=28\times\frac{1}{4}=7(cm^2)$

**10** 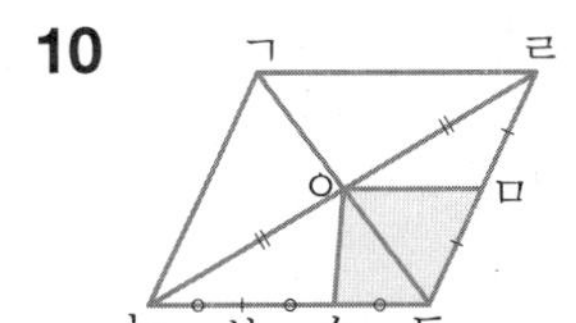


대각선 ㄱㄷ을 그리면 선분 ㄱㄷ은 점 ㅇ을 지나고 평행사변형을 넓이가 같은 삼각형 4개로 나눈다.

(삼각형 ㅇㄷㅅ의 넓이)=(삼각형 ㅇㄴㄷ의 넓이)$\times\frac{1}{3}$

(삼각형 ㅇㄷㅁ의 넓이)=(삼각형 ㅇㄷㄹ의 넓이)$\times\frac{1}{2}$

(삼각형 ㅇㄴㄷ의 넓이)=(삼각형 ㅇㄷㄹ의 넓이)

=(평행사변형 ㄱㄴㄷㄹ의 넓이)$\times\frac{1}{4}$이므로

(삼각형 ㅇㄷㅅ의 넓이)

=(평행사변형 ㄱㄴㄷㄹ의 넓이)$\times\frac{1}{4}\times\frac{1}{3}$

=(평행사변형 ㄱㄴㄷㄹ의 넓이)$\times\frac{1}{12}$

(삼각형 ㅇㄷㅁ의 넓이)

=(평행사변형 ㄱㄴㄷㄹ의 넓이)$\times\frac{1}{4}\times\frac{1}{2}$

=(평행사변형 ㄱㄴㄷㄹ의 넓이)$\times\frac{1}{8}$

따라서, 색칠한 부분의 넓이는 평행사변형 ㄱㄴㄷㄹ의 넓이의 $\frac{1}{12}+\frac{1}{8}=\frac{2+3}{24}=\frac{5}{24}$이다.

## 둘레를 이용하여 계산하기 ① 3

**유제**

**1** 256cm² **2** 132cm **3** 330cm **4** 176cm

**특강탐구문제**

**1** 221cm² **2** 21cm **3** 784cm² **4** 60cm
**5** 180cm² **6** 9cm² **7** 48cm² **8** 45cm²
**9** 300cm² **10** 96cm

### 유제풀이

**1** 사각형 ㅁㄴㅂㄹ이 마름모이므로
(변 ㄴㅁ의 길이)=(변 ㅁㄹ의 길이)
따라서 (삼각형 ㄱㄴㅁ의 둘레)
=(변 ㄱㄴ의 길이)+(변 ㄱㅁ의 길이)+(변 ㅁㄹ의 길이)
=40(cm)
변 ㄱㄴ의 길이를 한 덩어리(◯)라고 하면, 변 ㄱㄹ은 4개의 덩어리(◯◯◯◯)이므로
◯◯◯◯◯=40cm
◯=40÷5=8(cm)
따라서 직사각형의 가로의 길이는 $8\times4=32$(cm), 세로의 길이는 $8\times1=8$(cm)이고 넓이는 $32\times8=256$(cm²)이다.

**2**

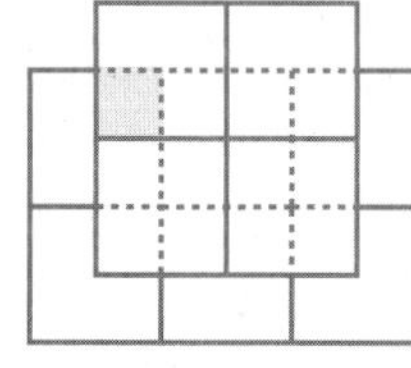

겹쳐지는 부분을 표시해 보면 왼쪽과 같고, 이 도형의 전체 넓이는 겹쳐진 부분의 색칠된 작은 정사각형 넓이의 28배이다.
즉 작은 정사각형 하나의 넓이는 $1008\div28=36$(cm²)이고, $6\times6=36$이므로 작은 정사각형의 한 변의 길이는 6cm이다.
이 도형의 둘레는 작은 정사각형의 한 변이 22개가 모여 이룬 것이므로 $6\times22=132$(cm)이다.

**3**

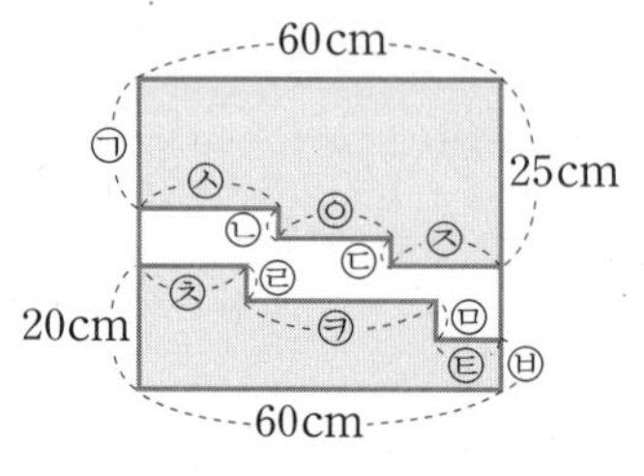


왼쪽 그림과 같이 나누어 그리면
㉠+㉡+㉢
=25(cm)
㉦+㉧+㉨
=60(cm)
㉩+㉪+㉫=60(cm)
㉣+㉤+㉥=20(cm)
따라서 (둘레의 길이)$=(60\times4)+(25\times2)+(20\times2)$
$=240+50+40$
$=330$(cm)

**4** 왼쪽 그림에서
㉠+㉣+㉦+㉩=20(cm)
㉡+㉢=㉤+㉥
=㉧+㉨=12(cm)
자른 선은 각각 두 번씩 둘레의 합에 포함되므로 8개의 직사각형의 둘레의 합은
$(20\times2)+(12\times2)+2\times$(㉠+㉡+㉢+㉣+㉤+㉥+㉦+㉧+㉨+㉩)$=40+24+2\times(20+12+12+12)$
$=40+24+112$
$=176$(cm)

### 특강탐구문제풀이

**1** (변 ㄱㄹ의 길이)=(변 ㄹㅁ의 길이)=(변 ㄴㄷ의 길이)이고 삼각형 ㄱㄹㅁ과 직사각형 ㄱㄴㄷㄹ의 둘레가 서로 같으므로
(변 ㄱㅁ의 길이)=(변 ㄱㄴ의 길이)+(변 ㄹㄷ의 길이)
=26(cm)
(변 ㄱㄴ의 길이)=13cm
그런데 가로의 길이가 세로의 길이보다 4cm 길다고 했으므로
(변 ㄱㄹ의 길이)=(변 ㄴㄷ의 길이)
$=13+4$
=17cm
따라서 (직사각형 ㄱㄴㄷㄹ의 넓이)$=17\times13=221$(cm²)

**2** 변 ㄱㄴ의 길이를 한 덩어리(◯)라고 하면
(변 ㄱㄷ의 길이)=◯+12, (변 ㄴㄷ의 길이)=◯+16
삼각형의 둘레가 70cm이므로
◯+(◯+12)+(◯+16)=◯◯◯+28=70(cm)
즉 (변 ㄱㄴ의 길이)$=(70-28)\div3=14$(cm)
(변 ㄱㄷ의 길이)=26cm, (변 ㄴㄷ의 길이)=30cm
삼각형 ㄱㄴㄹ과 삼각형 ㄱㄷㄹ에서 변 ㄱㄹ은 양쪽에 똑같이 포함되어 있으므로 두 삼각형의 둘레가 같아지기 위해서는
(변 ㄱㄴ의 길이)+(변 ㄴㄹ의 길이)

=(변 ㄱㄷ의 길이)+(변 ㄷㄹ의 길이)이어야 한다.
변 ㄱㄷ의 길이가 변 ㄱㄴ의 길이보다 12cm 더 길므로 변 ㄴㄹ의 길이는 변 ㄹㄷ의 길이보다 12cm가 더 길어야 한다.
(변 ㄴㄹ의 길이)+(변 ㄷㄹ의 길이)=30(cm)이므로
(변 ㄴㄹ의 길이)=(30+12)÷2=21(cm)

**3** 가장 작은 직사각형의 세로의 길이를 한 덩어리(◯)로 나타내면 가로의 길이는 4덩어리(◯◯◯◯)이다.
또 둘레가 70cm이므로 가로의 길이와 세로의 길이의 합은 35cm이다.
◯+◯◯◯◯=35(cm), ◯=35÷5=7(cm)
즉 직사각형의 세로는 7cm, 가로는 28cm이다.
따라서 (정사각형의 넓이)=7×28×4=784($cm^2$)

**4**

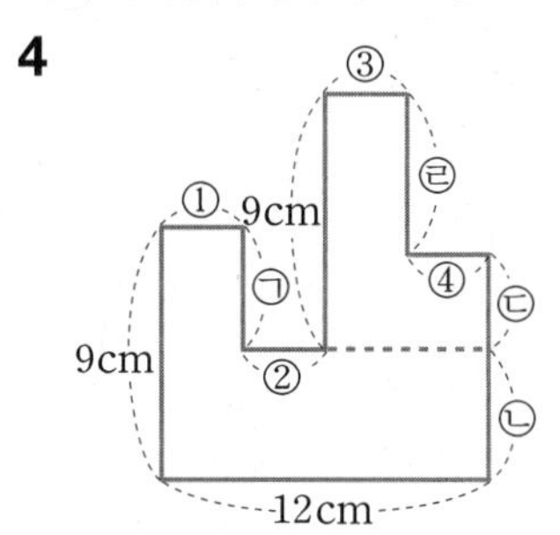


왼쪽 그림과 같이 두 부분으로 나누었을 때
①+②+③+④
=12(cm)
㉠+㉡=9(cm)
㉢+㉣=9(cm)
따라서
9+9+12+12+9+9=60(cm)

**5** ㉮, ㉯, ㉰, ㉱ 각각의 (가로의 길이)+(세로의 길이)는 11cm, 15cm, 13cm, 17cm이다.
(처음 직사각형의 둘레의 길이)
=11+15+13+17=56(cm)
처음 직사각형의 (가로의 길이)+(세로의 길이)
=56÷2=28(cm)이고
세로의 길이가 10cm이므로 가로의 길이는 28−10=18(cm)이다.
따라서 (처음 직사각형의 넓이)=18×10=180($cm^2$)

**6**

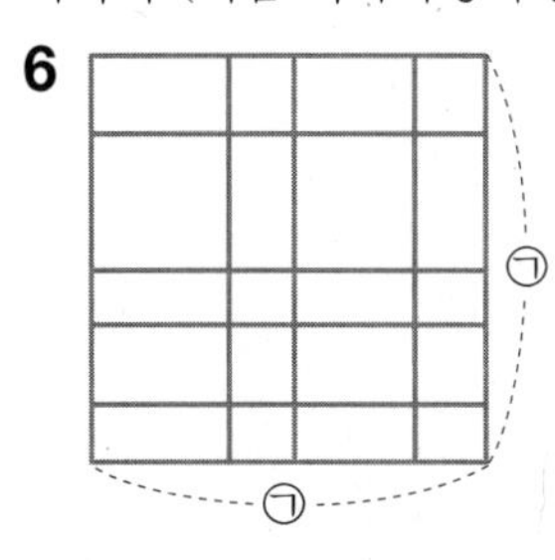


왼쪽 그림과 같이 큰 정사각형의 한 변의 길이를 ㉠이라고 하면, 자른 선은 각각 두 번씩 둘레의 합에 포함되기 때문에 작은 직사각형 둘레의 길이의 합 54cm는 세로의 길이 ㉠이 8번, 가로의 길이 ㉠이 10번 더해진 것과 같다.
즉, 8×㉠+10×㉠=18×㉠=54, ㉠=3(cm)
따라서 (처음 정사각형의 넓이)=3×3=9($cm^2$)

**7** 두 개의 작은 직사각형의 둘레의 합 18+22=40(cm)을 처음 직사각형의 둘레와 비교하면 두 개의 직사각형으로 나눈 선이 두 번 포함되어 있다.
40−2×(세로의 길이)=32(cm)
(세로의 길이)=4(cm)
또, 큰 직사각형의 가로의 길이와 세로의 길이의 합은 32÷2=16(cm)이므로 가로의 길이는 16−4=12(cm)이다.
따라서 (처음 직사각형의 넓이)=12×4=48($cm^2$)

**8** 전체 도형의 둘레에는 가장 작은 직사각형의 가로의 길이가 8번, 작은 직사각형의 세로의 길이가 12번 포함되어 있다.
(가로의 길이)×8+(세로의 길이)×12=132 ······㉠
작은 직사각형의 둘레가 28cm이므로
(가로의 길이)+(세로의 길이)=14
(가로의 길이)×8+(세로의 길이)×8=112 ······㉡
두 식 ㉠, ㉡의 차를 이용하면 (세로의 길이)×4=20
(세로의 길이)=5cm, (가로의 길이)=14−5=9(cm)
따라서 (직사각형 한 개의 넓이)=9×5=45($cm^2$)

**9** 전체 도형의 둘레에는 작은 정사각형의 한 변의 길이가 23번 포함되어 있다.
따라서 (정사각형의 한 변의 길이)×23=115(cm)
(정사각형의 한 변의 길이)=5(cm)
(작은 정사각형 한 개의 넓이)=5×5=25($cm^2$)
따라서 (전체 도형의 넓이)=25×12=300($cm^2$)

**10**

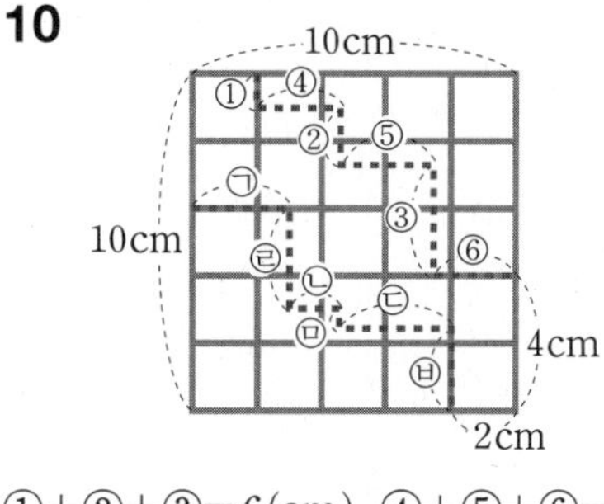


작은 정사각형이 가로, 세로에 각각 5개씩 들어가므로 큰 정사각형의 한 변의 길이는 10cm이다.
①+②+③=6(cm), ④+⑤+⑥=8(cm),
㉠+㉡+㉢=8(cm), ㉣+㉤+㉥=6cm이므로
세 도형의 둘레의 길이의 합은
(10×4)+2×(①+②+③+④+⑤+⑥+㉠+㉡+㉢+㉣+㉤+㉥)
=40+2×(6+8+8+6)
=96(cm)

본문 20~23쪽

## 합이 일정한 경우의 수 4

**유제**

**1** 14가지 **2** 100개 **3** 25가지 **4** 33가지

**특강탐구문제**

**1** 7가지 **2** 17가지 **3** 24개 **4** 33가지
**5** 69개 **6** 18가지 **7** 36가지 **8** 16가지
**9** 27가지 **10** 9장

### 유제풀이

**1** 숫자 3이 사용되는 횟수를 기준으로 나누어 보자.

(1) 3이 3번 사용되는 경우는 합이 9이므로 1과 2를 사용하여 나머지 1을 만든다.

(3, 3, 3, 1) ⟶ 1가지

(2) 3이 2번 사용되는 경우는 합이 6이므로 1과 2를 사용하여 나머지 4를 만든다.

(3, 3, 2, 2)
(3, 3, 2, 1, 1)
(3, 3, 1, 1, 1, 1) } 3가지

(3) 3이 1번 사용되는 경우는 합이 3이므로 1과 2를 사용하여 나머지 7을 만든다.

(3, 2, 2, 2, 1)
(3, 2, 2, 1, 1, 1)
(3, 2, 1, 1, 1, 1, 1)
(3, 1, 1, 1, 1, 1, 1, 1) } 4가지

(4) 3이 사용되지 않는 경우는 1과 2를 사용하여 합이 10이 되도록 만든다.

(2, 2, 2, 2, 2)
(2, 2, 2, 2, 1, 1)
(2, 2, 2, 1, 1, 1, 1)
(2, 2, 1, 1, 1, 1, 1, 1)
(2, 1, 1, 1, 1, 1, 1, 1, 1)
(1, 1, 1, 1, 1, 1, 1, 1, 1, 1) } 6가지

따라서, 1, 2, 3을 사용하여 합이 10이 되는 경우는 모두 $1+3+4+6=14$(가지)

참고* 표를 사용하여 구할 수도 있다.

**2** □ㄱㄴ□의 꼴이면서 각 자리의 숫자의 합이 9의 배수가 되어야 하므로, 각 자리 숫자의 합은 9, 18, 27, 36이 될 수 있다.

(1) 합이 9가 되는 경우

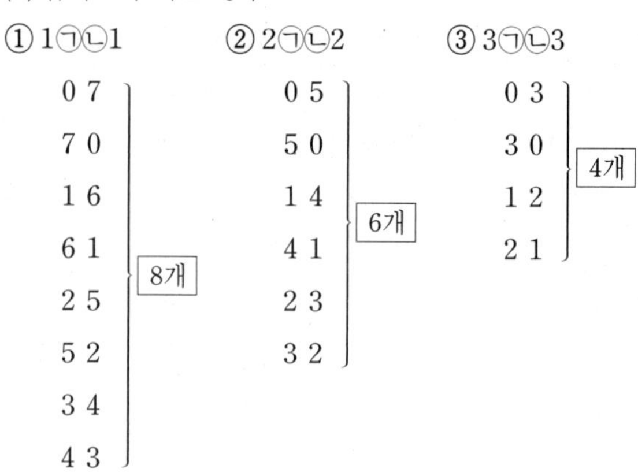

④ 4ㄱㄴ4 ⇨ $8+6+4+2=20$(개)

0 1
1 0 } 2개

(2) 합이 18이 되는 경우

① 1ㄱㄴ1: 7 9, 9 7, 8 8 } 3개

② 2ㄱㄴ2: 5 9, 9 5, 6 8, 8 6, 7 7 } 5개

③ 3ㄱㄴ3: 3 9, 9 3, 4 8, 8 4, 5 7, 7 5, 6 6 } 7개

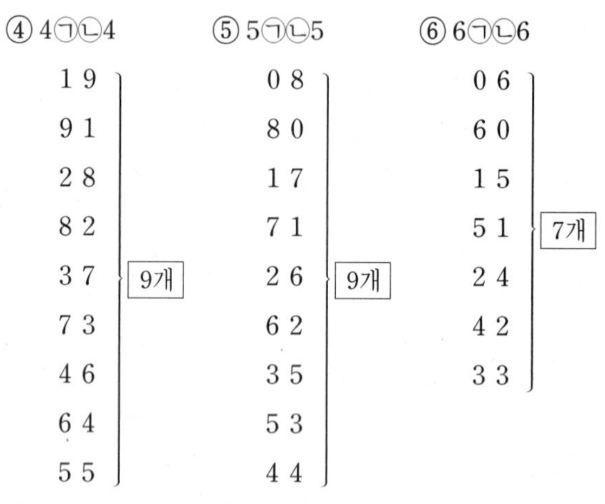

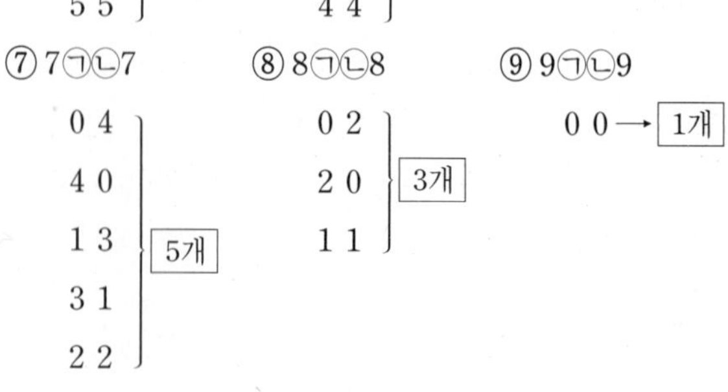

⇨ 3+5+7+9+9+7+5+3+1=49(개)

(3) 합이 27이 되는 경우

① 5㉠㉡5　② 6㉠㉡6　③ 7㉠㉡7

| ① 5㉠㉡5 | ② 6㉠㉡6 | ③ 7㉠㉡7 |
|---|---|---|
| 8 9, 9 8 → 2개 | 6 9, 9 6, 7 8, 8 7 → 4개 | 4 9, 9 4, 5 8, 8 5, 6 7, 7 6 → 6개 |

④ 8㉠㉡8　⑤ 9㉠㉡9

| ④ 8㉠㉡8 | ⑤ 9㉠㉡9 |
|---|---|
| 2 9, 9 2, 3 8, 8 3, 4 7, 7 4, 5 6, 6 5 → 8개 | 0 9, 9 0, 1 8, 8 1, 2 7, 7 2, 3 6, 6 3, 4 5, 5 4 → 10개 |

⇨ 2+4+6+8+10=30(개)

(4) 합이 36이 되는 경우

9㉠㉡9

9 9 → 1개

따라서 모두 20+49+30+1=100(개)이다.

**다른 풀이** 네 자리 수를 □㉠㉡□라고 하자.

(1) 천의 자리와 일의 자리의 숫자가 1인 경우

① (㉠, ㉡)의 합이 7인 경우

(0, 7) (1, 6) (2, 5) (3, 4) (4, 3) (5, 2) (6, 1) (7, 0) : 8개

② (㉠, ㉡)의 합이 16인 경우

(7, 9) (8, 8) (9, 7) : 3개

⇨ 8+3=11(개)

(2) 천의 자리의 숫자와 일의 자리의 숫자가 2인 경우

① (㉠, ㉡)의 합이 5인 경우

(0, 5) (1, 4) (2, 3) (3, 2) (4, 1) (5, 0) : 6개

② (㉠, ㉡)의 합이 14인 경우

(5, 9) (6, 8) (7, 7) (8, 6) (9, 5) : 5개

⇨ 6+5=11(개)

(3) 천의 자리의 숫자와 일의 자리의 숫자가 3인 경우

① (㉠, ㉡)의 합이 3인 경우

(0, 3) (1, 2) (2, 1) (3, 0) : 4개

② (㉠, ㉡)의 합이 12인 경우

(3, 9) (4, 8) (5, 7) (6, 6) (7, 5) (8, 4) (9, 3) : 7개

⇨ 4+7=11(개)

(4) 천의 자리의 숫자와 일의 자리의 숫자가 4인 경우

① (㉠, ㉡)의 합이 1인 경우

(0, 1) (1, 0) : 2개

② (㉠, ㉡)의 합이 10인 경우

(1, 9) (2, 8) (3, 7) (4, 6) (5, 5) (6, 4) (7, 3) (8, 2) (9, 1) : 9개

⇨ 9+2=11(개)

(5) 천의 자리의 숫자와 일의 자리의 숫자가 5인 경우

① (㉠, ㉡)의 합이 8인 경우

(0, 8) (1, 7) (2, 6) (3, 5) (4, 4) (5, 3) (6, 2) (7, 1) (8, 0) : 9개

② (㉠, ㉡)의 합이 17인 경우

(8, 9) (9, 8) : 2개

⇨ 9+2=11(개)

(6) 천의 자리의 숫자와 일의 자리의 숫자가 6인 경우

① (㉠, ㉡)의 합이 6인 경우

(0, 6) (1, 5) (2, 4) (3, 3) (4, 2) (5, 1) (6, 0) : 7개

② (㉠, ㉡)의 합이 15인 경우

(6, 9) (7, 8) (8, 7) (9, 6) : 4개

⇨ 7+4=11(개)

(7) 천의 자리의 숫자와 일의 자리의 숫자가 7인 경우

① (㉠, ㉡)의 합이 4인 경우

(0, 4) (1, 3) (2, 2) (3, 1) (4, 0) : 5개

② (㉠, ㉡)의 합이 13인 경우

(4, 9) (5, 8) (6, 7) (7, 6) (8, 5) (9, 4) : 6개

⇨ 5+6=11(개)

(8) 천의 자리의 숫자와 일의 자리의 숫자가 8인 경우

① (㉠, ㉡)의 합이 2인 경우

(0, 2) (1, 1) (2, 0) : 3개

② (㉠, ㉡)의 합이 11인 경우

(2, 9) (3, 8) (4, 7) (5, 6) (6, 5) (7, 4) (8, 3) (9, 2) : 8개

⇨ 3+8=11(개)

(9) 천의 자리의 숫자와 일의 자리의 숫자가 9인 경우

① (㉠, ㉡)의 합이 0인 경우

(0, 0) : 1개

② (㉠, ㉡)의 합이 9인 경우

(0, 9) (1, 8) (2, 7) (3, 6) (4, 5) (5, 4) (6, 3)
(7, 2) (8, 1) (9, 0) : 10개

③ (㉠, ㉡)의 합이 18인 경우

(9, 9) : 1개

⇨ 1+10+1=12(개)

따라서, 모두 11×8+12=100(개)이다.

**3** (1) 8이 되는 경우

(0, 0, 8) (1, 1, 6) (2, 2, 4)
(0, 1, 7) (1, 2, 5) (2, 3, 3)
(0, 2, 6) (1, 3, 4)
(0, 3, 5)
(0, 4, 4)

5+3+2=10(가지)

(2) 13이 되는 경우

(0, 4, 9) (1, 3, 9) (2, 2, 9) (3, 3, 7) (4, 4, 5)
(0, 5, 8) (1, 4, 8) (2, 3, 8) (3, 4, 6)
(0, 6, 7) (1, 5, 7) (2, 4, 7) (3, 5, 5)
(1, 6, 6) (2, 5, 6)

3+4+4+3+1=15(가지)

⇨ 10+15=25(가지)

주의 중복을 피하기 위해 오른쪽 수는 항상 왼쪽의 수와 같거나 더 큰 순으로 가는 게 좋다.

**4** 삼각형의 한 변의 길이는 둘레의 절반보다 짧아야 한다.
따라서 한 변의 최대 길이는
37÷2=18⋯1이므로 18cm가 최대가 된다.
삼각형은 세 변의 길이가 같으면 합동이므로, 18이 넘지 않는 자연수 중 세 수의 합이 37인 경우를 찾는다.

(18, 18, 1)(17, 17, 3) (16, 16, 5)(15, 15, 7)
(18, 17, 2)(17, 16, 4) (16, 15, 6)(15, 14, 8)
⋮ ⋮ ⋮ ⋮
(18, 10, 9)(17, 10, 10) (16, 11, 10)(15, 11, 11)
〈9가지〉 〈8가지〉 〈6가지〉 〈5가지〉
(14, 14, 19)(13, 13, 11)
(14, 13, 10)(13, 12, 12)
(14, 12, 11)
〈3가지〉 〈2가지〉

⇨ 9+8+6+5+3+2=33(가지)

주의 왼쪽의 수가 항상 오른쪽의 수보다 같거나 큰 순서로 생각하면 중복을 피할 수 있다.

**특강탐구문제풀이**

**1** 왼쪽의 수가 더 크도록 차례로 적어 보자.

(9, 7, 1) (8, 7, 2) (7, 6, 4)
(9, 6, 2) (8, 6, 3)
(9, 5, 3) (8, 5, 4)
〈3가지〉 〈3가지〉 〈1가지〉

⇨ 3+3+1=7(가지)

**2** 숫자를 사용한 개수로 구분하여 생각하자.

(1) 2개 사용 ⇨ 4가지
(1, 8)(2, 7)(3, 6)(4, 5)

(2) 3개 사용 ⇨ 7가지
(1, 1, 7)(1, 2, 6)(1, 3, 5)(1, 4, 4)
(2, 2, 5)(2, 3, 4)(3, 3, 3)

(3) 4개 사용 ⇨ 6가지
(1, 1, 1, 6)(1, 1, 2, 5)(1, 1, 3, 4)
(1, 2, 2, 4)(1, 2, 3, 3)(2, 2, 2, 3)

따라서 모두 4+7+6=17(가지)이다.

**3** 25의 배수는 끝의 두 자리가 00, 25, 50, 75로 끝나는 수이다.
끝의 두 자리에 따라 각 자리의 숫자의 합이 17이 되는 경우를 네 자리로 나누어 생각하자.

(1) 끝 자리가 00인 경우 :
나머지 자리의 숫자의 합이 17이어야 한다.
9800, 8900 ⇨ 2개

(2) 끝 자리가 25인 경우 :
나머지 자리의 숫자의 합이 10이어야 한다.
1925, 2825, 3725, 4625, 5525, 6425, 7325, 8225, 9125 ⇨ 9개

(3) 끝 자리가 50인 경우 :

나머지 자리의 숫자의 합이 12이어야 한다.

3950, 4850, 5750, 6650, 7550, 8450, 9350 ⇨ 7개

(4) 끝 자리가 75인 경우 :

나머지 자리의 합이 5이어야 한다.

575, 1475, 2375, 3275, 4175, 5075 ⇨ 6개

⇨ $2+9+7+6=24$(개)

**4** (가) 바구니에 들어가는 카드는

$12\div3\times2=8$(장)

(나) 바구니에 들어가는 카드는 4장이다.

또 $1+2+3+\cdots+12=78$이므로 (가) 바구니에 들어가는 카드의 수의 합은

$78\div3\times2=52$

(나) 바구니에 들어가는 카드의 수의 합은 $78\div3=26$이다.

따라서 (나) 바구니에 12장의 카드 중 4장의 카드로 합이 26이 되게 만들면 된다.

| | | |
|---|---|---|
| (12, 11, 2, 1) | (11, 10, 4, 1) | (10, 9, 6, 1) |
| (12, 10, 3, 1) | (11, 10, 3, 2) | (10, 9, 5, 2) |
| (12, 9, 4, 1) | (11, 9, 5, 1) | (10, 9, 4, 3) |
| (12, 9, 3, 2) | (11, 9, 4, 2) | (10, 8, 7, 1) |
| (12, 8, 5, 1) | (11, 8, 6, 1) | (10, 8, 6, 2) |
| (12, 8, 4, 2) | (11, 8, 5, 2) | (10, 8, 5, 3) |
| (12, 7, 6, 1) | (11, 8, 4, 3) | (10, 7, 6, 3) |
| (12, 7, 5, 2) | (11, 7, 6, 2) | (10, 7, 5, 4) |
| (12, 7, 4, 3) | (11, 7, 5, 3) | |
| (12, 6, 5, 3) | (11, 6, 5, 4) | |
| ⇩ | ⇩ | ⇩ |
| 10가지 | 10가지 | 8가지 |

| | |
|---|---|
| (9, 8, 7, 2) | (8, 7, 6, 5) |
| (9, 8, 6, 3) | |
| (9, 8, 5, 4) | |
| (9, 7, 6, 4) | |
| 4가지 | 1가지 |

따라서, 모두 $10+10+8+4+1=33$(가지)이다.

**5** 각 자리 수로 나누어 생각해 보자.

(1) 한 자리 수인 경우 ⟶ 0개

(2) 두 자리 수인 경우

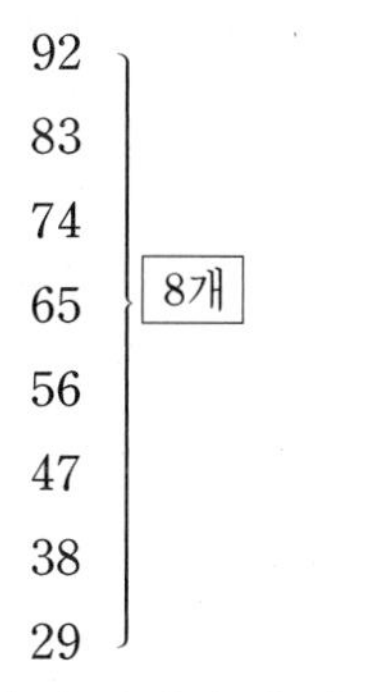


(3) 세 자리 수인 경우

① 9□□

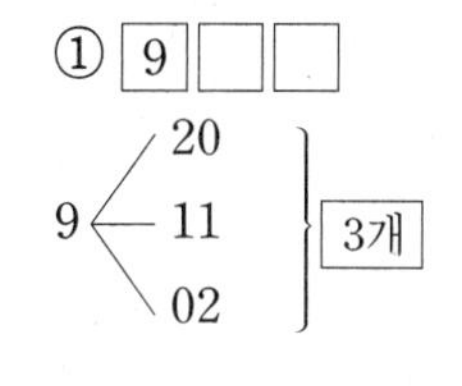


② 8□□

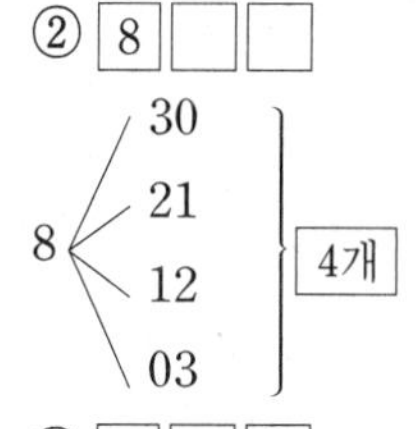


③ 7□□

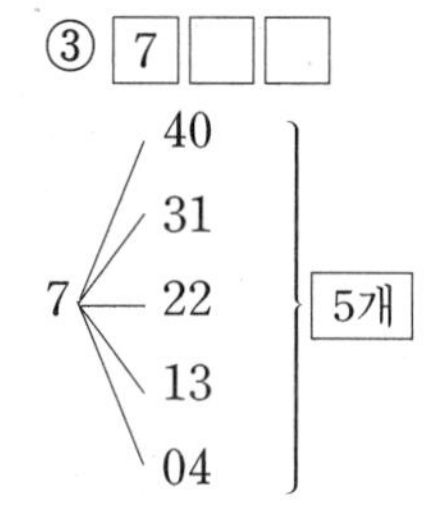


④ 6□□

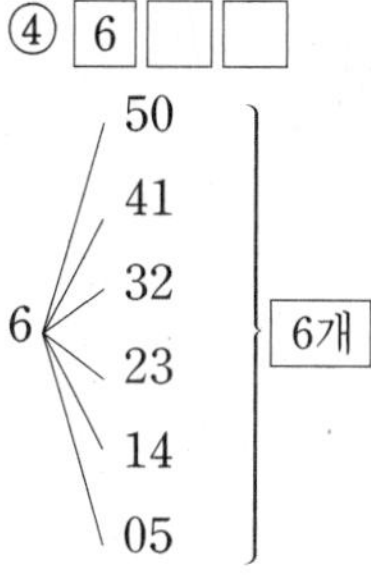


⑤ 5□□

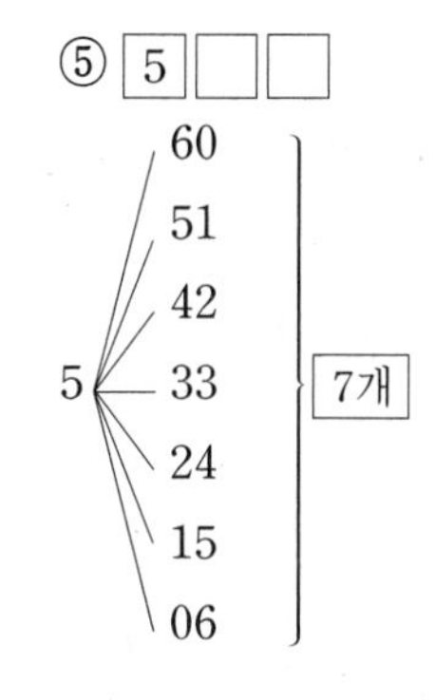


⑥ 4□□

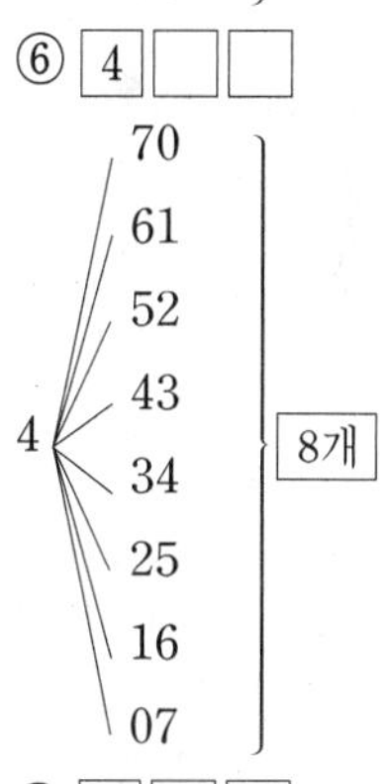


⑦ 3□□

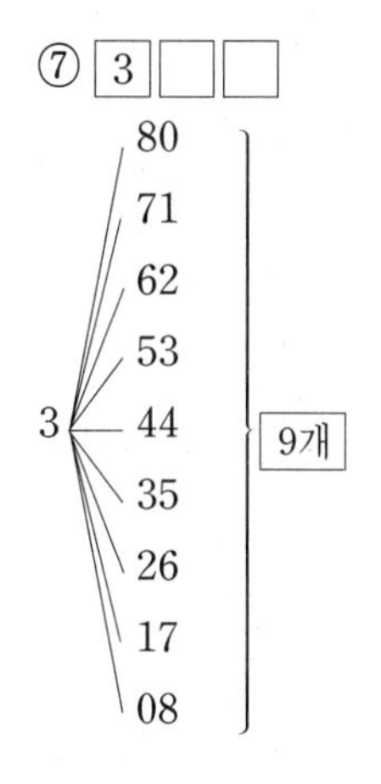


⑧ 2□□

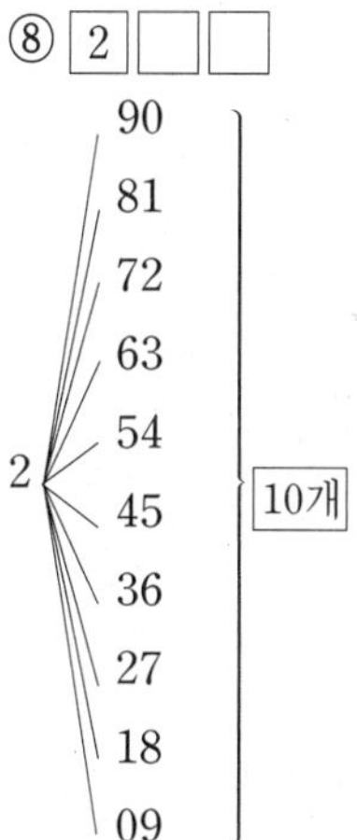

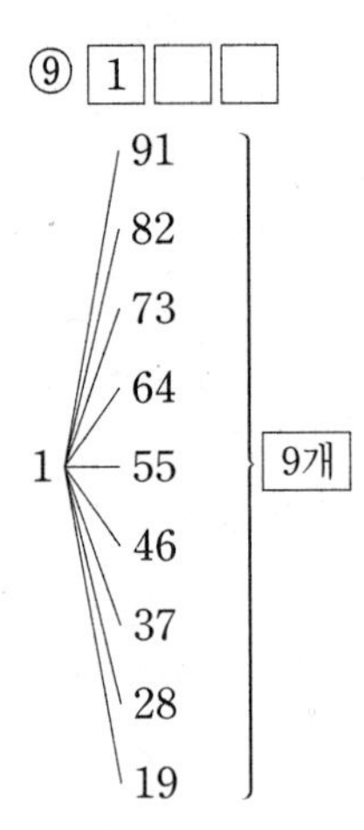


⇨ 8+3+4+5+6+7+8+9+10+9
=69(개)

**6**

| | | | |
|---|---|---|---|
| (1, 2, 3, 13) | (1, 3, 4, 11) | (1, 4, 5, 9) | (1, 5, 6, 7) |
| (1, 2, 4, 12) | (1, 3, 5, 10) | (1, 4, 6, 8) | |
| (1, 2, 5, 11) | (1, 3, 6, 9) | | |
| (1, 2, 6, 10) | (1, 3, 7, 8) | | |
| (1, 2, 7, 9) | | | |
| ⇩ | ⇩ | ⇩ | ⇩ |
| 〈5가지〉 | 〈4가지〉 | 〈2가지〉 | 〈1가지〉 |

| | | |
|---|---|---|
| (2, 3, 4, 10) | (2, 4, 5, 8) | (3, 4, 5, 7) |
| (2, 3, 5, 9) | (2, 4, 6, 7) | |
| (2, 3, 6, 8) | | |
| ⇩ | ⇩ | ⇩ |
| 〈3가지〉 | 〈2가지〉 | 〈1가지〉 |

⇨ 5+4+2+1+3+2+1=18(가지)

**7** 먼저 10자루를 3묶음으로 나누는 경우를 생각해 보자.

(1) (1, 1, 8)
㉮, ㉯, ㉰ 세 사람에게 나누어 주는 방법은 3가지
(1, 1, 8) (1, 8, 1) (8, 1, 1)

(2) (1, 2, 7)
㉮, ㉯, ㉰ 세 사람에게 나누어 주는 방법은 6가지
(1, 2, 7)(1, 7, 2)(2, 1, 7)(2, 7, 1)(7, 1, 2)(7, 2, 1)

(3) (1, 3, 6)
㉮, ㉯, ㉰ 세 사람에게 나누어 주는 방법은 6가지
(1, 3, 6)(1, 6, 3)(3, 1, 6)(3, 6, 1)(6, 1, 3)(6, 3, 1)

(4) (1, 4, 5)
㉮, ㉯, ㉰ 세 사람에게 나누어 주는 방법은 6가지
(1, 4, 5)(1, 5, 4)(4, 1, 5)(4, 5, 1)(5, 1, 4)(5, 4, 1)

(5) (2, 2, 6)
㉮, ㉯, ㉰ 세 사람에게 나누어 주는 방법은 3가지
(2, 2, 6)(2, 6, 2)(6, 2, 2)

(6) (2, 3, 5)
㉮, ㉯, ㉰ 세 사람에게 나누어 주는 방법은 6가지
(2, 3, 5)(2, 5, 3)(3, 2, 5)(3, 5, 2)(5, 2, 3)(5, 3, 2)

(7) (2, 4, 4)
㉮, ㉯, ㉰ 세 사람에게 나누어 주는 방법은 3가지
(2, 4, 4)(4, 2, 4)(4, 4, 2)

(8) (3, 3, 4)
㉮, ㉯, ㉰ 세 사람에게 나누어 주는 방법은 3가지
(3, 3, 4)(3, 4, 3)(4, 3, 3)

⇨ 3+6+6+6+3+6+3+3=36(가지)

**다른 풀이** 우선 ㉮, ㉯, ㉰ 세 사람에게 1자루씩 연필을 주고 나면 7자루의 연필이 남는다. 따라서 세 사람에게 연필 7자루를 나누어 주는 가짓수를 구할 수도 있다.

**8** 삼각형의 한 변의 길이는 둘레의 절반보다 짧으므로 한 변에는 25÷2=12 … 1, 12개와 같거나 12개보다 적은 수의 성냥개비가 사용된다. 즉 12를 넘지 않는 3개의 수로 25를 만들면 된다.

| | | | |
|---|---|---|---|
| (12, 12, 1) | (11, 11, 3) | (10, 10, 5) | (9, 9, 7) |
| (12, 11, 2) | (11, 10, 4) | (10, 9, 6) | (9, 8, 8) |
| (12, 10, 3) | (11, 9, 5) | (10, 8, 7) | |
| (12, 9, 4) | (11, 8, 6) | | |
| (12, 8, 5) | (11, 7, 7) | | |
| (12, 7, 6) | | | |
| ⇩ | ⇩ | ⇩ | ⇩ |
| 6가지 | 5가지 | 3가지 | 2가지 |

⇨ 6+5+3+2=16(가지)

**9** 삼각형의 한 변은 둘레의 절반보다 작으므로 한 변의 길이는 42÷2=21 즉 20cm와 같거나 짧다. 정삼각형과 이등변삼각형을 제외한 삼각형을 찾아야 하므로 20을 넘지 않는 서로 다른 3개의 수로 42를 만들 수 있는 경우를 찾으면 된다.

| (20, 19, 3) | (19, 18, 5) | (18, 17, 7) |
|---|---|---|
| (20, 18, 4) | (19, 17, 6) | (18, 16, 8) |
| (20, 17, 5) | (19, 16, 7) | (18, 15, 9) |
| (20, 16, 6) | (19, 15, 8) | (18, 14, 10) |
| (20, 15, 7) | (19, 14, 9) | (18, 13, 11) |
| (20, 14, 8) | (19, 13, 10) | |
| (20, 13, 9) | (19, 12, 11) | |
| (20, 12, 10) | | |
| ⇩ | ⇩ | ⇩ |
| 8가지 | 7가지 | 5가지 |
| (17, 16, 9) | (16, 15, 11) | (15, 14, 13) |
| (17, 15, 10) | (16, 14, 12) | |
| (17, 14, 11) | | |
| (17, 13, 12) | | |
| ⇩ | ⇩ | ⇩ |
| 4가지 | 2가지 | 1가지 |

⇨ $8+7+5+4+2+1=27$(가지)

**10** 먼저 3장의 카드로 11을 만드는 경우를 생각해 보자.

(1, 1, 9) (2, 2, 7) (3, 3, 5)

(1, 2, 8) (2, 3, 6) (3, 4, 4)

(1, 3, 7) (2, 4, 5)

(1, 4, 6)

(1, 5, 5)

3장씩 계속 매번 합이 11이 되도록 뽑아낼 때 남는 카드 수가 가장 적게 되는 경우

(1) (1, 3, 7), (2, 4, 5)의 숫자 카드를 각각 3회씩 뽑아낼 때,

(2) (1, 1, 9) (1, 5, 5) (2, 3, 6) (2, 3, 6) (2, 4, 5) (3, 4, 4)를 뽑을 때

(3) (1, 3, 7) (1, 3, 7) (1, 4, 6) (2, 3, 6) (2, 4, 5) (2, 4, 5)를 뽑을 때

(1), (2), (3) 세 가지 경우 모두 $6\times3=18$(장)을 집어내므로 남은 카드는 9장이다.

## 차가 늘어나는 수열 5

### 유제

**1** 141 **2** $\frac{30}{466}$ **3** 4851 **4** 499502

### 특강탐구문제

**1** (1) 201 (2) 50, 65, 101 **2** 2455 **3** 3679

**4** $\frac{436}{931}$ **5** 728 **6** $\frac{111}{800}$ **7** 22째 번 수

**8** 27째 번 **9** 305 **10** 403

### 유제풀이

**1** 주어진 수의 차를 구해본다.

$\underbrace{1 \quad 3}_{2}$ ... 1 3 11 25 45 ⋯ (차: 2 8 14 20)

즉, 주어진 수열은 차가 6씩 늘어나는 수열이다.

㉮는 8째 번 수이므로

(8째 번 수)$=1+(\underbrace{2+8+14+\cdots+\square}_{7개})$

□에 알맞은 수는 $2+6\times6=38$이므로

(8째 번 수)

$=1+(2+8+\cdots+38)$

$=1+(2+38)\times7\div2$

$=1+140$

$=141$

**참고*** ㉮가 8째 번 수이므로

1 3 11 25 45 [71] [103] ㉮이다. (차: 2 8 14 20 26 32 38)

즉 ㉮$=141$과 같이 직접 계산하여 구해도 된다.

**2** 첫째 번 분수의 분자는 1,

둘째 번 분수의 분자는 2,

셋째 번 분수의 분자는 3,

⋮

이므로 30째 번 분수의 분자는 30이다.

또, 분모 2 4 7 11 16 ⋯ (차: 2 3 4 5)

은 차가 1씩 늘어나는 수열이다.

(30째 번 분모)$=2+(\underbrace{2+3+4+5+\cdots+\square}_{29개})$

□에 알맞은 수는 $2+1\times28=30$이므로

(30째 번 분모)

$=2+(2+3+4+\cdots+30)$

$=2+(2+30)\times29\div2$

$=2+464$

$=466$

따라서 30째 번 분수는 $\frac{30}{466}$이다.

**3** 셋째 번 줄부터 각 줄의 왼쪽에서 셋째 번 수를 차례로 적어 보면

1 3 6 10 ⋯ (차: 2 3 4)

이고, 이것은 차가 1씩 늘어나는 수열이다. 첫째 번 줄과 둘째 번 줄에는 각 줄의 셋째 번 수가 없으므로

(100째 번 줄의 셋째 번 수)

$=1+(\underbrace{2+3+4+\cdots+\square}_{97개})$

□ 안에 알맞은 수는 $2+1\times96=98$이므로

(100째 번 줄의 셋째 번 수)

$=1+(2+3+4+\cdots+98)$

$=1+(2+98)\times97\div2$

$=1+4850$

$=4851$

**4** 2 3 5 8 12 17 23 ⋯ (차: 1 2 3 4 5 6)

은 차가 1씩 늘어나는 수열이다.

(1000째 번 수)$=2+(\underbrace{1+2+3+\cdots+\square}_{999개})$

□ 안에 알맞은 수는 $1+1\times998=999$이므로

(1000째 번 수)

$=2+(1+2+3+\cdots+999)$

$=2+(1+999)\times999\div2$

$=2+499500$

$=499502$

### 특강탐구문제풀이

**1** (1) 1 3 9 19 33 ⋯ (차: 2 6 10 14)

주어진 수는 차가 4씩 늘어나는 수열이다.

㉮는 11째 번 수이므로

(11째 번 수)$=1+(\underbrace{2+6+10+\cdots+\square}_{10개})$

□ 안에 알맞은 수는 $2+4\times9=38$이므로

(11째 번 수)

$=1+(2+6+10+\cdots+38)$

$=1+(2+38)\times10\div2$

$=1+200$

$=201$

**다른 풀이** 직접 구해도 된다.

(1) 1 3 9 19 33 (51) 73 99 (129) (163) ㉮

2 6 10 14 18 22 26 30 34 38

따라서 ㉮$=163+38=201$이다.

(2) 2 5 10 17 26 37 □ □ 82 □ 122 ⋯

3 5 7 9 11 13 15 17 19 21

주어진 수는 차가 2씩 늘어나는 수열이므로 순서에 맞게 계산하면

첫째 번 □는 $37+13=50$,

둘째 번 □는 $50+15=65$,

셋째 번 □는 $82+19=101$이다.

**2** 5 7 11 17 25 35 ⋯

2 4 6 8 10

주어진 수는 차가 2씩 늘어나는 수열이다.

(50째 번 수)$=5+(\underbrace{2+4+6+\cdots+\square}_{49개})$

□ 안에 알맞은 수는 $2+(2\times48)=98$이므로

(50째 번 수)

$=5+(2+4+6+\cdots+98)$

$=5+(2+98)\times49\div2$

$=5+2450$

$=2455$

**3** 4 7 13 22 34 49 ⋯

3 6 9 12 15

주어진 수는 차가 3씩 늘어나는 수열이다.

(50째 번 수)$=4+(\underbrace{3+6+9+\cdots+\square}_{49개})$

□ 안에 알맞은 수는 $3+(3\times48)=147$이므로

(50째 번 수)

$=4+(3+6+9+\cdots+147)$

$=4+(3+147)\times49\div2$

$=4+3675$

$=3679$

**4** $\frac{1}{3}=\frac{7}{21}$이므로 주어진 수열은

$\frac{1}{3}, \frac{2}{7}, \frac{4}{13}, \frac{7}{21}, \frac{11}{31}, \frac{16}{43}, \cdots$으로 바꿀 수 있다.

① 분자끼리의 규칙을 찾아보자.

1 2 4 7 11 16 ⋯

1 2 3 4 5

주어진 수는 차가 1씩 늘어나는 수열이다.

(30째 번 분자)$=1+(1\underbrace{+2+3+4+\cdots+\square}_{29개})$

□ 안에 알맞은 수는 29이므로

(30째 번 분자)

$=1+(1+2+3+\cdots+29)$

$=1+(1+29)\times29\div2$

$=1+435$

$=436$

② 분모끼리의 규칙을 찾아보자.

3 7 13 21 31 43 ⋯

4 6 8 10 12

주어진 수는 차가 2씩 늘어나는 수열이다.

(30째 번 분모)$=3+(\underbrace{4+6+8+\cdots+\square}_{29개})$

□ 안에 알맞은 수는 $4+(2\times28)=60$이므로

(30째 번 분모)

$=3+(4+6+8+\cdots+60)$

$=3+(4+60)\times29\div2$

$=3+928$

$=931$

따라서 30째 번 분수는 $\frac{436}{931}$이 된다.

**참고*** $931=7\times7\times19$이고, 436은 7의 배수도, 19의 배수도 아니므로 $\frac{436}{931}$은 약분되지 않는다.

즉 $\frac{436}{931}$은 기약분수이다.

**5** 26 ⌣ ⌣ ⌣ ⌣ ⌣ ㉮이므로

+11 +13 +15 +17 +19

+75

㉮는 $26+75=101$이다.

101 ⌣ ⌣ ⌣ ⌣ ⌣ ㉯이므로

+21 +23 +25 +27 +29

+125

㉯$=101+125=226$이다.

226 ⌣ ⌣ ⌣ ⌣ ⌣ ㉰이므로
+31 +33 +35 +37 +39
+175

㉰$=226+175=401$이다.

따라서 ㉮, ㉯, ㉰ 세 수의 합은

$101+226+401=728$

**다른 풀이** 2 5 10 17 26 37 …
3 5 7 9 11

주어진 수는 차가 2씩 늘어나는 수열이다.

구하고자 하는 수는 ㉮, ㉯, ㉰는 각각 10째 번, 15째 번, 20째 번의 수이다.

㉮$=(10$째 번 수$)=2+(\underbrace{3+5+7+\cdots+\square}_{9개})$

□ 안에 알맞은 수는 $3+(2\times8)=19$이므로

㉮$=(10$째 번 수$)$

$=2+(3+5+7+\cdots+19)$

$=2+(3+19)\times9\div2$

$=2+99$

$=101$

㉯$=(15$째 번 수$)=2+(\underbrace{3+5+7+\cdots+\square}_{14개})$

□ 안에 알맞은 수는 $3+(2\times13)=29$이므로

㉯$=(15$째 번 수$)$

$=2+(3+5+7+\cdots+29)$

$=2+(3+29)\times14\div2$

$=2+224$

$=226$

㉰$=(20$째 번 수$)=2+(\underbrace{3+5+7+\cdots+\square}_{19개})$

□ 안에 알맞은 수는 $3+(2\times18)=39$이므로

㉰$=(20$째 번 수$)$

$=2+(3+5+7+\cdots+39)$

$=2+(3+39)\times19\div2$

$=2+399$

$=401$

따라서 ㉮, ㉯, ㉰ 세 수의 합은

$101+226+401=728$이다.

**6** 약분되기 전의 분수를 생각하여 각 분수들이 어떤 규칙에 따라 나열된 것인지 생각해 보면 다음과 같다.

$\frac{1}{50}$, $\frac{1}{20}=\frac{5}{100}$, $\frac{9}{100}=\frac{18}{200}$, $\frac{4}{35}=\frac{40}{350}$, $\frac{71}{550}$, …

분자에서 규칙을 찾아보면

1 5 18 40 71 111 160 …
4 13 22 31 40 49

이므로, 차가 9씩 늘어나는 수열이다.

분모에서 규칙을 찾아보면

50 100 200 350 550 800 1100 …
50 100 150 200 250 300

이므로, 차가 50씩 늘어나는 수열이다.

7째 번 분수는 $\frac{8}{55}=\frac{160}{1100}$이 되어 규칙이 맞게 된다.

따라서 □ 안에 알맞은 기약분수는 $\frac{111}{800}$이다.

**7** 3 6 11 18 27 38 …
3 5 7 9 11

주어진 수는 차가 2씩 늘어나는 수열이다.

$486=3+(3+5+7+\cdots+\square)$

$483=3+5+7+\cdots+\square$

$1+3+5+7+\cdots+\square=483+1=484=22\times22$에서

1부터 연속되는 홀수의 합이므로 연속되는 홀수의 개수는 22개이다.(올림피아드 1과정 '18장 차가 같은 수열의 합' 참고)

따라서 $486=3+(\underbrace{3+5+7+\cdots+\square}_{21개})$이므로 486은 22째 번 수이다.

**8** 4 6 10 16 24 34 …
2 4 6 8 10

주어진 수는 차가 2씩 늘어나는 수열이다.

$706=4+(2+4+6+\cdots+\square)$에서

$2+4+6+\cdots+\square=702$

$1+2+3+\cdots+■=351$

■ 안에 알맞은 수는 $(1+■)\times■\div2=351$

$(1+■)\times■=702$

그런데 $702=2\times3\times3\times3\times13=27\times26$이므로 ■$=26$이다.

즉 706은 27째 번 수이다.

**9** 5 6 8 11 15 …
1 2 3 4

주어진 수는 차가 1씩 늘어나는 수열이다.

$141=5+(1+2+3+\cdots+\square)$에서

$1+2+3+\cdots+\square=136$

$(1+\square)\times\square\div2=136$

$(1+\square)\times\square=272$

그런데 $272=2\times2\times2\times2\times17=17\times16$이므로 $\square=16$ 이다.

즉 141은 17째 번 수이므로 ㉠도 마찬가지로 1, 5, 11, 19, 29, …로 나열되는 17째 번 수이다.

$1\quad5\quad11\quad19\quad29\ \cdots$

(차: 4, 6, 8, 10)

주어진 수는 차가 2씩 늘어나는 수열이므로

$(17\text{째 번 수})=1+(\underbrace{4+6+8+\cdots+\square}_{16\text{개}})$

$\square$ 안에 알맞은 수는 $4+(2\times15)=34$이다.

㉠$=1+(4+6+8+\cdots+34)$

$=1+(4+34)\times16\div2$

$=305$

**10** ① 먼저 각 줄의 첫째 번 수들 사이의 규칙을 찾아 20째 번 줄의 첫째 번 수를 구한다.

$1\quad3\quad7\quad13\ \cdots$

(차: 2, 4, 6)

주어진 수는 차가 2씩 늘어나는 수열이다.

(20째 번 줄의 첫째 번 수)

$=1+(\underbrace{2+4+6+\cdots+\square}_{19\text{개}})$

$\square$ 안에 알맞은 수는 $2+2\times18=38$이다.

(20째 번 줄의 첫째 번 수)

$=1+(2+4+6+\cdots+38)$

$=1+(2+38)\times19\div2$

$=1+380$

$=381$

② 20째 번 줄에 있는 수들은 차가 2씩 늘어나는 수열이므로

$381\quad383\quad385\ \cdots$

(차: 2, 2)

12째 번 수는 $381+2\times11=403$이다.

**다른 풀이** 20째 번 줄, 12째 번 수는 처음부터 수를 써 나갈 때 $1+2+3+\cdots+19+12$

$=(1+19)\times19\div2+12=202$(째 번) 수이다.

홀수들만 나열했으므로 202째 번 홀수 $202\times2-1=403$이 된다.

다른 풀이와 같이 푸는 것이 가장 좋은 방법이나 차가 늘어나는 수열을 연습하도록 하기 위해 위와 같은 풀이를 실었다.

본문 28~31쪽

## 일에 관한 문제 ① 6

유제

**1** $4\frac{1}{2}$시간 **2** 2일 **3** 19시간 54분 **4** 8시간

특강탐구문제

**1** 12일 **2** 3일 **3** 7시간 **4** 12일
**5** 13시간 20분 **6** 9시간, 2600원 **7** 2시간
**8** 을, 48분 **9** 11시간 **10** 80분

### 유제풀이

**1** 영운이가 하루에 전체 일의 $\frac{3}{7}\times\frac{1}{8}=\frac{3}{56}$만큼 일하므로 10일 동안에는 $\frac{3}{56}\times10=\frac{30}{56}=\frac{15}{28}$만큼 일을 했다.
또, 10일 3시간 동안 전체의 $\frac{4}{7}=\frac{16}{28}$만큼 일을 했으므로 3시간 동안에는 $\frac{16}{28}-\frac{15}{28}=\frac{1}{28}$만큼 일을 했다.
따라서 한 시간 동안 $\frac{1}{28}\times\frac{1}{3}=\frac{1}{84}$만큼 일을 했고, 하루에는 $\frac{3}{56}\div\frac{1}{84}=\frac{3}{56}\times84=\frac{9}{2}=4\frac{1}{2}$(시간) 동안 일했다.

**참고*** 위의 풀이를 식으로 나타내면 다음과 같다.
(영운이가 하루에 한 일)$=\frac{3}{7}\times\frac{1}{8}=\frac{3}{56}$
한 시간 동안 한 일의 양을 □라고 하면
$\left(\frac{3}{56}\times10\right)+(3\times\square)=\frac{4}{7}$
$3\times\square=\frac{1}{28}$
$\square=\frac{1}{28}$
따라서 (하루 동안 한 일의 양)
$=\frac{3}{56}\div\frac{1}{84}=\frac{3}{56}\times84=4\frac{1}{2}$(시간)

**2** 성영, 정우, 정현이가 혼자서 하루에 접는 양은 각각 유리병 전체의 $\frac{1}{8}$, $\frac{1}{12}$, $\frac{1}{9}$이다.
하루에 4시간씩 접었으므로 성영이와 정현이가 한 시간에 접는 양은 각각 전체의 $\frac{1}{8}\times\frac{1}{4}=\frac{1}{32}$, $\frac{1}{9}\times\frac{1}{4}=\frac{1}{36}$이다.

정현이는 성영이가 접은 날수의 반보다 2시간 더 접었으므로
성영 : ○○
정현 : (○+2)시간
또, 정우와 정현이가 함께 3일 동안 접은 양은
전체의 $\left(\frac{1}{12}+\frac{1}{9}\right)\times3=\frac{21}{36}$이므로
성영이와 정현이가 각각 혼자서 접은 양의 합은 전체의 $\frac{15}{36}$이고, 이 때 정현이가 2시간 동안 접은 양인 $\frac{2}{36}$를 뺀 $\frac{13}{36}$은 성영이가 ○○일 동안 접은 양과 정현이가 ○일 동안 접은 양의 합이 된다.
$\frac{13}{36}\div\left(\frac{1}{8}\times2+\frac{1}{9}\right)=\frac{13}{36}\div\frac{13}{36}=1$이므로 정현이는 혼자서 1일 2시간을 접었고, 성영이는 처음에 2일 동안 접었다.

**다른 풀이** 전체 일의 양을 288이라 하자.
288=4×(8, 12, 9의 최소공배수)
한 시간 동안 성영이는 9, 정우는 6, 정현이는 8만큼 한다.
(정우와 정현이가 한 일)$=(6+8)\times3\times4=168$이므로
남은 일은 120이다.
성영이가 혼자 접은 날을 ○일이라 하면
(성영이가 한 일)$=9\times4\times○$
(정현이가 나중에 한 일)$=8\times\left(4\times\frac{○}{2}+2\right)$
$=16\times○+16$
$52\times○+16=120$
$52\times○=104$
$○=2$
따라서, 성영이가 혼자 접은 날은 2일이다.

**다른 풀이** 다음과 같이 풀어도 된다.
성영이가 혼자 접은 날을 □일이라고 하면
$1-\frac{21}{36}=\frac{15}{36}$를 성영이와 정현이가 혼자 접은 것이므로
$\frac{1}{8\times4}\times\square\times4+\frac{1}{9\times4}\times\left(\square\times\frac{1}{2}\right)\times4+\frac{1}{9\times4}\times2=\frac{15}{36}$
$\frac{\square}{8}+\frac{\square}{18}+\frac{1}{18}=\frac{15}{36}$
$\frac{\square\times9+\square\times4+4}{72}=\frac{30}{72}$

$\square \times 13=26$

$\square=2$

즉 성영이가 처음 혼자 접은 날은 2일이다.

**3** 갑, 을, 병은 1시간에 각각 전체의 $\frac{1}{25}$, $\frac{1}{20}$, $\frac{1}{16}$씩 일한다. 3명이 1시간씩 번갈아가면서 일하므로 3시간 동안 하는 일의 양은

$\frac{1}{25}+\frac{1}{20}+\frac{1}{16}=\frac{16+20+25}{400}=\frac{61}{400}$이다.

400을 넘지 않는 61의 배수 중 가장 큰 수는 $61\times6=366$이므로 $3\times6=18$(시간) 일한 후 $\frac{34}{400}$만큼 남는다.

다음 순서인 갑이 1시간 일하고 나면 $\frac{34}{400}-\frac{16}{400}=\frac{18}{400}$만큼 일이 남는다.

그 다음 순서인 을은 1시간에 $\frac{1}{20}=\frac{20}{400}$만큼 일하므로,

$\frac{18}{400}\div\frac{20}{400}=18\div20=\frac{18}{20}=\frac{9}{10}$(시간)$=54$(분)만에 일을 끝낸다.

따라서 19시간 54분 걸린다.

**4** ㉮, ㉯ 호스는 각각 1시간에 수영장 전체의 $\frac{1}{8}$, $\frac{1}{10}$을 채운다. 한편 방출구는 1시간에 전체의 $\frac{1}{5}$을 내보낸다.

(처음 2시간 동안 찬 물의 양)$=\left(\text{전체의 } \frac{1}{8}\right)\times2$

$=\left(\text{전체의 } \frac{1}{4}\right)$

다음 3시간 동안 찬 물의 양은

$\left(\text{전체의 } \frac{1}{8}+\text{전체의 } \frac{1}{10}\right)\times3$

$=\left(\text{전체의 } \frac{9}{40}\right)\times3=\left(\text{전체의 } \frac{27}{40}\right)$

즉, 총 5시간 동안 수영장에 넣은 물의 양은

$\left(\text{전체의 } \frac{27}{40}\right)+\left(\text{전체의 } \frac{1}{4}\right)$

$=\left(\text{전체의 } \frac{27}{40}\right)+\left(\text{전체의 } \frac{10}{40}\right)$

$=\left(\text{전체의 } \frac{37}{40}\right)$이다.

즉, 수영장에 더 넣어야 하는 물의 양은

$1-\left(\text{전체의 } \frac{1}{4}+\text{전체의 } \frac{27}{40}\right)=\text{전체의 } \frac{3}{40}$이다.

방출구가 열리고 나서 한 시간에 채워지는 물의 양은

$\left(\text{전체의 } \frac{1}{8}\right)+\left(\text{전체의 } \frac{1}{10}\right)-\left(\text{전체의 } \frac{1}{5}\right)$

$=\left(\text{전체의 } \frac{5+4-8}{40}\right)=\left(\text{전체의 } \frac{1}{40}\right)$이므로

물을 더 넣어야 하는 시간은 3시간이다.

따라서 수영장에 물이 가득 차는데 까지 걸린 시간은 $2+3+3=8$(시간)이다.

**특강탐구문제풀이**

**1** 홍기와 지오는 하루에 각각 전체의 $\frac{1}{20}$, $\frac{1}{30}$씩 일을 한다.

둘이 함께 일한다면 하루에 할 수 있는 일의 양은

$\frac{1}{20}+\frac{1}{30}=\frac{3+2}{60}=\frac{5}{60}=\frac{1}{12}$이다.

따라서 둘이 함께 일한다면 12일만에 끝낼 수 있다.

**2** 형과 동생은 하루에 각각 전체의 $\frac{1}{10}$, $\frac{1}{15}$씩 일한다.

형은 8일 동안 계속 일하였으므로

형이 일한 양은 $\frac{1}{10}\times8=\frac{8}{10}=\frac{4}{5}$이다.

남은 $1-\frac{4}{5}=\frac{1}{5}$이 동생이 일한 양이므로

동생이 일한 날을 □일이라고 하면

$\frac{1}{15}\times\square=\frac{1}{5}$

$\square=\frac{1}{5}\div\frac{1}{15}=\frac{1}{5}\times15=3$(일)이다.

따라서 형과 동생이 같이 일한 날은 3일이다.

**3** 갑과 을은 한 시간에 각각 전체의 $\frac{1}{12}$, $\frac{1}{8}$씩 벽돌을 쌓는다.

갑이 일을 하지 못한 1시간 동안 을이 쌓은 양은 전체의 $\frac{1}{8}\times1=\frac{1}{8}$이고, 을이 일을 하지 못한 3시간 동안 갑이 쌓은 양은 전체의 $\frac{1}{12}\times3=\frac{1}{4}$이다.

따라서 갑과 을이 함께 쌓은 양은

$1-\left(\frac{1}{8}+\frac{1}{4}\right)=1-\frac{1+2}{8}=\frac{5}{8}$

갑과 을이 함께 쌓으면 1시간에

$\frac{1}{12}+\frac{1}{8}=\frac{2+3}{24}=\frac{5}{24}$만큼 쌓으므로,

두 사람이 함께 일한 시간을 □라고 하면

$\square\times\frac{5}{24}=\frac{5}{8}$

$\square=\frac{5}{8}\div\frac{5}{24}=\frac{5}{8}\times\frac{24}{5}=3$(시간)

따라서 벽돌을 모두 쌓는 데 걸린 시간은

$1+3+3=7$(시간)

**4** 명혜와 소민이는 하루에 각각 전체 일의 $\frac{1}{15}$, $\frac{1}{20}$씩의 일을 한다.

소민이가 혼자 모두 일했다고 생각하면 $\frac{1}{20}\times16=\frac{16}{20}$ 만큼 일한 셈이고, 나머지 $\frac{4}{20}$를 하루에 명혜가 소영이보다 더 하는 일의 양, 즉 $\frac{1}{15}-\frac{1}{20}=\frac{4-3}{60}=\frac{1}{60}$로 나누면 명혜가 일한 날을 알 수 있다.

따라서 명혜가 일한 날은

$\frac{4}{20}\div\frac{1}{60}=\frac{4}{20}\times60=12$(일)

**다른 풀이** 명혜가 일한 날수를 □라고 하면, 소민이가 일한 날수는 (16−□)이다.

전체 일의 양을 1이라고 하면

$\frac{1}{15}\times\square+\frac{1}{20}\times(16-\square)=1$

$\frac{1}{15}\times\square-\frac{1}{20}\times\square+\frac{20}{16}=1$

$\frac{4}{60}\times\square-\frac{3}{60}\times\square=\frac{4}{20}$

$\frac{1}{60}\times\square=\frac{4}{20}=\frac{12}{60}$

$\square=12$

따라서 명혜는 12일 동안 일했다.

**5** 전체 일의 양을 1이라고 하면 1명이 1시간 동안 한 일의 양은 전체의

$1\times\frac{1}{8}\times\frac{1}{9}=\frac{1}{72}$이므로

3명이 8시간 동안 한 일의 양은 전체의

$\frac{1}{72}\times3\times8=\frac{1}{3}$이다.

9명이 1시간 동안 한 일의 양은 전체의

$\frac{1}{72}\times9=\frac{1}{8}$이므로

남은 $\frac{2}{3}$의 일을 9명이 했으므로 걸린 시간은

$\frac{2}{3}\div\left(\frac{1}{72}\times9\right)=\frac{2}{3}\div\frac{1}{8}=\frac{2}{3}\times8=\frac{16}{3}=5\frac{1}{3}$(시간)

따라서, 일을 마치는 데 걸린 시간은

$8+5\frac{1}{3}=13\frac{1}{3}$(시간)$=13$시간 20분이다.

**6** 상현이가 하루에 한 일의 양은 $\frac{9}{20}\times\frac{1}{7}=\frac{9}{140}$이다.

즉, $7+8=15$(일) 동안 한 일의 양은 $\frac{9}{140}\times15=\frac{135}{140}$ 이고, 나머지 $\frac{5}{140}$의 일을 5시간에 마쳤으므로, 1시간 동안 한 일의 양은 전체의 $\frac{1}{140}$이다.

즉 하루에 일한 양은 $\frac{9}{140}$이고, 1시간 동안 일한 양은 $\frac{1}{140}$이므로, 하루에 9시간 동안 일했다.

또 상현이가 일한 시간은 140시간이므로

(1시간에 받기로 한 돈)$=364000\div140=2600$(원)이다.

**7** 한 사람이 1시간에 할 수 있는 일의 양은

$\frac{\overset{1}{\cancel{6}}}{13}\times\frac{1}{16}\times\frac{1}{\underset{1}{\cancel{6}}}\times\frac{1}{18}=\frac{1}{13\times16\times18}$이다.

남은 $\frac{7}{13}$을 12일 동안 21명이 끝마치려고 하므로 하루에 □시간 일한다고 하면

$\frac{1}{13\times16\times18}\times12\times21\times\square=\frac{7}{13}$에서

$\square=8$이다.

즉, 하루에 8시간씩 일해야 하므로 $8-6=2$(시간)씩 늘려야 한다.

**8** 갑과 을은 1시간에 각각 전체의 $\frac{1}{20}$, $\frac{1}{16}$씩 일을 한다.
1시간씩 교대로 일하므로 2시간씩 짝지어 생각하면, 2시간 동안 하는 일의 양은
$\frac{1}{20}+\frac{1}{16}=\frac{4+5}{80}=\frac{9}{80}$이고,
80을 넘지 않는 9의 배수 중 가장 큰 수는 $9\times8=72$이므로 $8\times2=16$(시간) 일한 후 $\frac{8}{80}=\frac{1}{10}$의 일이 남는다.
다음 순서인 갑이 1시간 동안 일하면 $\frac{1}{10}-\frac{1}{20}=\frac{1}{20}$의 일이 남으므로 그 다음 순서인 을이 남은 $\frac{1}{20}$의 일을 하는 시간은
$\frac{1}{20}\div\frac{1}{16}=\frac{1}{20}\times16=\frac{4}{5}$(시간)이다.
따라서 마지막에 일하게 되는 사람은 을이고, $\frac{4}{5}$시간, 즉 48분간 일하게 된다.

**9** 1시간 동안 채울 수 있는 물의 양은 $\frac{1}{4}$, 덜어낼 수 있는 물의 양은 $\frac{1}{10}$이다.
2시간씩 짝지어 생각하면 2시간 동안 채울 수 있는 물의 양은 $\frac{1}{4}-\frac{1}{10}=\frac{5-2}{20}=\frac{3}{20}$이다.
채우고 덜어내기를 5번 반복하면 $\frac{3}{20}\times5=\frac{3}{4}$만큼 차고 $\frac{1}{4}$이 남는다.
다시 한 시간 동안 $\frac{1}{4}$을 채우면 가득 차므로
$2\times5+1=11$(시간)
즉, 11시간만에 가득 차게 된다.

**10** 이 수조에는 1분에 전체의 $\frac{1}{2\times60+40}=\frac{1}{160}$만큼 채울 수 있고, 1분에 전체의 $\frac{1}{1\times60+36}=\frac{1}{96}$씩 빼낼 수 있다.
따라서 물을 채우면서 동시에 비운다면 1분에
$\frac{1}{96}-\frac{1}{160}=\frac{5-3}{480}=\frac{1}{240}$씩 물이 줄어들게 된다.
물에 넣기 시작할 때 욕조 안에는 전체의 $\frac{1}{3}$만큼 물이 남아 있었으므로 완전히 비워지는 시간은
$\frac{1}{3}\div\frac{1}{240}=\frac{1}{3}\times240=80$(분)

본문 34~37쪽

## 최대공약수와 최소공배수 7

**유제**

**1** ㉮ : 136, ㉯ : 238 **2** 14, 70 **3** ㉮ : 120, ㉯ : 72, ㉰ : 54 **4** 6cm, 최대공약수

**특강탐구문제**

**1** 20 또는 28 **2** 54, 12 **3** 12, 10 **4** 36과 30, 60과 18, 90과 12 **5** 6 **6** 117 **7** 90 **8** 6쌍 **9** 18, 36, 54, 180, 270, 540 **10** 523

### 유제풀이

**1** 두 수의 비인 4와 7은 서로 소이다.

최대공약수 ) ㉮ ㉯
　　　　　　4 7

최대공약수 × 4 × 7 = 952 ⇨ 최대공약수 = 34

따라서 ㉮ = 34 × 4 = 136, ㉯ = 34 × 7 = 238

**2** 210 = 2 × 3 × 5 × 7로 나타낼 수 있다.

21 = 3 × 7, 105 = 3 × 5 × 7, ㉮ = ㉠ × 7이고,

이 때 최대공약수가 7이므로 ㉠은 3이 될 수 없다.

따라서 ㉠ = 2일 때, ㉮ = 2 × 7 = 14이다.

㉠ = 2 × 5일 때, ㉮ = 2 × 5 × 7 = 70이다.

참고* 다음과 같이 생각해도 된다.

210 = 2 × 3 × 5 × 7이므로

7 ) 21 105 ㉮
3 ) 3 15 ㉠
　　1 5 ㉠
⇨ ㉠ = 2, ㉮ = 2 × 7 = 14

7 ) 21 105 ㉮
3 ) 3 15 ㉠
5 ) 1 5 ㉠
　　1 1 ㉠/5
⇨ ㉠/5 = 2, ㉠ = 10, ㉮ = 10 × 7 = 70

**3** ㉮와 ㉯의 최대공약수가 24이므로

㉮ = 24 × ㉠, ㉯ = 24 × ㉡ (㉠과 ㉡은 서로 소)이다.

360 = 24 × ㉠ × ㉡이므로 ㉠ × ㉡ = 15

㉠과 ㉡은 서로 소이고 ㉮ > ㉯에 의해 ㉠ > ㉡이므로

㉠ = 5, ㉡ = 3 또는 ㉠ = 15, ㉡ = 1이다.

㉯와 ㉰는 최대공약수가 18이므로

㉯ = 18 × △ㄴ, ㉰ = 18 × △ㄷ (△ㄴ과 △ㄷ은 서로 소)

216 = 18 × △ㄴ × △ㄷ이므로 △ㄴ × △ㄷ = 12

△ㄴ과 △ㄷ은 서로 소이고 ㉯ > ㉰에 의해 △ㄴ > △ㄷ이므로

△ㄴ = 4, △ㄷ = 3 또는 △ㄴ = 12, △ㄷ = 1이다.

- ㉡ = 3일 때, ㉯ = 24 × 3 = 72
  △ㄴ = 4일 때, ㉯ = 18 × 4 = 72 (○)
- ㉡ = 1일 때, ㉯ = 24 × 1 = 24
  △ㄴ = 12일 때, ㉯ = 18 × 12 = 216 (×)

따라서 ㉯ = 72이다.

㉯ = 72 ⇨ ㉡ = 3, ㉠ = 5이므로 ㉮ = 24 × 5 = 120
　　　　　△ㄴ = 4, △ㄷ = 3이므로 ㉰ = 18 × 3 = 54

**4**
- 510 = 186 × 2 + 138이므로 한 변의 길이가 186cm인 정사각형 2개를 잘라내면 가로가 138cm, 세로가 186cm인 직사각형이 남는다.
- 186 = 138 × 1 + 48이므로 한 변의 길이가 138cm인 정사각형 1개를 잘라내면 가로가 138cm, 세로가 48cm인 직사각형이 남는다.
- 138 = 48 × 2 + 42이므로 한 변의 길이가 48cm인 정사각형 2개를 잘라내면 가로가 42cm, 세로가 48cm인 직사각형이 남는다.
- 48 = 42 × 1 + 6이므로 한 변의 길이가 42cm인 정사각형 1개를 잘라내면 가로 42cm, 세로 6cm인 직사각형이 남는다.
- 42 = 6 × 7이므로 한 변의 길이가 6cm인 정사각형을 7개 잘라내면 남는 부분이 생기지 않는다.

따라서 마지막에 잘라지게 되는 정사각형의 한 변의 길이는 6cm이고, 510 = 6 × 5 × 17, 186 = 6 × 31이므로 6은 510과 186의 최대공약수이다.

### 특강탐구문제풀이

**1** A = 4 × a, B = 4 × b(a, b는 서로 소)라 하면

24 = 4 × a × b이므로 a × b = 6이다.

그러므로 a = 3, b = 2 또는 a = 6, b = 1이다.

A = 4 × 3 = 12, B = 4 × 2 = 8

또는 A = 4 × 6 = 24, B = 4 × 1 = 4

따라서 A + B = 12 + 8 = 20 또는 A + B = 24 + 4 = 28

**2** 두 자연수를 각각 A, B라고 하면

A × B = 최소공배수 × 최대공약수 이므로

648 = 108 × 최대공약수, 최대공약수 = 6이다.

$A=6\times a$, $B=6\times b$(a, b는 서로 소)라고 하면
$6\times a\times b=108$, $a\times b=18$(a, b는 서로 소)
$a=9$, $b=2$ 또는 $a=18$, $b=1$
그러므로 $A=6\times 9=54$, $B=6\times 2=12$
또는 $A=6\times 18=108$, $B=6\times 1=6$
그런데 A, B는 두 자리 수이므로 54, 12이다.

**3** A+B=(최대공약수)$\times a+$(최대공약수)$\times b$
=(최대공약수)$\times(a+b)$
(최대공약수)$\times(a+b)=22=2\times 11$이고,
[최소공배수]=(최대공약수)$\times a\times b=60=2\times 30$이므로
(최대공약수)=2, $a+b=11$, $a\times b=30$임을 알 수 있다.
$a=6$, $b=5$이고 $A=6\times 2=12$, $B=5\times 2=10$
따라서 두 자연수는 12, 10이다.

**4** 큰 수를 A, 작은 수를 B라고 생각하자.
$A=6\times a$, $B=6\times b$(a, b는 서로 소)라고 하면
$A\times B=6\times 6\times a\times b=1080$이고, $a\times b=30=2\times 3\times 5$
또 $A>B$에서 $a>b$이므로, a, b는 다음과 같다.
$\begin{cases}a=2\times 3\\ b=5\end{cases}$ $\begin{cases}a=2\times 5\\ b=3\end{cases}$ $\begin{cases}a=3\times 5\\ b=2\end{cases}$ $\begin{cases}a=2\times 3\times 5\\ b=1\end{cases}$
각 경우를 살펴보면
$\begin{cases}A=6\times 2\times 3=36\\ B=6\times 5=30\end{cases}$ ⇨ $36\div 30=1\cdots 6$(○)
$\begin{cases}A=6\times 2\times 5=60\\ B=6\times 3=18\end{cases}$ ⇨ $60\div 18=3\cdots 6$(○)
$\begin{cases}A=6\times 3\times 5=90\\ B=6\times 2=12\end{cases}$ ⇨ $90\div 12=7\cdots 6$(○)
$\begin{cases}A=6\times 2\times 3\times 5=180\\ B=6\times 1=6\end{cases}$ ⇨ $180\div 6=30$(×)
따라서 구하는 수는 36, 30 또는 60, 18 또는 90, 12

**5** ㉮와 ㉯의 최대공약수는 24이므로
㉮$=2\times 2\times 2\times 3\times$㉠, ㉯$=2\times 2\times 2\times 3\times$㉡(㉠, ㉡은 서로 소)이고, ㉯와 ㉰의 최대공약수는 30이므로
㉯$=2\times 3\times 5\times$△ㄴ, ㉰$=2\times 3\times 5\times$△ㄷ(△ㄴ, △ㄷ은 서로 소)이다.
따라서 ㉮, ㉯, ㉰의 최대공약수는 $2\times 3=6$이다.
**참고*** ㉮와 ㉯의 최대공약수가 A, ㉯와 ㉰의 최대공약수가 B일 때 ㉮, ㉯, ㉰의 최대공약수는 A, B의 최대공약수임을 알 수 있다.

**6** 최대공약수를 ㉮라고 하면 A=㉮$\times 4$, B=㉮$\times 5$
최소공배수 260=㉮$\times 4\times 5$에서 ㉮=13
따라서 $A=13\times 4=52$, $B=13\times 5=65$이므로
$A+B=52+65=117$

**7** A와 12의 최대공약수는 $6=2\times 3$이므로 A에는 2가 한 번 곱해져 있다. A와 81의 최대공약수는 $9=3\times 3$이므로 A에는 3이 2번 곱해져 있다. 12와 81은 5를 약수로 갖지 않으므로 A에는 5가 한 번 곱해져 있어야 한다.
따라서 $A=2\times 3\times 3\times 5=90$이다.

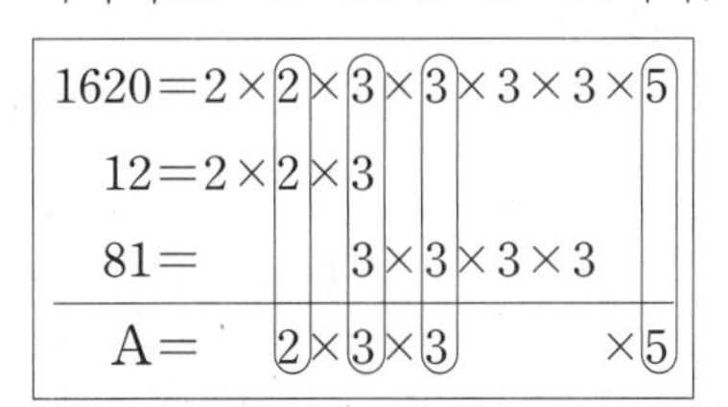

| | | | | | | |
|---|---|---|---|---|---|---|
| 1620=2× | 2 | ×3 | ×3 | ×3×3 | ×5 |
| 12=2× | 2 | ×3 | | | |
| 81= | | 3 | ×3 | ×3×3 | |
| A= | 2 | ×3 | ×3 | | ×5 |

**8** 최대공약수가 8이므로 ㉮$=8\times$㉠, ㉯$=8\times$㉡, ㉰$=8\times$㉢(㉠, ㉡, ㉢은 서로 소)으로 나타낼 수 있다.
㉮+㉯+㉰$=8\times$㉠$+8\times$㉡$+8\times$㉢
$=8\times$(㉠+㉡+㉢)$=96$이므로 ㉠+㉡+㉢$=12$이다.
한편, ㉮<㉯<㉰이므로 ㉠<㉡<㉢이다.
따라서 위 조건을 모두 만족하는 순서쌍은
(1, 2, 9) (1, 3, 8) (1, 4, 7) (1, 5, 6) (2, 3, 7) (3, 4, 5)
6쌍이다.

**9**

| | | | | |
|---|---|---|---|---|
| 최대공약수 | 18=2× | | 3×3 | |
| | 90=2× | | 3×3 | ×5 |
| | 108=2×2 | | ×3×3 | ×3 |
| | ㉮=2×□ | | ×3×3 | ×□ |
| 최소공배수 | 540=2×2 | | ×3×3 | ×3×5 |

위와 같이 되어 ㉮는 18 외에 2, 3, 5 중 한 개 또는 여러 개를 약수로 가질 수 있다.
따라서 ㉮는 18, $18\times 2=36$, $18\times 3=54$, $18\times 5=90$, $18\times 2\times 3=108$, $18\times 2\times 5=180$, $18\times 3\times 5=270$, $18\times 2\times 3\times 5=540$ 중에서 18, 36, 54, 180, 270, 540이 될 수 있다.

**10** 유제 4와 같은 방법으로 구할 수 있다.
$12029=8891+3138$, $8891=3138\times 2+2615$
$3138=2615+523$, $2615=523\times 5$
즉, 523이 최대공약수이다.
⇨ $8891=523\times 17$, $12029=523\times 23$

## 삼각형의 넓이 응용 문제 8

**유제**

**1** $163\frac{1}{5}cm^2$ **2** $60cm^2$ **3** $120cm^2$ **4** $44cm^2$

**특강탐구문제**

**1** $48cm^2$ **2** 12cm **3** 15cm **4** 13cm
**5** $20\frac{5}{12}cm^2$ **6** $77.5cm^2$ 또는 $77\frac{1}{2}cm^2$
**7** $15cm^2$ **8** 9cm **9** $10\frac{5}{7}cm$ **10** $170cm^2$

### 유제풀이

**1**

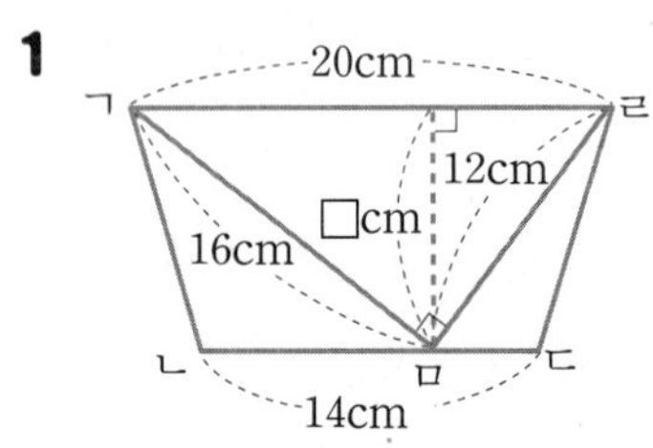


점 ㅁ에서 변 ㄱㄹ에 수선을 그으면 삼각형 ㄱㅁㄹ의 넓이는 2가지 방법으로 구할 수 있다.

사다리꼴의 높이를 □라고 하면

(삼각형 ㄱㅁㄹ의 넓이)$=16\times12\div2=20\times□\div2$

$96=10\times□$, $□=\frac{48}{5}$(cm)

사다리꼴의 높이가 $\frac{48}{5}$cm이므로

(사다리꼴의 넓이)$=(20+14)\times\frac{48}{5}\div2$

$=\frac{816}{5}$

$=163\frac{1}{5}(cm^2)$

**2** 조건에 맞는 삼각형을 잘라서 이으면 다음과 같다.

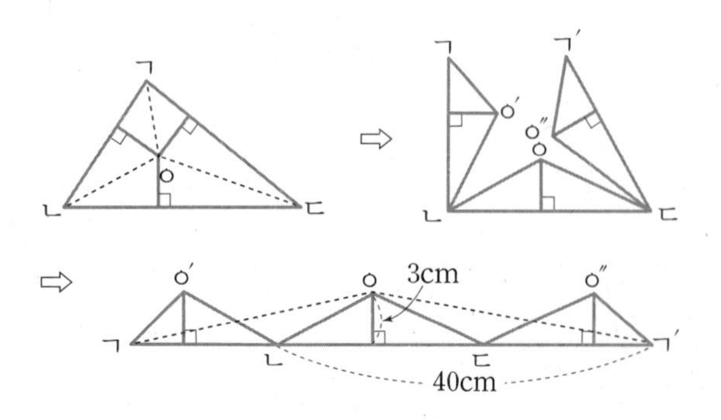


3개의 작은 삼각형은 높이가 모두 같으므로 삼각형 ㅇ′ㄱㄴ과 삼각형 ㅇㄱㄴ, 삼각형 ㅇ″ㄷㄱ′와 삼각형 ㅇㄷㄱ′의 넓이는 같다.

따라서 작은 삼각형 3개의 넓이의 합은 삼각형 ㅇㄱㄱ′의 넓이와 같으므로, 처음 삼각형 ㄱㄴㄷ의 넓이는 $40\times3\div2=60(cm^2)$이다.

**3** 삼각형 ㄱㄴㄷ의 넓이를 구하는 방법은 2가지이다.

(변 ㄴㄷ의 길이)$\times12\div2=$(변 ㄱㄷ의 길이)$\times15\div2$

(변 ㄴㄷ의 길이)$\times4=$(변 ㄱㄷ의 길이)$\times5$

즉, 변 ㄴㄷ의 길이는 다섯 덩어리(◯◯◯◯◯), 변 ㄱㄷ의 길이는 네 덩어리(◯◯◯◯)가 된다.

(변 ㄴㄷ의 길이)+(변 ㄱㄷ의 길이)$=36$이므로

◯◯◯◯◯+◯◯◯◯=36, ◯=4(cm)

(변 ㄴㄷ의 길이)$=4\times5=20$(cm),

(변 ㄱㄷ의 길이)$=4\times4=16$(cm)

따라서 (삼각형 ㄱㄴㄷ의 넓이)$=20\times12\div2=120(cm^2)$

**4**

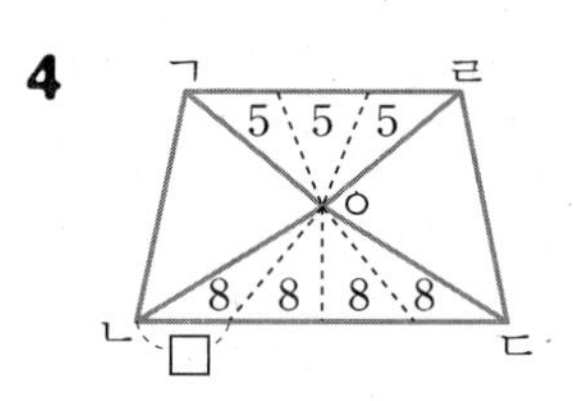


그림과 같이 삼각형 ㅇㄱㄹ과 삼각형 ㅇㄴㄷ을 각각 3개, 4개로 똑같이 나누면 넓이는 각각 $5cm^2$, $8cm^2$가 되고, 밑변의 길이가 서로 같다.

나눈 각 삼각형의 밑변의 길이를 □라 하면

$13=□\times$(높이의 합)$\div2$, $□\times$(높이의 합)$=26$,

사다리꼴의 (아랫변)+(윗변)$=7\times□$이다.

따라서 사다리꼴의 넓이는

$7\times□\times$(높이의 합)$\div2=7\times26\div2=91(cm^2)$

따라서 색칠한 부분의 넓이는

$91-(32+15)=44(cm^2)$

### 특강탐구문제풀이

**1**

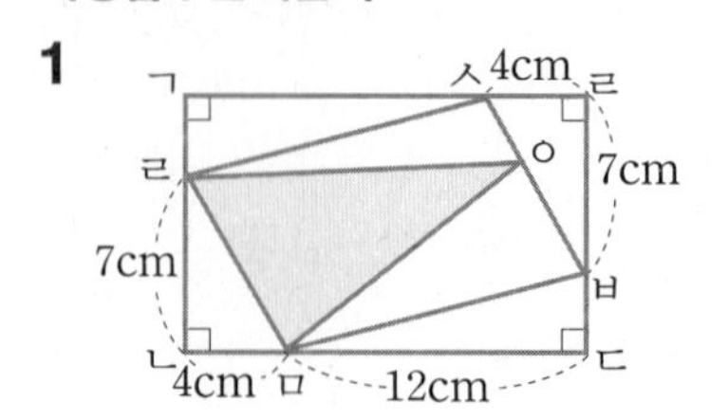

그림과 같이 점 ㄹ과 ㅅ, 점 ㅁ과 ㅂ을 연결하면 사각형 ㄹㅁㅂㅅ의 넓이는 전체 직사각형에서 작은 직각삼각형 4개를 뺀 것과 같다.

(사각형 ㄹㅁㅂㅅ의 넓이)

$=(16\times10)-\{(7\times4\div2)\times2\}-\{(12\times3\div2)\times2\}$

$=160-28-36$

$=96(\text{cm}^2)$

또, 사각형 ㄹㅁㅂㅅ은 평행사변형이므로 삼각형 ㄹㅁㅇ의 넓이는 사각형 ㄹㅁㅂㅅ의 반이다.

따라서 색칠한 삼각형의 넓이는 $48\text{cm}^2$이다.

**2**

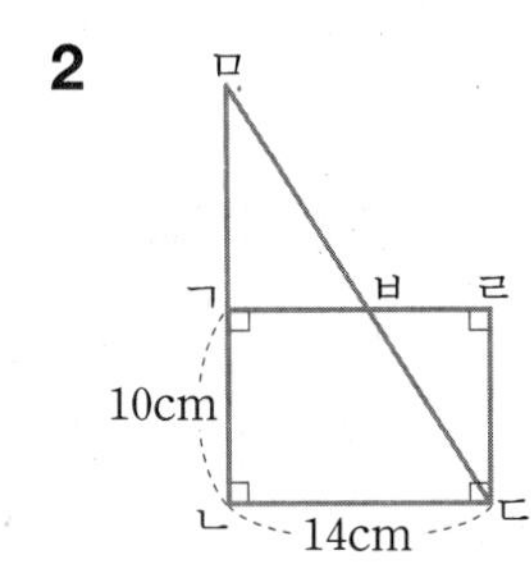


삼각형 ㄱㅁㅂ의 넓이가 삼각형 ㅂㄹㄷ의 넓이보다 $14\text{cm}^2$ 더 넓으므로, 삼각형 ㄴㅁㄷ의 넓이는 사각형 ㄱㄴㄷㄹ의 넓이보다 $14\text{cm}^2$ 더 넓다.

$(10\times14)+14=14\times\{$(변 ㅁㄱ의 길이)$+10\}\div2$

$154=7\times\{$(변 ㅁㄱ의 길이)$+10\}$

(변 ㅁㄱ의 길이)$+10=22$,

따라서 (변 ㅁㄱ의 길이)$=12$(cm)

**3**

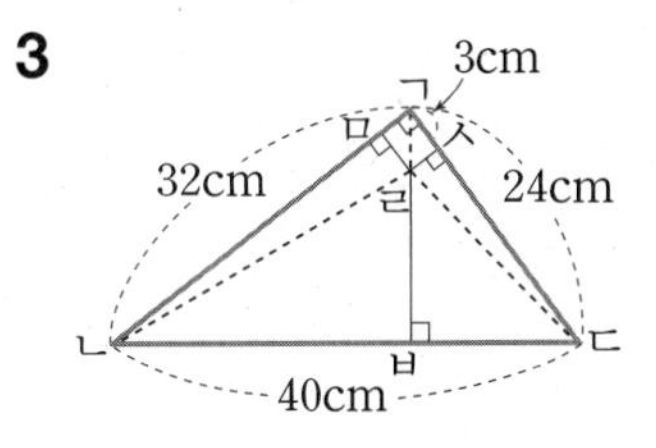


(삼각형 ㄱㄴㄷ의 넓이)

$=$(삼각형 ㄱㄹㄴ의 넓이)$+$(삼각형 ㄱㄹㄷ의 넓이)

$+$(삼각형 ㄹㄴㄷ의 넓이)이므로

$32\times24\div2$

$=(32\times3\div2)+(24\times3\div2)+$(삼각형 ㄹㄴㄷ의 넓이)

$384=48+36+$(삼각형 ㄹㄴㄷ의 넓이)

(삼각형 ㄹㄴㄷ의 넓이)$=300$

$=40\times$(선분 ㄹㅂ의 길이)$\div2$

(선분 ㄹㅂ의 길이)$=15$(cm)

**4**

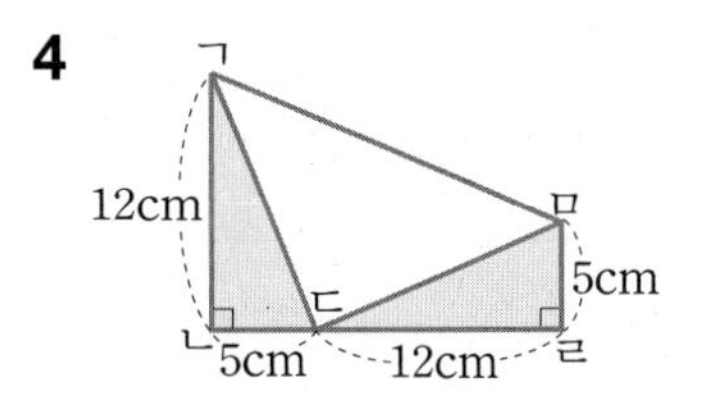


(삼각형 ㄱㄷㅁ의 넓이)

$=\{(12+5)\times(5+12)\div2\}-\{(12\times5\div2)\times2\}$

$=\dfrac{289}{2}-\dfrac{120}{2}=\dfrac{169}{2}(\text{cm}^2)$

삼각형 ㄱㄴㄷ과 삼각형 ㄷㄹㅁ은 모양과 크기가 같은 직각삼각형이므로 각 ㄱㄷㄴ과 각 ㅁㄷㄹ의 합은 90°이고 (변 ㄱㄷ의 길이)$=$(변 ㄷㅁ의 길이)이므로 삼각형 ㄱㄷㅁ은 직각이등변삼각형이다. 따라서

(변 ㄱㄷ의 길이)$\times$(변 ㄱㄷ의 길이)$\div2=\dfrac{169}{2}$

따라서 (변 ㄱㄷ의 길이)$=13$(cm)

**5**

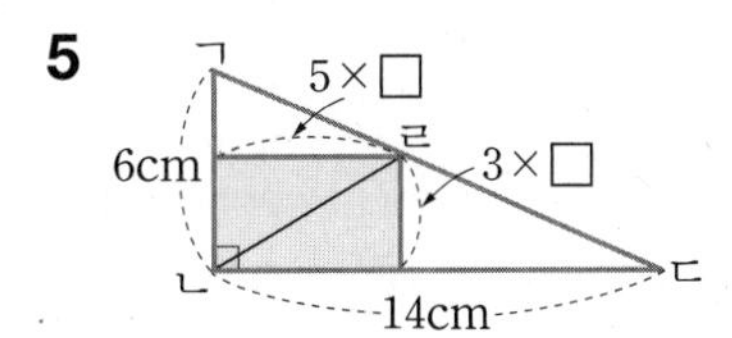


직사각형의 가로, 세로의 길이의 비가 5 : 3이므로, 가로를 $5\times\square$(5덩어리), 세로를 $3\times\square$(3덩어리)라 하면

(삼각형 ㄱㄴㄷ의 넓이)

$=$(삼각형 ㄱㄴㄹ의 넓이)$+$(삼각형 ㄹㄴㄷ의 넓이)

이므로

$14\times6\div2=(6\times5\times\square\div2)+(14\times3\times\square\div2)$

$42=15\times\square+21\times\square$, $36\times\square=42$, $\square=\dfrac{7}{6}$(cm)

따라서 (직사각형의 넓이)

$=5\times\square\times3\times\square=15\times\square\times\square$

$=15\times\dfrac{7}{6}\times\dfrac{7}{6}=20\dfrac{5}{12}(\text{cm}^2)$

**6**

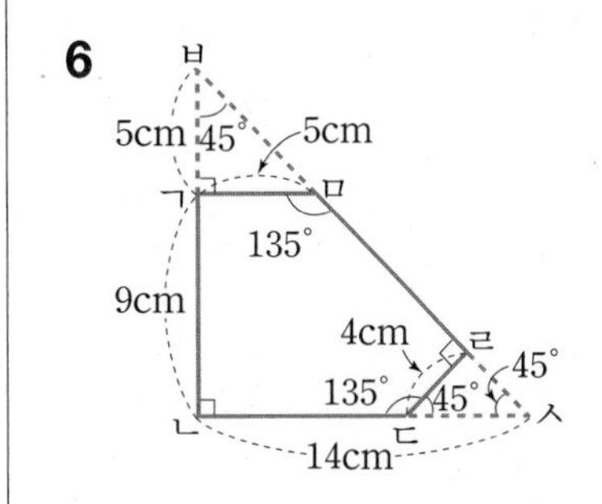

그림과 같이 선분을 연장하면 삼각형 ㅂㄴㅅ은 두 변의 길이가 14cm인 직각이등변삼각형이 된다.
삼각형 ㅂㄱㅁ과 삼각형 ㄹㄷㅅ은 직각이등변삼각형이므로,
(오각형 ㄱㄴㄷㄹㅁ의 넓이)
$=(14\times14\div2)-(5\times5\div2)-(4\times4\div2)$
$=98-12.5-8$
$=77.5(\text{cm}^2)$

**7**

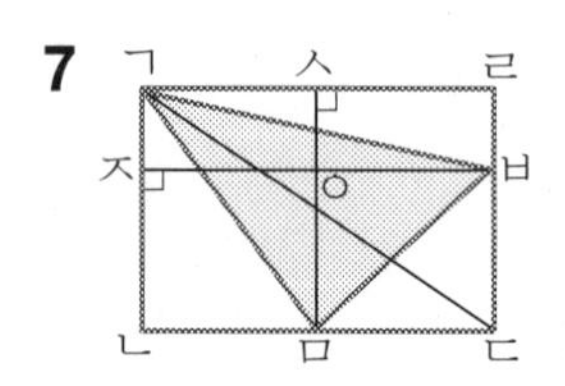


사각형 ㄱㅈㅂㄹ은 삼각형 ㄱㅂㄹ의 넓이의 2배이므로 $12\text{cm}^2$이다. 즉, 사각형 ㄱㄴㄷㄹ의 넓이의 $\frac{1}{3}$이므로 선분 ㄹㅂ의 길이는 선분 ㄹㄷ의 길이의 $\frac{1}{3}$이다.
또한 사각형 ㄱㄴㅁㅅ의 넓이는 삼각형 ㄱㄴㅁ의 넓이의 2배이므로 $18\text{cm}^2$이다. 즉, 사각형 ㄱㄴㄷㄹ의 넓이의 $\frac{1}{2}$이 되므로 선분 ㄱㅅ의 길이는 선분 ㄱㄹ의 길이의 $\frac{1}{2}$이다.
그러므로
(사각형 ㅇㅁㄷㅂ의 넓이)
$=36\times\frac{1}{2}\times\frac{2}{3}=12(\text{cm}^2)$
이고, 삼각형 ㅁㄷㅂ의 넓이는 사각형 ㅇㅁㄷㅂ의 넓이의 반이므로 $6\text{cm}^2$이다.
따라서 (삼각형 ㄱㅁㅂ의 넓이)$=36-9-6-6$
$=15(\text{cm}^2)$

**8**

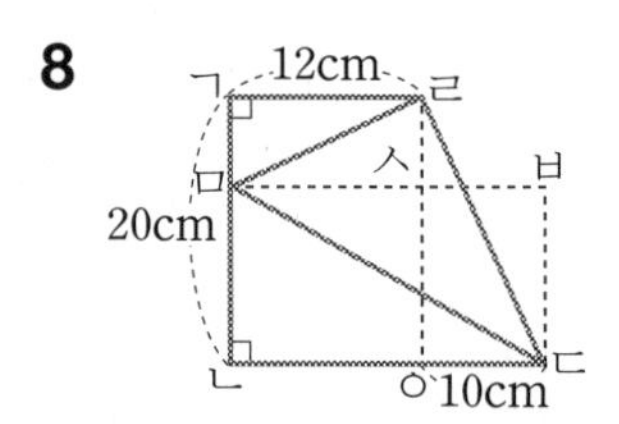


삼각형 ㄱㄹㅁ과 삼각형 ㅁㄴㄷ의 넓이의 합은
$\{(12+22)\times20\div2\}-165=175(\text{cm}^2)$이므로,
사각형 ㄱㅁㅅㄹ과 사각형 ㅁㄴㄷㅂ의 넓이의 합은
$175\times2=350(\text{cm}^2)$이다.
사각형 ㄱㄴㅇㄹ의 넓이는 $12\times20=240(\text{cm}^2)$이므로,
선분 ㅁㄴ의 길이를 □라 하면
(사각형 ㅅㅇㄷㅂ의 넓이)$=350-240=110=10\times$□
에서 □$=11(\text{cm})$
따라서 선분 ㅁㄴ의 길이가 11cm이므로, 선분 ㄱㅁ의 길이는 $20-11=9$cm이다.

**9**

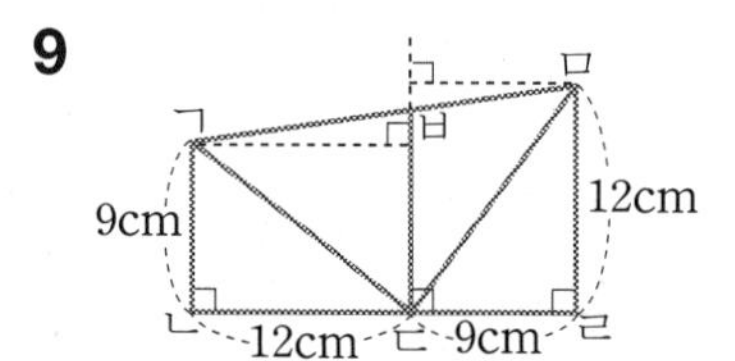


(삼각형 ㄱㄷㅁ의 넓이)
$=\{(9+12)\times(12+9)\div2\}-\{(9\times12\div2)\times2\}$
$=\frac{225}{2}(\text{cm}^2)$
삼각형 ㄱㄷㅁ은 삼각형 ㄱㄷㅂ과 삼각형 ㄷㅁㅂ으로 나눌 수 있는데, 나눈 두 삼각형은 밑변의 길이가 같고 높이만 다르므로 두 높이를 합한 하나의 삼각형을 생각할 수 있다. 따라서
$\frac{225}{2}=$(변 ㅂㄷ의 길이)$\times(12+9)\div2$이므로
(변 ㅂㄷ의 길이)$=\frac{75}{7}=10\frac{5}{7}(\text{cm})$
**다른 풀이** 다음과 같이 구해도 된다.
변 ㄱㄴ, 변 ㅂㄷ, 변 ㅁㄹ은 서로 평행이므로

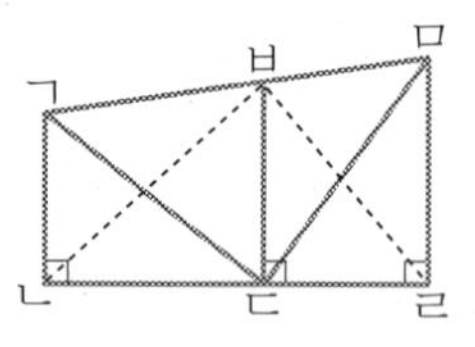


(삼각형 ㄱㄴㄷ의 넓이)=(삼각형 ㄱㄴㅂ의 넓이),
(삼각형 ㅁㄹㄷ의 넓이)=(삼각형 ㅁㄹㅂ의 넓이)
이다. 그러므로
(삼각형 ㅂㄴㄹ의 넓이)=(삼각형 ㄱㄷㅁ의 넓이)
$=\frac{225}{2}(\text{cm}^2)$
$(12+9)\times$(변 ㅂㄷ의 길이)$\div2=\frac{225}{2}$

따라서 (변 ㅂㄷ의 길이)$=\frac{225}{2}\times2\div21$

$=\frac{225}{21}$

$=\frac{75}{7}$

$=10\frac{5}{7}$(cm)

**10** 삼각형 ㉮와 ㉰, ㉯와 ㉱는 서로 밑변의 길이가 $30\div3=10$(cm)로 같고, 높이의 합이 30cm인 삼각형이다. 그러므로
(삼각형 ㉮+㉰의 넓이)
=(삼각형 ㉯+㉱의 넓이)
$=10\times30\div2=150$(cm$^2$)
따라서 (사각형 ㉣의 넓이)
$=(30\times30)-430-(150\times2)$
$=170$(cm$^2$)

## 쪼개어 구하기 ① 9

**유제**

**1** $2.5cm^2$ **2** $45°$ **3** $\frac{1}{4}$ **4** $20cm^2$

**특강탐구문제**

**1** 11배 **2** $5\frac{1}{3}cm^2$ **3** $15cm^2$ **4** $9cm^2$

**5** $54cm^2$ **6** $50cm^2$ **7** $25cm^2$ **8** 4cm

**9** $52cm^2$ **10** $14\frac{5}{8}cm^2$

### 유제풀이

**1** 직사각형 ㄱㄴㄷㄹ의 넓이가 $40cm^2$이므로 작은 직사각형 한 개의 넓이는 $40 \div 16 = 2.5(cm^2)$

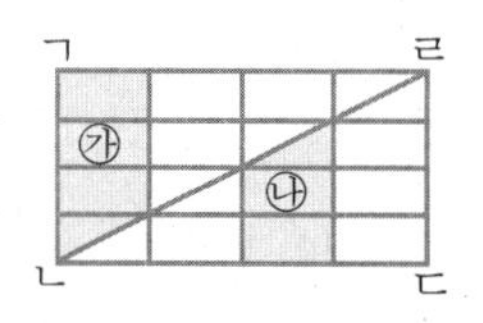


㉮와 ㉯의 넓이는 작은 직사각형 한 개의 넓이만큼 차가 나므로 넓이의 차는 $2.5cm^2$이다.

**2** 점 ㄹ과 ㅂ을 이으면 각 ㅁㅂㄴ과 각 ㅂㄹㄷ의 크기가 같다.

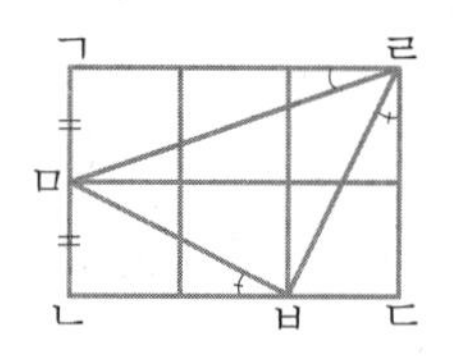


(각 ㅂㄹㄷ)+(각 ㄹㅂㄷ)$=90°$이므로

(각 ㅁㅂㄴ)+(각 ㄹㅂㄷ)$=90°$이다. 즉, 삼각형 ㅁㄹㅂ은 직각이등변삼각형이다.

(각 ㅁㄹㅂ)$=45°$

따라서 (각 ㄱㄹㅁ)+(각 ㅁㅂㄴ)$=90°-45°=45°$

**3** 그림과 같이 점 ㅁ과 점 ㅂ을 연결하면 삼각형 ㅁㅅㅇ과 삼각형 ㅂㅈㅇ의 모양과 넓이가 같음을 알 수 있다. 그러므로 색칠한 부분의 넓이는 삼각형 ㅁㄴㅂ의 넓이와 같다.

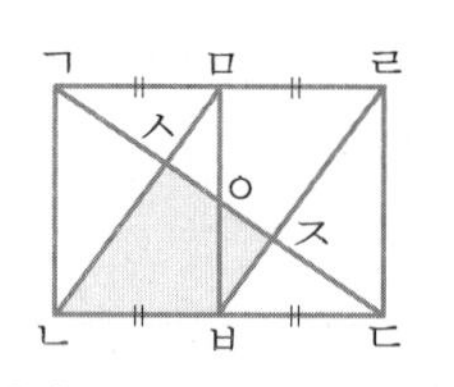


(삼각형 ㅁㄴㅂ의 넓이)$=\frac{1}{2}\times$(사각형 ㄱㄴㅂㅁ의 넓이)

$=\frac{1}{2}\times\frac{1}{2}\times$(사각형 ㄱㄴㄷㄹ의 넓이)

$=\frac{1}{4}\times$(사각형 ㄱㄴㄷㄹ의 넓이)

**4** 점 ㄹ, 점 ㅂ에서 변 ㄴㄷ에 평행인 선을 긋고, 점 ㅁ, 점 ㅅ에서 변 ㄱㄴ에 평행인 선을 그으면 오른쪽과 같이 쪼개어진다.

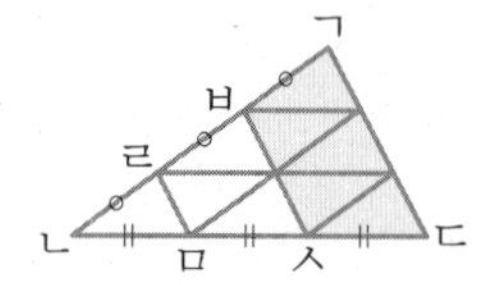


삼각형 ㄹㄴㅁ의 넓이가 $4cm^2$이므로 사각형 ㄱㅂㅅㄷ의 넓이는 $4\times5=20(cm^2)$

**참고*** 다음과 같이 구할 수도 있다. 그림과 같이 점 ㄹ, 점 ㅂ, 점 ㄱ에서 밑변 ㄴㄷ에 수선을 긋고 수선의 발을 점 ㅇ, 점 ㅈ, 점 ㅊ이라 하자.(선분 ㄱㄴ의 길이는 $\overline{\text{ㄱㄴ}}$으로 표기한다.)

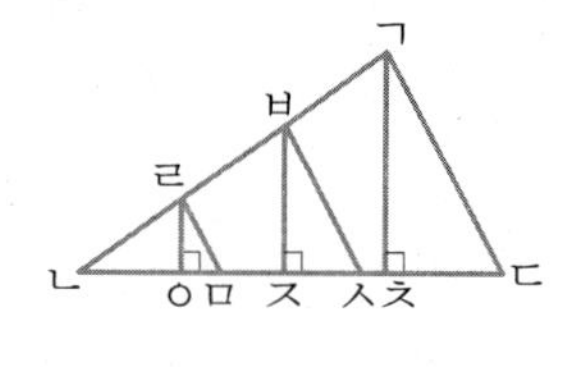


$\overline{\text{ㄴㄹ}}=\overline{\text{ㄹㅂ}}=\overline{\text{ㅂㄱ}}$이고 $\overline{\text{ㄹㅁ}}$, $\overline{\text{ㅂㅅ}}$, $\overline{\text{ㄱㄷ}}$이 서로 평행이므로 $\overline{\text{ㄴㅁ}}=\overline{\text{ㅁㅅ}}=\overline{\text{ㅅㄷ}}$이다.

즉, $\overline{\text{ㄴㄷ}}=3\times\overline{\text{ㄴㅁ}}$, $\overline{\text{ㄱㅊ}}=3\times\overline{\text{ㄹㅇ}}$이므로

(삼각형 ㄱㄴㄷ의 넓이)$=\frac{1}{2}\times\overline{\text{ㄴㄷ}}\times\overline{\text{ㄱㅊ}}$

$=\frac{1}{2}\times3\times\overline{\text{ㄴㅁ}}\times3\times\overline{\text{ㄹㅇ}}=9\times\left(\frac{1}{2}\times\overline{\text{ㄴㅁ}}\times\overline{\text{ㄹㅇ}}\right)$

$=9\times$(삼각형 ㄹㄴㅁ의 넓이)$=9\times4=36(cm^2)$

같은 방법으로 삼각형 ㅂㄴㅅ의 넓이를 구해 본다.

$\frac{1}{2}\times\overline{\text{ㄴㅅ}}\times\overline{\text{ㅂㅈ}}$

$=\frac{1}{2}\times2\times\overline{\text{ㄴㅁ}}\times2\times\overline{\text{ㄹㅇ}}=4\times\left(\frac{1}{2}\times\overline{\text{ㄴㅁ}}\times\overline{\text{ㄹㅇ}}\right)$

$=4\times$(삼각형 ㄹㄴㅁ의 넓이)$=4\times4=16(cm^2)$

(사각형 ㄱㅂㅅㄷ의 넓이)

=(삼각형 ㄱㄴㄷ의 넓이)−(삼각형 ㅂㄴㅅ의 넓이)

$=36-16=20(cm^2)$

### 특강탐구문제풀이

**1** 그림과 같이 나누면 삼각형 ㅁㄴㅂ의 넓이는 직사각형 ㄱㄴㄷㄹ의 넓이의 $\frac{1}{12}$이다.

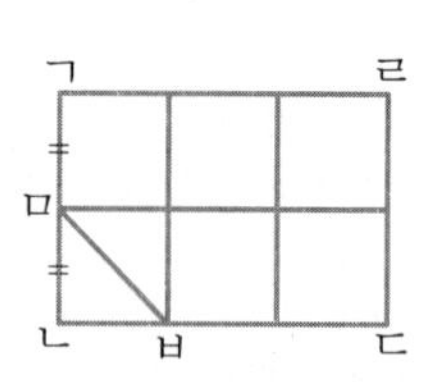


그러므로 사각형 ㄱㄴㄷㄹ에서 삼각형 ㅁㄴㅂ 하나만 빼낸 오각형 ㄱㅁㅂㄷㄹ은 삼각형 ㅁㄴㅂ의 넓이의 11배이다.

**2** 그림과 같이 쪼개면 ㉮와 ㉯의 넓이의 차는 작은 직사각형 두 개의 넓이이다.

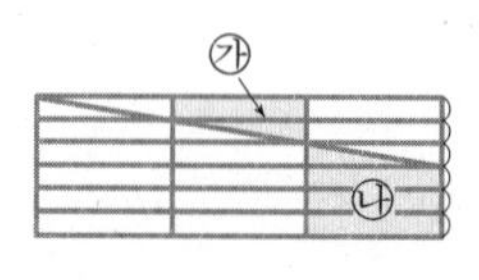


한 개의 정사각형은 작은 직사각형 6개로 나누어지므로

(작은 직사각형의 넓이)$=4\times4\div6=\frac{16}{6}=\frac{8}{3}(cm^2)$

(넓이의 차)$=\frac{8}{3}\times2=\frac{16}{3}=5\frac{1}{3}(cm^2)$

**3** 주어진 그림을 두 개로 나누고, 각 그림을 아래와 같이

쪼개어 구한다.

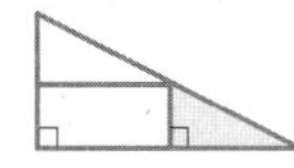

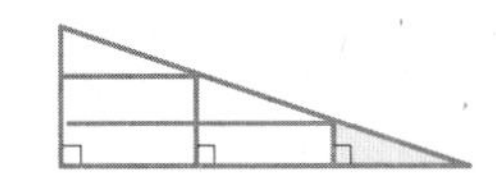

(색칠한 삼각형의 높이)
$=6\times\frac{1}{2}=3$(cm)
(넓이)$=6\times3\times\frac{1}{2}=9$

(색칠한 삼각형의 높이)
$=6\times\frac{1}{3}=2$(cm)
(넓이)$=6\times2\times\frac{1}{2}=6$

따라서 색칠한 두 삼각형의 넓이의 합은 $9+6=15$(cm$^2$)

**4** 그림과 같이 쪼개면 ㉮는 작은 정사각형 1개, ㉯는 작은 정사각형 2개의 넓이와 같고, ㉮와 ㉯의 넓이의 차는 작은 정사각형 한 개의 넓이와 같다. 정사각형 속에 16개의 작은 정사각형이 들어 있으므로

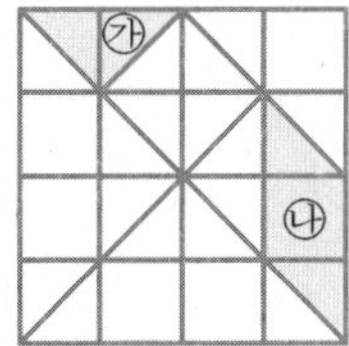


(작은 정사각형의 넓이)$=12\times12\div16=9$(cm$^2$)

**5** 점 ㅁ, 점 ㅅ에서 변 ㄱㄴ과 평행인 선을 긋고, 점 ㅂ, 점 ㄹ에서 변 ㄱㄷ과 평행인 선을 그으면 그림과 같이 9개의 모양과 크기가 같은 작은 삼각형으로 쪼개어진다.

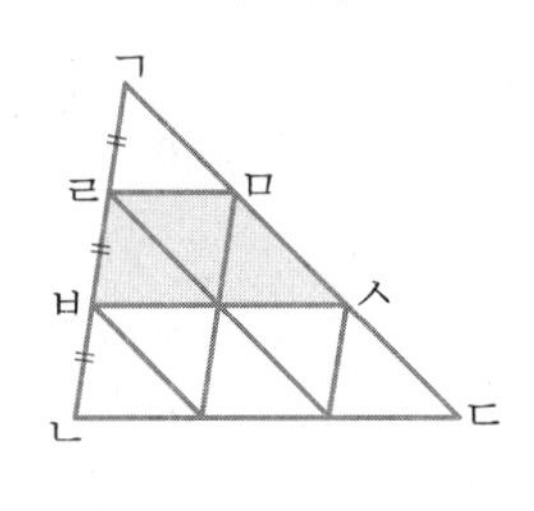


사각형 ㄹㅂㅅㅁ은 작은 삼각형 3개로 이루어졌으므로
(작은 삼각형의 넓이)$=18\div3=6$(cm$^2$)
(삼각형 ㄱㄴㄷ의 넓이)$=6\times9=54$(cm$^2$)

**6** 그림과 같이 쪼개어 구한다. 색칠한 부분은 가장 작은 정사각형 2개의 넓이와 같고, 큰 정사각형은 16개의 작은 정사각형으로 나누어지므로

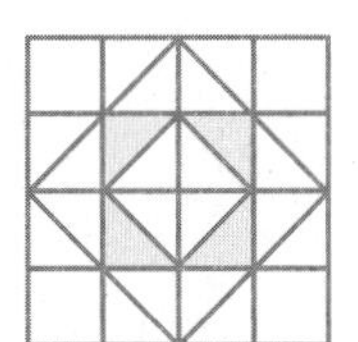

(작은 정사각형 넓이)$=20\times20\div16=25$(cm$^2$)
따라서 (색칠한 부분의 넓이)$=25\times2=50$(cm$^2$)

**7** 그림과 같이 점 ㄱ, 점 ㄷ에서 변 ㄴㅇ에 평행인 선을 그으면 삼각형 ㄱㅈㅁ, 삼각형 ㄴㅋㅁ, 삼각형 ㄷㅊㅅ, 삼각형 ㄹㅍㅅ의 넓이는 모두 같다. 즉,

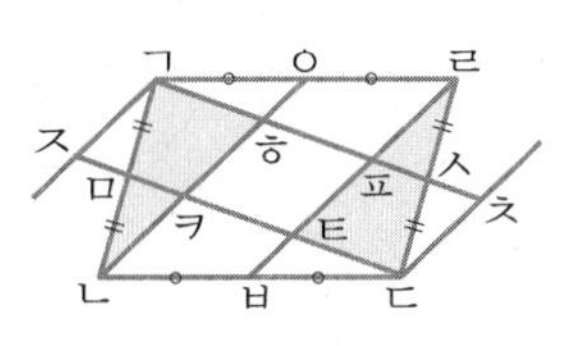


(색칠한 부분의 넓이)=(평행사변형 ㄱㅈㅋㅎ의 넓이)+(평행사변형 ㄷㅌㅍㅊ의 넓이)이고,
(평행사변형 ㄱㅈㅋㅎ의 넓이)$=10\div2=5$(cm$^2$)
따라서 (삼각형 ㄱㄴㅎ의 넓이)=(삼각형 ㄴㄷㅋ의 넓이)
=(삼각형 ㄷㄹㅌ의 넓이)
=(삼각형 ㄱㄹㅍ의 넓이)
=(평행사변형 ㅋㅌㅍㅎ의 넓이)
=5cm$^2$
따라서 (평행사변형 ㄱㄴㄷㄹ의 넓이)$=5\times5=25$(cm$^2$)

**8** 그림과 같이 점 ㅂ, 점 ㅁ에서 각각 선분 ㄷㄹ과 평행인 선분 ㅂㅈ과 선분 ㅁㅊ을 그으면 선분 ㄱㅈ, 선분 ㅈㄹ, 선분 ㄹㅊ, 선분 ㅊㄴ은 모두 길이가 같다.

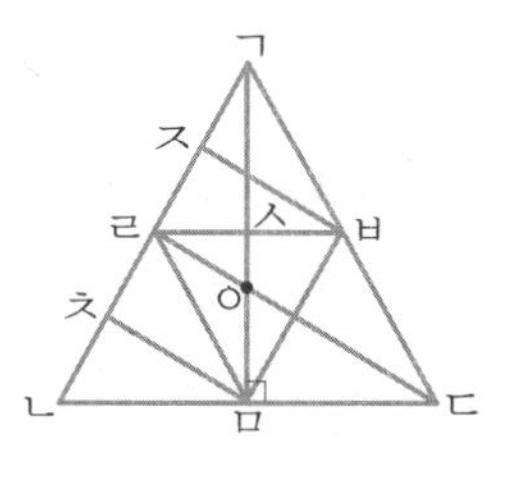


즉, 선분 ㅇㅁ의 길이는 $24\div3=8$(cm)이다.
선분 ㅅㅁ의 길이가 $24\div2=12$(cm)이므로
(선분 ㅅㅇ의 길이)$=12-8=4$(cm)이다.

**참고*** 다음과 같이 구할 수도 있다. 선분 ㄴㅂ을 그으면 삼각형 ㄱㅇㄴ, 삼각형 ㄱㅇㄷ, 삼각형 ㄴㅇㄷ의 넓이는 모두 같으므로 삼각형 ㄱㄴㄷ은 모양과 크기가 같은 삼각형 3개가 모여서 이루어진 것이고, 그 밑변이 모두 같으므로 높이는 정삼각형의 $\frac{1}{3}$씩이다.

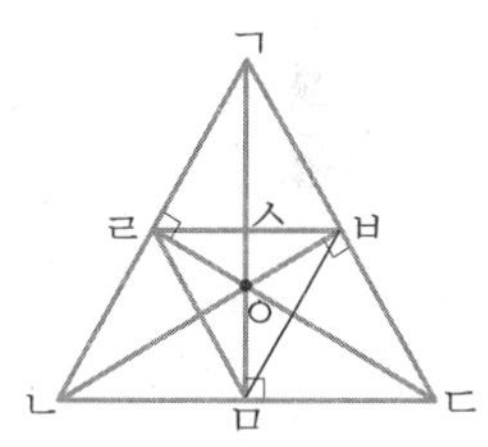


즉, (선분 ㅇㅁ의 길이)$=\frac{1}{3}\times24=8$(cm)이고,
선분 ㄹㅂ은 선분 ㄱㅁ을 이등분하므로 선분 ㅅㅁ의 길이는 12cm이다.
따라서 (선분 ㅅㅇ의 길이)$=12-8=4$(cm)

**9** 그림과 같이 같은 크기의 정사각형을 커다란 정사각형이 되도록 채워 넣으면 작은 정사각형의 한 변의 길이가 2cm이므로

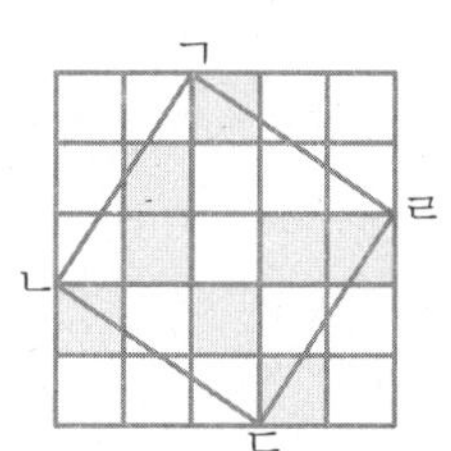


(평행사변형 ㄱㄴㄷㄹ의 넓이)
$=\left(4\times6\times\frac{1}{2}\right)\times4+(2\times2)=12\times4+4=52$(cm$^2$)

**10** 색칠한 후 다시 펴보면 그림과 같이 색칠되어진다.

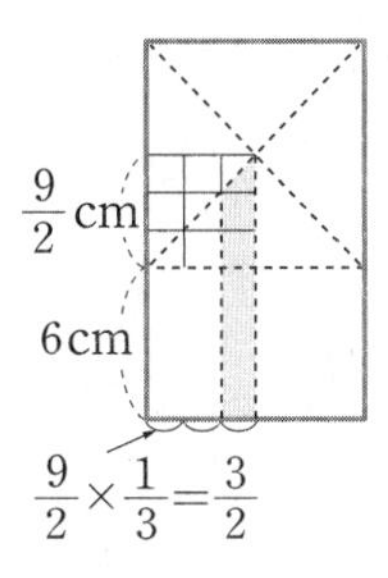


따라서 색칠한 부분의 넓이는
$\left(\frac{3}{2}\times6\right)+\left(\frac{3}{2}\times\frac{3}{2}\right)\times2$
$+\left(\frac{3}{2}\times\frac{3}{2}\times\frac{1}{2}\right)$
$=9+\frac{9}{2}+\frac{9}{8}$
$=9+4\frac{1}{2}+1\frac{1}{8}=14\frac{5}{8}$(cm$^2$)

## 수의 개수와 합에 관한 문제 10

### 유제

**1** 7728 **2** 35520 **3** 100 **4** 14502

### 특강탐구문제

**1** 159984 **2** 941 **3** 360 **4** 90 **5** 179982
**6** 16320 **7** 13500 **8** 3108 **9** 3502
**10** 60개, 3909240

### 유제풀이

**1** 만들 수 있는 수의 개수를 생각해 보자. 먼저 백의 자리의 숫자가 2일 때 만들 수 있는 수는 다음과 같다.

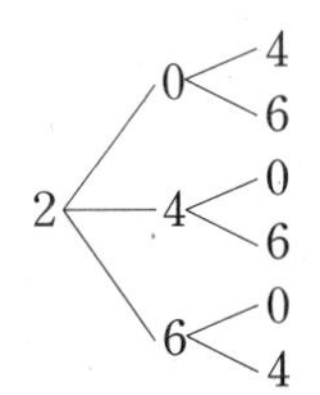

6개의 수를 만들 수 있고, 각 숫자가 사용된 횟수는 백의 자리에 2가 6번, 십의 자리에 0, 4, 6이 각각 2번씩, 일의 자리에 0, 4, 6이 각각 2번씩이다. 따라서 이 경우 6개의 수의 합은

$2\times6\times100+(0+4+6)\times2\times10+(0+4+6)\times2$
$=1200+200+20$
$=1420$

백의 자리의 숫자가 4, 6일 때도 백의 자리의 숫자가 2일 때와 마찬가지이므로
백의 자리의 숫자가 4일 때 6개의 수의 합은

$4\times6\times100+(0+2+6)\times2\times10+(0+2+6)\times2$
$=2400+160+16$
$=2576$

백의 자리의 숫자가 6일 때

$6\times6\times100+(0+2+4)\times2\times10+(0+2+4)\times2$
$=3600+120+12$
$=3732$

따라서 만들 수 있는 모든 세 자리 수의 합은
$1420+2576+3732=7728$

참고*

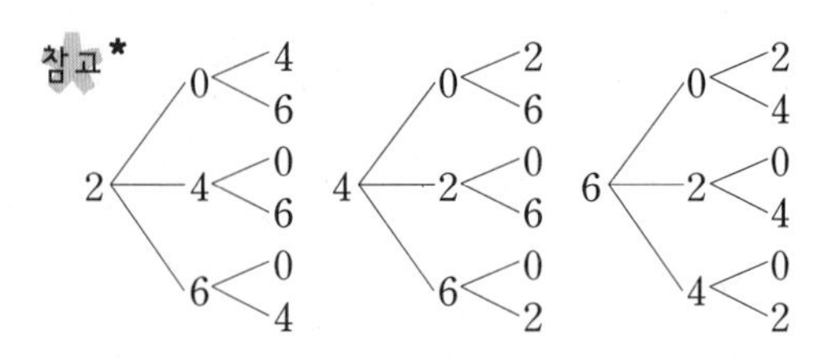

이므로 만들 수 있는 수는 모두 18개이다.
백의 자리에는 2, 4, 6이 각각 6번씩,
십의 자리에는 0이 6번, 2, 4, 6이 각각 4번씩,
일의 자리에는 0이 6번, 2, 4, 6이 각각 4번씩 사용된다.
따라서 18개의 세 자리 수의 합은

$(2+4+6)\times6\times100+(2+4+6)\times4\times10$
$+(2+4+6)\times4$
$=7200+480+48$
$=7728$

**2** 같은 카드를 여러 번 사용해도 되므로 백의 자리, 십의 자리, 일의 자리 각각 [2], [4], [6], [8]의 카드 4장이 모두 올 수 있으므로 만들 수 있는 세 자리 수는
$4\times4\times4=64$(가지)이다.
또 각 자리에 2, 4, 6, 8의 카드가 똑같은 횟수만큼 쓰였으므로 카드 한 장은 각 자리마다 각각 $64\div4=16$(번)씩 사용되었다.
따라서 모든 수들의 합은

$(2+4+6+8)\times16\times100+(2+4+6+8)\times16\times10$
$+(2+4+6+8)\times16$
$=20\times16\times100+20\times16\times10+20\times16$
$=32000+3200+320$
$=35520$

**3** 1, 3, 5, 7, 9의 숫자 카드 중 2장을 뽑는 경우 아래와 같이 $4+3+2+1=10$(가지) 경우이다.

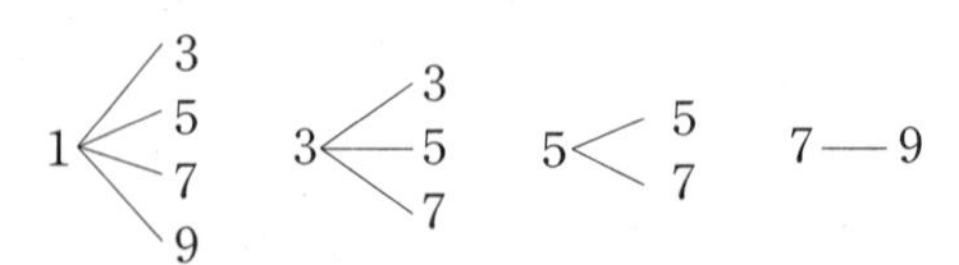

각 경우마다 2장씩 뽑았으므로 사용된 카드는 모두 20장이고, 모든 카드가 골고루 나왔으므로 각 카드가 사용된 횟수는 각각 $20\div5=4$(회)씩이다.
따라서 (구하는 총합)$=(1+3+5+7+9)\times4=100$

**다른 풀이** 5장의 카드에서 2장을 꺼내는 방법은 첫째 번 한 장을 뽑는 방법은 5가지이고, 둘째 번 한 장을 뽑는 방법은 첫째 번 뽑은 카드를 제외하고 4가지이다.
꺼낼 수 있는 모든 경우는 $5\times4=20$(가지)이지만 뽑힌 두 숫자들의 순서가 바뀌어도 상관없으므로
$20\div2=10$(가지)
모든 숫자 카드가 골고루 쓰였으므로 각 숫자들은
$20\div5=4$(번)씩 쓰였다. 따라서 구하는 총합은
$(1+3+5+7+9)\times4=100$

**4** 1000에서 1999까지 생각해 보면 천의 자리에서 1이 1000번 사용되었고, 000에서 999까지 1000개의 수에 각각 숫자가 3개씩 사용되었으므로 전부 3000개의 숫자가 사용되었고, 0에서 9까지 10개의 숫자가 골고루 사용되었으므로 각 숫자는
$3000\div10=300$(번)씩 사용되었다.
따라서 1000에서 1999까지의 각 자리 숫자의 총합은
$1\times1000+(0+1+2+\cdots+9)\times300=14500$
2000의 각 자리 숫자의 합은 2이므로
구하는 총합은 $14500+2=14502$이다.

**특강탐구문제풀이**

**1** 3, 5, 7, 9를 한 번씩만 사용하여 만들 수 있는 네 자리 수는 모두 $4\times3\times2\times1=24$(가지)이다.
따라서 구하는 총합은
$(3+5+7+9)\times6\times1000+(3+5+7+9)\times6\times100$
$+(3+5+7+9)\times6\times10+(3+5+7+9)\times6$
$=24\times6\times1000+24\times6\times100+24\times6\times10+24\times6$
$=144000+14400+1440+144$
$=159984$이다.

**2** 우선 3개의 숫자로 6개의 서로 다른 세 자리 수를 만들려면 3개의 숫자는 모두 서로 다른 숫자이다.
3개의 숫자를 ㉠, ㉡, ㉢이라고 하면
(㉠+㉡+㉢)×2×100+(㉠+㉡+㉢)×2×10
+(㉠+㉡+㉢)×2=3108이다.
(㉠+㉡+㉢)×(200+20+2)=3108
(㉠+㉡+㉢)×222=3108
㉠+㉡+㉢=14
더해서 14가 되는 서로 다른 3개의 숫자로 만들 수 있는 가장 큰 세 자리 수는 941이다.

**3** 9장의 카드 중 8장의 카드를 뽑는 경우의 수는 9장 중 1장을 뽑지 않고 남겨 두는 경우와 같으므로 9가지이다.
9가지 경우 매번 8장이 사용되었으므로 사용된 카드의 수는
$9\times8=72$(장)
각 숫자는 골고루 쓰였으므로 각 숫자가 사용된 횟수는 각각 $72\div9=8$(번)씩
따라서 구하는 합은
$(1+2+\cdots+9)\times8$
$=45\times8=360$이다.

**4** 5장의 카드 중 3장을 뽑는 경우의 수는 5장 중 2장을 남겨 두는 경우의 수와 같으므로 1과 2, 3, 4, 5의 4쌍과 2와 3, 4, 5의 3쌍, 3과 4, 5의 2쌍, 4와 5의 1쌍 즉 $4+3+2+1=10$(가지)이다.
매번 3장의 카드가 사용되었으므로 사용된 카드의 총수는 $10\times3=30$(장)이다.
각 숫자가 골고루 쓰였으므로 각 숫자가 사용된 횟수는 각각 $30\div5=6$(번)씩이다.
따라서 구하는 총합은
$(1+2+3+4+5)\times6=90$

**다른 풀이** 5장의 카드에서 3장을 꺼내는 방법은 첫째 번 한 장을 뽑는 5가지, 둘째 번 한 장을 뽑는 방법은 첫째 번 뽑은 카드를 제외하고 4가지, 셋째 번 한 장을 뽑는 방법은 첫째, 둘째에서 뽑은 카드를 제외하고 3가지이다.
꺼낼 수 있는 모든 경우는 $5\times4\times3=60$(가지)이지만 세 숫자의 순서가 바뀌어도 상관없으므로 $60\div6=10$(가지)이다.
모든 숫자 카드가 골고루 쓰였으므로 각 숫자들은 $30\div5=6$(번)씩 쓰였다.
따라서 구하는 총합은
$(1+2+3+4+5)\times6=90$

**5** 같은 카드를 여러 번 사용해도 되므로 만들 수 있는 네 자리 수는
$3\times3\times3\times3=81$(가지)
각 자리에 3장의 카드가 골고루 쓰였으므로 각 자리에 각

카드가 사용된 횟수는

$81 \div 3 = 27$(번)씩

따라서 구하는 총합은

$(1+2+3) \times 27 \times 1000 + (1+2+3) \times 27 \times 100$
$+ (1+2+3) \times 27 \times 10 + (1+2+3) \times 27$
$= 6 \times 27 \times 1000 + 6 \times 27 \times 100 + 6 \times 27 \times 10 + 6 \times 27$
$= 162000 + 16200 + 1620 + 162$
$= 179982$

**6** 주어진 숫자로 세 자리 짝수를 만들 때 백의 자리에는 1, 2, 3, 4가, 십의 자리에는 0, 1, 2, 3, 4가, 일의 자리에는 0, 2, 4가 올 수 있다.

같은 수를 여러 번 사용할 수 있으므로 만들 수 있는 짝수의 개수는

$4 \times 5 \times 3 = 60$(가지)

각 자리에서 각 숫자들이 사용된 횟수는

백의 자리에서 $60 \div 4 = 15$(번)씩

십의 자리에서 $60 \div 5 = 12$(번)씩

일의 자리에서 $60 \div 3 = 20$(번)씩

따라서 구하는 총합은

$(1+2+3+4) \times 15 \times 100 + (0+1+2+3+4) \times 12 \times 10$
$+ (0+2+4) \times 20$
$= 10 \times 15 \times 100 + 10 \times 12 \times 10 + 6 \times 20$
$= 15000 + 1200 + 120$
$= 16320$

**7** 1, 2, 3, …, 999의 수를 000부터 시작하는 000, 001, 002, 003, …, 999로 생각해도 각 자리 숫자들의 총합에는 변함이 없다.

000, 001, 002, 003, …, 999에는 1000개의 수에 각각 3개씩 숫자가 쓰여 모두 3000개의 숫자가 사용되었다. 0에서 9까지의 각 숫자들이 골고루 쓰였으므로 각 숫자들이 사용된 횟수는 $3000 \div 10 = 300$(번)씩이다.

따라서 구하는 총합은

$(0+1+2+3+\cdots+9) \times 300 = 13500$

**8** 600부터 699까지, 700부터 799까지, 800으로 나누어 생각하자.

00부터 99까지는 100개의 수에 각각 2개씩 숫자가 쓰였으므로 모두 200개의 숫자가 쓰였다.

0에서 9까지 각 숫자가 쓰인 횟수는 $200 \div 10 = 20$(번)씩이다.

따라서 00에서 99까지의 각 자리 숫자의 합은

$(0+1+2+\cdots+9) \times 20 = 900$

600부터 699까지의 합은 백의 자리에 6이 100번 쓰였으므로

$6 \times 100 + (0+1+2+\cdots+9) \times 20 = 1500$

700부터 799까지의 합은 백의 자리에 7이 100번 쓰였으므로

$7 \times 100 + (0+1+2+\cdots+9) \times 20 = 1600$

또 800의 각 자리의 숫자의 합은 8이다.

따라서 구하는 합은

$1500 + 1600 + 8 = 3108$

**9** 00부터 99, 100부터 199, 200부터 299, 300부터 352로 나누어 생각하자.

00부터 99는 100개의 수에 2개씩 숫자가 사용되었으므로 $100 \times 2 = 200$(개)의 숫자가 사용되었다.

0에서 9까지의 숫자가 골고루 사용되었으므로 각 숫자가 사용된 횟수는

$200 \div 10 = 20$(번)씩

따라서 1부터 99까지의 합은

$(0+1+2+3+\cdots+9) \times 20 = 900$

100부터 199까지의 합은 백의 자리에 1이 100번 쓰였으므로

$1 \times 100 + (0+1+2+3+\cdots+9) \times 20 = 1000$

200부터 299까지의 합은 백의 자리에 2가 100번 쓰였으므로

$2 \times 100 + (0+1+2+3+\cdots+9) \times 20 = 1100$

300부터 352까지의 합은 백의 자리에서 3이 53번, 십의 자리에서 0, 1, 2, 3, 4가 10번씩, 5가 3번, 일의 자리에서 0, 1, 2가 6번씩, 3에서 9까지의 숫자가 5번씩 쓰였으므로

$3 \times 53 + (0+1+2+3+4) \times 10 + 5 \times 3$
$+ (0+1+2) \times 6 + (3+4+\cdots+9) \times 5 = 502$

따라서 총합은

$900 + 1000 + 1100 + 502 = 3502$

**10** 오른쪽과 같이 생각하면

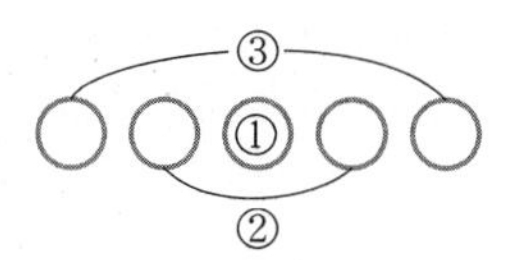


①에 들어갈 수 있는 수는 0, 1, 8

②에 들어갈 수 있는 순서쌍은 (0, 0), (1, 1), (8, 8), (6, 9), (9, 6)

③에 들어갈 수 있는 순서쌍은 (1, 1), (8, 8), (6, 9), (9, 6)이므로 이러한 다섯 자리 수는 모두

$3\times5\times4=60$(개)이다.

또 각 자리에 각 숫자가 사용된 횟수는

백의 자리에 0, 1, 8이 각각 $60\div3=20$(번)씩,

십의 자리와 천의 자리에 0, 1, 8, 6, 9가 각각

$60\div5=12$(번)씩,

일의 자리와 만의 자리에 1, 8, 6, 9가 각각

$60\div4=15$(번)씩

따라서 모두 더한 총합은

$(1+8+6+9)\times15\times10000$

$+(0+1+8+6+9)\times12\times1000$

$+(0+1+8)\times20\times100$

$+(0+1+8+6+9)\times12\times10+(1+8+6+9)\times15$

$=3909240$

본문 50~53쪽

## 속력에 관한 문제 ① 11

유제

**1** 175km **2** 시속 96km **3** 30분 **4** 2분 55초

특강탐구문제

**1** 시속 112.5km **2** 시속 80km **3** 30분
**4** $2\frac{8}{13}$시간 **5** 시속 49.5km **6** 4시간 25분
**7** 34.5km **8** 시속 68km **9** 형 : 시속 5km, 동생 : 시속 2km **10** 7500m(7.5km)

### 유제풀이

**1** 시속 100km로 달린 시간은
2시간 12분−1시간−15분=57분이다.
따라서 A 마을에서 B 마을까지의 거리는
$80\times1+100\times\frac{57}{60}=80+95=175$(km)

**2** 대공원에 갈 때 걸린 시간은 120÷80=1.5(시간), 즉 1시간 30분이다.
돌아올 때의 속력은 시속 80+(80×0.5)=120(km)이므로, 돌아올 때 걸린 시간은 120÷120=1(시간)이다.
따라서 왕복하는 거리 240km를 움직인 평균 속력은
시속 240÷(1.5+1)=240÷2.5=96(km)이다.

**3** 다음 그림과 같이 생각하면 4.2km의 거리를 서로 마주 보고 올 때, 만나기까지 걸린 시간을 구하는 문제가 된다.

A 2.1km B ➡ A 2.1km B 2.1km A

즉, 민성이와 진영이가 움직인 거리의 합이 4.2km가 되어야 한다.
1분에 두 사람이 갈 수 있는 거리의 합은 80+60=140(m)이므로, 4.2km의 거리를 가는 데 걸린 시간은
4200÷140=30(분)이다.

**4** 갑과 을이 같은 방향으로 출발하였으므로 둘이 처음으로 만나게 되는 때는 속력이 빠른 을이 갑보다 한 바퀴 더 돌게 된 때이다.
즉, 두 사람이 움직인 거리의 차가 315m가 되는 때이다.
을과 갑 사이의 거리는 1초에 2.7−0.9=1.8(m)씩 벌어지므로, 거리의 차가 315m 벌어지려면
315÷1.8=175(초)=2(분) 55(초)가 걸린다.

### 특강탐구문제풀이

**1** 열차가 터널을 완전히 통과하기 위해 이동한 거리는 (열차 길이)+(터널 길이)=110+265=375(m)이다.
그러므로 열차는 1초에 375÷12=31.25(m)를 가고, 1시간에는 31.25×60×60=112500(m)를 간다.
따라서 열차의 시속은 112.5km이다.

**2** 자동차가 B 지점에 도착한 지 3시간 후에 오토바이가 150km를 더 달려 B 지점에 도착하게 된다.
즉, 오토바이는 3시간에 150km를 가므로 오토바이의 시속은 $\frac{150}{3}=50$(km)이고, 이 오토바이가 400km를 가는 데 걸리는 시간은 $\frac{400}{50}=8$(시간)이다.
승용차는 오토바이보다 3시간 먼저 도착했으므로 400km를 가는 데 5시간 걸렸다.
따라서 (승용차의 시속)$=\frac{400}{50}=80$(km)이다.

**3** 성수는 1분에 $\frac{45}{2}=22.5$(m)를 가고,
동호는 1분에 $\frac{120}{5}=24$(m)를 간다.
동호는 성수보다 1분에 24−22.5=1.5(m) 더 갈 수 있다.
성수가 이미 45m를 가 있으므로 동호는 출발한지 45÷1.5=30(분)이면 성수를 만날 수 있다.

**4** 두 자동차는 1시간 동안 65×2=130(km)씩 거리를 좁힌다.
따라서 $340\div130=\frac{34}{13}=2\frac{8}{13}$(시간) 후에 만난다.

**5** 간 거리를 1이라고 하면
(갈 때 걸린 시간)$=1\div45=\frac{1}{45}$(시간)
(올 때 걸린 시간)$=1\div55=\frac{1}{55}$(시간)이다.
이 때, 왕복 거리는 2이므로 왕복하는 데 걸린 시간은
$\frac{1}{45}+\frac{1}{55}=\frac{20}{495}=\frac{4}{99}$(시간)이다.

따라서 이 버스의 평균 속력은

$2 \div \frac{4}{99} = 2 \times \frac{99}{4} = 49.5$ (km)이다.

참고* 간 거리를 45와 55의 최소공배수인 495라 해도 좋다.
거리가 495km이면 갈 때는 11시간, 올 때는 9시간이 걸리므로 (평균 속력)$= \frac{495 \times 2}{11+9} = \frac{990}{20} = 49.5$(km/시)

**6** 1시간에 4km를 가는 속력으로 50분 걷고 10분을 쉰다면, 1시간에 실제로 갈 수 있는 거리는

$4 \times \frac{50}{60} = \frac{10}{3}$(km)이다.

15km$= \frac{45}{3}$km이므로, $\frac{10}{3}$km씩 4번 가고 $\frac{5}{3}$km가 남는다.

실제 걷는 속도는 시속 4km이기 때문에 $\frac{5}{3}$km를 가는 데 걸리는 시간은 $\frac{5}{3} \div 4 = \frac{5}{3} \times \frac{1}{4} = \frac{5}{12}$(시간), 즉 25분이다.

따라서 큰 댁에 도착할 때까지 걸리는 시간은 4시간 25분이다.

**7** 다음 그림과 같이 생각하면 A, B 사이의 거리의 2배를 갑과 을이 1시간 30분 동안 달린 것이 된다.

A B A B A

갑과 을은 1시간에 20+26=46(km)를 달릴 수 있으므로, 1시간 30분 동안은 46×1.5=69(km)를 달릴 수 있고, 이는 A, B 사이 거리의 2배이다.
따라서 A, B 사이의 거리는 69÷2=34.5(km)이다.

**8** 트럭이 50분 동안 움직인 거리는 $48 \times \frac{50}{60} = 40$(km)이다.

이를 승용차가 2시간 만에 추월하였으므로, 승용차와 트럭 사이의 간격은 1시간에 40÷2=20(km)씩 줄어든 것이 된다.

따라서 승용차의 시속은 트럭의 시속보다 20km가 빠른 시속 68km이다.

**9** 호수 둘레를 반대 방향으로 걷다가 만났다면, 형과 동생이 걸은 거리의 합은 호수의 둘레의 길이인 3.5km이다.
그러므로 30분만에 두 사람이 3.5km를 걸었으므로, 1시간에 두 사람은 3.5×2=7(km)를 걸을 수 있다.
또, 같은 방향으로 걸을 때는 빨리 가는 형이 동생보다 한 바퀴 앞서게 될 때 만나게 되므로, 1시간 10분만에 두 사람의 움직인 거리의 차가 3.5km가 된다.

그러므로 1시간에 두 사람의 거리의 차가 $3.5 \times \frac{60}{70} = 3$(km)가 된다.

두 사람의 시속의 합은 7km, 차는 3km이므로
(형이 1시간 동안 간 거리)=(7+3)÷2=5(km)이다.
따라서 동생은 1시간에 5−3=2(km)를 가고, 형은 1시간에 5km를 간다.

**10** 율희는 1분에 250m씩 10분 동안 2500m를 가고 10분 쉬므로, 결국 20분 동안 2500m를 가는 셈이다. 진우는 1분에 150m씩 20분 동안 3000m를 가게 된다.
그러므로 20분마다 진우가 500m씩 앞서게 된다.
그런데 율희가 쉬려고 할 때 두 사람이 동시에 학원에 도착하였으므로 마지막 10분 동안에 율희는 2500m, 진우는 1500m를 가서 도착한 것이다.
즉 마지막 10분 이전에 진우가 이미 1000m 앞서 있었음을 알 수 있다.
20분마다 진우가 500m씩 앞서므로 40분 동안 1000m를 앞서게 되었고, 그 뒤로 10분 동안 율희가 2500m, 진우가 1500m를 가게 되어 두 사람이 율희가 쉬려고 할 때 동시에 학원에 도착하게 되는 것이다.
따라서 공원에서 학원까지의 거리는
2500×2+2500=7500(m)=7.5(km)이다.

본문 54~57쪽

## 작은 수들의 곱으로 쪼개기(소인수분해) ② 12

유제

**1** 10 **2** ㉮ : 18cm, ㉯ : 56cm, ㉰ : 15cm
**3** 19자리 수 **4** ㉮ : 13, ㉯ : 18, ㉰ : 20

특강탐구문제

**1** 23 **2** 30 **3** ㉠ : 6, ㉡ : 3 **4** 37개
**5** 63 **6** 45, 52 **7** 7개
**8**

| 3 | 1 | 8 |
|---|---|---|
| 9 | 3 | 4 |
| 4 | 7 | 5 |

**9** ㉮ : 25cm, ㉯ : 28cm, ㉰ : 18cm **10** 3

### 유제풀이

**1** $28=2\times2\times7$
$35=5\times7$
$52=2\times2\times13$
$66=2\times3\times11$
$75=3\times5\times5$
$90=2\times3\times3\times5$
$99=3\times3\times11$,
$117=3\times3\times13$이다.
이 수들을 모두 곱하면 $2\times2\times2\times2\times2\times2\times3\times3\times3\times3\times3\times3\times3\times3\times5\times5\times5\times5\times7\times7\times11\times11\times13\times13$으로, 2는 6번, 3은 8번, 5는 4번, 7, 11, 13은 각각 2번씩 곱해져서 각 조의 수의 곱은
$2\times2\times2\times3\times3\times3\times3\times5\times5\times7\times11\times13$이 된다.
그러므로 75와 90, 28과 35, 66과 99, 52와 117은 각각 다른 조에 들어가야 한다.
즉 양쪽의 곱이 같도록 두 조로 나누면
(28, 66, 75, 117)과 (35, 52, 90, 99)이다.
따라서 두 조의 합이 각각 286과 276이므로, 두 조의 합의 차는 $286-276=10$이다.

**2** 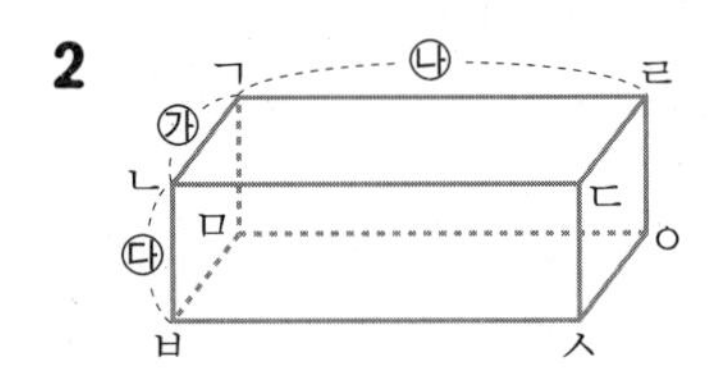


세 모서리의 길이 ㉮, ㉯, ㉰에서
㉮×㉯$=1008=2\times2\times2\times2\times3\times3\times7$
㉯×㉰$=840=2\times2\times2\times3\times5\times7$
㉰×㉮$=270=2\times3\times3\times3\times5$
이다.
㉮×㉮×㉯×㉯×㉰×㉰
$=2\times2\times2\times2\times2\times2\times2\times2\times3\times3\times3\times3\times3\times3\times5\times5\times7\times7$인데,
㉮, ㉯, ㉰가 2번씩 곱해진 것이므로
㉮×㉯×㉰$=2\times2\times2\times2\times3\times3\times3\times5\times7$
이다.
따라서 ㉮×㉯$=2\times2\times2\times2\times3\times3\times7$이므로
㉰$=3\times5=15$(cm)
이고, 같은 방법으로 구하면
㉮$=2\times3\times3=18$(cm),
㉯$=2\times2\times2\times7=56$(cm)이다.

**3** $6\times6\times6\times3\times2\underbrace{\times2\times\cdots\times2}_{15번}\times5\underbrace{\times5\times\cdots\times5}_{15번}\times7$
은 $2\times5$가 15번 곱해져 있으므로, 곱의 끝에 계속되는 0의 개수는 15개이다.
따라서 나머지 $6\times6\times6\times3\times7=4536$의 자리 수를 합하면 모두 19자리 수이다.

**4** ㉮×㉯$=234=2\times3\times3\times13$,
㉮×㉰$=260=2\times2\times5\times13$
으로 두 식에 공통으로 들어 있는 수는 $2\times13$이므로 ㉮가 될 수 있는 수는 1, 2, 13, 26 뿐이다.
그러므로 ㉮가 1, 2, 13, 26일 경우에 다음과 같이 표를 만들어 ㉯와 ㉰의 값을 구한다.

| | ㉮ | ㉯ | ㉰ | ㉮+㉯+㉰ |
|---|---|---|---|---|
| ① | 1 | 234 | 260 | 495 |
| ② | 2 | 117 | 130 | 249 |
| ③ | 13 | 18 | 20 | 51 |
| ④ | 26 | 9 | 10 | 45 |

따라서 조건을 만족하는 세 수는 ㉮=13, ㉯=18, ㉰=20이다.

**특강탐구문제풀이**

**1** $210=2\times3\times5\times7$

$286=2\times11\times13$

$306=2\times3\times3\times17$

$399=3\times7\times19$

$414=2\times3\times3\times23$이므로

㉮의 약수 중 가장 큰 소수는 23이다.

**2** $50\times a=2\times5\times5\times a$

$=12\times b$

$=2\times2\times3\times b$

$=c\times c$

이므로

$a=2\times3\times3$, $b=3\times5\times5$이다.

따라서 $c=2\times3\times5=30$

참고* $50\times a=12\times b=c\times c$에서 50과 12의 공배수이면서 어떤 수를 2번 곱했을 때 나타나는 수를 찾는다.
50과 12의 최소공배수는 300이므로 300의 배수 중 가장 작은 수 900이 주어진 조건을 만족한다.
따라서 $900=30\times30$, $c=30$이다.

**3** $\dfrac{㉠\times㉠\times㉠}{㉡}=360\div5=72$

$72=2\times2\times2\times3\times3$

이고, 분자에 같은 수를 3번 곱해야 하므로

$72=\dfrac{2\times2\times2\times3\times3\times3}{3}=\dfrac{6\times6\times6}{3}$이 된다.

따라서 ㉠=6, ㉡=3이다.

**4** $1\times2\times3\times\cdots\times150$에 $2\times5$가 몇 번 곱해져 있는지 계산해 보면 곱의 끝에 계속되는 0이 몇 개 있는지 알 수 있다.

2가 곱해져 있는 횟수보다 5가 곱해져 있는 횟수가 적으므로 5가 몇 번 곱해져 있는지 알아보자.

- 1부터 150까지 5의 배수는 30개이고, 이 30개의 수에는 5가 1번씩 곱해져 있다.
- 1부터 150까지 25의 배수는 6개이고, 이 6개의 수에는 5가 1번씩 더 곱해져 있다.
- 1부터 150까지 125의 배수는 1개이고, 이 1개의 수에는 5가 1번씩 더 곱해져 있다.

즉 $1\times2\times3\times\cdots\times150$에는 5가 $30+6+1=37$(번) 곱해져 있다.

따라서 $2\times5$는 37번 곱해져 있으므로, 곱의 끝에 계속되는 0은 37개 있다.

참고* 2가 곱해져 있는 횟수는 다음과 같다.

- 1부터 150까지 2의 배수는 75개이고, 이 75개의 수에는 2가 1번씩 곱해져 있다.
- 1부터 150까지 4의 배수는 37개이고, 이 37개의 수에는 2가 1번씩 더 곱해져 있다.
- 1부터 150까지 8의 배수는 18개이고, 이 18개의 수에는 2가 1번씩 더 곱해져 있다.
- 1부터 150까지 16의 배수는 9개이고, 이 9개의 수에는 2가 1번씩 더 곱해져 있다.
- 1부터 150까지 32의 배수는 4개이고, 이 4개의 수에는 2가 1번씩 더 곱해져 있다.
- 1부터 150까지 64의 배수는 2개이고, 이 2개의 수에는 2가 1번씩 더 곱해져 있다.
- 1부터 150까지 128의 배수는 1개이고, 이 1개의 수에는 2가 1번씩 더 곱해져 있다.

즉 $1\times2\times3\times\cdots\times150$에는 2가

$75+37+18+9+4+2+1=146$(번) 곱해져 있다.

**5** $6=2\times3$이므로 $1\times2\times3\times4\times\cdots$에는 $2\times3$이 30번 곱해져 있어야 한다.

2가 곱해져 있는 횟수보다 3이 곱해져 있는 횟수가 적으므로, 3이 몇 번 곱해져 있는지 생각해 보자.

3이 30번 곱해져 있으려면 90까지의 곱이어야 하지만, 9도 10번 곱해져 있으므로 60까지의 곱으로 생각해 보자.

- 1부터 60까지 3의 배수는 20개이고, 이 20개의 수에는 3이 1번씩 곱해져 있다.
- 1부터 60까지 9의 배수는 6개이고, 이 6개의 수에는 3이 1번씩 더 곱해져 있다.
- 1부터 60까지 27의 배수는 2개이고, 이 2개의 수에는 3이 1번씩 더 곱해져 있다.

그러므로 1부터 60까지의 곱에는 3이

$20+6+2=28$(번) 곱해져 있다.

따라서 3이 30번 곱해져 있으려면 63까지의 곱이어야 한다.

**6** $14040=2\times2\times2\times3\times3\times3\times5\times13$이다.

두 수의 곱으로 14040을 나누면 나누어떨어지므로, 두 수의 곱은 2, 2, 2, 3, 3, 3, 5, 13 중 일부의 곱이다.

따라서 합이 97이 되도록 두 수를 생각해 보면, 두 수는 $13\times2\times2=52$, $3\times3\times5=45$이다.

**7** $5880=2\times2\times2\times3\times5\times7\times7$이므로 기약분수인 진분수가 되려면 2번 이상 곱해진 수가 분모, 분자에 나누어져 들어가면 안 된다.

그러므로 $2\times2\times2$, 3, 5, $7\times7$의 4개의 수를 두 조로 나누는 방법의 수만큼 기약분수인 진분수를 만들 수 있다.

아래와 같이 (1개, 3개)로 나누는 방법은 4가지이고, (2개, 2개)로 나누는 방법은 3가지이다.

$\frac{3\times5}{2\times2\times2\times7\times7}$, $\frac{2\times2\times2\times5}{3\times7\times7}$, $\frac{2\times2\times2\times3}{5\times7\times7}$

$\frac{2\times2\times2}{3\times5\times7\times7}$, $\frac{3}{2\times2\times2\times5\times7\times7}$

$\frac{5}{2\times2\times2\times3\times7\times7}$, $\frac{7\times7}{2\times2\times2\times3\times5}$

따라서 모두 7개의 기약분수인 진분수를 만들 수 있다.

**8**

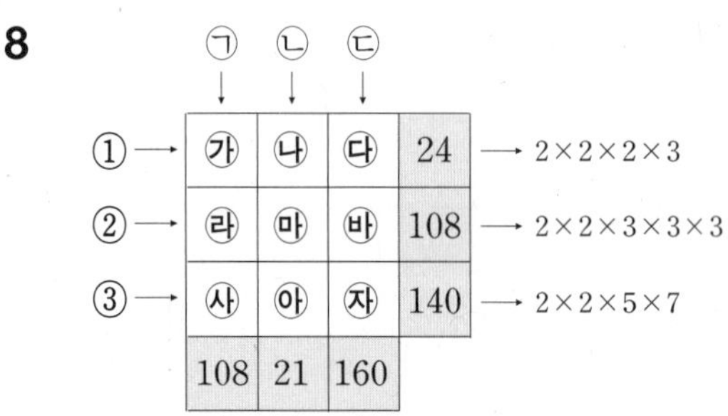


㉡ 줄의 $21=1\times3\times7$인데 ①, ② 줄의 수에 7이 들어갈 수 없으므로 ㉵$=7$이다.

㉢ 줄의 $160=2\times2\times2\times2\times2\times5$인데 ①, ②번 줄의 수에 5가 들어갈 수 없으므로 ㉶에는 5가 들어간다.

㉶$=5$이므로 ③ 줄에서 ㉴$=2\times2$가 된다.

다시 ㉠ 줄에서 ㉮에는 3만 들어갈 수 있으므로

㉱$=3\times3=9$가 된다.

㉡ 줄에서 ㉯$\times$㉲$=3$이므로 ㉲$=3$, ㉯$=1$이다.

나머지 수들을 대입하면

㉳$=2\times2=4$, ㉰$=2\times2\times2=8$이다.

**9**

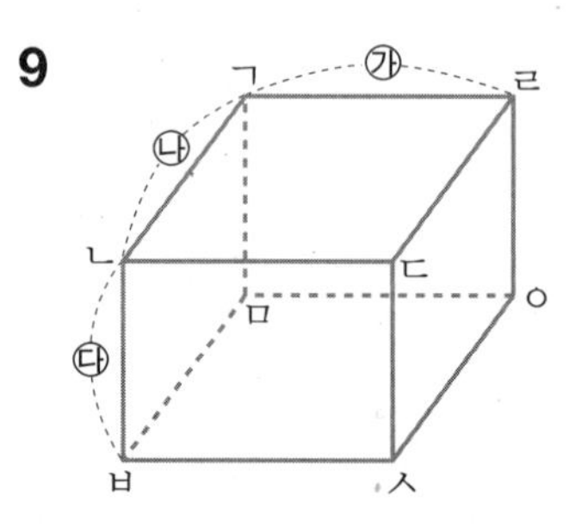


세 모서리의 길이 ㉮, ㉯, ㉰에서

㉮$\times$㉯$=700=2\times2\times5\times5\times7$

㉯$\times$㉰$=504=2\times2\times2\times3\times3\times7$

㉰$\times$㉮$=450=2\times3\times3\times5\times5$

㉮$\times$㉮$\times$㉯$\times$㉯$\times$㉰$\times$㉰

$=2\times2\times2\times2\times2\times2\times3\times3\times3\times3\times5\times5\times5\times5\times7\times7$

인데, 전부 2번씩 곱해진 것이므로

㉮$\times$㉯$\times$㉰$=2\times2\times2\times3\times3\times5\times5\times7$

따라서 ㉮$\times$㉯$=2\times2\times5\times5\times7$이므로

㉰$=2\times3\times3=18$(cm)

이고, 같은 방법으로 구하면

㉮$=5\times5=25$(cm),

㉯$=2\times2\times7=28$(cm)이다.

**10** ㉮$\times$㉯$=90=2\times3\times3\times5$

㉯$\times$㉰$=225=3\times3\times5\times5$

㉰$\times$㉱$=180=2\times2\times3\times3\times5$

㉱$\times$㉲$=108=2\times2\times3\times3\times3$

에서 ㉯$\times$㉰에 2가 곱해져 있지 않으므로 ㉮에는 반드시 2가 곱해져 있어야 한다. ㉮는 한 자리 수이므로 ㉮는 2 또는 6이다.

• ㉮=2이면

㉯=3×3×5

㉰=5

㉱=2×2×3×3이므로

㉲=3이 된다.

• ㉮=6이면

㉯=3×5

㉰=3×5

㉱=2×2×3

㉲=3×3=9인데

㉯=㉰이므로 조건에 맞지 않다.

따라서 ㉲의 값은 3이다.

본문 60~63쪽

## 나머지의 관찰 ① 13

**유제**

**1** 39 **2** 118개 **3** 387명 **4** 1168

**특강탐구문제**

**1** 54명 **2** 1141 **3** 24 **4** 9쌍 **5** 27개 **6** 1119
**7** 20개 **8** 461 **9** 297 **10** 53

### 유제풀이

**1** 구하는 자연수로 $197-2=195$, $160-4=156$, $229+5=234$를 나누면 모두 나누어떨어진다.
따라서 195, 156, 234의 최대공약수가 39이므로, 구하는 자연수는 39이다.

**2** 6개씩 담으면 4개, 8개씩 담으면 6개, 10개씩 담으면 8개가 남으므로 사탕이 2개 더 있다면 6개씩, 8개씩, 10개씩 담아도 남거나 모자람 없이 모두 담을 수 있다.
사탕이 최소 몇 개인지 물었으므로 6, 8, 10의 최소공배수를 구한 후 2를 빼면 된다.
따라서 6, 8, 10의 최소공배수가 120이므로, 구하는 사탕의 개수는 $120-2=118$(개)이다.

**3** 5로 나누어 2가 남는 수 : 2, 7, 12, 17, 22, [27], 32, ⋯
8로 나누어 3이 남는 수 : 3, 11, 19, [27], 35, ⋯
즉, 5로 나누면 2가 남고 8로 나누면 3이 남는 수 중 가장 작은 수 27에 5와 8의 최소공배수 40을 계속 더해 가면 5로 나누면 2가 남고, 8로 나누면 3이 남는 수를 얻을 수 있다. 즉 이 수는 40으로 나누면 27이 남는 수이다.
또 40으로 나누면 27이 남는 수 중 27은 9로 나누어떨어지는 수이므로, 27에 40과 9의 최소공배수 360을 더해 나가면 계속해서 40으로 나누면 27이 남고, 9로 나누면 나누어떨어지는 수가 된다.
따라서 학생 수는 $27+360=387$(명)이다.

**4** ㉢은 ㉠+2, ㉡+1이므로 8로 나누면 2가 남고 7로 나누면 1이 남고 5로 나누면 나누어떨어지는 수이다.
8로 나누면 2가 남는 수 : 2, 10, 18, 26, 34, 42, [50], 58, 66, ⋯
7로 나누면 1이 남는 수 : 1, 8, 15, 22, 29, 36, 43, [50], 57, ⋯
즉 8로 나누면 2가 남고 7로 나누면 1이 남는 수 중 가장 작은 수이므로 50에 8과 7의 최소공배수 56을 계속 더해 가면 8로 나누면 2가 남고, 7로 나누면 1이 남는 수를 얻을 수 있다. 즉 이 수는 56으로 나누면 50이 남는 수이다.
또 56으로 나누어 50이 남는 수 중 50은 5로 나누어떨어지는 수이므로 50에 56과 5의 최소공배수 280을 더해 나가면 계속해서 56으로 나누면 50이 남고 5로 나누면 나누어떨어지는 수가 된다.
따라서 1000보다 큰 수 중 가장 작은 수이므로
㉢$=50+280\times4=1170$이고, ㉠$=1170-2=1168$이다.

### 특강탐구문제풀이

**1** 연필 $170-8=162$(자루), 공책 $268+2=270$(권), 지우개 $120-12=108$(개)를 똑같이 나누어 주는 것으로 생각할 수 있으므로 학생 수는 162, 270, 108의 공약수이다.
162, 270, 108의 최대공약수는 54이므로 운동장에 있던 학생들은 최대 54명이다.

**2** 구하는 수에서 1을 빼면 2, 3, 4, 5, 6으로 각각 나누어떨어진다. 2, 3, 4, 5, 6의 공배수는 4, 5, 6의 공배수이므로 60의 배수이다. 그러므로 구하는 수는 60으로 나누면 1이 남고, 7로 나누면 나누어떨어지는 수이다.
60으로 나누면 1이 남는 수는 61, 121, 181, 241, 301, ⋯이고, 이 중 7로 나누어떨어지는 가장 작은 수는 301이다.
따라서 조건에 맞는 수는 301에 60과 7의 최소공배수 420의 배수를 더한 수는 301, 721, 1141, ⋯이므로, 셋째 번 수는 1141이다.

**3** $\underline{61\times62\times63\times64}+\underline{70\times72}-\underline{60}$을 나누어 생각하자.
$28=2\times2\times7$이므로 2가 2번, 7이 한 번 곱해져 있으면 28의 배수가 된다.
$61\times62\times63\times64=61\times62\times(\boxed{7}\times9)\times(\boxed{2}\times\boxed{2}\times16)$이므로 28의 배수이다.
$70\times72=(\boxed{7}\times10)\times(\boxed{2}\times\boxed{2}\times18)$이므로 28의 배수이다.
또 60을 빼는 것은 $28\times3=84$를 뺀 후 24를 더한 것으로 생각할 수 있다.
따라서 나머지는 24이다.

**4** ㉮$=\dfrac{㉯+5}{6}$에서 ㉮가 자연수이므로 ㉯+5는 6으로

나누면 나누어떨어지는 수이다.
그러므로 ㉯는 6으로 나누면 1이 남는 수인데 50보다 작은 수 1, 7, 13, 19, 25, 31, 37, 43, 49의 9개이다.
이 때 ㉮는 1, 2, 3, 4, 5, 6, 7, 8, 9가 된다.
따라서 구하는 쌍은 9쌍이다.

**5** 구하는 자연수는 몫과 나머지가 같으므로 $32\times$㉮$+$㉮로 나타낼 수 있다. 즉 $32\times1+1=33$, $32\times2+2=66$, $32\times3+3=99$, $32\times4+4=132$, …이다.
이 중 가장 큰 세 자리 수는 $32\times30+30=990$이고, 30은 32를 넘지 않으므로 나머지가 될 수 있다.
32로 나누어 몫과 나머지가 같은 수 중 세 자리 수는 몫과 나머지가 각각 4부터 30까지인 수이다.
따라서 구하는 세 자리 수는 $30-4+1=27$(개)이다.

**6** 구하는 수는 8로 나누면 나머지가 7이고, 7로 나누면 나머지가 6이므로, 구하는 수에 1을 더하면 각각 8과 7로 나누어떨어진다.
또 1을 더하면 5로 나누어떨어지므로, 구하는 수에 1을 더한 수는 8, 7, 5의 공배수이다.
8, 7, 5는 모두 서로 소이므로 세 수의 공배수는 최소공배수인 $8\times7\times5=280$의 배수이다.
따라서 가장 작은 네 자리 수가 $280\times4=1120$이므로, 구하는 수는 $1120-1=1119$이다.

**7** 우선 4로 나누면 나머지가 2인 수 중 100 이하의 수는 $4\times0+2=2$, $4\times1+2=6$, $4\times2+2=10$, …, $4\times24+2=98$로 모두 25개이다.
이 중 5로 나누면 나머지가 3인 수를 빼면 된다.
4로 나누면 2가 남는 수 : 2, 6, 10, 14, [18], 22, …
5로 나누면 3이 남는 수 : 3, 8, 13, [18], 23, …
4로 나누면 2가 남고 5로 나누면 3이 남는 수의 개수를 찾으면 된다. 그 중 가장 작은 수는 18이다.
18에 4와 5의 최소공배수 20을 더하면 4로 나누면 2가 남고, 5로 나누면 3이 남는 수를 찾을 수 있다. 그 중 100을 넘지 않는 수는 18, 38, 58, 78, 98의 5개이다.
따라서 구하는 개수는 $25-5=20$(개)이다.

**8** 3으로 나누면 2가 남는 수 : 2, [5], 8, …
8로 나누면 5가 남는 수 : [5], 13, 21, …
3으로 나누면 2가 남고, 8로 나누면 5가 남는 수 중 가장 작은 수는 5이다.
3과 8은 서로 소이므로 최소공배수인 $3\times8=24$를 더해 나가면 계속 3으로 나누어 2가 남고 8로 나누어 5가 남는 수를 얻을 수 있다.
따라서 24로 나누어 5가 남는 수 중 20째 번 수는 5부터 시작하여 24씩 늘어나는 수열의 20째 번 수이므로 $5+24\times19=461$이다.

**9** 연속하는 세 자연수 중 가장 큰 수를 ㉠이라 하자.
㉠은 5로 나누어떨어지는 수에 2를 더한 수이고, 8로 나누어떨어지는 수에 1을 더한 수이다.
그러므로 ㉠은 5로 나누면 2가 남고, 8로 나누면 1이 남고, 11로 나누면 나누어떨어지는 수이다.
5로 나누면 2가 남는 수 : 2, 7, 12, [17], 22, …
8로 나누면 1이 남는 수 : 1, 9, [17], 25, 33, …
5로 나누면 2가 남고, 8로 나누면 1이 남는 수 중 가장 작은 수는 17이다.
17에 5와 8의 최소공배수인 $5\times8=40$을 더해 나가면 계속 5로 나누면 2가 남고 8로 나누면 1이 남는 수를 구할 수 있다.
17, 57, 97, 137, 177, 217, 257, 297, …
이러한 수 중 11의 배수를 찾으면 297이 된다.
따라서 조건에 맞는 최초의 연속하는 3개의 자연수는 295, 296, 297이므로, 이 중 가장 큰 수는 297이다.

**10** (㉮, ㉯)는 4로 나누면 1이 남고, 5로 나누면 3이 남고, 6으로 나누면 5가 남는 수이다.
4로 나누면 1이 남고, 5로 나누면 3이 남는 수 중 가장 작은 수는 13이다.
4로 나누면 1이 남는 수 : 1, 5, 9, [13], 17, 21, …
5로 나누면 3이 남는 수 : 3, 8, [13], 18, 23, …
13에 4와 5의 최소공배수인 20을 더해 나가면 계속 4로 나누면 1이 남고, 5로 나누면 3이 남는 수를 얻을 수 있다. 즉 이 수는 20으로 나누면 13이 남는 수이다.
20으로 나누면 13이 남는 수 : 13, 33, [53], 73, 93, …
6으로 나누면 5가 남는 수 : 5, 11, 17, 23, 29, 35, 41, 47, [53], …
20으로 나누면 13이 남고 6으로 나누면 5가 남는 수를 찾으면, 그 중 가장 작은 수는 53이다.
53에 20과 6의 최소공배수인 60을 더해 나가면 계속 20으로 나누면 13이 남고, 6으로 나누면 5가 남는 수를 얻을 수 있다. 즉 이 수는 60으로 나누면 53이 남는 수이므로
따라서 (㉮, ㉯)는 (60, 53)이므로 구하는 ㉯는 53이다.

본문 64~67쪽

## 14 높이가 같은 삼각형 ②

**유제**

**1** $54\text{cm}^2$ **2** $40\text{cm}^2$ **3** 15배 **4** $100\text{cm}^2$

**특강탐구문제**

**1** $26\frac{2}{3}\text{cm}^2$ **2** $20\text{cm}^2$ **3** 1:5 **4** $9\frac{3}{8}\text{cm}$

**5** $\frac{3}{7}$ **6** 4cm **7** $\frac{1}{12}$ **8** $15\text{cm}^2$

**9** $32\text{cm}^2$ **10** $\frac{127}{144}$

### 유제풀이

**1** 선분 ㅁㄹ의 길이는 선분 ㄴㅁ의 길이의 $\frac{1}{2}$이므로
(삼각형 ㄱㅁㄹ의 넓이)
=(삼각형 ㄱㄴㅁ의 넓이)$\times\frac{1}{2}$
$=6\text{cm}^2$
또 삼각형 ㄱㄴㄷ과 삼각형 ㄹㄴㄷ은 넓이가 같고 삼각형 ㅁㄴㄷ이 공통이므로
(삼각형 ㄹㅁㄷ의 넓이)
=(삼각형 ㄱㄴㅁ의 넓이)
$=12\text{cm}^2$
한편 선분 ㄴㅁ의 길이는 선분 ㅁㄹ의 길이의 2배이므로
(삼각형 ㄴㄷㅁ의 넓이)
$=12\times2=24\,(\text{cm}^2)$
따라서 (사다리꼴 ㄱㄴㄷㄹ의 넓이)
$=12+6+12+24$
$=54\,(\text{cm}^2)$

**2**

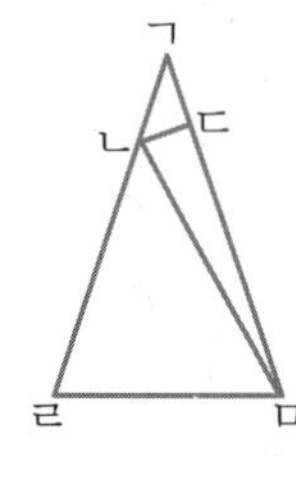


그림과 같이 선분 ㄴㅁ을 그으면 선분 ㄱㅁ의 길이가 선분 ㄱㄷ의 길이의 5배이므로
(삼각형 ㄱㄴㅁ의 넓이)
=(삼각형 ㄱㄴㄷ의 넓이)$\times5$
$=2\times5=10\,(\text{cm}^2)$
또, 선분 ㄱㄹ의 길이가 선분 ㄱㄴ의 길이의 4배이므로
(삼각형 ㄱㄹㅁ의 넓이)
=(삼각형 ㄱㄴㅁ의 넓이)$\times4$
$=10\times4=40\,(\text{cm}^2)$

참고* 선분 ㄴㅁ 대신 선분 ㄹㄷ을 그어 위와 같은 방법으로 삼각형 ㄱㄹㅁ의 넓이를 구할 수도 있다.

**3** 색칠한 삼각형 ㅂㅅㅇ의 넓이를 □라 하면
(선분 ㅇㅁ의 길이)=2×(선분 ㅂㅇ의 길이)이므로
(삼각형 ㅅㅂㅁ의 넓이)=3×□
(선분 ㄹㅅ의 길이)=(선분 ㅅㅁ의 길이)이므로
(삼각형 ㄹㅂㅁ의 넓이)=3×□×2=6×□
(선분 ㄹㅂ의 길이)=2×(선분 ㄴㅂ)이므로
(삼각형 ㄹㄴㅁ의 넓이)=6×□×$\frac{1}{2}\times3$
=9×□
(선분 ㄴㅁ의 길이)=4×(선분 ㅁㄷ의 길이)이므로
(삼각형 ㄹㄴㄷ의 넓이)=9×□×$\frac{1}{4}\times5$
=$\frac{45}{4}$×□
(선분 ㄷㄹ의 길이)=3×(선분 ㄱㄹ의 길이)이므로
(삼각형 ㄱㄴㄷ의 넓이)=$\frac{45}{4}$×□×$\frac{1}{3}\times4$
=15×□
따라서 삼각형 ㄱㄴㄷ의 넓이는 색칠한 삼각형 ㅅㅂㅇ의 넓이의 15배이다.

**4** 삼각형 ㄱㄴㄷ과 삼각형 ㅁㄴㄷ은 넓이가 같고 삼각형 ㅂㄴㄷ이 공통 부분이므로 삼각형 ㄱㄴㅂ과 삼각형 ㅁㄷㅂ의 넓이가 같다.
또 삼각형 ㄹㄴㄷ과 삼각형 ㅁㄴㄷ은 넓이가 같고 삼각형 ㅅㄴㄷ이 공통 부분이므로 삼각형 ㄷㄹㅅ과 삼각형 ㄴㅁㅅ의 넓이가 같다.
(사각형 ㄴㅁㄷㅇ의 넓이)
=(삼각형 ㅁㄷㅂ의 넓이)
+(삼각형 ㄴㅁㅅ의 넓이)−(사각형 ㅁㅂㅇㅅ의 넓이)
=(삼각형 ㄱㄴㅂ의 넓이)+(삼각형 ㄷㄹㅅ의 넓이)
−(사각형 ㅁㅂㅇㅅ의 넓이)
$=30-5=25\,(\text{cm}^2)$
또 (삼각형 ㄴㅂㅇ의 넓이)+(삼각형 ㄷㅅㅇ의 넓이)
=(사각형 ㄴㅁㄷㅇ의 넓이)−(사각형 ㅁㅂㅇㅅ의 넓이)
$=25-5=20\,(\text{cm}^2)$
한편 {(삼각형 ㄱㄴㅂ의 넓이)+(삼각형 ㄷㄹㅅ의 넓이)}
+{(삼각형 ㄴㅂㅇ의 넓이)+(삼각형 ㄷㅅㅇ의 넓이)}
$=30+20=50\,(\text{cm}^2)$이고, 이것은 직사각형 ㄱㄴㄷㄹ의 대각선으로 나누어진 네 부분 중 두 부분의 넓이이므로

(직사각형 ㄱㄴㄷㄹ의 넓이)$=50\times2=100(\text{cm}^2)$

**다른 풀이** (사각형 ㅁㄴㅇㄷ의 넓이)$=25\text{cm}^2$이고

(삼각형 ㅁㄴㄷ의 넓이)=(사각형 ㄱㄴㄷㄹ의 넓이)$\times\frac{1}{2}$

(삼각형 ㅇㄴㄷ의 넓이)=(사각형 ㄱㄴㄷㄹ의 넓이)$\times\frac{1}{4}$

이므로

(사각형 ㅁㄴㅇㄷ의 넓이)

=(삼각형 ㅁㄴㄷ의 넓이)−(삼각형 ㅇㄴㄷ의 넓이)

=(사각형 ㄱㄴㄷㄹ의 넓이)$\times\left(\frac{1}{2}-\frac{1}{4}\right)$

=(사각형 ㄱㄴㄷㄹ의 넓이)$\times\frac{1}{4}$이다.

따라서 (사각형 ㄱㄴㄷㄹ의 넓이)

=(사각형 ㄴㅁㄷㅇ의 넓이)$\times4$

$=25\times4=100(\text{cm}^2)$

**특강탐구문제풀이**

**1** (변 ㄴㅁ의 길이) : (변 ㅁㄷ의 길이)

=(㉮+㉯의 넓이) : (㉰의 넓이)$=5:3$이므로

(㉮+㉯의 넓이)$=24\div3\times5=40(\text{cm}^2)$

또 (변 ㄱㄹ의 길이) : (변 ㄹㄴ의 길이)

=(㉯의 넓이) : (㉮의 넓이)$=1:2$이므로

(㉮의 넓이)$=40\div3\times2=\frac{80}{3}=26\frac{2}{3}(\text{cm}^2)$

**2** (삼각형 ㄱㄹㅁ의 넓이)$=10\times8\times\frac{1}{2}=40(\text{cm}^2)$

삼각형 ㄹㅁㅂ의 넓이가 $20\text{cm}^2$이므로

(삼각형 ㄱㄹㅂ의 넓이)$=40-20=20(\text{cm}^2)$

따라서, (선분 ㄹㅂ의 길이)$=20\times2\div10=4(\text{cm})$이므로

(선분 ㅂㄷ의 길이)$=8-4=4(\text{cm})$이다.

(삼각형 ㄷㅁㅂ의 넓이) : (삼각형 ㄹㅁㅂ의 넓이)

=(선분 ㄹㅂ의 길이) : (선분 ㅂㄷ의 길이)

$=4:4=1:1$이므로

(삼각형 ㄷㅁㅂ의 넓이)$=20(\text{cm}^2)$

**3** 삼각형 ㄱㄴㄷ과 삼각형 ㄱㄷㄹ은 변 ㄱㄷ을 공통 변으로 가지므로

(삼각형 ㄱㄴㄷ의 넓이) : (삼각형 ㄱㄷㄹ의 넓이)

=(선분 ㄴㅇ의 길이) : (선분 ㄹㅇ의 길이)

$=24:8=3:1$

따라서 (삼각형 ㄱㅇㄹ의 넓이)

=(삼각형 ㄱㄴㄹ의 넓이)$\times\frac{1}{4}$

$=12\times\frac{1}{4}=3(\text{cm}^2)$

(삼각형 ㄴㅇㄷ의 넓이)

=(삼각형 ㄴㄷㄹ의 넓이)$\times\frac{3}{4}$

$=20\times\frac{3}{4}=15(\text{cm}^2)$

따라서 삼각형 ㄱㅇㄹ과 삼각형 ㄴㅇㄷ의 넓이의 비는 $3:15=1:5$이다.

**참고*** 높이가 같은 두 삼각형에서 밑변의 길이의 비는 넓이의 비와 같으므로 밑변의 길이가 같은 두 삼각형에서는 높이의 비는 넓이의 비와 같아진다.

**4** (사다리꼴 ㄱㄴㄷㄹ의 넓이)

$=(3+12)\times12\times\frac{1}{2}$

$=90(\text{cm}^2)$

(삼각형 ㅁㄴㄷ의 넓이)

$=90\times\frac{1}{2}=45(\text{cm}^2)$

(삼각형 ㄴㄹㅁ의 넓이)

$=\left(90\times\frac{1}{2}\right)-\left(3\times12\times\frac{1}{2}\right)=45-18=27(\text{cm}^2)$

삼각형 ㄴㄷㄹ에서

(변 ㄷㅁ의 길이) : (변 ㅁㄹ의 길이)

=(삼각형 ㅁㄴㄷ의 넓이) : (삼각형 ㄴㄹㅁ의 넓이)

$=45:27=5:3$

따라서 (변 ㄷㅁ의 길이)$=15\div8\times5=9\frac{3}{8}(\text{cm})$

**5**

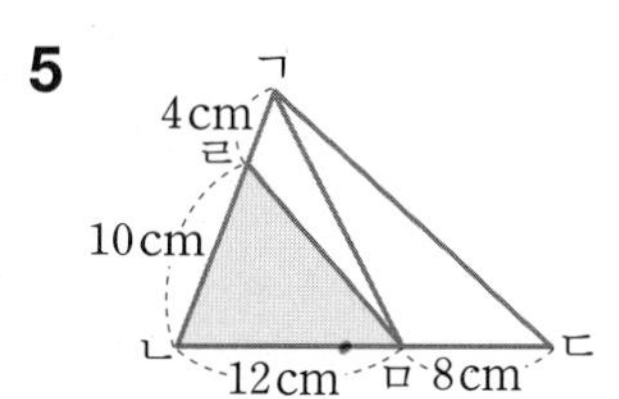


(삼각형 ㄱㄴㄷ의 넓이) : (삼각형 ㄱㄴㅁ의 넓이)

=(변 ㄴㄷ의 길이) : (변 ㄴㅁ의 길이)

$=20:12=5:3$

(삼각형 ㄱㄴㅁ의 넓이)=(삼각형 ㄱㄴㄷ의 넓이)$\times\frac{3}{5}$

(삼각형 ㄱㄴㅁ의 넓이) : (삼각형 ㄹㄴㅁ의 넓이)

=(변 ㄱㄴ의 길이) : (변 ㄹㄴ의 길이)

$=14:10=7:5$

(삼각형 ㄹㄴㅁ의 넓이)

$=$(삼각형 ㄱㄴㄷ의 넓이)$\times\frac{3}{5}\times\frac{5}{7}$

$=$(삼각형 ㄱㄴㄷ의 넓이)$\times\frac{3}{7}$

따라서 삼각형 ㄹㄴㅁ의 넓이는 삼각형 ㄱㄴㄷ의 넓이의 $\frac{3}{7}$이다.

**6** 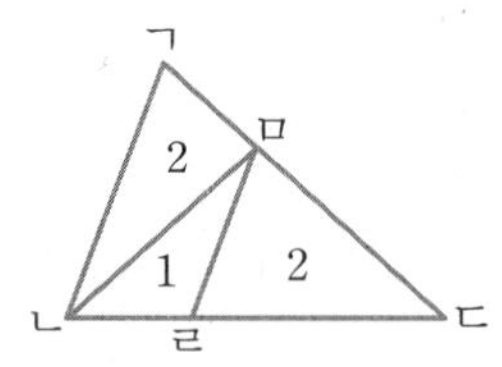


삼각형 ㅁㄴㄷ에서 선분 ㄴㄹ의 길이는 선분 ㄴㄷ의 길이의 $\frac{1}{3}$이므로 삼각형 ㅁㄹㄷ의 넓이를 두 덩어리(○○)라고 하면, 삼각형 ㅁㄴㄹ의 넓이는 한 덩어리(○)이고 삼각형 ㅁㄴㄷ의 넓이는 세 덩어리(○○○)이다.

한편 삼각형 ㅁㄹㄷ의 넓이는 삼각형 ㄱㄴㄷ의 넓이의 $\frac{2}{5}$이고 삼각형 ㅁㄹㄷ의 넓이를 두 덩어리(○○)라고 하였으므로 사각형 ㄱㄴㄹㅁ의 넓이는 세 덩어리(○○○), 삼각형 ㄱㄴㅁ의 넓이는 두 덩어리(○○)

따라서 (삼각형 ㄴㄱㅁ의 넓이) : (삼각형 ㄴㄷㅁ의 넓이)

$=$(변 ㄱㅁ의 길이) : (변 ㅁㄷ의 길이)$=2:3$

(변 ㄱㅁ의 길이)$=10\times\frac{2}{5}=4$(cm)

**7** 삼각형 ㄱㄴㄷ의 넓이를 ㉮라고 하자.

(변 ㄴㄹ의 길이)$=$(변 ㄹㄷ의 길이)이므로

(삼각형 ㄱㄴㄹ의 넓이)$=$㉮$\times\frac{1}{2}$

(변 ㄱㅁ의 길이)$=$(변 ㄱㄴ의 길이)$\times\frac{1}{3}$이므로

(삼각형 ㄱㅁㄹ의 넓이)$=$㉮$\times\frac{1}{2}\times\frac{1}{3}=$㉮$\times\frac{1}{6}$

(선분 ㅂㄹ의 길이)$=$(선분 ㅁㄹ의 길이)$\times\frac{3}{4}$이므로

(삼각형 ㄱㅂㄹ의 넓이)$=$㉮$\times\frac{1}{6}\times\frac{3}{4}=$㉮$\times\frac{1}{8}$

(선분 ㄱㅅ의 길이)$=$(선분 ㄱㄹ의 길이)$\times\frac{2}{3}$이므로

(색칠한 부분의 넓이)$=$㉮$\times\frac{1}{8}\times\frac{2}{3}=$㉮$\times\frac{1}{12}$이다.

**8** 삼각형 ㄱㄴㅂ의 넓이는 삼각형 ㅁㄷㅂ의 넓이와 같고 삼각형 ㄹㄷㅅ의 넓이는 삼각형 ㅁㄴㅅ의 넓이와 같다.(65쪽 유제 4번 참고)

(색칠한 부분의 넓이)

$=$(삼각형 ㅁㄷㅂ의 넓이)$+$(삼각형 ㅁㄴㅅ의 넓이)

$=$(사각형 ㅁㄴㅇㄷ의 넓이)$+$(사각형 ㅁㅂㅇㅅ의 넓이)

(사각형 ㅁㄴㅇㄷ의 넓이)

$=$(삼각형 ㅁㄴㄷ의 넓이)$-$(삼각형 ㅇㄴㄷ의 넓이)

$=48\times\frac{1}{2}-48\times\frac{1}{4}=24-12=12$(cm²)

(색칠한 부분의 넓이)$=12+3=15$(cm²)

**9** 삼각형 ㄱㄴㄷ의 넓이를 ㉮라 하면

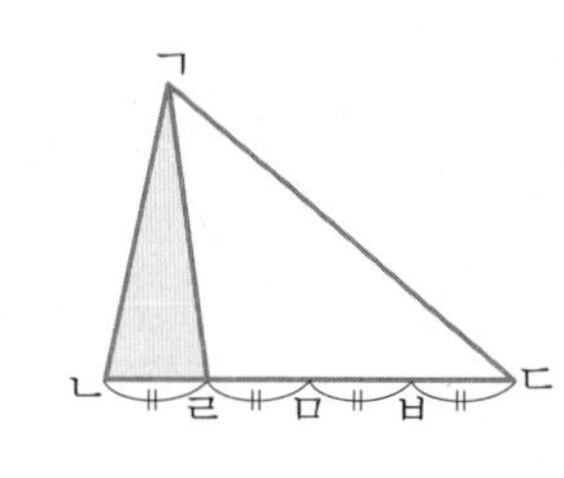

(삼각형 ㄱㄴㄹ의 넓이)

$=$㉮$\times\frac{1}{4}$

(삼각형 ㄱㄹㄷ의 넓이)

$=$㉮$\times\frac{3}{4}$

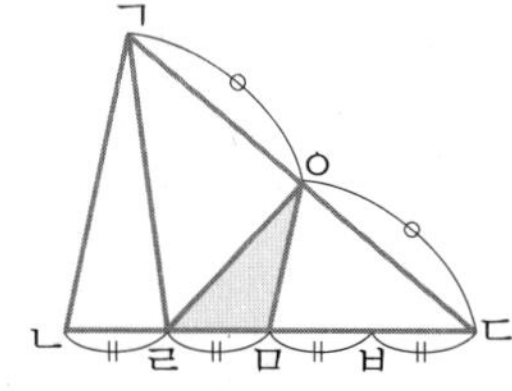

(삼각형 ㅇㄹㄷ의 넓이)

$=$(삼각형 ㄱㄹㄷ의 넓이)$\times\frac{1}{2}$

$=$㉮$\times\frac{3}{4}\times\frac{1}{2}=$㉮$\times\frac{3}{8}$

(삼각형 ㅇㄹㅁ의 넓이)$=$(삼각형 ㅇㄹㄷ의 넓이)$\times\frac{1}{3}$

$=$㉮$\times\frac{3}{8}\times\frac{1}{3}=$㉮$\times\frac{1}{8}$

(삼각형 ㅇㅁㄷ의 넓이)$=$(삼각형 ㅇㄹㄷ의 넓이)$\times\frac{2}{3}$

$=$㉮$\times\frac{3}{8}\times\frac{2}{3}=$㉮$\times\frac{1}{4}$

(삼각형 ㅈㅁㄷ의 넓이)

$=$(삼각형 ㅇㅁㄷ의 넓이)$\times\frac{1}{2}$

$=$㉮$\times\frac{1}{4}\times\frac{1}{2}=$㉮$\times\frac{1}{8}$

(삼각형 ㅈㅁㅂ의 넓이)

$=$(삼각형 ㅈㅁㄷ의 넓이)$\times\frac{1}{2}$

$=$㉮$\times\frac{1}{8}\times\frac{1}{2}=$㉮$\times\frac{1}{16}$

따라서 (색칠한 부분의 넓이)

$=$㉮$\times\frac{1}{4}+$㉮$\times\frac{1}{8}+$㉮$\times\frac{1}{16}$

$=$㉮$\times\left(\frac{4}{16}+\frac{2}{16}+\frac{1}{16}\right)=$㉮$\times\frac{7}{16}$

㉮$\times\frac{7}{16}=14$이므로

㉮$=14\div\frac{7}{16}=14\times\frac{16}{7}=32$(cm²)

**10**

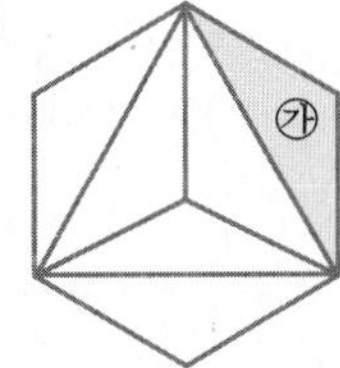


정육각형을 그림과 같이 6개의 작은 삼각형으로 나누어 작은 삼각형 한 개의 넓이를 ㉮라 하자.

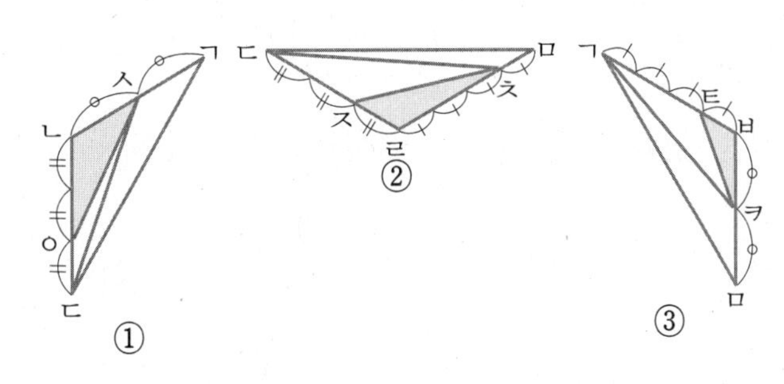


①번 그림에서

(삼각형 ㄴㄷㅅ의 넓이)$=$㉮$\times\frac{1}{2}$

(삼각형 ㄴㅇㅅ의 넓이)$=$㉮$\times\frac{1}{2}\times\frac{2}{3}$

$=$㉮$\times\frac{1}{3}$

②번 그림에서

(삼각형 ㄷㄹㅊ의 넓이)$=$㉮$\times\frac{3}{4}$

(삼각형 ㅈㄹㅊ의 넓이)$=$㉮$\times\frac{3}{4}\times\frac{1}{3}=$㉮$\times\frac{1}{4}$

③번 그림에서

(삼각형 ㄱㅂㅋ의 넓이)$=$㉮$\times\frac{1}{2}$

(삼각형 ㅌㅂㅋ의 넓이)$=$㉮$\times\frac{1}{2}\times\frac{1}{4}$

$=$㉮$\times\frac{1}{8}$

(색칠한 부분의 넓이)$=$㉮$\times\frac{1}{3}+$㉮$\times\frac{1}{4}+$㉮$\times\frac{1}{8}$

$=$㉮$\times\left(\frac{1}{3}+\frac{1}{4}+\frac{1}{8}\right)$

$=$㉮$\times\frac{17}{24}$

정육각형의 넓이는 ㉮$\times 6$이므로 색칠한 부분을 잘라내고 남은 도형의 넓이는 ㉮$\times 6-$㉮$\times\frac{17}{24}=$㉮$\times\frac{127}{24}$이다.

따라서 (구하는 답)$=\frac{127}{24}\div 6=\frac{127}{144}$

본문 68~71쪽

## 쌓기나무 ① 15

**유제**

**1** 33개 **2** 3375개 **3** 102개 **4** 195개

**특강탐구문제**

**1** 55개 **2** 10개 **3** 5개 **4** 13개

**5**

**6** 66개 **7** 664개

**8** 101개 **9** 6개, 22개

**10** ㉠ : 48개, ㉡ : 96개, ㉢ : 64개

### 유제풀이

**1** • 1층, 6층은 모두 없어진다.

• 2층에는 11개의 쌓기나무가 남게 된다.

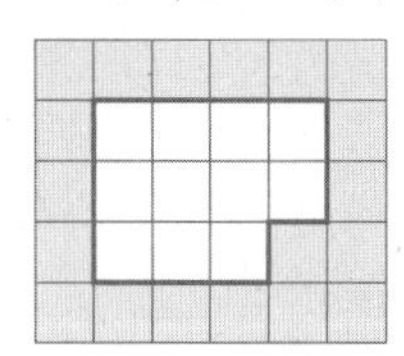

• 3층에는 9개의 쌓기나무가 남게 된다.

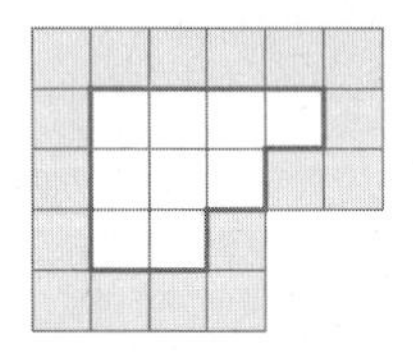

• 4층에는 8개의 쌓기나무가 남게 된다.

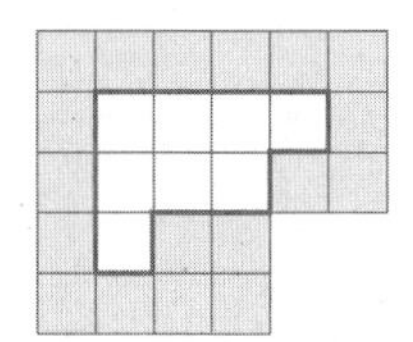

• 5층에는 5개의 쌓기나무가 남게 된다.

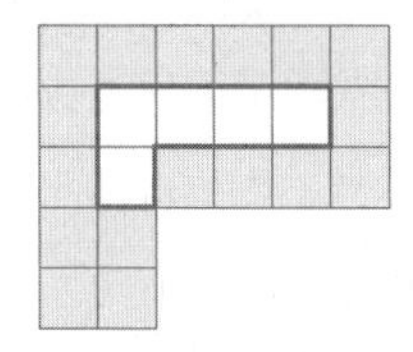

따라서 남은 쌓기나무는 $11+9+8+5=33$(개)이다.

**2** 2개의 면에 색칠되는 쌓기나무는 왼쪽 그림과 같다. 이것은 큰 정육면체의 모서리 부분에 모여 있으므로 2개의 면에 색칠된 쌓기나무는 한 쪽 모서리에 $156 \div 12=13$(개)씩 있다.

따라서 큰 정육면체의 한 쪽 모서리 부분에 있는 작은 정육면체의 개수는 $13+2=15$(개)이므로 작은 정육면체의 전체 개수는 $15 \times 15 \times 15=3375$(개)

**3** • 1층 바닥에는 성냥개비가 다음과 같이 놓이고 그 개수는 20개이다.

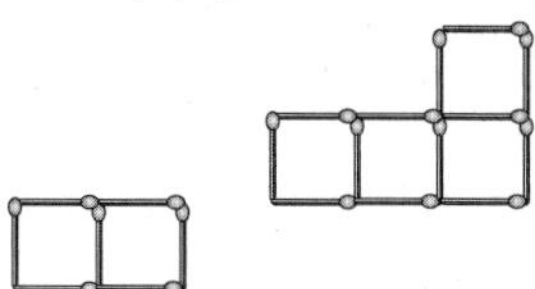

• 2층 바닥에는 성냥개비가 다음과 같이 놓이고 그 개수는 25개이다.

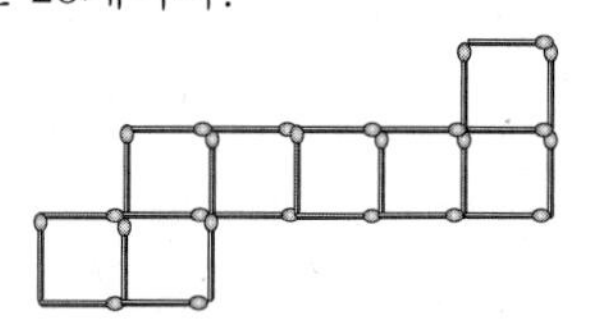

• 3층 바닥에는 성냥개비가 다음과 같이 놓이고 그 개수는 19개이다.

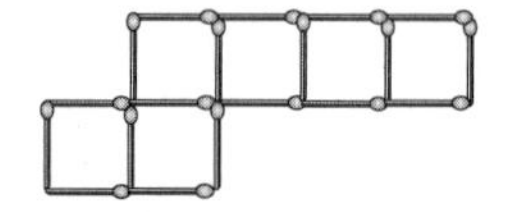

• 4층 바닥에는 성냥개비가 □ 모양으로 놓이고 개수는 4개이다.

1층 바닥에서 2층 바닥을 연결하는 기둥은 16개, 2층 바닥에서 3층 바닥을 연결하는 기둥은 14개, 3층 바닥에서 4층 바닥을 연결하는 기둥은 4개이다.

따라서 성냥개비는 모두

$20+25+19+4+16+14+4=102$(개)이다.

**4** 서로 맞닿은 면의 개수를 찾으면 된다.

정육면체는 모두 $1+4+9+16+25+36=91$(개)가 사용되었고, 면은 모두 $91 \times 6=546$(개)이다.

겉면에 있는 면은 위에서 보이는 면이 $6\times6=36$(개)
왼쪽 옆에서 보이는 면이 $1+2+3+4+5+6=21$(개)
오른쪽 옆에서 보이는 면이 $1+2+3+4+5+6=21$(개)
따라서, 겉면에 있는 정사각형은
$(36+21+21)\times2=156$(개)
$546-156=390$(개)의 면이 서로 맞닿은 면이므로
접착제를 바른 면은
$390\div2=195$(개)

**특강탐구문제풀이**

**1** 10층에 1개, 9층에 3개, 8층에 6개, 7층에 10개, …의 쌓기나무가 있다.
즉, 1, 3, 6, 10, 15, …의 수열이다. (차: 2, 3, 4, 5)

1층에 놓이게 되는 쌓기나무의 개수는
위의 수열의 10째 번 수이므로
$1+(\underbrace{2+3+4+\cdots+10}_{9개})=55$(개)

**2** 위에서 본 모양을 기준으로 생각해 보면

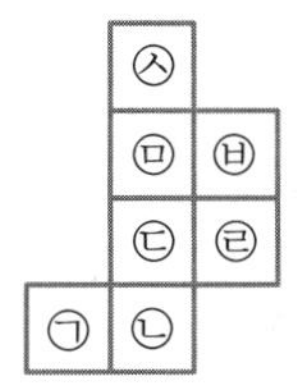


앞에서 보았을 때 가장 왼쪽에 3개의 쌓기나무가 있으므로 ㉠에는 3개의 쌓기나무가 있다. 또 가운데에는 1개 밖에 없으므로 ㉡, ㉢, ㉤, ㉦에 각각 1개씩의 쌓기나무가 있다.
옆에서 보았을 때 오른쪽에서 둘째 번에 2개의 쌓기나무가 있고, ㉤에 1개가 있으므로 ㉥에 2개의 쌓기나무가 있다. 또 왼쪽에서 둘째 번에는 1개의 쌓기나무가 있으므로 ㉣에는 1개의 쌓기나무가 있다. 따라서
$3+1+1+1+1+2+1=10$(개)

**3** 위에서 본 모양을 기준으로 생각해 보면

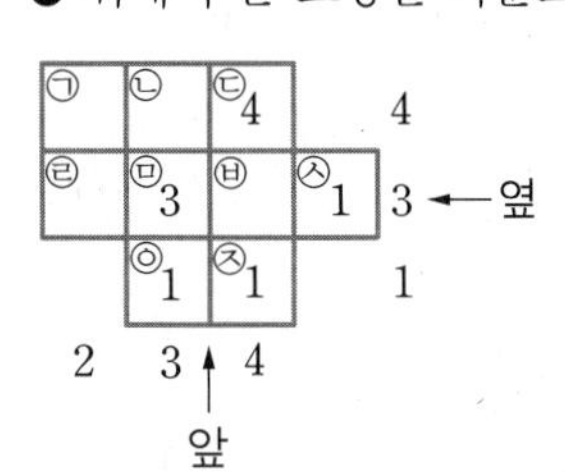


앞에서 보았을 때 가장 왼쪽은 쌓기나무가 2개이고, 옆에서 보았을 때 오른쪽 두 칸은 각각 3개, 4개이므로 ㉠과 ㉣ 둘 중 하나에는 반드시 2개가 있어야 하고, 둘 다 2개가 있어도 된다.
앞에서 보았을 때 왼쪽에서 둘째 번에는 쌓기나무가 3개이고, 옆에서 보았을 때 가운데에 3개이므로 ㉤은 반드시 3개가 되어야 한다. 앞에서 보았을 때 오른쪽에서 둘째 번에는 쌓기나무가 4개이고, 옆에서 보았을 때 가장 오른쪽에는 4개이므로 ㉢은 반드시 4개가 되어야 한다.
앞에서 보았을 때 가장 오른쪽과 옆에서 보았을 때 가장 왼쪽은 각각 1개씩의 쌓기나무가 있으므로 ㉦, ㉧, ㉨은 반드시 1개가 되어야 한다.
따라서 가장 많이 필요한 경우에는 ㉠, ㉣에 2개씩, ㉡에 3개, ㉥에 3개가 들어갈 수 있으므로 20개이다.
또 가장 적게 필요한 경우에는 ㉠, ㉣ 중 하나에만 2개, 나머지에는 1개, ㉡, ㉥에 각각 1개씩 들어갈 수 있으므로 15개이다.
따라서 두 경우의 쌓기나무 개수의 차는 5개이다.

**4** • 1층, 4층, 5층은 모든 쌓기나무가 적어도 한 면은 보인다.
• 2층은 8개의 쌓기나무가 한 면도 보이지 않는다.
• 3층은 5개의 쌓기나무가 한 면도 보이지 않는다.

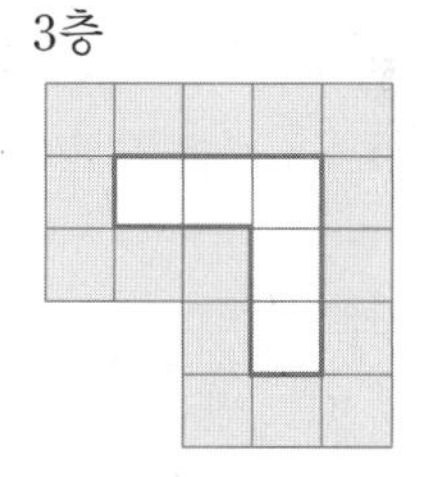


따라서 어느 한 면도 보이지 않는 쌓기나무는
$8+5=13$(개)

**5** 위에서 본 모양을 기준으로 생각해 보면

앞에서 보았을 때 왼쪽에 쌓기나무가 3개이므로 ㉠은 3개, 가운데는 1개이므로 ㉡과 ㉣은 각각 1개, 오른쪽은 2개이므로 ㉢은 2개가 된다.
따라서 옆에서 보면 왼쪽에 1개, 가운데 2개, 오른쪽에 3개가 된다.

**6** 1층은 모두 겉면에 위치한다. → $5\times5=25$(개)
4층도 모두 겉면에 위치한다. → $5\times2=10$(개)
5층도 모두 겉면에 위치한다. → $5\times1=5$(개)
2층에는 모두 20개의 쌓기나무가 있고 가운데 6개는 안쪽에 놓여 있다. → 14개

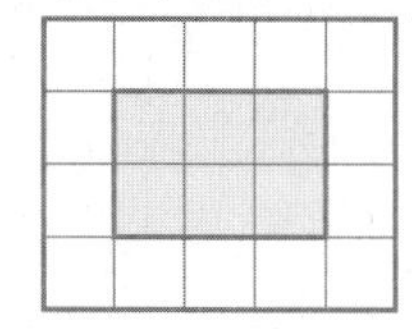

3층에는 모두 15개의 쌓기나무가 있고 가운데 3개는 안쪽에 놓여 있다. → 12개

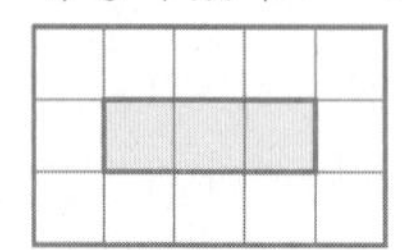

따라서 겉면에 있는 쌓기나무는
$25+10+5+14+12=66$(개)

**7** 7층에서 한 층 내려갈 때마다 쌓기나무는 6개씩 늘어난다.
사용된 쌓기나무의 개수는
$3+9+15+21+27+33+39=147$(개)
이고, 면은 모두 $147\times6=882$(개)이다.
겉면에 있는 면은 위에서 보이는 $3\times13=39$(개),
왼쪽 옆에서 보이는 $3\times7=21$(개),
앞에서 보이는 $1+3+5+\cdots+13=49$(개)이므로
전체 겉면에 있는 면은 모두
$(39+21+49)\times2=218$(개)
면의 개수에서 겉면에 있는 면의 개수를 빼면 면과 면이 맞닿는 면의 개수를 구할 수 있다.
⇨ $882-218=664$(개)

**8** • 1층 바닥에는 나무 막대가 다음과 같은 모양으로 놓이고 그 개수는 16개이다.

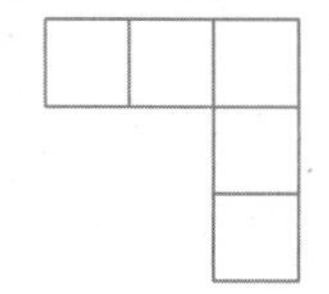

• 2층 바닥에는 나무 막대가 다음과 같은 모양으로 놓이고 그 개수는 18개이다.

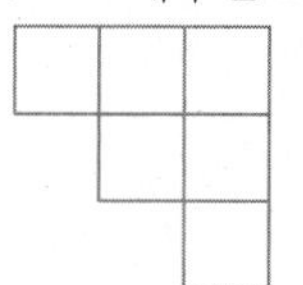

• 3층 바닥에는 나무 막대가 다음과 같은 모양으로 놓이고 그 개수는 15개이다.

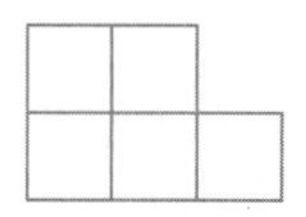

• 4층 바닥에는 나무 막대가 다음과 같은 모양으로 놓이고 그 개수는 13개이다.

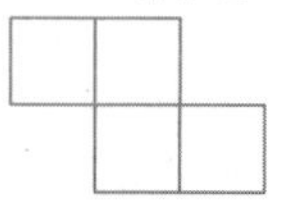

• 5층 바닥에는 나무 막대가 다음과 같은 모양으로 놓이고 그 개수는 4개이다.

또한 각 층에 세워진 기둥 나무 막대의 개수는 각각 1층에 12개, 2층에 9개, 10개, 4개이다.
따라서 필요한 나무 막대의 개수는 모두
$16+18+15+13+4+12+9+10+4=101$(개)

**9**

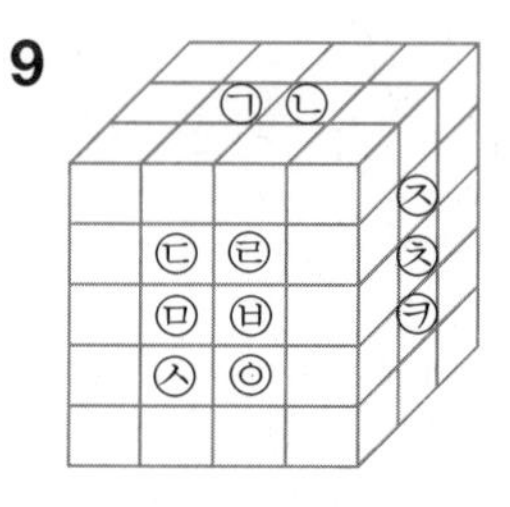


위에서 보았을 때 2, 3, 4층에 있는 ㉠과 ㉡ 위치의 직사각형은 어느 면에도 페인트가 칠해지지 않는다. 따라서 $2\times3=6$(개)가 페인트가 칠해지지 않는다.
한 면만 페인트가 칠해지는 직육면체는
아래 · 윗면의 ㉠, ㉡ 위치의 $2\times2=4$(개),
앞 · 뒷면의 ㉢~㉧ 위치의 $6\times2=12$(개)
앞 · 옆면의 ㉨, ㉩, ㉪ 위치의 $3\times2=6$(개)
따라서 한 면에만 페인트가 칠해지는 직육면체는
$4+12+6=22$(개)

**10** • 나무 막대 4개가 만나는 곳은 각 모서리의 다음 부

분이다.

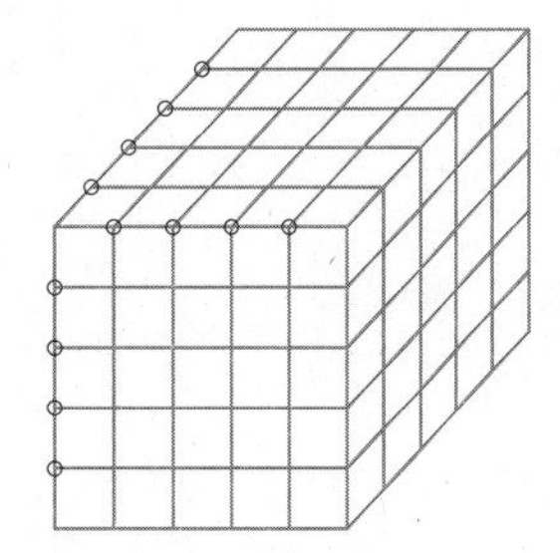

$4\times12=48$(개)

• 나무 막대 5개가 만나는 곳은 6개의 겉면의 다음 부분이다.

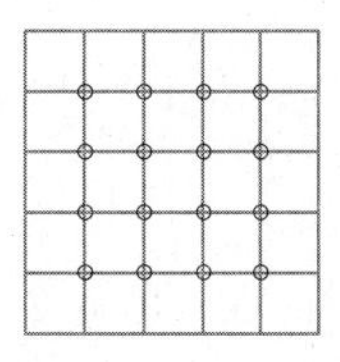

$16\times6=96$(개)

• 나무 막대 6개가 만나는 곳은 겉으로 보이지 않는 안쪽 면(2층 바닥, 3층 바닥, 4층 바닥, 5층 바닥)의 다음 부분이다.

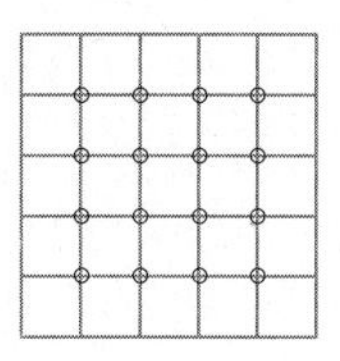

$16\times4=64$(개)

따라서 ㉠=48, ㉡=96, ㉢=64이다.

본문 72~75쪽

## 새 연산 16

### 유제

**1** 30 **2** 38 **3** 10 **4** 39

### 특강탐구문제

**1** 8 **2** $\frac{28}{45}$ **3** 3 **4** 2, 8, 12, 18 **5** $\frac{1}{15}$

**6** 9 **7** 21 **8** 13 **9** 23개 **10** ㉠=5, ㉡=3

### 유제풀이

**1** 주어진 규칙은 다음과 같다.

$a\#b=\underbrace{a\times a\times\cdots\times a}_{b\text{번}}+b$

$1\#2=1\times1+2=3$

$3\#3=3\times3\times3+3=27+3=30$이므로

$(1\#2)\#3=3\#3=30$

**2** 주어진 규칙은 다음과 같다.

$a\triangle b=a\times a+b$

$5\triangle3=5\times5+3=28=$ ㉠

$3\triangle$ ㉡ $=15$에서 $3\times3+$ ㉡ $=15$, ㉡ $=6$

㉢ $\triangle4=20$에서 ㉢ $\times$ ㉢ $+4=20$, ㉢ $=4$

따라서 ㉠, ㉡, ㉢의 합은 $28+6+4=38$

**3** $\overset{\circledcirc}{7}\times8=(1\times2\times\cdots\times7)\times8=\overset{\circledcirc}{8}$

$\overset{\circledcirc}{7}\div7=(1\times2\times\cdots\times7)\div7=1\times2\times\cdots\times6=\overset{\circledcirc}{6}$이므로

$\overset{\circledcirc}{7}\times8-\overset{\circledcirc}{7}\div7=\overset{\circledcirc}{8}-\overset{\circledcirc}{6}$이다.

$\overset{\circledcirc}{8}-\overset{\circledcirc}{6}=(1\times2\times3\times\cdots\times6\times7\times8)-(1\times2\times\cdots\times6)$은

괄호 안에 $1\times2\times\cdots\times6$이 똑같이 들어 있으므로

$$\begin{aligned}\overset{\circledcirc}{8}-\overset{\circledcirc}{6}&=(1\times2\times\cdots\times6)\times\{(7\times8)-1\}\\&=\overset{\circledcirc}{6}\times(56-1)\\&=\overset{\circledcirc}{6}\times55\end{aligned}$$

따라서 $\overset{\circledcirc}{6}\times55=\overset{\circledcirc}{6}\times\overset{*}{\square}$이므로 $\overset{*}{\square}=55$

$$\begin{array}{rl} & 1+2+3+\cdots+(\square-1)+\square\\ +) & \square+(\square-1)+(\square-2)+\cdots+2+1\\ \hline & \underbrace{(1+\square)+(1+\square)+(1+\square)+\cdots+(1+\square)+(1+\square)}_{\square\text{개}}\end{array}$$

에서 $(1+\square)\times\square\div2=55$

$(1+\square)\times\square=110$

$110=11\times10$이므로 $\square=10$이다.

**4** $a$의 약수에는 반드시 1과 $a$가 포함된다.

$\langle a\rangle=1\frac{1}{3}\times a+4$에서 $a$의 약수의 합이 $1\frac{1}{3}\times a+4$이므로 1과 $a$를 제외한 나머지 약수들의 합은 $\frac{1}{3}\times a+3$이다.

그런데 $\left(\frac{1}{3}\times a\right)\times3=a$이므로

$\frac{1}{3}\times a$와 3도 $a$의 약수임을 알 수 있다.

따라서 $a$의 약수는 1, 3, $\frac{1}{3}\times a$, $a$로 4개이다.

또 $\frac{1}{3}\times a$는 자연수이므로 $a$는 3의 배수이다.

50 미만의 자연수 중 조건을 만족하면서 약수의 개수가 4개인 수 중 가장 큰 $a$는 39이다.

### 특강탐구문제풀이

**1** $5*(2*\square)=\{3\times5+(2*\square)\}\div2=11$에서

$15+(2*\square)=22$, $2*\square=7$이다.

$2*\square=(3\times2+\square)\div2=7$에서 $6+\square=14$

따라서 $\square=8$이다.

**2** $$\begin{aligned}1\frac{1}{3}*\frac{4}{9}=\frac{4}{3}*\frac{4}{9}&=\left(\frac{4}{3}-\frac{4}{9}\right)\div2\\&=\left(\frac{12}{9}-\frac{4}{9}\right)\div2\\&=\frac{8}{9}\div2=\frac{4}{9}\end{aligned}$$

$$\begin{aligned}\frac{2}{5}\bullet\frac{4}{9}&=\left(\frac{2}{5}+\frac{4}{9}\right)\div2=\left(\frac{18}{45}+\frac{20}{45}\right)\div2\\&=\frac{38}{45}\div2=\frac{19}{45}\end{aligned}$$

$$\begin{aligned}1\frac{2}{3}*\frac{19}{45}=\frac{5}{3}*\frac{19}{45}&=\left(\frac{5}{3}-\frac{19}{45}\right)\div2\\&=\left(\frac{75}{45}-\frac{19}{45}\right)\div2\\&=\frac{56}{45}\div2=\frac{28}{45}\end{aligned}$$

따라서 $1\frac{2}{3}*\left\{\frac{2}{5}\bullet\left(1\frac{1}{3}*\frac{4}{9}\right)\right\}$

$=1\frac{2}{3}*\left(\frac{2}{5}\bullet\frac{4}{9}\right)=1\frac{2}{3}*\frac{19}{45}=\frac{28}{45}$

**3** $3\times\begin{vmatrix}4 & 1\\7 & ㉮\end{vmatrix}-\begin{vmatrix}5 & 3\\3 & 2\end{vmatrix}$

$=3\times\{(4\times ㉮)-1\times 7\}-(5\times 2-3\times 3)$

$=3\times(4\times ㉮-7)-1$

즉 $3\times(4\times ㉮-7)-1=14$

$3\times(4\times ㉮-7)=15$

$4\times ㉮-7=5$

$4\times ㉮=12$, $㉮=3$

**4** $\{(4\sim 9)\sim(a\sim 10)\}=(9-4)\sim(a\sim 10)$

$=5\sim(a\sim 10)$

즉 $5\sim(a\sim 10)=3$

5와 $(a\sim 10)$과의 차가 3이어야 하므로 $a\sim 10$은 8 또는 2이다.

① $a$와 10의 차가 8일 경우

$a$는 18 또는 2이다.

② $a$와 10의 차가 2일 경우

$a$는 12 또는 8이다.

따라서 조건을 만족하는 $a$는 2, 8, 12, 18이다.

**5** $3*4=\frac{4-3}{4\div 3}=1\div\frac{4}{3}=\frac{3}{4}$

$1\frac{1}{4}*\frac{3}{4}=\frac{5}{4}*\frac{3}{4}=\dfrac{\frac{5}{4}-\frac{3}{4}}{\frac{5}{4}\div\frac{3}{4}}$

$=\frac{2}{4}\div\frac{5}{3}=\frac{1}{2}\times\frac{3}{5}=\frac{3}{10}$

$\frac{3}{10}*\frac{1}{5}=\frac{3}{10}*\frac{2}{10}=\dfrac{\frac{3}{10}-\frac{2}{10}}{\frac{3}{10}\div\frac{2}{10}}$

$=\frac{1}{10}\div\frac{3}{2}=\frac{1}{10}\times\frac{2}{3}=\frac{1}{15}$

따라서 $\left\{1\frac{1}{4}*(3*4)\right\}*\frac{1}{5}$

$=\left(1\frac{1}{4}*\frac{3}{4}\right)*\frac{1}{5}=\frac{3}{10}*\frac{1}{5}=\frac{1}{15}$

**6** 주어진 규칙은 다음과 같다.

$㉮☆㉯=㉮+㉯+3$

따라서 $\square☆6=\square+6+3=\square+9=18$로

$\square=9$이다.

**7** 주어진 규칙은 다음과 같다.

$㉮◎㉯=㉮\times 2-㉯$

$㉮◇㉯=㉮+㉯\times 3$

따라서 $(4◎5)◇6=(4\times 2-5)◇6$

$=3◇6$

$=3+6\times 3=21$

**8** $\overset{*}{16}-\overset{*}{9}=(1+2+3+\cdots+16)-(1+2+3+\cdots+9)$

$=10+11+\cdots+16$

$=(10+16)\times 7\div 2$

$=91$

즉 $91=\overset{*}{\square}$

$$\begin{array}{rl} & 1+2+3+\cdots+(㉮-1)+㉮\\ +) & ㉮+(㉮-1)+(㉮-2)+\cdots+2+1\\ \hline & \underbrace{(1+㉮)+(1+㉮)+(1+㉮)+\cdots+(1+㉮)+(1+㉮)}_{㉮개}\end{array}$$

에서 $(1+㉮)\times ㉮\div 2=91$이다.

따라서 $(1+㉮)\times ㉮=182$

$182=14\times 13$이므로 $㉮=13$

**9** $12\times\{(㉮, 4)+5\}=96$이므로

$(㉮, 4)+5=8$, $(㉮, 4)=3$

즉, 4로 나누었을 때 나머지가 3이 되는 두 자리 자연수 ㉮를 찾으면 된다.

가장 작은 ㉮는 $4\times 2+3=11$

가장 큰 ㉮는 $4\times 24+3=99$

따라서 ㉮가 될 수 있는 수는

모두 $(24-2)+1=23$(개)

**10** $\left[\frac{13}{5}\right]=\left[2\frac{3}{5}\right]=\frac{3}{5}$이므로 $\left[\frac{73+㉡}{5+㉠}\right]=\frac{3}{5}$이다.

분모가 5의 배수이므로 ㉠에 알맞은 한 자리 자연수는 5뿐이다.

$\left[\frac{73+㉡}{10}\right]=\left[\frac{70+3+㉡}{10}\right]=\frac{6}{10}$이므로

분자는 $3+㉡=6$이 되어야 한다.

따라서 조건을 만족하는 ㉠과 ㉡은 각각 5와 3이다.

본문 76~79쪽

## 17 시침과 분침의 각도 문제 ②

**유제**

**1** 4시 $43\frac{7}{11}$분 **2** 3시 $49\frac{1}{11}$분

**3** 7시 $21\frac{9}{11}$분, 7시 $54\frac{6}{11}$분 **4** 1시간 $14\frac{6}{11}$분

**특강탐구문제**

**1** 1시간 $38\frac{2}{11}$분 **2** 1시간 $5\frac{5}{11}$분 **3** $32\frac{8}{11}$분

**4** 10시 $54\frac{6}{11}$분 **5** 2시 $32\frac{8}{11}$분, 2시 $54\frac{6}{11}$분

**6** 5시 $21\frac{9}{11}$분, 5시 $32\frac{8}{11}$분 **7** 110km/시

**8** 28분 **9** 2시간 $10\frac{10}{11}$분, 4시 20분

**10** $16\frac{4}{11}$분, $49\frac{1}{11}$분

### 유제풀이

**1**

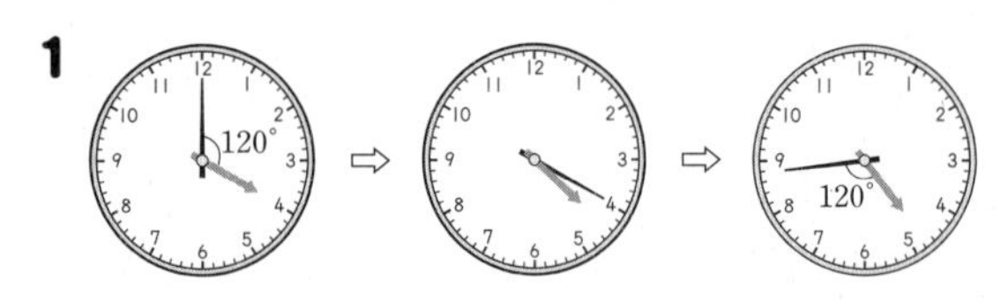


4시 정각 이후 다시 시침과 분침이 120°를 이루려면 우선 분침이 시침과 겹칠 때까지 시침보다 120°를 더 가고 다시 시침보다 120°를 앞서 가야 한다. 즉 분침이 시침보다 240°만큼 더 움직여야 한다.
1분에 분침은 6°씩, 시침은 0.5°씩 움직이므로, 1분 동안 분침은 시침보다 $6°-0.5°=5.5°$씩 더 간다.
따라서 분침이 240° 움직이는 데 걸리는 시간은

$240\div5.5=\frac{240}{5.5}=\frac{2400}{55}=\frac{480}{11}=43\frac{7}{11}$(분)

따라서 구하는 시각은 4시 $43\frac{7}{11}$분이다.

**2** 3시 정각에 시침과 분침은 90°를 이룬다. 시침과 분침이 180°를 이루려면 우선 분침이 시침과 겹칠 때까지 시침보다 90°를 더 가고 다시 180°를 앞서 가야 한다. 즉, 시침보다 270°를 더 가야 한다.
분침이 시침보다 1분에 5.5°씩 더 가므로 분침이 시침보다 270°를 더 가는 데 걸리는 시간은

$270\div5.5=\frac{270}{5.5}=\frac{2700}{55}=\frac{540}{11}=49\frac{1}{11}$(분)

따라서 구하는 시각은 3시 $49\frac{1}{11}$분이다.

**3**

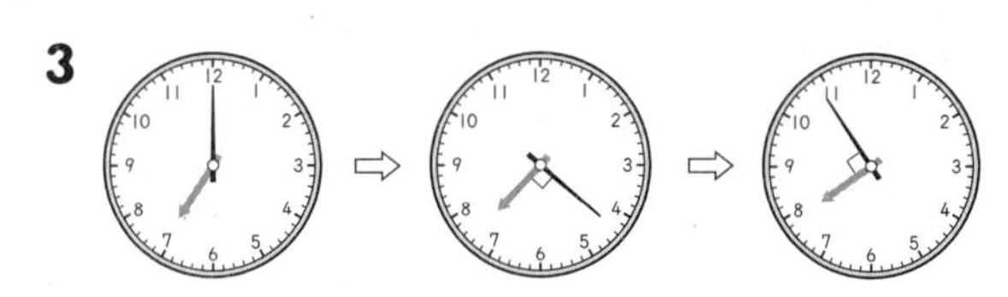

7시 정각에 분침은 시침보다 210° 뒤에 있다.
처음으로 시침과 분침이 90°를 이루는 때는 분침이 시침보다 $210°-90°=120°$ 더 갔을 때이다.
분침이 시침보다 1분에 5.5°씩 더 가므로 분침이 시침보다 120° 더 가는 데 걸리는 시간은

$120\div5.5=\frac{1200}{55}=\frac{240}{11}=21\frac{9}{11}$(분)

또, 다음으로 시침과 분침이 90°를 이루는 것은 7시 $21\frac{9}{11}$분에서 분침이 시침보다 다시 180°를 더 갔을 때이다.
분침이 시침보다 180° 더 가는 데 걸리는 시간은

$180\div5.5=\frac{1800}{55}=\frac{360}{11}=32\frac{8}{11}$(분)

따라서 구하는 시각은

7시 $21\frac{9}{11}$분$+32\frac{8}{11}$분$=$7시 $54\frac{6}{11}$분이다.

즉, 7시와 8시 사이에 시계의 시침과 분침이 이루는 각도가 직각일 때는 7시 $21\frac{9}{11}$분과 7시 $54\frac{6}{11}$분이다.

**4** 분침과 시침이 150°를 이루었으므로 분침이 시침보다 150° 더 가면 시침과 분침은 겹쳐진다.
또 잠이 깬 시각에 시계 바늘은 5시를 조금 넘어 100°를 이루었으므로 분침이 150°를 더 가서 시침과 겹쳐진 후 분침이 시침보다 $360°-100°=260°$만큼 더 돌고 나서 잠이 깬 것이다.
즉 낮잠을 잔 시간은 분침이 시침보다
$150°+260°=410°$ 더 가는 동안이다.
분침이 시침보다 1분에 5.5°만큼 더 가므로, 낮잠을 잔 시간은

$410-5.5=\frac{4100}{55}=\frac{820}{11}=74\frac{6}{11}$(분)

따라서 낮잠을 잔 시간은 1시간 $14\frac{6}{11}$분이다.

**특강탐구문제풀이**

**1**

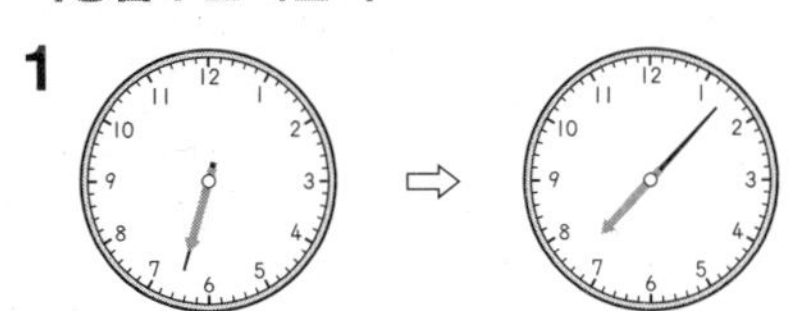

산책을 한 시간은 시침과 분침이 6시와 7시 사이에 다시 한 번 겹치고, 분침이 시침보다 180°만큼 더 간 시간이다. 즉 분침이 시침보다 360°+180°=540°만큼 더 가는 시간이다.

분침은 시침보다 1분에 5.5°만큼 더 가므로 산책을 한 시간은

$540\div5.5=\frac{5400}{55}=\frac{1080}{11}=98\frac{2}{11}$(분)

$=1$시간 $38\frac{2}{11}$분

**다른 풀이** 5시 이후 시침과 분침이 겹쳐지려면 분침은 150°를 앞서가야 한다.

$150\div5.5=\frac{150}{5.5}=\frac{1500}{55}=\frac{300}{11}=27\frac{3}{11}$(분)

(선주가 집을 떠난 시각)=5시 $27\frac{3}{11}$분

7시가 조금 넘어 시침과 분침이 180°를 이루려면 분침은 30° 앞서가야 한다.

$30\div5.5=\frac{30}{5.5}=\frac{300}{55}=\frac{60}{11}=5\frac{5}{11}$(분)

(선주가 집에 도착한 시각)=7시 $5\frac{5}{11}$분

따라서 선주가 산책한 시간은

7시 $5\frac{5}{11}$분$-$5시 $27\frac{3}{11}$분

$=$6시 $65\frac{5}{11}$분$-$5시 $27\frac{3}{11}$분

$=$1시간 $38\frac{2}{11}$분

**2** 시침과 분침이 겹쳐진 후에 처음으로 다시 겹쳐지려면 분침이 시침보다 360° 더 가야 한다.

분침은 시침보다 1분에 5.5° 더 가므로 처음으로 다시 겹쳐질 때까지 걸리는 시간은

$\frac{360}{5.5}=\frac{3600}{55}=\frac{720}{11}=65\frac{5}{11}$(분)$=$1시간 $5\frac{5}{11}$분

**3** 시침과 분침이 직각을 이룬 후 처음으로 다시 직각을 이루려면 분침이 시침을 90° 따라 잡고 다시 90° 앞서 가야 한다. 즉 분침이 시침보다 90°+90°=180° 더 가야 한다.

또는, 분침이 90° 앞서가다 270° 앞서가야 하므로, 270°−90°=180° 더 가야 한다.

분침은 시침보다 1분에 5.5°만큼 더 가므로 다시 90°를 이룰 때까지 걸리는 시간은

$180\div5.5=\frac{1800}{55}=\frac{360}{11}=32\frac{8}{11}$(분)

**4** 10시 정각에 분침은 시침보다 300° 뒤에 있다. 시침과 분침이 일치하려면 분침이 시침보다 300° 더 가야 한다.

분침은 시침보다 1분에 5.5° 더 가므로 분침이 시침보다 300° 더 가는 데 걸리는 시간은

$300\div5.5=\frac{300}{5.5}=\frac{3000}{55}=\frac{600}{11}=54\frac{6}{11}$(분)

따라서 10시와 11시 사이에 시침과 분침이 일치하는 시각은 10시 $54\frac{6}{11}$분이다.

**5** 2시 정각에 시침과 분침은 60°를 이룬다.

시침과 분침이 120°를 이루려면 분침이 시침을 60° 따라 잡고 다시 120°를 앞서 가야 한다. 또 다음 번 120°를 이루는 때는 처음 120°를 이루는 때보다 120°를 더 앞서 가야 한다.

즉 시침과 분침이 120°를 이루려면 분침이 시침보다 60°+120°=180°와 180°+120°=300° 앞서 가야 한다.

분침은 시침보다 1분에 5.5° 더 가므로 시침과 분침이 이루는 각도가 120°인 시각은 다음과 같다.

$180\div5.5=\frac{1800}{55}=\frac{360}{11}=32\frac{8}{11}$(분)

$300\div5.5=\frac{3000}{55}=\frac{600}{11}=54\frac{6}{11}$(분)

따라서, 구하는 시각은 2시 $32\frac{8}{11}$분, 2시 $54\frac{6}{11}$분이다.

**6** 5시 정각에 시침과 분침은 150°를 이룬다.
시침과 분침이 30°를 이루는 때는 분침이 시침보다
$150°-30°=120°$ 더 갔을 때와
$150°+30°=180°$ 더 갔을 때이다.
분침은 시침보다 1분에 5.5° 더 가므로 분침이 시침보다 120°, 180° 만큼 더 가는 데 걸리는 시간은 각각 다음과 같다.

$120\div5.5=\frac{1200}{55}=\frac{240}{11}=21\frac{9}{11}$(분)

$180\div5.5=\frac{1800}{55}=\frac{360}{11}=32\frac{8}{11}$(분)

따라서 구하는 시각은 5시 $21\frac{9}{11}$분, 5시 $32\frac{8}{11}$분이다.

**7** 자동차가 달린 시간은 분침이 시침을
$360°-140°=220°$ 따라 잡고, 다시 50° 앞서 가는 데 걸린 시간이다.
즉 분침이 시침보다 $220°+50°=270°$ 만큼 더 가는 데 걸린 시간이다.
분침은 시침보다 1분에 5.5° 더 가므로 자동차가 달린 시간은

$270\div5.5=\frac{2700}{55}=\frac{540}{11}$(분)

즉, $\frac{\overset{9}{\cancel{540}}}{11}\times\frac{1}{\underset{1}{\cancel{60}}}=\frac{9}{11}$(시간)이다.

따라서 자동차의 시속은

$90\div\frac{9}{11}=\overset{10}{\cancel{90}}\times\frac{11}{\underset{1}{\cancel{9}}}=110$(km/시)

**8** 7시 정각에 분침은 시침보다 210° 뒤에 있다.
아침 식사를 시작했을 때 분침이 시침보다 34° 뒤에 있었으므로 분침이 시침을 $210°-34°=176°$ 따라 잡은 것이다.
따라서 분침이 176°를 따라 잡는 데 걸린 시간은

$176\div5.5=\frac{1760}{55}=32$(분)

즉 아침 식사를 시작한 시각은 7시 32분이다.
따라서 8시 정각에 식사를 마쳤으므로 아침 식사를 한 시간은 $60-32=28$(분)이다.

**참고*** 다음과 같이 생각하여도 마찬가지이다.
분침이 시침보다 34° 뒤에 있을 때 아침 식사를 시작하여 분침이 34°만큼 더 가서 시침과 분침이 겹쳐진 후 다시 120°만큼 더 앞서 가면 8시 정각이 되고, 이 때 식사를 마쳤으므로 분침이 시침보다 $34°+120°=154°$ 더 가는 동안 아침 식사를 한 것이다.
따라서 아침 식사를 한 시간은

$154\div5.5=\frac{154}{5.5}=\frac{1540}{55}=28$(분)

**9** 2시 정각에 시침과 분침은 60°를 이룬다.
2시 이후 처음 10°를 이루었을 때 공부를 시작했으므로 분침이 시침을 $60°-10°=50°$ 따라 잡았다.
50° 따라 잡는 데 걸린 시간은

$50\div5.5=\frac{500}{55}=\frac{100}{11}=9\frac{1}{11}$(분)이므로, 공부를 시작한 시각은 2시 $9\frac{1}{11}$분이다.

한편 1시간 동안 분침은 시침의 앞과 뒤에서 2번 10°를 이룬다. 그러므로 2시 $9\frac{1}{11}$분에서 분침이 시침보다 360° 더 돌면 2번 더 10°를 이룬다. 넷째 번으로 10°를 이루는 것은 360°씩 2번, 즉 720° 돌았을 때이다.
분침이 시침보다 720° 더 도는 데 걸리는 시간은

$720\div5.5=\frac{7200}{55}=\frac{1440}{11}=130\frac{10}{11}$(분)

따라서, 공부를 한 시간은 2시간 $10\frac{10}{11}$분이고, 공부를 마친 시각은

2시 $9\frac{1}{11}$분+2시간 $10\frac{10}{11}$분=4시 20분

**10** 분침이 시침의 앞에서 135°를 이루고 나서 뒤에서

135°를 이루는 경우와 뒤에서 135°를 이루고 나서 앞에서 135°를 이루는 경우로 생각할 수 있다.

분침이 먼저 시침의 뒤에서 135°를 이루는 경우는, 분침이 시침을 135° 따라 잡고 다시 135° 앞서 가면 된다. 즉 분침이 시침보다 135°+135°=270° 더 가면 된다. 분침이 시침보다 270°를 더 도는 데 걸리는 시간은

$270\div5.5=\frac{2700}{55}=\frac{540}{11}=49\frac{1}{11}$(분)

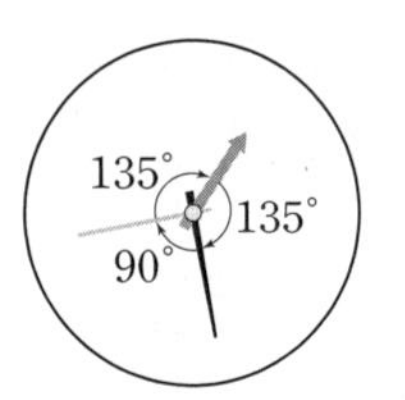


분침이 먼저 시침의 앞에서 135°를 이루는 경우는 분침이 시침과 겹치는 곳의 135° 전까지 가야 하므로 분침이 시침보다 360°−135°−135°=90° 더 가면 된다. 분침이 시침보다 90°를 더 가는 데 걸리는 시간은

$90\div5.5=\frac{900}{55}=\frac{180}{11}=16\frac{4}{11}$(분)

따라서 시침과 분침이 135°를 이룬 후 처음으로 다시 이룰 때 걸리는 시간은 $16\frac{4}{11}$분, $49\frac{1}{11}$분이다.

본문 80~83쪽

## 분수 계산 문제 18

**유제**

**1** $\frac{1}{7}$ **2** $\frac{12}{25}$ **3** $\frac{30}{43}$ **4** $\frac{4949}{19800}$

**특강탐구문제**

**1** $\frac{9}{10}$ **2** $1\frac{3}{7}$ **3** $\frac{2}{3}$ **4** ㉮=4, ㉯=3, ㉰=2

**5** $1\frac{4}{77}$ **6** $\frac{7}{8}$ **7** $\frac{49}{99}$ **8** $\frac{54}{55}$ **9** $1\frac{99}{101}$

**10** 1

### 유제풀이

**1** 방법 1을 이용한다.

$$\frac{7}{12}=\frac{3+4}{3\times4}=\frac{1}{3}+\frac{1}{4}$$
$$\frac{9}{20}=\frac{4+5}{4\times5}=\frac{1}{4}+\frac{1}{5}$$
$$\frac{11}{30}=\frac{5+6}{5\times6}=\frac{1}{5}+\frac{1}{6}$$
$$\frac{13}{42}=\frac{6+7}{6\times7}=\frac{1}{6}+\frac{1}{7}$$

따라서, 구하는 식은

$$\frac{1}{3}-\left(\frac{1}{3}+\frac{1}{4}\right)+\left(\frac{1}{4}+\frac{1}{5}\right)-\left(\frac{1}{5}+\frac{1}{6}\right)+\left(\frac{1}{6}+\frac{1}{7}\right)$$
$$=\cancel{\frac{1}{3}}-\cancel{\frac{1}{3}}-\cancel{\frac{1}{4}}+\cancel{\frac{1}{4}}+\cancel{\frac{1}{5}}-\cancel{\frac{1}{5}}-\cancel{\frac{1}{6}}+\cancel{\frac{1}{6}}+\frac{1}{7}$$
$$=\frac{1}{7}$$

**2** 방법 4를 이용한다.

연속된 분수들의 규칙을 찾아보자.

$$\frac{1}{3}=\frac{1}{1\times3}=\frac{1}{3-1}\times\left(\frac{1}{1}-\frac{1}{3}\right)=\frac{1}{2}\times\left(\frac{1}{1}-\frac{1}{3}\right)$$
$$\frac{1}{15}=\frac{1}{3\times5}=\frac{1}{5-3}\times\left(\frac{1}{3}-\frac{1}{5}\right)=\frac{1}{2}\times\left(\frac{1}{3}-\frac{1}{5}\right)$$
$$\frac{1}{35}=\frac{1}{5\times7}=\frac{1}{7-5}\times\left(\frac{1}{5}-\frac{1}{7}\right)=\frac{1}{2}\times\left(\frac{1}{5}-\frac{1}{7}\right)$$
$$\vdots$$
$$\frac{1}{575}=\frac{1}{23\times25}=\frac{1}{25-23}\times\left(\frac{1}{23}-\frac{1}{25}\right)$$
$$=\frac{1}{2}\times\left(\frac{1}{23}-\frac{1}{25}\right)$$

따라서, 구하는 식은

$$\frac{1}{2}\times\left(\frac{1}{1}-\frac{1}{3}\right)+\frac{1}{2}\times\left(\frac{1}{3}-\frac{1}{5}\right)+\frac{1}{2}\times\left(\frac{1}{5}-\frac{1}{7}\right)+\cdots+\frac{1}{2}\times\left(\frac{1}{23}-\frac{1}{25}\right)$$
$$=\frac{1}{2}\times\left(\frac{1}{1}-\cancel{\frac{1}{3}}+\cancel{\frac{1}{3}}-\cancel{\frac{1}{5}}+\cancel{\frac{1}{5}}-\cancel{\frac{1}{7}}+\cdots+\cancel{\frac{1}{23}}-\frac{1}{25}\right)$$
$$=\frac{1}{2}\times\left(\frac{1}{1}-\frac{1}{25}\right)$$
$$=\frac{1}{\cancel{2}_{1}}\times\frac{\cancel{24}^{12}}{25}$$
$$=\frac{12}{25}$$

**3** 방법 3을 이용한다.

가장 아래 분수부터 간단히 계산해 나가면

$$\frac{1}{3+\frac{1}{4}}=\frac{1}{\frac{13}{4}}=1\div\frac{13}{4}=1\times\frac{4}{13}=\frac{4}{13}$$
$$\frac{1}{2+\frac{4}{13}}=\frac{1}{\frac{30}{13}}=1\div\frac{30}{13}=1\times\frac{13}{30}=\frac{13}{30}$$
$$\frac{1}{1+\frac{13}{30}}=\frac{1}{\frac{43}{30}}=1\div\frac{43}{30}=1\times\frac{30}{43}$$
$$=\frac{30}{43}$$

**4** 방법 4를 이용한다.

$$\frac{1}{2}\times\left(\frac{1}{1\times2}-\frac{1}{2\times3}\right)+\frac{1}{2}\times\left(\frac{1}{2\times3}-\frac{1}{3\times4}\right)+\frac{1}{2}\times\left(\frac{1}{3\times4}-\frac{1}{4\times5}\right)+\cdots+\frac{1}{2}\times\left(\frac{1}{98\times99}-\frac{1}{99\times100}\right)$$
$$=\frac{1}{2}\times\left(\frac{1}{1\times2}-\cancel{\frac{1}{2\times3}}+\cancel{\frac{1}{2\times3}}-\cancel{\frac{1}{3\times4}}+\cancel{\frac{1}{3\times4}}-\cancel{\frac{1}{4\times5}}+\cdots+\cancel{\frac{1}{98\times99}}-\frac{1}{99\times100}\right)$$
$$=\frac{1}{2}\times\left(\frac{1}{2}-\frac{1}{9900}\right)$$
$$=\frac{1}{2}\times\frac{4949}{9900}$$
$$=\frac{4949}{19800}$$

**특강탐구문제풀이**

**1** 방법 2를 이용한다.

$\frac{1}{2}=\frac{1}{1\times2}=\frac{1}{1}-\frac{1}{2}$

$\frac{1}{6}=\frac{1}{2\times3}=\frac{1}{2}-\frac{1}{3}$

$\frac{1}{12}=\frac{1}{3\times4}=\frac{1}{3}-\frac{1}{4}$

$\frac{1}{20}=\frac{1}{4\times5}=\frac{1}{4}-\frac{1}{5}$

⋮

$\frac{1}{90}=\frac{1}{9\times10}=\frac{1}{9}-\frac{1}{10}$

따라서 구하는 식은

$\frac{1}{1}-\frac{1}{2}+\frac{1}{2}-\frac{1}{3}+\frac{1}{3}-\frac{1}{4}+\cdots+\frac{1}{9}-\frac{1}{10}$

$=\frac{1}{1}-\frac{1}{10}$

$=\frac{9}{10}$

**2** 방법 3을 이용한다.

$\frac{1}{2+\frac{1}{2}}=\frac{1}{\frac{5}{2}}=1\div\frac{5}{2}=1\times\frac{2}{5}=\frac{2}{5}$

$\frac{1}{3+\frac{1}{3}}=\frac{1}{\frac{10}{3}}=1\div\frac{10}{3}=1\times\frac{3}{10}=\frac{3}{10}$

따라서 구하는 식은

$\frac{1}{\frac{2}{5}+\frac{3}{10}}=\frac{1}{\frac{4}{10}+\frac{3}{10}}=\frac{1}{\frac{7}{10}}$

$=1\div\frac{7}{10}=1\times\frac{10}{7}$

$=\frac{10}{7}=1\frac{3}{7}$

**3** 방법 3을 이용한다.

$\frac{1}{1-\frac{1}{2}}=\frac{1}{\frac{1}{2}}=1\div\frac{1}{2}=1\times\frac{2}{1}=⓶$

$1-\frac{1}{1+⓶}=1-\frac{1}{3}=\frac{2}{3}$

**4** 방법 3을 응용하여 해결한다.

$\frac{43}{30}=1+\frac{13}{30}=1+\cfrac{1}{㉰+\cfrac{1}{㉯+\cfrac{1}{㉮}}}$이므로

$\frac{13}{30}=\cfrac{1}{㉰+\cfrac{1}{㉯+\cfrac{1}{㉮}}}$

$\frac{13}{30}=\frac{1}{\frac{30}{13}}=\frac{1}{2+\frac{4}{13}}$

$=\cfrac{1}{2+\cfrac{1}{\frac{13}{4}}}=\cfrac{1}{2+\cfrac{1}{3+\cfrac{1}{4}}}$

따라서 ㉮=4, ㉯=3, ㉰=2이다.

**5** 방법 1과 방법 2를 이용한다.

$\frac{3}{10}=\frac{5-2}{2\times5}=\frac{1}{2}-\frac{1}{5}$

$\frac{8}{15}=\frac{5+3}{3\times5}=\frac{1}{3}+\frac{1}{5}$

$\frac{7}{18}=\frac{9-2}{2\times9}=\frac{1}{2}-\frac{1}{9}$

$\frac{4}{21}=\frac{7-3}{3\times7}=\frac{1}{3}-\frac{1}{7}$

$\frac{5}{36}=\frac{9-4}{4\times9}=\frac{1}{4}-\frac{1}{9}$

$\frac{7}{44}=\frac{11-4}{4\times11}=\frac{1}{4}-\frac{1}{11}$

$\left(\frac{1}{2}-\frac{1}{5}\right)+\left(\frac{1}{3}+\frac{1}{5}\right)+\left(\frac{1}{2}-\frac{1}{9}\right)-\left(\frac{1}{3}-\frac{1}{7}\right)$
$-\left(\frac{1}{4}-\frac{1}{9}\right)+\left(\frac{1}{4}-\frac{1}{11}\right)$

$=\frac{1}{2}-\frac{1}{5}+\frac{1}{3}+\frac{1}{5}+\frac{1}{2}-\frac{1}{9}-\frac{1}{3}+\frac{1}{7}-\frac{1}{4}+\frac{1}{9}+$
$\frac{1}{4}-\frac{1}{11}$

$=\frac{1}{2}+\frac{1}{2}+\frac{1}{7}-\frac{1}{11}$

$=1+\frac{11}{77}-\frac{7}{77}$

$=1\frac{4}{77}$

**6** 주어진 식을 자연수 부분과 분수 부분으로 나누어 생각하자.

$\left(5+\frac{1}{3}\right)-\left(2+\frac{7}{12}\right)+\left(6+\frac{9}{20}\right)-\left(3+\frac{11}{30}\right)$
$+\left(2+\frac{13}{42}\right)-\left(7+\frac{15}{56}\right)$
$=5+\frac{1}{3}-2-\frac{7}{12}+6+\frac{9}{20}-3-\frac{11}{30}+2+\frac{13}{42}-7-\frac{15}{56}$
$=5-2+6-3+2-7+\frac{1}{3}-\frac{7}{12}+\frac{9}{20}-\frac{11}{30}+\frac{13}{42}-\frac{15}{56}$

방법 1을 이용한다.

$\frac{7}{12}=\frac{7}{3\times4}=\frac{1}{3}+\frac{1}{4}$
$\frac{9}{20}=\frac{9}{4\times5}=\frac{1}{4}+\frac{1}{5}$
$\frac{11}{30}=\frac{11}{5\times6}=\frac{1}{5}+\frac{1}{6}$
$\frac{13}{42}=\frac{13}{6\times7}=\frac{1}{6}+\frac{1}{7}$
$\frac{15}{56}=\frac{15}{7\times8}=\frac{1}{7}+\frac{1}{8}$이므로 주어진 식은

$1+\frac{1}{3}-\left(\frac{1}{3}+\frac{1}{4}\right)+\left(\frac{1}{4}+\frac{1}{5}\right)-\left(\frac{1}{5}+\frac{1}{6}\right)$
$+\left(\frac{1}{6}+\frac{1}{7}\right)-\left(\frac{1}{7}+\frac{1}{8}\right)$
$=1+\frac{1}{3}-\frac{1}{3}-\frac{1}{4}+\frac{1}{4}+\frac{1}{5}-\frac{1}{5}-\frac{1}{6}+\frac{1}{6}+\frac{1}{7}-\frac{1}{7}-\frac{1}{8}$
$=1-\frac{1}{8}$
$=\frac{7}{8}$

**7** 방법 4를 이용한다.

$\frac{1}{1\times3}=\frac{1}{3-1}\times\left(\frac{1}{1}-\frac{1}{3}\right)=\frac{1}{2}\times\left(\frac{1}{1}-\frac{1}{3}\right)$
$\frac{1}{3\times5}=\frac{1}{5-3}\times\left(\frac{1}{3}-\frac{1}{5}\right)=\frac{1}{2}\times\left(\frac{1}{3}-\frac{1}{5}\right)$
$\frac{1}{5\times7}=\frac{1}{7-5}\times\left(\frac{1}{5}-\frac{1}{7}\right)=\frac{1}{2}\times\left(\frac{1}{5}-\frac{1}{7}\right)$
$\vdots$
$\frac{1}{97\times99}=\frac{1}{99-97}\times\left(\frac{1}{97}-\frac{1}{99}\right)=\frac{1}{2}\times\left(\frac{1}{97}-\frac{1}{99}\right)$

따라서 구하는 식은

$\frac{1}{2}\times\left(\frac{1}{1}-\frac{1}{3}\right)+\frac{1}{2}\times\left(\frac{1}{3}-\frac{1}{5}\right)+\frac{1}{2}\times\left(\frac{1}{5}-\frac{1}{7}\right)+\cdots+\frac{1}{2}\times\left(\frac{1}{97}-\frac{1}{99}\right)$
$=\frac{1}{2}\times\left(\frac{1}{1}-\frac{1}{3}+\frac{1}{3}-\frac{1}{5}+\frac{1}{5}-\frac{1}{7}+\cdots+\frac{1}{97}-\frac{1}{99}\right)$
$=\frac{1}{2}\times\left(\frac{1}{1}-\frac{1}{99}\right)=\frac{1}{2}\times\frac{98}{99}=\frac{49}{99}$

**8** 방법 2를 이용한다.

$\frac{2}{1\times(1+2)}=\frac{1}{1}-\frac{1}{1+2}$
$\frac{3}{(1+2)\times(1+2+3)}=\frac{1}{1+2}-\frac{1}{1+2+3}$
$\frac{4}{(1+2+3)\times(1+2+3+4)}$
$=\frac{1}{1+2+3}-\frac{1}{1+2+3+4}$
$\vdots$
$\frac{10}{(1+2+3+\cdots+9)\times(1+2+3+\cdots+10)}$
$=\frac{1}{1+2+3+\cdots+9}-\frac{1}{1+2+3+\cdots+10}$

따라서 구하는 식은

$\frac{1}{1}-\frac{1}{1+2}+\frac{1}{1+2}-\frac{1}{1+2+3}+\frac{1}{1+2+3}-\frac{1}{1+2+3+4}+\cdots+\frac{1}{1+2+3+\cdots+9}-\frac{1}{1+2+3+\cdots+10}$
$=\frac{1}{1}-\frac{1}{1+2+3+\cdots+10}$
$=1-\frac{1}{55}$
$=\frac{54}{55}$

**9** 방법 3을 이용한다.

$\frac{1}{1}=\frac{1}{\frac{1\times2}{2}}=1\div\frac{1\times2}{2}=\frac{2}{1\times2}=2\times\left(\frac{1}{1}-\frac{1}{2}\right)$
$\frac{1}{1+2}=\frac{1}{\frac{2\times3}{2}}=1\div\frac{2\times3}{2}=\frac{2}{2\times3}=2\times\left(\frac{1}{2}-\frac{1}{3}\right)$
$\frac{1}{1+2+3}=\frac{1}{\frac{3\times4}{2}}=1\div\frac{3\times4}{2}=\frac{2}{3\times4}$

$=2\times\left(\frac{1}{3}-\frac{1}{4}\right)$

$\frac{1}{1+2+3+4}=\frac{1}{\frac{4\times5}{2}}=1\div\frac{4\times5}{2}=\frac{2}{4\times5}$

$=2\times\left(\frac{1}{4}-\frac{1}{5}\right)$

$\vdots$

$\frac{1}{1+2+3+4+\cdots+100}=\frac{1}{\frac{100\times101}{2}}$

$=1\div\frac{100\times101}{2}$

$=\frac{2}{100\times101}$

$=2\times\left(\frac{1}{100}-\frac{1}{101}\right)$

따라서, 구하는 식은

$2\times\left(\frac{1}{1}-\frac{1}{2}\right)+2\times\left(\frac{1}{2}-\frac{1}{3}\right)+2\times\left(\frac{1}{3}-\frac{1}{4}\right)+\cdots$

$+2\times\left(\frac{1}{100}-\frac{1}{101}\right)$

$=2\times\left(\frac{1}{1}-\frac{1}{2}+\frac{1}{2}-\frac{1}{3}+\frac{1}{3}-\frac{1}{4}+\frac{1}{4}-\frac{1}{5}+\cdots\right.$

$\left.+\frac{1}{100}-\frac{1}{101}\right)$

$=2\times\left(1-\frac{1}{101}\right)$

$=2\times\frac{100}{101}$

$=\frac{200}{101}$

$=1\frac{99}{101}$

**참고** * 각 분모를 계산할 때 가우스 계산을 사용하였다.

$1+2=\frac{(1+2)\times2}{2}=\frac{2\times3}{2}$

$1+2+3=\frac{(1+3)\times3}{2}=\frac{3\times4}{2}$

$\vdots$

$1+2+3+\cdots+100=\frac{(1+100)\times100}{2}=\frac{100\times101}{2}$

**10** · 2000에서 2000의 $\frac{1}{2}$을 뺀 나머지는

$2000\times\left(1-\frac{1}{2}\right)=2000\times\frac{1}{2}$

· $2000\times\frac{1}{2}$에서 $2000\times\frac{1}{2}$의 $\frac{1}{3}$을 뺀 나머지는

$2000\times\frac{1}{2}\times\left(1-\frac{1}{3}\right)=2000\times\frac{1}{2}\times\frac{2}{3}$

· $2000\times\frac{1}{2}\times\frac{2}{3}$에서 $2000\times\frac{1}{2}\times\frac{2}{3}$의 $\frac{1}{4}$을 뺀 나머지는

$2000\times\frac{1}{2}\times\frac{2}{3}\times\left(1-\frac{1}{4}\right)=2000\times\frac{1}{2}\times\frac{2}{3}\times\frac{3}{4}$

$\vdots$

따라서 구하는 값은

$2000\times\frac{1}{2}\times\frac{2}{3}\times\frac{3}{4}\times\frac{4}{5}\times\cdots\times\frac{1999}{2000}$

$=2000\times\frac{1}{2000}$

$=1$

본문 86~89쪽

## 배수판정법 ② 19

### 유제

**1** 20개 **2** 123654, 321654
**3** $a=8, b=0, c=6$ **4** 9876524130

### 특강탐구문제

**1** 15가지 **2** 521576 **3** 724680, 124685
**4** 63954 **5** 8853009 **6** ㉠=5, ㉡=3
**7** 16 **8** 126374985 **9** 1
**10** 가장 큰 수 : 6431205, 가장 작은 수 : 1042635

### 유제풀이

**1** $45=5\times9$이므로 ㉠㉡40㉢은 5의 배수이면서 9의 배수이다. 그러므로 ㉢은 0 또는 5이다.

- ㉢이 0일 때 ㉠+㉡+4가 9의 배수이어야 하고 ㉠, ㉡은 한 자리 수이므로 ㉠+㉡은 5 또는 14이다.
  이 조건을 만족하는 (㉠, ㉡)은 다음과 같다.
  ㉠+㉡이 5일 때
  (5, 0), (4, 1), (3, 2), (2, 3), (1, 4)
  ㉠+㉡이 14일 때
  (9, 5), (8, 6), (7, 7), (6, 8), (5, 9)
  ⇨ 10개
- ㉢이 5일 때 ㉠+㉡+9가 9의 배수이어야 하고 ㉠, ㉡은 한 자리 수이므로 ㉠+㉡은 9 또는 18이다.
  이 조건을 만족하는 (㉠, ㉡)은 다음과 같다.
  ㉠+㉡이 9일 때
  (9, 0), (8, 1), (7, 2), (6, 3), (5, 4), (4, 5), (3, 6), (2, 7), (1, 8)
  ㉠+㉡이 18일 때
  (9, 9)
  ⇨ 10개
  따라서 조건을 만족하는 다섯 자리 수는 모두
  $10+10=20$(개)

**2** ㉠㉡㉢㉣㉤은 5의 배수이므로 ㉤=5이다.
㉠㉡은 2의 배수, ㉠㉡㉢㉣은 4의 배수, ㉠㉡㉢㉣㉤㉥은 6의 배수이므로 짝수 2, 4, 6은 ㉡, ㉣, ㉥에만 들어갈 수 있다.
따라서 1, 3은 ㉠, ㉢에 들어간다.

- ㉠=1, ㉢=3일 때
  1㉡3이 3의 배수이므로 ㉡=2
  123㉣에서 3㉣이 4의 배수이므로 ㉣=6
  여섯 자리 수 ㉠㉡㉢㉣㉤㉥은 123654이다.
- ㉠=3, ㉢=1일 때
  3㉡1이 3의 배수이므로 ㉡=2
  321㉣에서 1㉣이 4의 배수이므로 ㉣=6
  구하는 여섯 자리 수 ㉠㉡㉢㉣㉤㉥은 321654이다.
  따라서, 여섯 자리 수 123654와 321654이다.

**3** $25ab33c$가 8의 배수이므로
$33c=8\times42=336$에서 $c=6$이다.

- 또 $25ab336$은 11의 배수이므로 $2+a+3+6$과 $5+b+3$의 차가 0 또는 11의 배수이어야 한다.
  즉, $a+3=b$이거나 $a=b+8$이어야 한다.
- 또 $25ab336$은 9의 배수이므로
  $2+5+a+b+3+3+6=19+a+b$에서
  $a+b$는 8 또는 17이다.
- 11의 배수가 될 조건 $a+3=b$일 때
  9의 배수가 될 조건 $a+b=8$에서 알맞은 $a$, $b$가 없다.
  9의 배수가 될 조건 $a+b=17$에서 $a=7$, $b=10$
  (→$b$가 두 자리 수이므로 적절하지 않다.)
- 11의 배수가 되기 위한 조건 $a=b+8$일 때
  9의 배수가 될 조건 $a+b=8$에서 $a=8$, $b=0$이고,
  9의 배수가 될 조건 $a+b=17$에서는 알맞은 $a$, $b$를 찾을 수 없다.

따라서 $a=8$, $b=0$, $c=6$이다.

**4** 열 자리 자연수가 11의 배수이므로 홀수째 번 자리 숫자들의 합과 짝수째 번 자리 숫자들의 합의 차가 0 또는

11의 배수이어야 한다.
이 때, $0+1+2+\cdots+9=45$이므로 합이 같도록 두 조로 나눌 수 없으므로 두 합의 차가 11이 되도록 두 조로 나누어야 한다.
즉 한 조의 수의 합은 28, 다른 한 조의 수의 합은 17이 되어야 한다.
가장 큰 11의 배수를 찾아야 하므로 9876543210에서 $8+6+4+2+0=20$이므로 $8+6+2+1+0=17$로 바꾸어야 한다.
따라서 가장 큰 11의 배수는 9876524130이다.

**주의** $8+6+4+2+0=20$에서 합을 17로 바꾸려면 20과 17이 3만큼 차가 생기므로 8, 6, 4, 2에서 3만큼 크기를 줄이면 된다. 이 때, 8을 5로 바꾸거나, 6을 3으로 바꾸어 합을 17로 만들 수 있지만 가장 큰 11의 배수를 찾아야 하므로 2를 1로, 4를 2로 바꾸어야 한다.

**특강탐구문제풀이**

**1** $6=2\times3$에서 7ABABA는 2의 배수이므로 A는 짝수인 0, 2, 4, 6, 8이 된다.
또, 7ABABA가 3의 배수이므로 각 자리의 숫자의 합은 3의 배수이다.
$7+A+B+A+B+A=3\times A+2\times B+7$에서 $3\times A$는 항상 3의 배수이므로, $2\times B+7$도 3의 배수이어야 한다.
$2\times B+7=9$ → $B=1$
$2\times B+7=15$ → $B=4$
$2\times B+7=21$ → $B=7$
따라서 $B=1, 4, 7$이고 $A=0, 2, 4, 6, 8$이므로 이러한 여섯 자리 수는 $5\times3=15$(가지)이다.

**2** ○2157○이 8의 배수이므로 57○가 8의 배수이어야 하고, $8\times72=576$이므로 일의 자리의 숫자는 6이다.
또한 11의 배수이므로 $○+1+7$과 $2+5+6$의 차가 0 또는 11의 배수이어야 한다.
즉 $○+8$과 13의 차가 0이므로 $○=5$이고 자물쇠의 비밀 번호는 521576이다.

**주의** $0+8$과 13의 차가 11이면 $○=16$인 자연수가 되지만 ○는 한 자리의 자연수이므로 16이 될 수 없다.

**3** $55=5\times11$에서 ㉠2468㉡은 11의 배수이고 5의 배수이다.
그러므로 ㉡은 0 또는 5이고
$(㉠+4+8)-(2+6+㉡)=4+㉠-㉡$은 0 또는 11의 배수이다.
- ㉡=0일 때
  $4+㉠=0$인 ㉠은 없다.
  $4+㉠=11$ → $㉠=7$
- ㉡=5일 때
  $4+㉠-5=0$ → $㉠=1$

따라서, 여섯 자리 수 ㉠2468㉡은 724680, 124685이다.

**4** $99=9\times11$에서 639□△는 9의 배수이고 11의 배수이다.
$6+3+9+□+△=18+□+△$는 9의 배수이고, $(6+9+△)-(3+□)=12+△-□$는 0 또는 11의 배수가 되어야 한다.
$□+△$가 9의 배수가 되는 (□, △)는
(9, 0), (8, 1), (7, 2), (6, 3), (5, 4), (4, 5), (3, 6), (2, 7), (1, 8), (0, 9), (9, 9)이다.
이 중에서 11의 배수 조건을 만족하는 (□, △)는 (5, 4)이므로 다섯 자리 수는 63954이다.

**5** 11로 나누어떨어지기 위해서는 홀수째 번 자리의 숫자들의 합과 짝수째 번 자리의 숫자들의 합의 차가 0 또는 11의 배수가 되어야 한다.
- 가장 큰 수일 때, 일곱 자리 수 9876㉠㉡㉢에서
  $9+7+㉠+㉢=16+㉠+㉢$과 $8+6+㉡=14+㉡$의 차가 11이려면 ㉠+㉢이 ㉡보다 9 커야 하므로
  ㉠=5, ㉢=4, ㉡=0이다.
  또 $16+㉠+㉢$과 $14+㉡$이 같으려면 ㉡이 ㉠+㉢보다 2 커야 하므로 ㉡=5, ㉠=3, ㉢=0이다.
  그런데 9876504와 9876350 중에서 9876504가 더 크므로 가장 큰 수는 9876504이다.

• 가장 작은 수일 때, 일곱 자리 수 1023㉠㉡㉢에서
1+2+㉠+㉢=3+㉠+㉢과 0+3+㉡=3+㉡의 차가 11이려면 ㉠+㉢이 ㉡보다 11 커야 하므로
㉡=4, ㉠=6, ㉢=9이다.
또 3+㉠+㉢과 3+㉡이 같으려면 ㉠+㉢과 ㉡이 같아야 하므로 ㉠=4, ㉢=5, ㉡=9이다.
그런데 1023649와 1023495 중에서 1023495가 더 작으므로 가장 작은 수는 1023495이다.

따라서 그 차는 9876504−1023495=8853009이다.

**6** 99=9×11에서 ㉠15㉡94는 9의 배수이면서 11의 배수여야 한다.
따라서, 각 자리의 숫자의 합
㉠+1+5+㉡+9+4=19+㉠+㉡은 9의 배수이어야 하고,
(㉠+5+9)−(1+㉡+4)=9+㉠−㉡은 0 또는 11의 배수이어야 한다.
19+㉠+㉡이 9의 배수가 되려면 ㉠+㉡=8 또는 17이므로 이러한 (㉠, ㉡)은 (1, 7), (2, 6), (3, 5), (4, 4), (5, 3), (6, 2), (7, 1), (8, 0), (9, 8), (8, 9)이다.
이 중 9+㉠−㉡이 0 또는 11이 되는 (㉠, ㉡)은 (5, 3)이다. 따라서, ㉠은 5, ㉡은 3이다.

**7** 396=4×9×11에서 $2ab765c$는 4, 9, 11의 배수이므로 $c$는 2(4×13=52) 또는 6(4×14=56)이고,
$2+a+b+7+6+5+c=20+a+b+c$는 9의 배수이다.

① $c$가 2일 때
$22+a+b=27$ 또는 36이므로 $a+b=5$ 또는 14이다.
그러므로 $a+b=5$ 또는 $a+b=14$인 $(a, b)$는
(5, 0), (4, 1), (3, 2), (2, 3), (1, 4), (0, 5), (9, 5), (8, 6), (7, 7), (6, 8), (5, 9)이다.
또, 11의 배수이므로
$(a+7+5)-(2+b+6+2)=2+a-b$는 0 또는 11의 배수가 되어야 하므로 위의 $(a, b)$ 중에서 알맞은 수는 (6, 8)이다.
따라서 $2ab765c$는 2687652로
$a+b+c=6+8+2=16$

② $c$가 6일 때
$26+a+b=27$ 또는 36이므로 $a+b=1$ 또는 10이다.
그러므로 $a+b=1$ 또는 $a+b=10$이 되는 $(a, b)$는
(1, 0), (0, 1), (9, 1), (8, 2), (7, 3), (6, 4), (5, 5), (4, 6), (3, 7), (2, 8), (1, 9)이다.
또, 11의 배수이므로
$(2+b+6+6)-(a+7+5)=2+b-a$는 0 또는 11의 배수가 되어야 하므로 위의 $(a, b)$ 중에서 알맞은 수는 (6, 4)이다.
따라서 $2ab765c$는 2647656이므로
$a+b+c=6+4+6=16$

**8** 55=5×11이므로 5의 배수, 11의 배수이어야 한다.
즉 일의 자리의 숫자는 5이다.
1+2+3+⋯+9=45이므로 합이 같도록 두 조로 나눌 수 없고 두 합이 11의 차가 나도록 두 조로 나누어야 한다.
즉, 한 조의 수의 합은 28, 다른 한 조의 수의 합이 17이 되도록 해야 한다.
가장 작은 수이므로 12㉠㉡㉢㉣㉤㉥5의 꼴에서
1+㉠+㉢+㉤+5=28,
㉠+㉢+㉤=22이고
2+㉡+㉣+㉥=17,
㉡+㉣+㉥=15이다.
㉠=3이면 ㉢+㉤=19가 되어 불가능하다.
㉠=4이면 ㉢+㉤=18이 되어 불가능하다.
㉠=6이면 ㉢+㉤=16이 되어 ㉢=7, ㉤=9가 된다.
또, 남은 수 3, 4, 8의 합이 15이므로 3, 4, 8은 차례로 ㉡, ㉣, ㉥이 된다.
따라서, 가장 작은 아홉 자리 수는 126374985이다.

**9** (3+9+4+㉡)−(2+5+㉠)=9+㉡−㉠이 0 또는 11의 배수가 되면 32954㉠㉡은 11의 배수가 된다.
㉠은 한 자리 수이므로 9+㉡이 11보다 작은 두 자리 수, 즉 10이 되면 9+㉡−㉠은 0이나 11이 될 수 없다.
따라서 ㉡=1이면 ㉠에 어떤 수가 와도 11의 배수가 될 수 없다.

**10** $55=5\times11$이므로 5와 11의 배수가 되어야 한다.
즉 일의 자리의 숫자는 0 또는 5이다.
또, $0+1+2+3+4+5+6=21$이므로 합이 같도록 두 조로 나눌 수 없고 두 합의 차가 11이 되도록 16과 5인 두 조로 나누어야 한다.

- 일의 자리의 숫자가 0일 때, $4+5+6=15$이므로 합이 16인 조를 만들 수 없어 불가능하다.
- 일의 자리의 숫자가 5일 때,
  가장 큰 수는 6㉠㉡㉢㉣㉤5의 꼴에서

6+㉡+㉣+5=16이다.
㉡+㉣=5이므로 (㉡, ㉣)은 (3, 2), (4, 1)이므로 일곱 자리 수는 6431205, 6342105이다.
따라서 가장 큰 수는 6431205이다.
또, 가장 작은 수는 10㉠㉡㉢㉣5의 꼴에서
1+㉠+㉢+5=16일 때이다.
㉠+㉢=10이므로 ㉠=4, ㉢=6이고 남은 숫자 2, 3은 ㉡, ㉣에 차례로 쓰면 된다.
따라서 가장 작은 수는 1042635이다.

## 도형의 합동 20

유제

**1** 108° **2** 95° **3** 114° **4** $8cm^2$

특강탐구문제

**1** 30° **2** 10cm **3** 60° **4** 50° **5** 30°
**6** 60° **7** 17cm **8** 30° **9** 90° **10** 30°

### 유제풀이

**1** 주어진 정오각형에서
(변 ㄱㄴ의 길이)=(변 ㄴㄷ의 길이),
(변 ㄴㅂ의 길이)=(변 ㄷㅅ의 길이),
(각 ㄱㄴㅂ)=(각 ㄴㄷㅅ)이므로 삼각형 ㄱㄴㅂ과 삼각형 ㄴㄷㅅ은 합동이다.
각 ㄱㄴㅂ은 정오각형의 한 내각이므로 108°이다.
삼각형 ㄱㄴㅂ에서
(각 ㄴㄱㅂ)+(각 ㄴㅂㄱ)=180°−108°=72°
(각 ㄴㄱㅂ)=(각 ㄷㄴㅅ)이므로 삼각형 ㄴㅂㅇ에서
(각 ㄴㅇㅂ)=180°−{(각 ㅂㄴㅇ)+(각 ㄴㅂㅇ)}
=180°−{(각 ㄴㄱㅂ)+(각 ㄴㅂㄱ)}
=180°−72°
=108°
따라서 각 ㄱㅇㅅ은 각 ㄴㅇㅂ과 마주 보는 각이므로 108°이다.
참고* 다음과 같이 구해도 된다.
각 ㄱㅇㅅ은 삼각형 ㄱㄴㅇ의 한 외각이므로
(각 ㄱㅇㅅ)=(각 ㄴㄱㅂ)+(각 ㄱㄴㅇ)
=(각 ㄷㄴㅅ)+(각 ㄱㄴㅇ)
=(각 ㄱㄴㄷ)
=108°

**2** 삼각형 ㄱㄴㄷ은 이등변삼각형이므로 각 ㄱㄷㄴ은 65°이다.
또, 삼각형 ㄱㄴㄷ을 점 ㄷ을 중심으로 45°만큼 회전 시켰으므로 각 ㅂㄷㄴ은 45°이고, (각 ㅁㄷㅂ)=65°−45°=20°이다.
삼각형 ㄱㄴㄷ과 삼각형 ㄹㅂㄷ은 합동인 삼각형이므로
(각 ㄱㄴㄷ)=(각 ㄹㅂㄷ)=65°이다.
따라서 삼각형 ㅁㅂㄷ에서
(각 ㄷㅁㅂ)=180°−(각 ㅁㅂㄷ)−(각 ㅁㄷㅂ)
=180°−65°−20°
=95°
참고* 다음과 같이 구해도 된다.
각 ㄷㅁㅂ은 삼각형 ㄷㄹㅁ의 외각이므로
(각 ㄷㅁㅂ)=(각 ㄹㄷㅁ)+(각 ㄷㄹㅁ)
=45°+(180°−65°×2)
=45°+50°
=95°

**3** 삼각형 ABD와 삼각형 CBE에서
(변 AB의 길이)=(변 CB의 길이),
(변 BD의 길이)=(변 BE의 길이),
(각 ABD)=60°−(각 DBC),
(각 CBE)=60°−(각 DBC)이므로
(각 ABD)=(각 CBE)다.
그러므로 삼각형 ABD와 삼각형 CBE는 합동이고,
(각 ADB)=(각 CEB)이다.
(각 ADC)
=360°−{(각 ADB)+60°+(각 EDC)}
=360°−{(각 CEB)+60°+(각 EDC)}
=360°−{(각 BED)+(각 DEC)+60°+(각 EDC)}
=360°−{60°+60°+(각 DEC)+(각 EDC)}
=306°−{60°+60°+(180°−54°)}
=360°−(120°+126°)
=360°−246°
=114°

**4** 삼각형 GBC와 삼각형 EDC에서
(변 BC의 길이)=(변 DC의 길이),
(변 GC의 길이)=(변 EC의 길이),
(각 GCB)=90°−(각 GCD),
(각 ECD)=90°−(각 GCD)이므로
(각 GCB)=(각 ECD)이다.
그러므로 삼각형 GBC와 삼각형 EDC는 합동이다.

따라서 삼각형 EDC와 삼각형 GBC의 넓이는 서로 같고, 그 넓이는 $4\times4\div2=8(cm^2)$이다.

**특강탐구문제풀이**

**1** 변 ㄹㅁ과 변 ㄴㄷ이 평행이므로 각 ㄱㄹㅁ과 각 ㄱㄴㄷ은 같은 쪽 각으로 같다.
삼각형 ㄱㄴㄷ과 삼각형 ㅁㄹㄷ은 합동이므로
(각 ㄱㄴㄷ)=(각 ㅁㄹㄷ),
(변 ㄴㄷ의 길이)=(변 ㄹㄷ의 길이)이다.
삼각형 ㄷㄹㄴ은 (변 ㄷㄹ의 길이)=(변 ㄷㄴ의 길이)인 이등변삼각형이므로 (각 ㄷㄹㄴ)=(각 ㄷㄴㄹ)이다.
즉 (각 ㄱㄹㅁ)=(각 ㅁㄹㄷ)=(각 ㄷㄹㄴ)이므로
(각 ㄱㄹㅁ)+(각 ㅁㄹㄷ)+(각 ㄷㄹㄴ)=180°이다.
즉, (각 ㄱㄹㅁ)=60°이다.
따라서 (각 ㄴㄱㄷ)=180°−90°−60°=30°이다.

**2** 삼각형 ㄴㅅㄷ과 삼각형 ㄹㅁㄷ에서
(변 ㄴㄷ의 길이)=(변 ㄹㄷ의 길이),
(변 ㄷㅅ의 길이)=(변 ㄷㅁ의 길이),
(각 ㄴㄷㅅ)=(각 ㄹㄷㅁ)=90°이므로 삼각형 ㄴㄷㅅ과 삼각형 ㄹㅁㄷ은 합동이다.
따라서 (변 ㄹㅁ의 길이)=(변 ㄴㅅ의 길이)=10(cm)이다.

**3** 삼각형 ADB와 삼각형 BEC에서
(변 AD의 길이)=(변 BE의 길이),
(변 AB의 길이)=(변 BC의 길이),
(각 DAB)=(각 EBC)=120°이므로
삼각형 ADB와 삼각형 BEC는 합동이다.
그러므로 (각 ADB)=(각 BEC)이다.
외각의 성질에 의해
(각 BFC)=(각 BEC)+(각 EBF)
=(각 ADB)+(각 DBA)
=(각 BAC)=60°

**4** 삼각형 ㄴㄱㄹ과 삼각형 ㄷㄱㅁ에서
(변 ㄱㄴ의 길이)=(변 ㄱㄷ의 길이),
(변 ㄱㄹ의 길이)=(변 ㄱㅁ의 길이),
(각 ㄴㄱㄹ)=50°+(각 ㄷㄱㄹ)=(각 ㄷㄱㅁ)이므로,
삼각형 ㄴㄱㄹ과 삼각형 ㄷㄱㅁ은 합동이다.
(각 ㄷㅁㄱ)=(각 ㄴㄹㄱ)이므로 삼각형 ㄹㅂㅁ에서
(각 ㅂㄹㅁ)+(각 ㅂㅁㄹ)
=(각 ㅂㄹㅅ)+(각 ㅅㄹㅁ)+(각 ㅂㅁㄹ)
=(각 ㅂㅁㄱ)+(각 ㅅㄹㅁ)+(각 ㅂㅁㄹ)
={(각 ㅂㅁㄱ)+(각 ㅂㅁㄹ)}+(각 ㅅㄹㅁ)
=(각 ㄹㅁㄱ)+(각 ㅅㄹㅁ)
=180°−50°
=130°
따라서 각 ㄹㅂㅁ의 크기는 180°−130°=50°이다.

**5** 삼각형 ㅅㄴㅁ에서 (각 ㅅㅁㄴ)=66°이므로
(각 ㅅㄴㅁ)=180°−72°−66°=42°
삼각형 ㄹㄴㅁ에서 (각 ㄹㄴㅅ)=66°−42°=24°
(각 ㄴㄹㅁ)=180°−66°−66°=48°
삼각형 ㄴㄱㄹ은 변 ㄴㄹ과 변 ㄴㄱ의 길이가 같은 이등변삼각형이므로 (각 ㄴㄹㄱ)=(각 ㄴㄱㄹ)이다.
따라서 (각 ㄱㄹㅅ)=(180°−24°)÷2−48°=30°

**6** 삼각형 ABD와 삼각형 BCE에서
(변 AB의 길이)=(변 BC의 길이),
(변 BD의 길이)=(변 CE의 길이),
(각 ABD)=(각 BCE)=60°이므로
삼각형 ABD와 삼각형 BCE는 합동이다.
삼각형 FBD에서
(각 BFD)=180°−{(각 FBD)+(각 FDB)}이고
(각 FDB)=(각 BEC)이므로
(각 FBD)+(각 FDB)
=(각 FBD)+(각 BEC)
=180°−60°
=120°
따라서 (각 BFD)=180°−120°=60°이고 각 AFE는 각 BFD와 마주 보는 각이므로 60°이다.
**참고*** 다음과 같이 구해도 된다.

각 AFE는 삼각형 ABF의 외각이므로

(각 AFE)=(각 ABF)+(각 BAD)

=(각 ABF)+(각 CBE)

=(각 ABC)

=60°

**7**

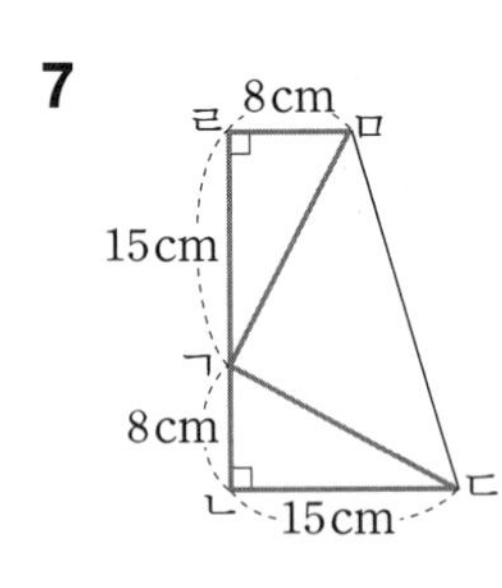


삼각형 ㄱㄴㄷ과 삼각형 ㅁㄹㄱ은 합동이므로 (각 ㄱㅁㄹ)=(각 ㄷㄱㄴ)이다.

(각 ㅁㄱㄷ)

=180°−{(각 ㅁㄱㄹ)+(각 ㄷㄱㄴ)}

=180°−{(각 ㅁㄱㄹ)+(각 ㄱㅁㄹ)}

=180°−90°

=90°

따라서 (삼각형 ㅁㄱㄷ의 넓이)

=(변 ㄱㄷ의 길이)×(변 ㄱㅁ의 길이)÷2

=(변 ㄱㄷ의 길이)×(변 ㄱㄷ의 길이)÷2

점 ㅁ과 점 ㄹ을 연결하면 사각형 ㄹㄴㄷㅁ은 사다리꼴이 된다.

(사다리꼴 ㄹㄴㄷㅁ의 넓이)

=(삼각형 ㄱㄴㄷ의 넓이)+(삼각형 ㅁㄹㄱ의 넓이)
+(삼각형 ㅁㄱㄷ의 넓이)

=(삼각형 ㄱㄴㄷ의 넓이)×2+(삼각형 ㅁㄱㄷ의 넓이)

=(15×8÷2)×2+(삼각형 ㅁㄱㄷ의 넓이)

=120+(삼각형 ㅁㄱㄷ의 넓이)

=(15+8)×(15+8)÷2

=(15×8÷2×2)+
{(변 ㄱㄷ의 길이)×(변 ㄱㄷ의 길이)÷2}

=120+{(변 ㄱㄷ의 길이)×(변 ㄱㄷ의 길이)÷2}

(변 ㄱㄷ의 길이)×(변 ㄱㄷ의 길이)=289이다.

따라서 289=17×17이므로 (변 ㄱㄷ의 길이)=17(cm)이다.

**8**

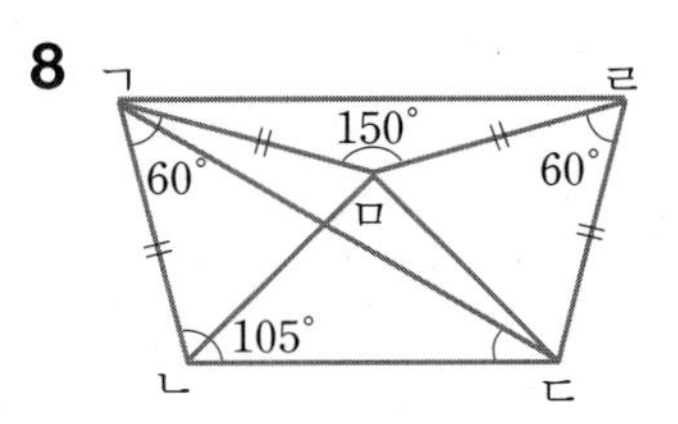


점 ㅁ과 점 ㄴ, 점 ㄷ을 각각 연결하면 삼각형 ㄱㄴㅁ과 삼각형 ㄹㅁㄷ은 한 각이 60°인 이등변삼각형이므로 서로 합동인 정삼각형이다.

또 (각 ㄱㅁㄷ)=360°−150°−60°=150°이다.

(선분 ㄱㅁ의 길이)=(선분 ㅁㄹ의 길이)

=(선분 ㅁㄷ의 길이)이므로

(각 ㅁㄱㄷ)=(180°−150°)÷2

=15°

따라서 (각 ㄷㄱㄴ)=60°−15°=45°이므로

삼각형 ㄴㄱㄷ에서

(각 ㄱㄷㄴ)=180°−105°−45°=30°

**9**

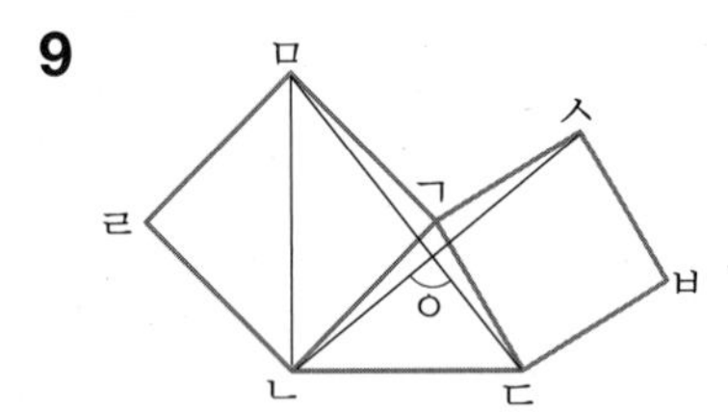


점 ㅁ과 점 ㄴ을 연결하여 삼각형 ㄱㅁㄷ과 삼각형 ㄱㄴㅅ에서

(변 ㄱㅁ의 길이)=(변 ㄱㄴ의 길이),

(변 ㄱㄷ의 길이)=(변 ㄱㅅ의 길이),

(각 ㅁㄱㄷ)=90°+(각 ㄴㄱㄷ)=(각 ㄴㄱㅅ)이므로

삼각형 ㄱㅁㄷ과 삼각형 ㄱㄴㅅ은 합동이고

(각 ㄱㅁㄷ)=(각 ㄱㄴㅅ)이다.

삼각형 ㅇㅁㄴ을 생각하면 각 ㄴㅇㄷ은 삼각형 ㅁㅇㄴ의 한 외각이므로

(각 ㄴㅇㄷ)=(각 ㅇㅁㄴ)+(각 ㅇㄴㅁ)

=(각 ㅇㅁㄴ)+(각 ㅇㄴㄱ)+(각 ㄱㄴㅁ)

=(각 ㅇㅁㄴ)+(각 ㅇㅁㄱ)+(각 ㄱㄴㅁ)

=(각 ㄱㅁㄴ)+(각 ㄱㄴㅁ)

=180°−90°

=90°

**10** • (각 BCG)=60°가 되도록 변 AB 위에 점 G를 잡으면 삼각형 GBC와 삼각형 DCB에서
(각 GBC)=(각 DCB)=80°, 변 BC는 공통, (각 GCB)=(각 DBC)=60°이므로 삼각형 GBC와 삼각형 DCB는 합동이다.
(변 GB의 길이)=(변 DC의 길이)
(변 AG의 길이)=(변 AD의 길이)

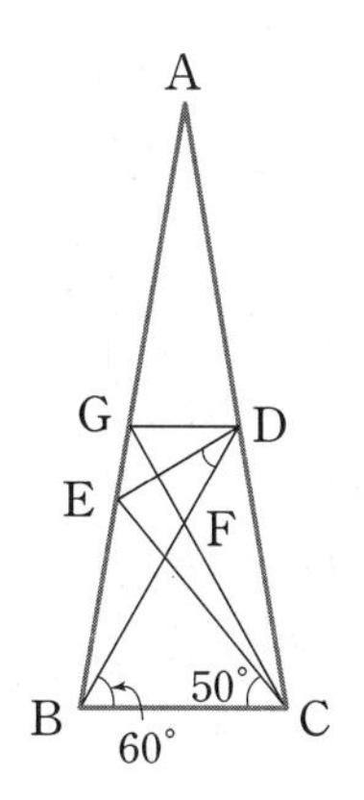


이므로 삼각형 AGD는 이등변삼각형이고 변 GD와 변 BC는 평행이다.
그러므로 삼각형 FGD와 삼각형 FBC는 모두 정삼각형이다.
• 삼각형 BEC에서 (각 EBC)=80°, (각 ECB)=50° 이므로 (각 CEB)=50°이다.
(변 BE의 길이)=(변 BC의 길이)=(변 BF의 길이) 이므로 삼각형 BEF는 이등변삼각형이다.
(각 BEF)=(각 BFE)=(180°−20°)÷2=80°
이므로
(각 GFE)=180°−60°−80°=40°
(각 FGE)=180°−100°−40°=40°이다.
그러므로 삼각형 EGF도 이등변삼각형이다.
• (변 EF)=(변 EG), (변 FD)=(변 GD), 변 ED는 공통이므로 삼각형 EFD와 삼각형 EGD는 합동이다.
따라서 (각 FDE)=(각 GDE)이므로
(각 EDB)=60°÷2=30°

본문 94~97쪽

## 도형의 평행이동 21

**유제**

**1** 3cm **2** 6.5초 후, 11.5초 후 **3** 6초 초과 16초 미만 (6초와 16초 사이) **4** 12초 후

**특강탐구문제**

**1** $30\text{cm}^2$ **2** $3\text{cm}^2$ **3** $31\frac{2}{3}\text{cm}^2$ **4** 27초 후

**5** 18초 이상 22초 미만 **6** $1\text{cm}^2$ **7** $5\frac{5}{8}\text{cm}^2$

**8** 3초 후, 9.5초 후 **9** $3.5\text{cm}^2$ **10** 33초 후

### 유제풀이

**1** 삼각형 ㄱㄴㄷ과 삼각형 ㄹㅁㅂ은 같은 삼각형이므로 넓이가 같다. 삼각형 ㅅㄴㅂ은 두 삼각형의 공통인 부분이므로 색칠한 부분의 넓이는 사다리꼴 ㄹㅁㄴㅅ의 넓이와 같다.

(변 ㄹㅁ)=(변 ㄱㅅ)+(변 ㅅㄴ)$=4+16=20$(cm)

$54=(20+16)\times$(변 ㄹㅅ)$\div 2$

$=36\times$(변 ㄹㅅ)$\div 2$

$=18\times$(변 ㄹㅅ)

따라서 변 ㄹㅅ의 길이는 3cm이다.

**2** (변 ㅊㅅ)=6cm, (변 ㅁㅇ)=10cm이므로 (변 ㅂㅈ)=6cm이고 삼각형 ㅁㅂㅈ은 직각이등변삼각형이다.

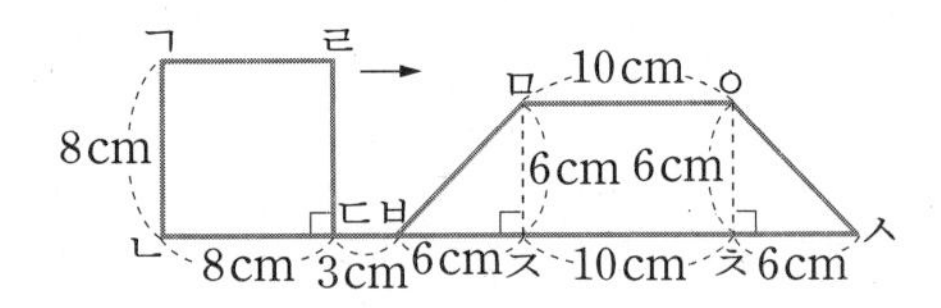


사다리꼴 ㅁㅂㅅㅇ에서 (변 ㅂㅅ)$=16+6=22$(cm)

(선분 ㄴㅂ)=11cm이므로 점 ㄴ이 점 ㅂ에 겹칠 때까지는 $11\div 2=5.5$(초)가 걸리고 그 때의 두 도형은 오른쪽과 같다. 이 때 겹치는 부분의 넓이는

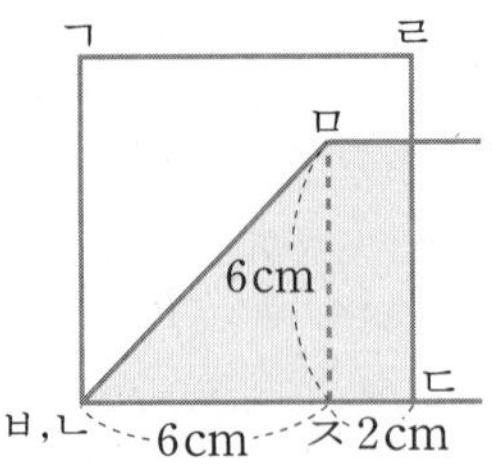

$18+12=30(\text{cm}^2)$이고 정사각형이 계속 오른쪽으로 이동하므로 겹쳐지는 부분의 넓이는 사다리꼴의 왼쪽 삼각형 부분은 빠져나가고 직사각형 부분이 늘어나게 된다.

5.5초로부터 1초가 지난 후를 생각하면 오른쪽의 그림과 같고 정사각형의 왼쪽에 있는 삼각형은 직각이등변삼각형이므로 넓이는

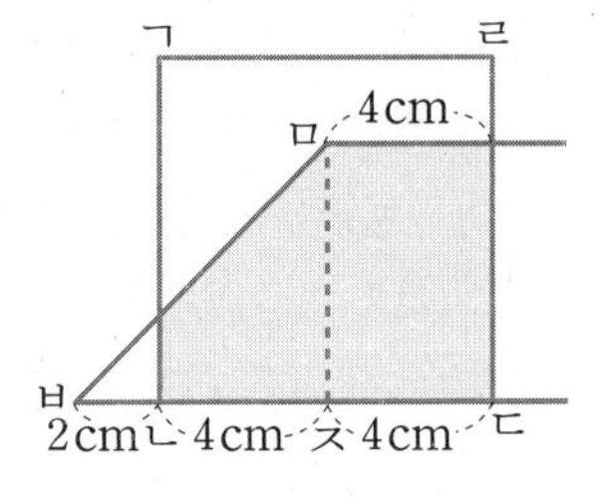


$2\times 2\div 2=2(\text{cm}^2)$

따라서 겹쳐진 부분의 넓이는

$(4+10)\times 6\div 2-2=40(\text{cm}^2)$

즉, 첫째 번 겹쳐지는 부분의 넓이가 $40\text{cm}^2$가 될 때는 6.5초 후이다.

또, 둘째 번으로 겹쳐진 부분의 넓이가 $40\text{cm}^2$가 될 때는 정사각형의 점 ㄷ이 사다리꼴의 점 ㅊ과 점 ㅅ 사이에 있고, 점 ㅅ으로부터 2cm 떨어진 위치에 있을 때이므로 움직인 지 $(25-2)\div 2=11.5$(초) 후이다.

**3** ㉮는 매초 2cm씩, ㉯는 매초 3cm씩 같은 방향으로 움직이므로 ㉮는 제자리에 있고 ㉯는 매초 1cm씩 왼쪽으로 이동하는 셈이다. 겹쳐지는 부분이 오각형이 되는 것은 〈가〉 모양처럼 놓이고 난 이후이고, 〈나〉 모양으로 놓일 때부터는 오각형이 되지 않는다.

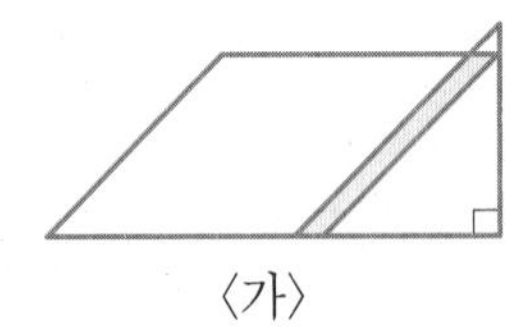

〈가〉

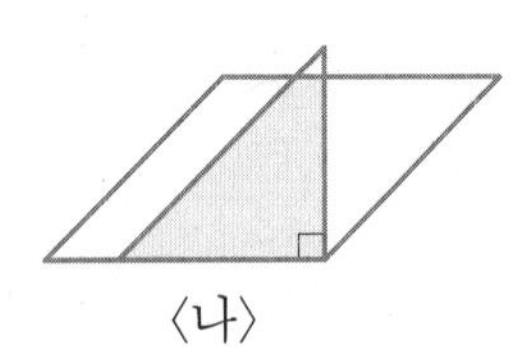

〈나〉

삼각형 ㄱㄴㅁ은 직각이등변삼각형이고 삼각형 ㄹㄷㅂ도 같은 모양이다.

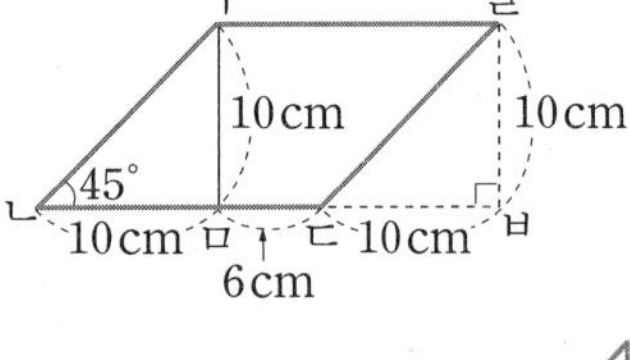


따라서 〈가〉 모양처럼 놓일 때까지 ㉯ 삼각형은 6cm 움직이므로 6초가 걸리고 〈나〉 모양처럼 놓일 때까지는 처음부터 16cm를 움직여야 하므로 16초가 걸린다.

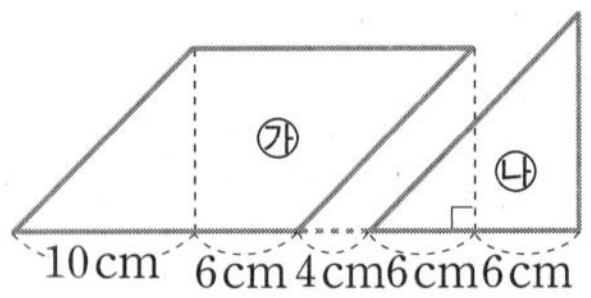


**4** ㉯의 가로의 중점과 ㉮의 빗변의 중점이 일치할 때를 생각해 보면 오른쪽 그림과 같다. 이 때 삼각형

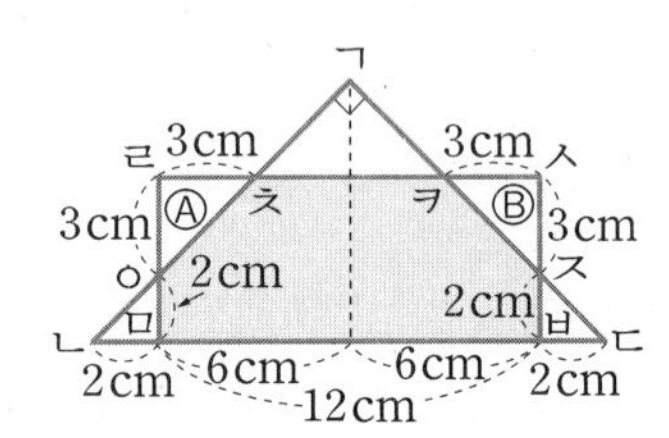

ㄱㄴㄷ이 직각이등변삼각형이므로 삼각형 ㄹㅇㅊ, 삼각형 ㅁㄴㅇ, 삼각형 ㅂㄷㅈ, 삼각형 ㅅㅈㅋ은 모두 직각이등변삼각형이다.
이 때, 겹쳐지는 부분의 넓이는 사각형 ㄹㅁㅂㅅ의 넓이에서 삼각형 ㄹㅇㅊ의 넓이의 2배를 뺀 것과 같으므로
$(12\times5)-(3\times3\div2)\times2=51(cm^2)$
두 도형이 계속 이동하게 되면 Ⓐ 도형에서 변 ㄹㅊ, 변 ㄹㅇ의 길이는 늘어나고, Ⓑ 도형에서 변 ㅅㅋ, 변 ㅅㅈ의 길이는 줄어들어 위의 겹쳐진 모양에서 Ⓐ의 넓이의 늘어나는 양이 Ⓑ의 넓이가 줄어드는 양보다 크게 되므로 실제로 겹쳐지는 부분의 넓이는 위 경우보다 줄어든다. 따라서 겹쳐지는 부분의 넓이가 가장 클 때는 ㉯의 가로의 중점과 ㉮의 빗변의 중점이 일치할 때이다.
㉮와 ㉯는 서로 마주 보고 1초에 각각 0.5cm, 1.5cm를 이동하므로 ㉮를 제자리에 두고 ㉯가 1초에 2cm씩 이동한다고 생각하면
$(10+8+6)\div2=12$(초) 후에
겹쳐지는 부분의 넓이가 최대가 된다.

**특강탐구문제풀이**

**1** 삼각형 ㄱㄴㄷ과 삼각형 ㄹㅁㅂ은 같은 삼각형이므로 넓이도 같다.
따라서, 두 삼각형이 겹쳐진 부분인 삼각형 ㄹㅅㄷ을 제외한 부분인 사다리꼴 ㄹㄱㄴㅅ과 사다리꼴 ㅅㅁㅂㄷ의 넓이는 같다.
(변 ㄹㅅ)=(변 ㄹㅁ)−(변 ㅅㅁ)
=(변 ㄱㄴ)−(변 ㅅㅁ)$=9-3=6(cm)$
(색칠한 부분의 넓이)=(사다리꼴 ㄹㄱㄴㅅ의 넓이)
$=(9+6)\times4\div2=30(cm^2)$

**2** 삼각형 ㄱㄴㄷ의 직각을 낀 두 변의 길이는 18cm, 12cm이므로 짧은 변의 길이는 긴 변의 길이의 $\frac{2}{3}$이다.

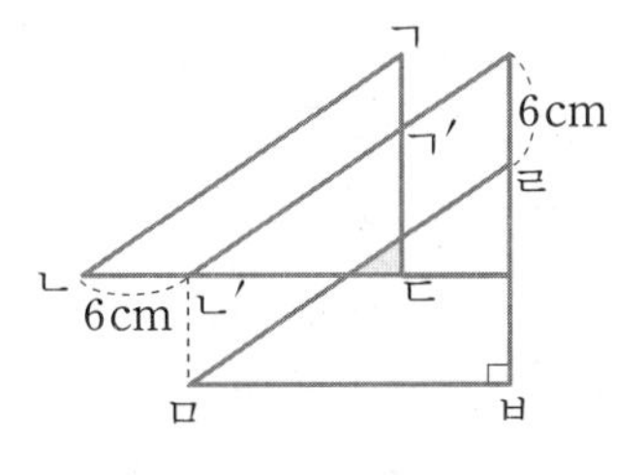


오른쪽으로 6cm 이동하였으므로 변 ㄴ′ㄷ의 길이는
$18-6=12(cm)$
변 ㄱ′ㄷ의 길이는 $12\times\frac{2}{3}=8(cm)$이다.

또 아래로 6cm 이동하였으므로, 색칠한 직각삼각형의 높이는 $8-6=2(cm)$이고, 밑변은 $2\times\frac{3}{2}=3(cm)$이다.
따라서 색칠한 부분의 넓이는 $3\times2\times\frac{1}{2}=3(cm^2)$이다.

**3** 16초 후의 모양은 오른쪽 그림과 같다.
삼각형 ㅁㅂㅅ의 직각을 낀 두 변의 길이는 각각 12cm, 8cm이므로 짧은 변의 길이는 긴 변의 길이의 $\frac{2}{3}$이다.

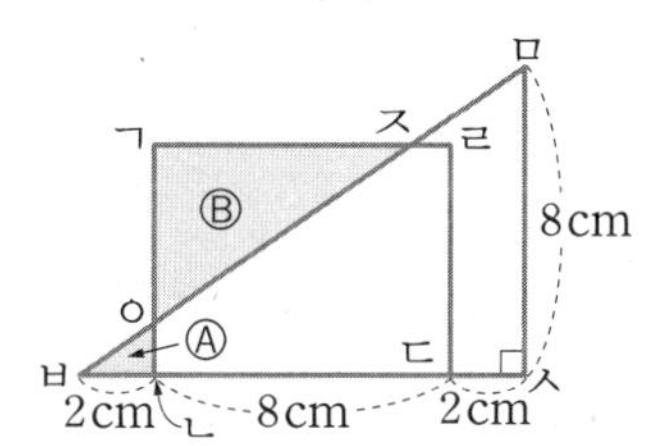


따라서, 삼각형 Ⓐ에서 변 ㅂㄴ의 길이는 2cm이므로
변 ㅇㄴ의 길이는 $2\times\frac{2}{3}=\frac{4}{3}(cm)$이다.
또, 삼각형 Ⓑ에서 변 ㄱㅇ의 길이는 $6-\frac{4}{3}=\frac{14}{3}(cm)$
이므로 변 ㄱㅈ의 길이는 $\frac{14}{3}\times\frac{3}{2}=7(cm)$이다.
따라서, B의 넓이는
$\frac{14}{3}\times7\times\frac{1}{2}=\frac{49}{3}=16\frac{1}{3}(cm^2)$
따라서 겹치는 부분의 넓이는
$8\times6-16\frac{1}{3}=31\frac{2}{3}(cm^2)$

**4** 사다리꼴 ㄱㄴㄷㄹ의 넓이는
$(12+24+9)\times12\div2=270(cm^2)$
오른쪽 부분의 넓이가 왼쪽 부분의 넓이의 2배가 되어야 하므로 왼쪽 부분의 넓이는 전체 사다리꼴의 넓이를 3등분한 것 중 하나가 되면 된다. 즉 왼쪽 부분의 넓이는
$270\times\frac{1}{3}=90(cm^2)$

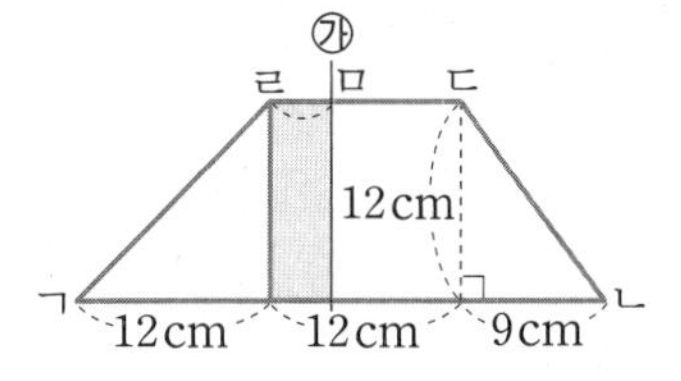


직선 ㉮가 점 ㄹ과 만날 때의 왼쪽 도형의 넓이는
$12\times12\div2=72(cm^2)$이므로 $90-72=18(cm^2)$가 부족하다.
따라서 위 그림에서 색칠한 부분의 넓이가 $18cm^2$이면 되므로 선분 ㄹㅁ의 길이를 □cm라 하면
$\square\times12=18$에서 $\square=\frac{18}{12}=1\frac{1}{2}(cm)$이다.

따라서, 직선 ㉮가 이동한 거리는 $12+1.5=13.5$(cm)이므로 움직인 지 $13.5\div0.5=27$(초) 후이다.

**5** 겹쳐지는 부분이 직사각형 모양이 될 때는 〈가〉 모양처럼 놓일 때부터이고, 〈나〉 모양처럼 놓이기 전까지이다.

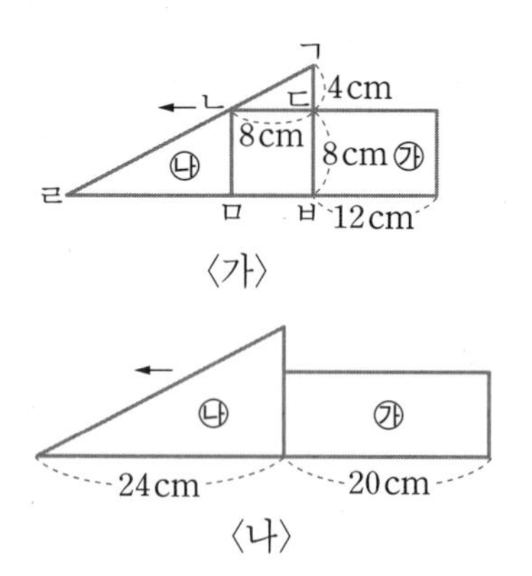

〈가〉
〈나〉

〈가〉 모양에서 변 ㄱㄷ의 길이가 변 ㄱㅂ의 $\frac{1}{3}$이므로 변 ㄴㄷ도 변 ㄹㅂ의 길이인 24cm의 $\frac{1}{3}$이 되어 8cm이다.

따라서 〈가〉 모양처럼 놓일 때까지 걸린 시간은

$(24+12)\div2=18$(초)

〈나〉 모양처럼 놓일 때까지 걸린 시간은

$(24+20)\div2=22$(초)

**6** ㉮는 1초에 3cm, ㉯는 1초에 1cm씩 오른쪽으로 이동하므로 ㉯는 정지해 있고 ㉮만 오른쪽으로 1초에 2cm씩 움직이는 것과 같다.

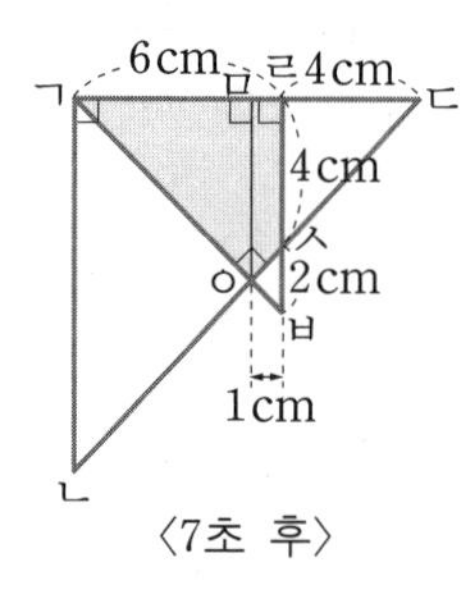

〈7초 후〉

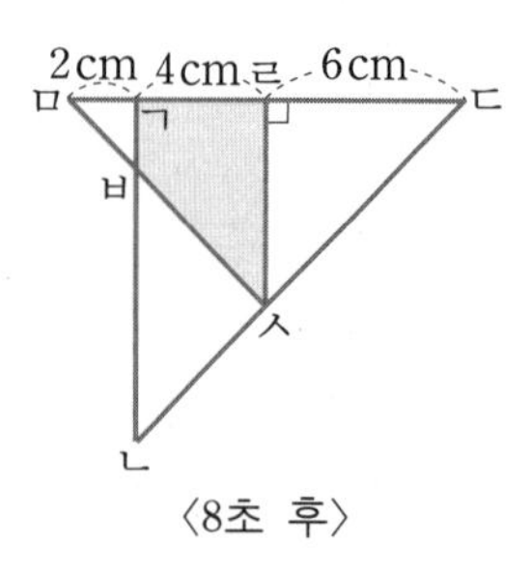

〈8초 후〉

7초 후의 그림에서 겹쳐진 부분은 색칠한 부분이고, 넓이는 삼각형 ㄱㅂㄹ의 넓이에서 삼각형 ㅇㅂㅅ의 넓이를 뺀 것과 같다. 삼각형 ㄱㄴㄷ은 직각이등변삼각형이므로 점 ㄱ에서 빗변에 수직인 선분을 그으면 빗변의 중점 ㅇ에서 만나고 점 ㅇ에서 변 ㄱㄷ에 수직인 선분을 그으면 변 ㄱㄷ의 중점 점 ㅁ과 만나게 된다.

따라서, 삼각형 ㅇㅂㅅ의 넓이는 $2\times1\div2=1(cm^2)$

겹쳐진 부분의 넓이는 $(6\times6\div2)-1=17(cm^2)$

또 8초 후의 그림에서 삼각형 ㄱㅁㅂ은 직각이등변삼각형이므로 (변 ㄱㅂ의 길이)=2cm이고, 겹쳐진 부분의 넓이는 $(6\times6\div2)-(2\times2\div2)=16(cm^2)$이다. 따라서, 두 부분의 넓이 차는 $17-16=1(cm^2)$

**7** 7초 후에는 3.5cm 오른쪽으로 이동한다. 겹쳐지는 부분을 그림으로 나타내면 오른쪽 그림과 같다.

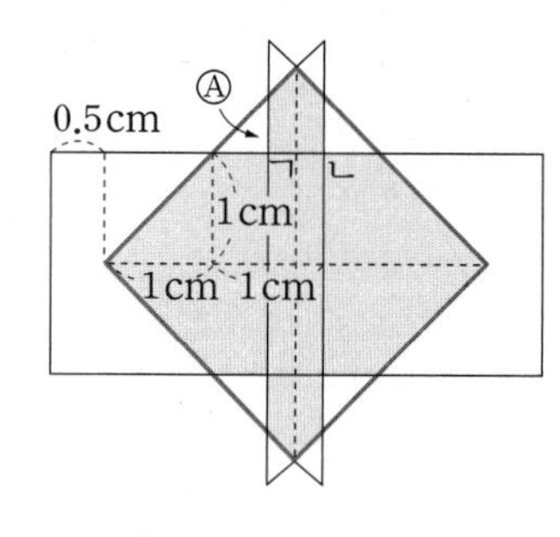


굵은 선으로 표시된 정사각형의 대각선의 길이는 3.5cm이므로 선분 ㄱㄴ의 길이는

$2-1.5\div2=0.25=\frac{1}{4}$(cm)

직각이등변삼각형 Ⓐ의 직각을 낀 두 변의 길이는 각각

$1-\frac{1}{4}\times2=\frac{1}{2}$(cm)이고,

Ⓐ의 넓이는 $\frac{1}{2}\times\frac{1}{2}\times\frac{1}{2}=\frac{1}{8}(cm^2)$이다.

겹쳐진 부분의 넓이는

$$\frac{7}{2}\times\frac{7}{2}\times\frac{1}{2}-\frac{1}{8}\times4=\frac{49}{8}-\frac{4}{8}$$
$$=\frac{45}{8}=5\frac{5}{8}(cm^2)$$

**8** 삼각형의 넓이는 $(3+9)\times6\div2=36(cm^2)$이고, 넓이의 $\frac{1}{4}$은 $36\times\frac{1}{4}=9(cm^2)$이다.

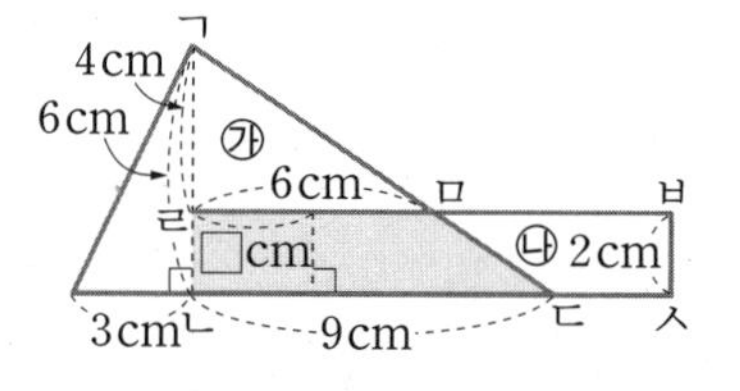


변 ㄱㄴ의 길이가 변 ㄴㄷ의 $\frac{2}{3}$이므로 변 ㄱㄹ의 길이도 변 ㄹㅁ의 $\frac{2}{3}$가 되어야 한다.

(변 ㄹㅁ의 길이)$=4\times\frac{3}{2}=6$(cm)

직사각형의 앞부분이 선분 ㄱㄴ까지 왔을 때 겹쳐지는 부분의 넓이는 $(6+9)\times2\div2=15(cm^2)$이므로 $9cm^2$보다 $6cm^2$ 더 넓다.

$2\times3=6(cm^2)$이므로 직사각형 ㉯가 이동한 거리는 $9-3=6$(cm)이다.

따라서, 직사각형이 이동한 시간은 $6\div2=3$(초)이다.

직사각형 ㉯가 삼각형 ㉮를 빠져 나가는 경우를 생각해 보면,

변 DE의 길이가 변 AE 길이의 $\frac{1}{2}$이므로 변 BC 길이도 변 AC 길이의 $\frac{1}{2}$이 되어야 한다.

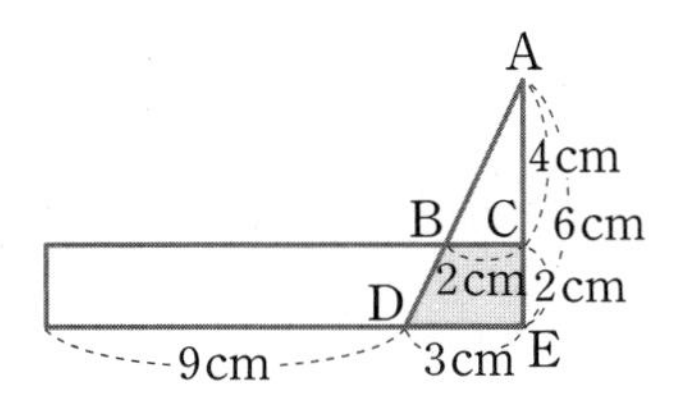


즉, (변 BC의 길이)$=4\times\frac{1}{2}=2$(cm)이다.

사각형의 오른쪽 끝부분이 선분 AE까지 왔을 때 겹쳐지는 부분의 넓이는 $(2+3)\times2\div2=5(\text{cm}^2)$이므로 9cm$^2$보다 4cm$^2$가 부족하다.

따라서, 사각형의 오른쪽 끝부분이 변 CE에 2cm 못 미쳐야 한다. 이 때 ㉯의 이동 거리는 $12+9-2=19$(cm)이고, 걸린 시간은 $19\div2=9.5$(초)이다.

**9** 도형 ㉠을 고정시키고 도형 ㉡이 매초 1cm씩 이동한다고 생각하자.

4.5초 후의 모양은 오른쪽과 같게 된다.

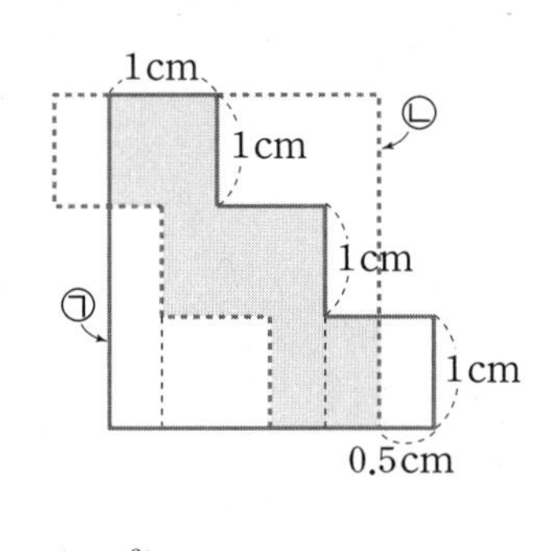


따라서, 겹치는 부분의 넓이는

$1\times1+1.5\times1+1\times1=3.5(\text{cm}^2)$

**10** 3초에 1cm씩 마주 보고 움직이므로 왼쪽 삼각형은 고정되어 있고 오른쪽 삼각형이 3초에 2cm를 이동한다고 생각하자.

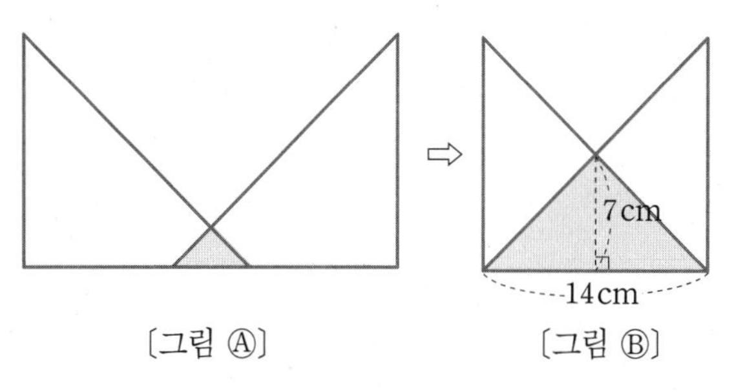


〔그림 Ⓐ〕 〔그림 Ⓑ〕

〔그림 Ⓑ〕일 때 겹치는 부분의 넓이는

$14\times7\times\frac{1}{2}=49(\text{cm}^2)$

〔그림 Ⓑ〕 상태가 되기 전에는 〔그림 Ⓐ〕와 같이 겹치는 부분의 넓이는 49cm$^2$보다 작다. 즉 오른쪽 삼각형을 다음과 같이 그림 Ⓑ 상태에서 왼쪽으로 2cm만큼 더 이동시켜 보자.

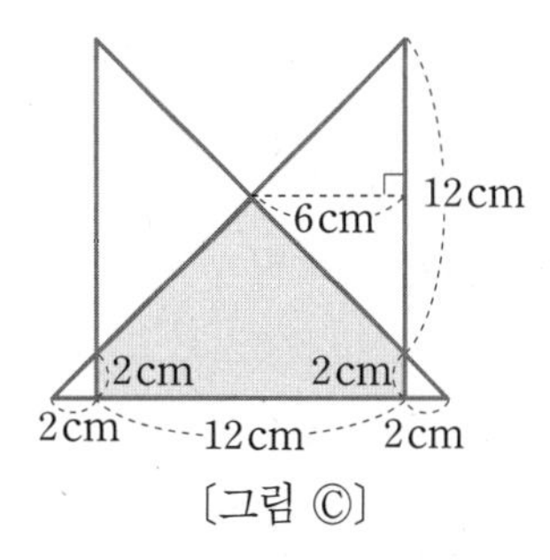


〔그림 Ⓒ〕

양단으로 $14\times14\div2-2\times2\times\frac{1}{2}-12\times6\times\frac{1}{2}=60(\text{cm}^2)$이므로 처음으로 60cm$^2$가 될 때는 그림 Ⓒ 상태가 될 때이다.

즉 한 삼각형을 고정시키고 생각하면 다른 삼각형이 $6+14+2=22$(cm) 이동하였을 때이고, 3초에 2cm씩 이동하므로 $22\div2\times3=33$(초) 후이다.

본문 98~101쪽

유제

**1** 217명 **2** 2개 **3** 6명 **4** 5명

특강탐구문제

**1** 62cm$^2$ **2** 4명 **3** 45% **4** 664명 **5** 84명
**6** 38명 **7** 5명 **8** 50명 **9** 33명 **10** 15명, 105명

## 유제풀이

**1**

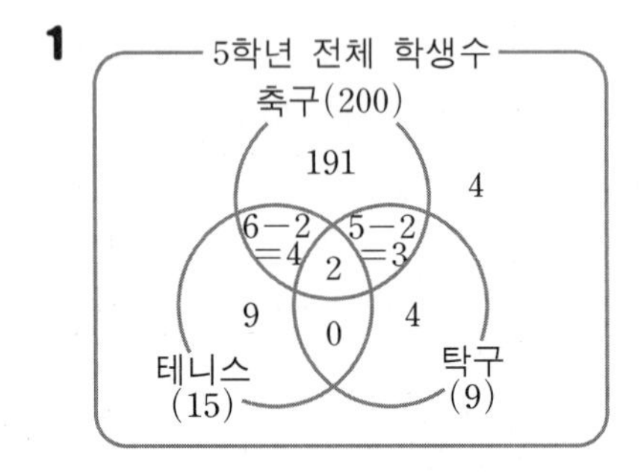


세 가지 운동부에 속한 학생 수를 각각 더하면 두 번, 세 번 중복하여 더해지는 학생이 있다. 테니스부와 탁구부인 학생은 모두 축구부이므로 세 운동부에 속한 학생은 2명이다. 즉, 테니스와 탁구부에만 가입한 학생 수는 0명이다.
그러므로 200+15+9=224(명)에서 두 가지 운동부에 가입한 학생 수 6, 5, 2를 빼고 세 가지 운동부에 모두 가입한 학생 2명을 더하면 된다. 세 가지 운동부 중 한 가지에라도 가입한 학생 수는
224−6−5−2+2=213(명)이다. 어느 운동부에도 가입하지 않는 학생은 4명이므로 5학년 학생은 모두
213+4=217(명)이다.

**2**

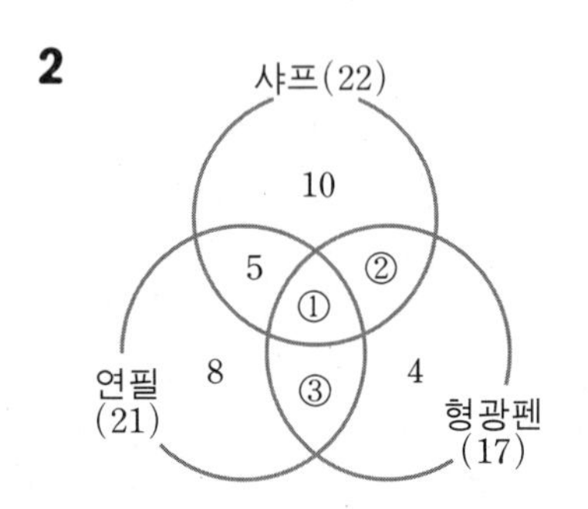


• 샤프가 들어 있는 필통의 수에서 샤프만 들어 있는 필통의 수와 샤프와 연필만 들어 있는 필통의 수를 빼면 ①+②를 구할 수 있다.
①+②=22−(10+5)=7

• 연필이 들어 있는 필통의 수에서 연필만 들어 있는 필통의 수와 샤프와 연필만 들어 있는 필통의 수를 빼면 ①+③을 구할 수 있다.
①+③=21−(8+5)=8

• 형광펜이 들어 있는 필통의 수에서 형광펜만 들어 있는 필통의 수를 빼면 ①+②+③을 구할 수 있다.
①+②+③=17−4=13
(①+②)+(①+③)=7+8=15이고, 이것은
(①+②+③)+①=13+①=15이므로
샤프, 연필, 형광펜이 모두 들어 있는 필통의 수는
15−3=2(개)이다.

**3**

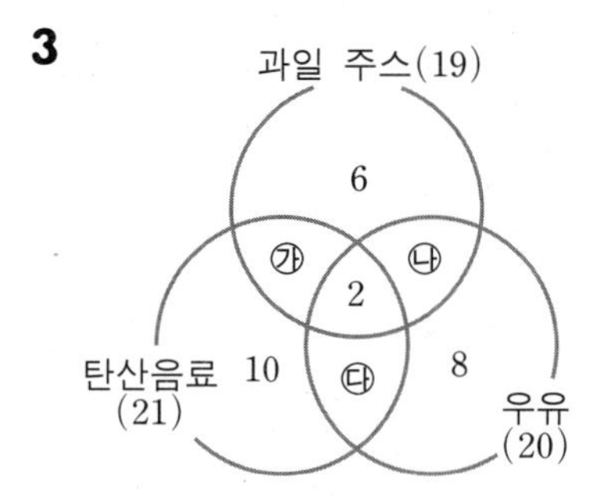


• 과일 주스를 가지고 온 학생 수에서 과일 주스만 가지고 온 학생 수와 세 가지 모두를 가지고 온 학생 수를 빼면 ㉮+㉯가 된다.
㉮+㉯=19−(6+2)=11

• 탄산음료를 가지고 온 학생 수에서 탄산음료만 가지고 온 학생 수와 세 가지 모두를 가지고 온 학생 수를 빼면 ㉮+㉰가 된다.
㉮+㉰=21−(10+2)=9

• 우유를 가지고 온 학생 수에서 우유만 가지고 온 학생 수와 세 가지 모두를 가지고 온 학생 수를 빼면 ㉯+㉰가 된다.
㉯+㉰=20−(8+2)=10

• 과일 주스와 우유만 가지고 오고 탄산음료는 가지고 오지 않은 학생의 수는 ㉯이다.
(㉮+㉯)+(㉯+㉰)−(㉮+㉰)
=㉯+㉯
=11+10−9=12
따라서 ㉯=6이다.

**4** ㉮, ㉯, ㉰ 세 신문을 모두 보는 학생 수를 □라 하면 다음 그림과 같다.

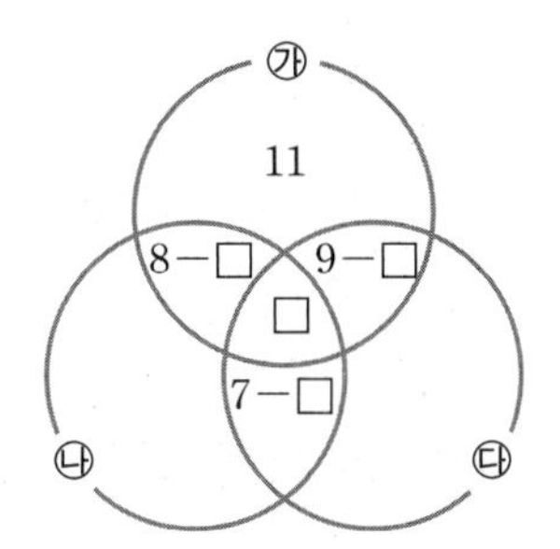


• (㉯ 신문만 보는 학생 수)
=(㉮, ㉯ 두 신문 중 적어도 한 신문을 보는 학생 수)−{11+(8−□)+□+(9−□)+(7−□)}
=39−(35−□−□)
=4+□+□

• (㉰ 신문만 보는 학생 수)
=(㉮, ㉰ 두 신문 중 적어도 한 신문을 보는 학생 수)−{11+(8−□)+□+(9−□)+(7−□)}
=42−(35−□−□)=7+□+□

따라서 (㉯, ㉰ 두 신문 중 적어도 한 신문을 보는 학생 수)
=(4+□+□)+(7+□+□)+(8−□)+(9−□)+(7−□)+□
=35+□+□
=45
따라서 □=5(명)이다.

**특강탐구문제풀이**

**1**

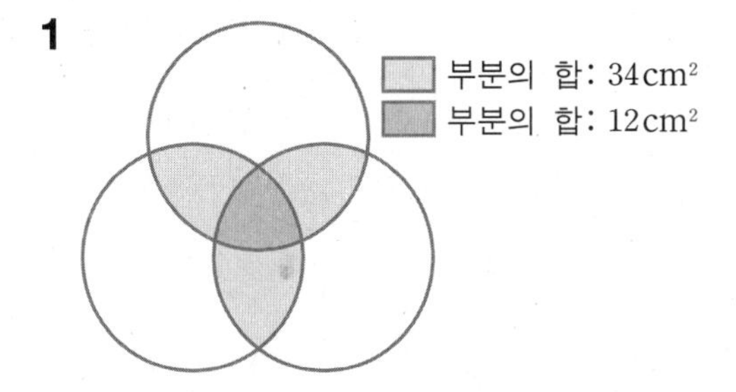


주어진 조건을 그림에 그려 보면 위와 같다. 원의 넓이를 모두 더하면 2개의 원으로만 겹쳐진 부분의 넓이는 한 번 더 더하고 3개의 원으로 모두 겹쳐진 부분의 넓이는 두 번 더 더한 것이 된다.
따라서 구하는 넓이는
$40+40+40-34-12\times3+12=62(cm^2)$

**2**

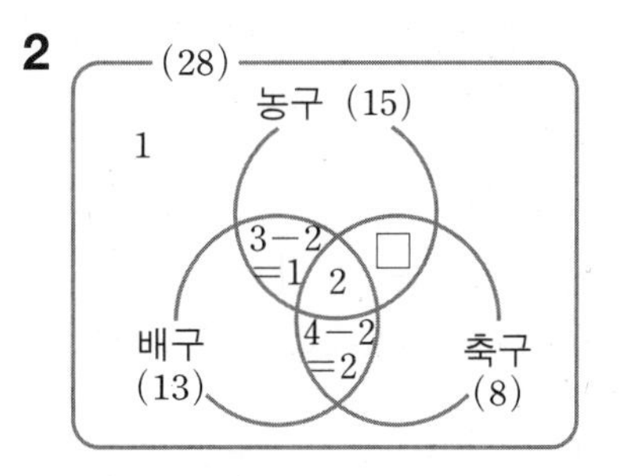


농구와 축구를 모두 좋아하는 학생 중 배구를 좋아하지 않는 학생 수를 □라 할 때, 농구와 축구를 모두 좋아하는 학생 수를 구하는 것이므로 □+2를 구하면 된다.
농구, 배구, 축구 중 적어도 한 가지를 좋아하는 학생은 28−1=27(명)이다. 그러므로
15+13+8−1−2−□−2×2=27
29−□=27
□=2
따라서 농구와 축구를 모두 좋아하는 학생 수는
2+2=4(명)

**3**

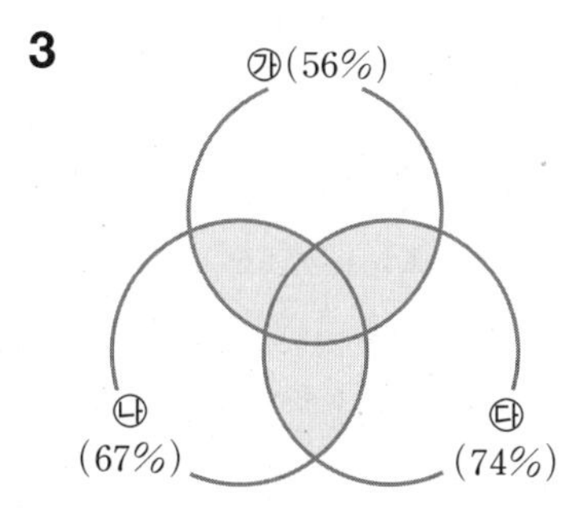


전체 학생을 100명이라 생각하면 ㉮를 읽은 학생은 56명, ㉯를 읽은 학생은 67명, ㉰를 읽은 학생은 74명, 두 가지 이상 읽은 학생은 52명이 된다. 한 권도 읽지 않은 학생은 없으므로 세 가지 책을 읽은 학생 수를 각각 더하고, 두 번 더해진 두 가지 이상 읽은 학생 수를 뺀 후, 세 번 더해진 세 가지 모두 읽은 학생 수를 빼면 전체 학생 수인 100명이 된다.
세 가지를 모두 읽은 학생을 □%라 하면
56+67+74−52−□=100이다.
145−□=100
□=45
따라서 세 가지 책을 모두 읽은 학생은 전체의 45%이다.

**4**

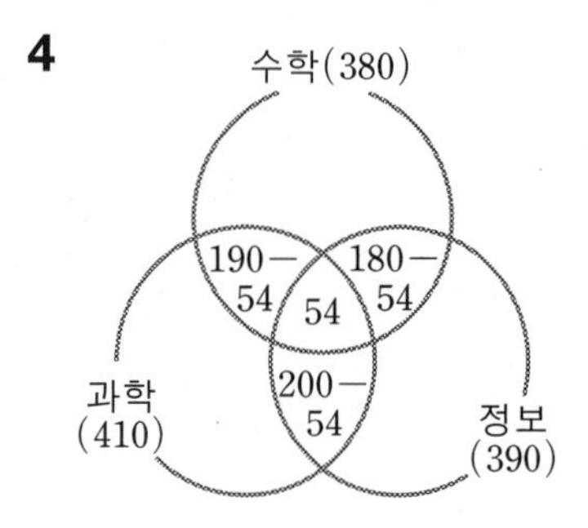


우선 세 분야에 지원한 학생을 각각 모두 더하고 두 번 중복해서 더해지는 두 가지 이상의 분야에 지원한 학생 수를 뺀다. 그러면 세 가지 모두에 지원한 학생이 전부 제외되므로 다시 더해 줘야 한다.

(지원한 학생 수)

$=380+410+390-190-180-200+54$

$=664$(명)

**5**

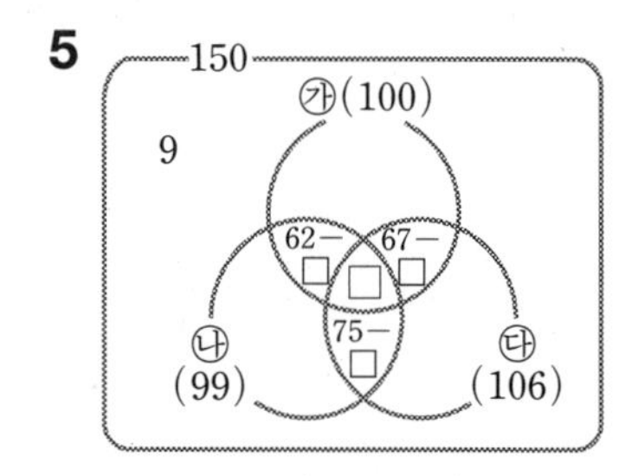


한 문제도 풀지 못한 학생이 9명이므로 적어도 한 문제 이상 푼 학생은 $150-9=141$(명)이다.

그러므로 각 문제를 푼 학생 수를 모두 더하고 두 번 더해진 두 문제를 푼 학생 수를 빼고 나서 완전히 제외된 세 문제를 모두 푼 학생 수를 더하면 141이 된다.

세 문제를 모두 푼 학생을 □명이라 하면

$100+99+106-62-67-75+\square=141$

$101+\square=141$

$\square=40$이다.

따라서 두 문제만 푼 학생 수는

$(62-40)+(67-40)+(75-40)=84$(명)

**6**

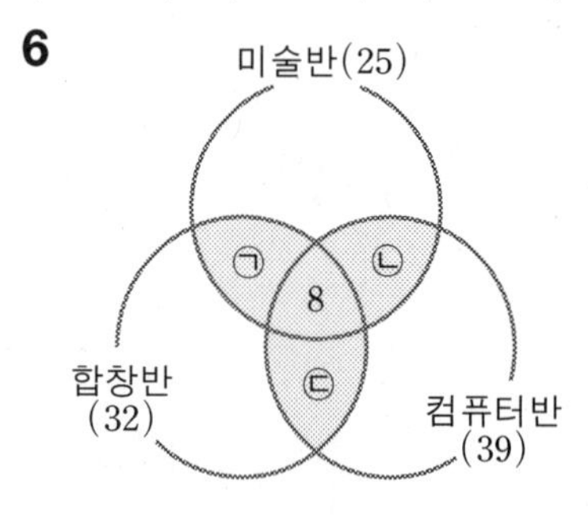


세 가지 반에 가입한 학생 수의 합에 두 번 더해진 두 가지 반에만 가입한 학생 수 (㉠+㉡+㉢)을 뺀 후 세 가지 반에 모두 가입한 학생 수 8명을 두 번 빼면 전체 학생 수인 50명이 된다.

$25+32+39-$(㉠+㉡+㉢)$-8\times2=50$

$80-$(㉠+㉡+㉢)$=50$

㉠+㉡+㉢$=30$이다.

따라서 두 가지 이상의 반에 가입한 학생 수는 색칠한 부분이므로 ㉠+㉡+㉢$+8=30+8=38$(명)이다.

**7**

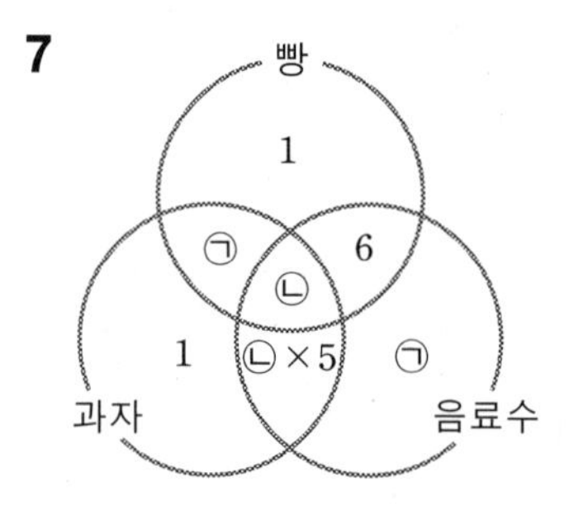


과자와 빵만 좋다고 대답한 학생 수와 음료수만 좋다고 대답한 학생 수를 각각 ㉠명, 세 가지 모두 좋다고 대답한 학생 수를 ㉡명이라 하면, 과자와 음료수만 좋다고 한 학생 수는 (㉡$\times5$)명이다.

대답을 하지 않은 학생이 없으므로

$1+1+$㉠$+$㉠$+6+$(㉡$\times5$)$+$㉡$=30$이다.

㉠이 2개, ㉡이 6개이므로

(㉠$\times2$)$+$(㉡$\times6$)$=30-8=22$

㉠$+$(㉡$\times3$)$=11$이다. 세 가지 모두 좋아하는 학생 수 ㉡명은 짝수이므로 ㉡은 2, 4, 6, … 중 하나이다.

㉡이 4 이상이면 조건 ㉠$+$㉡$\times3=11$에 맞지 않으므로 ㉡$=2$이다.

따라서 ㉠$+2\times3=11$이므로 음료수만 좋다고 한 학생 수 ㉠$=11-6=5$(명)이다.

**8**

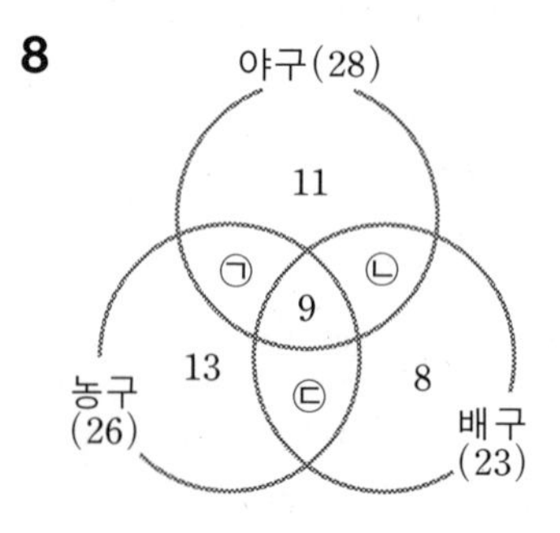


• 야구를 좋아하는 학생 수에서 야구만 좋아하는 학생 수와 세 가지 모두를 좋아하는 학생 수를 빼면 ㉠+㉡이 된다.

㉠+㉡=28−(11+9)=8

• 농구를 좋아하는 학생 수에서 농구만 좋아하는 학생 수와 세 가지 모두를 좋아하는 학생 수를 빼면 ㉠+㉢이 된다.

㉠+㉢=26−(13+9)=4

• 배구를 좋아하는 학생 수에서 배구만 좋아하는 학생 수와 세 가지 모두를 좋아하는 학생 수를 빼면 ㉡+㉢이 된다.

㉡+㉢=23−(8+9)=6

• (㉠+㉡)+(㉠+㉢)+(㉡+㉢)

=(㉠+㉡+㉠+㉢+㉡+㉢)

=8+4+6=18

㉠+㉡+㉢=9

또 모든 학생이 적어도 한 가지 이상 좋아하므로

(소라네 반 학생 수)

=9+11+13+8+(㉠+㉡+㉢)

=41+9

=50(명)

**9**

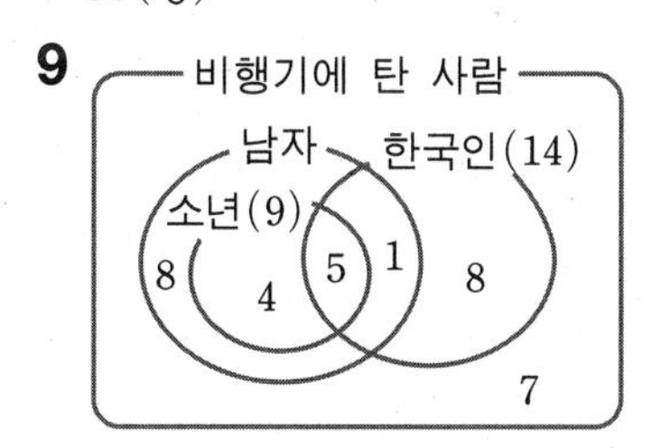


겹치지 않도록 구분하여 각각 몇 명인지 알아보자.

한국인 14명 중 6명이 남자이므로

• 한국인 여자 : 14−6=8(명)

6명의 한국인 남자 중 5명이 한국인 소년이므로

• 한국인 소년 : 5명

• 한국인 남자 어른 : 6−5=1(명)

• 외국인 여자 : 7명

9명의 남자 어른 중 1명이 한국인 남자 어른이므로

• 외국인 남자 어른 : 9−1=8(명)

9명의 소년 중 5명이 한국인 소년이므로

• 외국인 소년 : 9−5=4(명)

따라서 비행기에 탄 사람은 모두

8+5+1+7+8+4=33(명)

**10** • 최대인 경우

학생 수가 가장 적은 과학을 좋아하는 학생이 모두 수학, 영어를 좋아하는 경우이다.

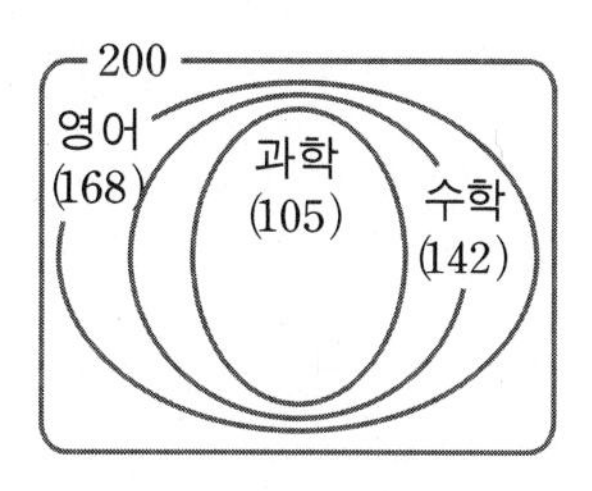


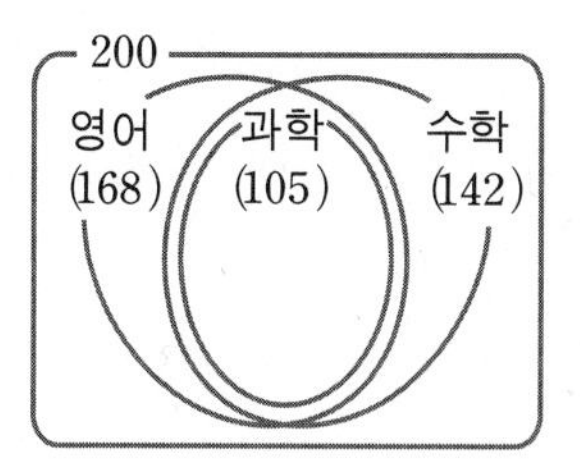


따라서 세 과목을 모두 좋아하는 학생은 최대 105명이다.

• 최소인 경우

세 과목을 모두 좋아하는 학생이 가장 적으려면 우선 두 과목을 모두 좋아하는 학생 수가 작아야 한다.

수학, 영어를 좋아하는 학생이 다음 그림과 같을 때 두 과목을 모두 좋아하는 학생이 가장 적다.

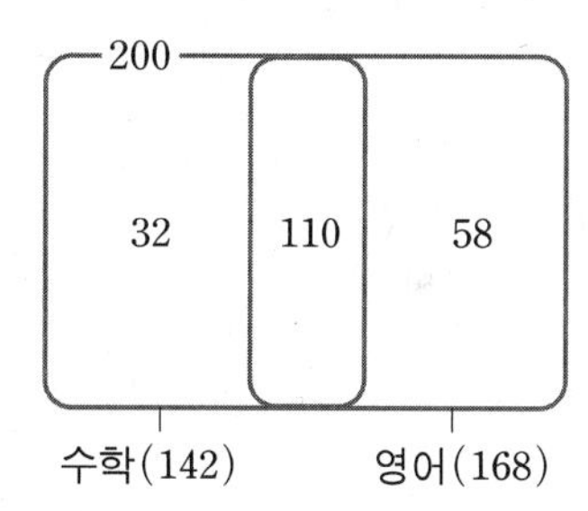


여기에 과목을 좋아하는 학생 105명이 다음과 그림과 같이 놓일 때 세 과목을 모두 좋아하는 학생이 가장 적다.

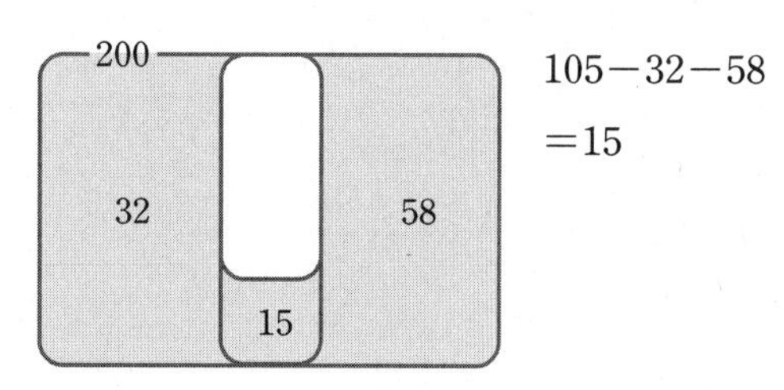


따라서 세 과목을 모두 좋아하는 학생은 최소 15명이다.

본문 102~105쪽

## 23 차가 늘어나는 수열의 응용

### 유제

**1** 1578개 **2** 1105장 **3** 105개 **4** 468개

### 특강탐구문제

**1** 690개 **2** 8개 **3** 208개 **4** 13단계 **5** 816개
**6** 838장 **7** 9층, 12개 **8** 14개 **9** 211부분
**10** 3630개

### 유제풀이

**1**

| 차례 | 1 | 2 | 3 | 4 | … | 30 |
|---|---|---|---|---|---|---|
| 성냥개비 개수 | 12 | 24 | 39 | 57 | … | 12+(12+15+18+⋯+□) |

+12 +15 +18 / +3 +3 / 29개

차가 12에서부터 3씩 늘어나면서 성냥개비의 수가 많아지므로 위의 표에서 □는 $12+(3\times28)=96$이다.
따라서 30째 번 모양을 만드는 데 필요한 성냥개비 수는
$12+(12+15+18+\cdots+96)$
$=12+(12+96)\times29\div2$
$=1578$(개)

**2**

| 단계 | 1 | 2 | 3 | 4 | … | 24 |
|---|---|---|---|---|---|---|
| 색종이 수 | 1 | 5 | 13 | 25 | … | 1+(4+8+12+⋯+□) |

+4 +8 +12 / +4 +4 / 23개

차가 4에서부터 4씩 늘어나면서 색종이의 수가 많아지므로 위의 표에서 □는 $4+(4\times22)=92$이다.
따라서 24단계에 필요한 색종이 수는
$1+(4+8+12+\cdots+92)$
$=1+(4+92)\times23\div2$
$=1105$(장)

**3**

| 직선 수 | 1 | 2 | 3 | 4 | … | 15 |
|---|---|---|---|---|---|---|
| 교점 수 | 0 | 1 | 3 | 6 | … | 0+(1+2+3+⋯+14) |

+1 +2 +3 / +1 +1

직선 수가 한 개씩 늘어남에 따라 교점의 수는 차가 1개에서부터 1개씩 늘어나면서 많아지게 된다.
따라서 직선을 15개 그리면 교점의 수는
$1+2+3+\cdots+14$
$=(1+14)\times14\div2$
$=105$(개)

**4**

| 순서 | 1 | 2 | 3 | 4 | … | 12 |
|---|---|---|---|---|---|---|
| 한 변에 놓인 바둑돌의 수 | 2 | 3 | 4 | 5 | … | 13 |
| 사용된 바둑돌의 수 | 6 | 18 | 36 | 60 | … | 6+(12+18+⋯+□) |

+12 +18 +24 / 11개

차가 12에서부터 6씩 늘어나면서 바둑돌의 개수가 많아지므로 위의 표에서
$\square=12+(6\times10)=72$
따라서 한 변에 바둑돌이 13개가 놓였을 때의 총 바둑돌의 개수는
$6+(12+18+24+\cdots+72)$
$=6+(12+72)\times11\div2$
$=468$(개)

### 특강탐구문제풀이

**1**

| 줄수 | 1 | 2 | 3 | 4 | … | 20 |
|---|---|---|---|---|---|---|
| 성냥개비의 수 | 6 | 15 | 27 | 42 | … | 6+(9+12+15+⋯+□) |

+9 +12 +15 / +3 +3 / 19개

차가 9에서부터 3씩 늘어나면서 성냥개비의 수가 많아지므로 위의 표에서 □는 $9+(3\times18)=63$이 된다.
따라서 20째 줄까지 만들었을 때 사용된 성냥개비의 수는
$6+(9+12+15+\cdots+63)$
$=6+(9+63)\times19\div2$
$=690$(개)

## 2

| 직사각형 개수 | 1 | 2 | 3 | 4 | … | ? |
|---|---|---|---|---|---|---|
| 나누어진 부분의 수 | 5 | 9 | 15 | 23 | … | 75 |

+4 +6 +8
+2 +2

차가 4에서부터 2씩 늘어나면서 나누어진 부분의 수가 많아지므로 나누어진 부분의 수가 75개가 될 때의 그려진 직사각형 개수를 구하는 식은 다음과 같이 쓸 수 있다.

$5+(4+6+8+\cdots+\square)=75$

$4+6+8+\cdots+\square=70$

위의 식을 2로 나누어 생각하면

$\underbrace{2+3+4+\cdots+\triangle}_{(\triangle-1)개}=35$

그러므로 합이 35가 되기 위해서는

$(2+\triangle)\times(\triangle-1)\div2=35$

$(2+\triangle)\times(\triangle-1)=70$

$70=10\times7=(2+8)\times(8-1)$이므로 $\triangle=8$이다.

따라서 더해진 수들의 개수는 $8-1=7$(개)이고, 여기에 처음 그려진 직사각형 하나를 더해야 하므로 75개의 부분으로 나누려면 $7+1=8$(개)의 직사각형을 그려야 한다.

**참고*** $2+3+4+\cdots+\triangle=35$에서

$1+2+3+4+\cdots+\triangle=36$이므로 $\triangle=8$임을 알 수 있다. 그러나 숫자가 좀더 큰 경우 위와 같은 방법이 더 편리하다.

## 3

| 단계 | 1 | 2 | 3 | 4 | … | 8 |
|---|---|---|---|---|---|---|
| 성냥개비 개수 | 5 | 16 | 33 | 56 | … | $5+(\underbrace{11+17+23+\cdots+\square}_{7개})$ |

+11 +17 +23
+6 +6

차가 11에서부터 6씩 늘어나면서 성냥개비 개수가 많아지므로 위의 표에서

$\square=11+(6\times6)=47$

따라서 8단계에 사용된 성냥개비의 개수는

$5+(11+17+23+\cdots+47)$

$5+(11+47)\times7\div2=208$(개)

## 4

| 단계 | 1 | 2 | 3 | 4 | … | ? |
|---|---|---|---|---|---|---|
| 색종이 수 | 1 | 5 | 13 | 25 | … | 313 |

+4 +8 +12
+4 +4

차가 4에서부터 4씩 늘어나면서 색종이 수가 많아지므로 색종이 수가 313장이 될 때의 단계를 구하는 식은 다음과 같이 쓸 수 있다.

$1+(4+8+12+\cdots+\square)=313$

$4+8+12+\cdots+\square=312$

모두 4등분 하여 생각하면

$\underbrace{1+2+3+\cdots+\triangle}_{\triangle개}=78$

그러므로 합이 78이 되기 위해서는

$(1+\triangle)\times\triangle\div2=78$

$(1+\triangle)\times\triangle=156$

$156=13\times12=(1+12)\times12$이므로 $\triangle=12$이다.

따라서 더해진 수들의 개수는 12개이고, 여기에 처음 1단계를 포함시켜야 하므로 색종이 수가 313장일 때의 단계는 $12+1=13$(단계)이다.

**참고*** $1+2+3+\cdots+\triangle=78$에서

$1+2+3+\cdots+10=55\rightarrow$

$55+11=66\rightarrow$

$66+12=78$이므로

$\triangle=12$임을 알 수도 있다.

## 5

| 층수 | 1 | 2 | 3 | 4 | … | 16 |
|---|---|---|---|---|---|---|
| 한 방향에서 보이는 정사각형 개수 | 1 | 3 | 6 | 10 | … | $1+(\underbrace{2+3+4+\cdots+\square}_{15개})$ |

+2 +3 +4
+1 +1

차가 2에서부터 1씩 늘어나면서 정사각형의 개수가 많아지므로 위의 표에서 □는 16이 된다.

그러므로 16층까지 쌓았을 때 한 방향에서 보이는 정사각형은 모두 $(1+16)\times16\div2=136$(개)이다.

따라서 모두 6방향에서 같은 수의 정사각형이 보이게 되므로 $136\times6=816$(개)가 된다.

**참고*** 각 단계마다 겉에서 보이는 정사각형의 수를 구해도 마찬가지이다.

6, 18, 36, 60, …

+12 +18 +24

즉, 16째 번 수는 $6+(\overbrace{12+18+24+\cdots}^{15개})$개가 되어

$6+12+18+24+\cdots+(6\times16)$

$=6+12+18+\cdots+96$

$=(6+96)\times16\div2$

$=816$(개)

## 6

| 차례 | 1 | 2 | 3 | 4 | … | 27 |
|---|---|---|---|---|---|---|
| 색종이 수 | 6 | 13 | 22 | 33 | … | 6+(7+9+11+⋯+□) |

+7 +9 +11 (26개)

+2 +2

차가 7에서부터 2씩 늘어나며 색종이 수가 많아지므로 위의 표에서

$\square=7+(2\times25)=57$

따라서 27째 번에 사용된 색종이는 모두

$6+(7+9+11+\cdots+57)$

$=6+(7+57)\times26\div2$

$=838$(장)

## 7

| 층수 | 1 | 2 | 3 | 4 | … | ? |
|---|---|---|---|---|---|---|
| 성냥개비 개수 | 4 | 13 | 26 | 43 | … | |

+9 +13 +17

+4 +4

차가 9에서부터 4씩 늘어나면서 사용된 성냥개비 개수가 많아지므로

$4+(9+13+17+\cdots+\square)$가 200 이하가 되어야 한다.

즉, $\underbrace{5+9+13+17+\cdots+\square}_{☆개}$가 201 이하가 되어야 하므로 (+4 +4 +4)

$\underbrace{4+8+12+16+\cdots+△}_{☆개}+☆$

$=4\times(1+2+3+\cdots+☆)+☆$

이 201 이하가 되어야 한다.

☆=10일 때 $4\times55+10=230$이고,

☆=9일 때는 $4\times45+9=189$가 되므로

☆=9이다.

따라서 9층까지 쌓을 수 있고 이 때 사용된 성냥개비의 개수는 $4+(9+13+\cdots+\square)$이고, $\square=9+(4\times7)=37$이므로 $4+(9+13+\cdots+37)$

$=4+(9+37)\times8\div2$

$=188$(개)이다.

따라서 남는 성냥개비의 수는 12(개)이다.

## 8

| 직선 수 | 1 | 2 | 3 | 4 | … | ? |
|---|---|---|---|---|---|---|
| 교점의 개수 | 0 | 1 | 3 | 6 | … | 91 |

+1 +2 +3

+1 +1

차가 1에서부터 1씩 늘어나면서 교점의 수가 많아지므로 교점의 수가 91개일 때의 직선 수를 구하는 식은 다음과 같이 쓸 수 있다.

$0+(\underbrace{1+2+3+\cdots+\square}_{\square개})=91$

$(1+\square)\times\square\div2=91$

$(\square+1)\times\square=182$이고,

$182=14\times13$이므로

$\square=13$이다.

따라서 직선의 개수는 $13+1=14$(개)이다.

**참고*** 다음과 같이 생각해도 된다.

$1+2+3+\cdots+\square=91$에서

1부터 10까지의 합 55, 11까지의 합 66, 12까지의 합 78, 13까지의 합 91이므로 $\square=13$이다.

## 9

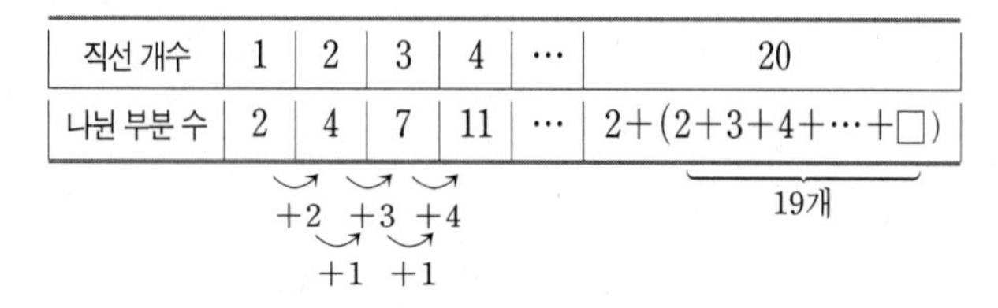

| 직선 개수 | 1 | 2 | 3 | 4 | … | 20 |
|---|---|---|---|---|---|---|
| 나뉜 부분 수 | 2 | 4 | 7 | 11 | … | 2+(2+3+4+⋯+□) |

+2 +3 +4 (19개)

+1 +1

차가 2에서부터 1씩 늘어나면서 나누어진 부분의 수가 많아지므로 위의 표에서 $\square=20$이 된다.

따라서 직선 20개를 그어 나누어지는 부분의 최대의 개수는

$2+(2+3+4+\cdots+20)$

$=2+(2+20)\times19\div2$

$=211$(부분)

**10** 각 단계의 밑면의 점의 개수와 성냥개비의 수는 다음과 같이 변한다.

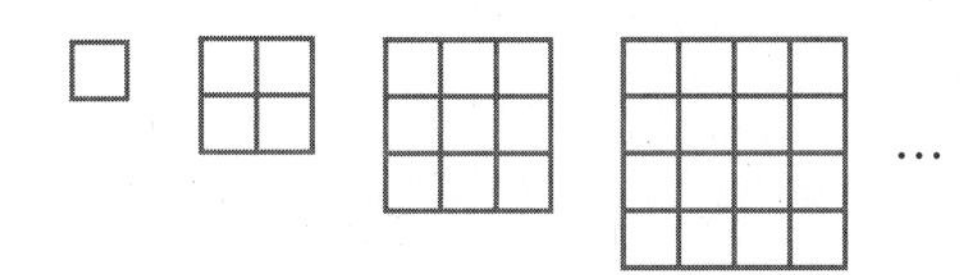

사용된 성냥개비의 수는 차가 늘어나는 수열을 이룬다.

4, 12, 24, 40, …
(+8, +12, +16 / +4, +4)

즉, 10째 번 성냥개비의 수는

$4+(\underbrace{8+12+16+\cdots+\square}_{9개})$이다.

$\square=8+4\times8=40$이므로

10째 번 성냥개비의 수는

$(4+8+12+16+\cdots+40)$

$=4+(8+40)\times9\div2$

$=220$(개)

또 밑면의 점의 개수는 차가 늘어나는 수열을 이룬다.

4, 9, 16, 25, …
(+5, +7, +9 / +2, +2)

즉, 10째 번 밑면의 점의 개수는

$4+(\underbrace{5+7+9+\cdots+\square}_{9개})$이다.

$\square=5+2\times8=21$이므로

10째 번 밑면의 점의 개수는

$4+(5+7+9+\cdots+21)$

$4+(5+21)\times9\div2$

$=121$(개)

따라서 10단계에서 사용된 성냥개비의 수는 「220개씩 11층」과 「121개씩의 기둥으로 10층」을 쌓는 데 사용된 성냥개비의 수의 합과 같다.

➡ $(220\times11)+(121\times10)=3630$(개)

**참고*** $4+(\underbrace{8+12+16+\cdots+\square}_{9개})$에서 4와 8의 차가 4이므로

$\underbrace{4+8+\cdots+\square}_{10개}$

$=4\times(1+2+3+\cdots+10)$

$=4\times55=220$으로 구할 수도 있다.

또 $4+(\underbrace{5+7+9+\cdots+\square}_{9개})$에서 $4=1+3$이므로

$\underbrace{1+3+5+7+9+\cdots+\square}_{11개}$

$=11\times11=121$로 구할 수도 있다.

본문 106~109쪽

## 분수 응용 문제② 24

유제

**1** $\frac{1}{2}$ **2** 3675명 **3** 4800원 **4** 1km

특강탐구문제

**1** 152개 **2** 96cm
**3** ㉮=30mL, ㉯=120mL, ㉰=600mL
**4** 120kg **5** $\frac{5}{12}$ **6** 22장
**7** 12L **8** 2205명 **9** 420명 **10** 480쪽

### 유제풀이

**1** 법재가 태호에게 주었던 돈과 받은 돈이 같아야 하므로 법재가 가진 돈의 $\frac{1}{4}$과 태호가 법재에게 돈을 받은 후 태호가 가진 돈의 $\frac{1}{9}$은 같다.

• 법재가 가지고 있던 돈 :

• 태호가 가지고 있던 돈 :

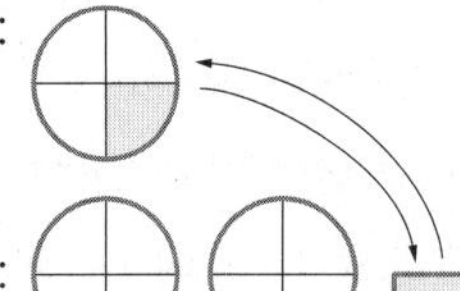

즉, 처음 법재가 가지고 있던 돈은 처음 태호가 가지고 있던 돈의 $\frac{1}{2}$이다.

**2** 여자의 수가 전체의 $\frac{2}{7}$보다 52명 많으므로 남자의 수는 전체의 $\frac{5}{7}$보다 52명 적다.

즉, (전체)$\times\frac{2}{3}$+123=(전체)$\times\frac{5}{7}$−52

(전체)$\times\left(\frac{5}{7}-\frac{2}{3}\right)$

$=\left(\text{전체의 }\frac{1}{21}\right)$=123+52=175(명)

따라서 전체 관람객 수는 175×21=3675(명)이다.

**3** 과일을 사고 남은 돈과 언니에게 받은 돈 940원을 합한 돈의 $\frac{2}{5}$보다 80원 많은 돈을 우유값으로 내고, 640원이 남았으므로 640+80=720(원)이 과일을 사고 남은 돈과 언니에게 받은 돈의 합의 $\frac{3}{5}$이 되고, 과일을 사고 남은 돈과 언니에게 받은 돈의 합은

720÷3×5=1200(원)

언니에게 받은 돈 940원을 뺀 1200−940=260(원)은 식빵을 사고 남은 돈의 $\frac{3}{4}$보다 600원이 많은 돈으로 과일을 사고 남은 돈이므로 260+600=860(원)은 식빵을 사고 남은 돈의 $\frac{1}{4}$이다.

즉 식빵을 사고 남은 돈은 860×4=3440(원)이고, 이것은 처음 가지고 있던 돈의 $\frac{2}{3}$보다 240원 많은 돈이다.

따라서 3440−240=3200(원)은 처음 가진 돈의 $\frac{2}{3}$이므로 처음 가진 돈은 3200÷2×3=4800(원)이다.

**4** 전체 거리의 $\frac{2}{5}$와 전체 거리의 $\frac{1}{4}$을 그림으로 나타내기 위해 전체를 20으로 나누어 문제의 뜻에 맞게 그려 보자.

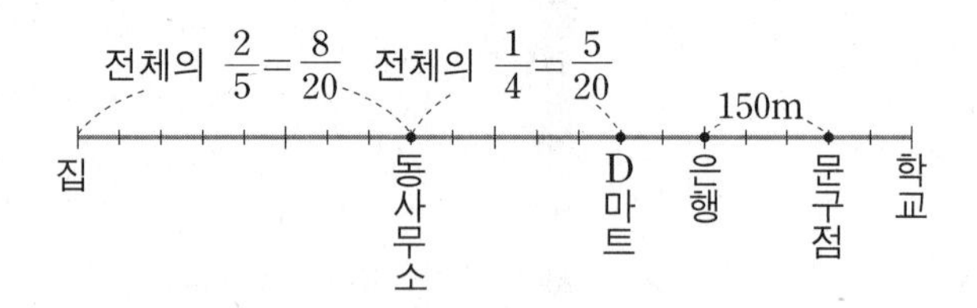


집에서 동사무소까지는 집에서 학교까지의 전체 거리의 $\frac{2}{5}=\frac{8}{20}$이므로 8칸이고, 동사무소에서 D마트까지의 거리는 전체의 $\frac{1}{4}=\frac{5}{20}$이므로 5칸이다. 그러므로 D마트에서 학교까지의 거리는 7칸이 된다.

D마트와 은행, 문구점과 학교 사이의 거리는 서로 같고 그 거리는 150m이다. 즉, 3칸이 150m이므로

1칸은 150÷3=50(m)이고

전체 거리는 (50×20)=1000(m)=1(km)

### 특강탐구문제풀이

**1** 마지막 바구니에 나머지의 $\frac{1}{2}$보다 26개 더 많이 담았을 때 남은 밤이 없었으므로 26×2=52(개)가 마지막에

남은 밤이고, 이것은 첫째 바구니에 담고 남은 나머지 밤의 $\frac{1}{3}$보다 16(개)를 더 담고 남은 것이므로

52+16=68(개)는 처음에 담고 남은 나머지의 $\frac{2}{3}$가 된다.

16개 52개
첫째 바구니에 담고 남은 밤의 수

그러므로 첫째 바구니에 담고 남은 밤의 개수는
68÷2×3=102(개)이다. 이것은 첫째 바구니에 처음에 가지고 있던 밤의 $\frac{1}{4}$보다 12개 더 많이 담고 남은 것이므로 102+12=114(개)는 전체의 $\frac{3}{4}$이다.

12개 102개
전체 밤의 수

따라서 처음 가지고 있던 밤의 개수는
114÷3×4=152(개)

**2** 처음에 자르고 남은 끈의 $\frac{1}{3}$을 잘라내고 남은 $\frac{2}{3}$는 전체의 $\frac{1}{10}$과 같다.

즉, 처음에 자르고 남은 나머지의 $\frac{2}{3}$는 전체 끈 길이의 $\frac{1}{10}$이다.

(처음에 자르고 남은 나머지)
$=\left(\text{전체 끈 길이의 } \frac{1}{10}\right)\times 3\div 2$
$=\left(\text{전체 끈 길이의 } \frac{1}{10}\right)\times 3\times \frac{1}{2}=\left(\text{전체 끈 길이의 } \frac{3}{20}\right)$
(전체 끈 길이의 길이)
$=\left(\text{전체 끈 길이의 } \frac{3}{5}\right)+24+$(처음에 자르고 남은 나머지)
이므로
(전체 끈 길이)
$=\left(\text{전체 끈 길이의 } \frac{3}{5}\right)+24+\left(\text{전체 끈 길이의 } \frac{3}{20}\right)$
$=\left(\text{전체 끈 길이의 } \frac{15}{20}\right)+24$
$=\left(\text{전체 끈 길이의 } \frac{3}{4}\right)+24$

이 때, 전체 끈 길이의 $\frac{1}{4}$은 24cm이므로
(전체 끈의 길이)=24×4=96(cm)

**3** ㉮ 병에 있던 물을 ㉯ 병에 부으면 ㉯ 병에는
전체의 $\frac{1}{4}-\frac{1}{5}=\frac{1}{20}$만큼의 물이 늘어난다.

즉, ㉮의 $\frac{1}{4}$은 ㉯의 $\frac{1}{20}$이므로 ㉯ 병의 들이는 ㉮ 병의 들이의 5배이다.
㉯ 병에 있던 물을 ㉰ 병에 부으면 ㉰ 병에는
전체의 $\frac{1}{5}-\frac{1}{6}=\frac{1}{30}$만큼 물이 늘어난다.

즉 ㉯의 $\frac{1}{5}$은 ㉰의 $\frac{1}{30}$이므로 ㉰ 병의 들이는 ㉯ 병의 6배이다.
㉮ 병의 들이를 한 덩어리라고 하면 ㉯ 병은 5덩어리, ㉰ 병은 30덩어리가 된다. 그러므로 각 병에 들어 있는 물의 양은 ㉮$=1\times\frac{1}{4}=\frac{1}{4}$(덩어리)

㉯$=5\times\frac{1}{5}=1$(덩어리)

㉰$=30\times\frac{1}{6}=5$(덩어리)이고
각각 4배 해서 더하면 1+4+20=25(덩어리)이므로
(한 덩어리)=750÷25=30(mL)이다.
따라서, ㉮ 병에는 1×30=30(mL)
㉯ 병에는 4×30=120(mL)
㉰ 병에는 20×30=600(mL)를 부었다.

**4** 처음에 퍼내고 남은 양은 전체의 $\frac{3}{4}$이고, 둘째 번에는 처음 퍼내고 남은 양의 $\frac{2}{5}$를 퍼냈으므로

$\frac{3}{4}\times\frac{2}{5}=\frac{3}{10}$, 즉 전체의 $\frac{3}{10}$을 퍼냈다.

마지막으로 지금까지 퍼낸 양의 $1\frac{1}{3}$보다 34kg 적게 퍼내고 난 후 남는 쌀이 없었으므로

(전체 쌀의 양)$-\left\{\left(\text{전체 쌀의 양의 } \frac{1}{4}\right)\right.$
$\left.+\left(\text{전체 쌀의 양의 } \frac{3}{10}\right)\right\}$과
$\left\{\left(\text{전체 쌀의 양의 } \frac{1}{4}\right)+\left(\text{전체 쌀의 양의 } \frac{3}{10}\right)\right\}$

$\times 1\frac{1}{3}-34(\text{kg})$은 같다.

전체 쌀의 양을 1이라고 하면

$1-\left(\frac{1}{4}+\frac{3}{10}\right)=1-\frac{5+6}{20}=\frac{9}{20}$

$\left(\frac{1}{4}+\frac{3}{10}\right)\times 1\frac{1}{3}=\frac{11}{20}\times\frac{4}{3}=\frac{11}{15}$이므로

$\left(\text{전체 쌀의 양의 }\frac{9}{20}\right)=\left(\text{전체 쌀의 양의 }\frac{11}{15}\right)-34\text{kg}$

$\left(\frac{11}{15}-\frac{9}{20}\right)=\frac{44-27}{60}=\frac{17}{60}$이므로

전체 쌀의 양의 $\frac{17}{60}$은 34kg과 같다.

따라서 전체 쌀의 양은 $34\div 17\times 60=120(\text{kg})$이다.

**5** 첫째 번 상자 | 사과 | 배 |

둘째 번 상자 | 배 | 사과 |

두 상자에 들어 있는 사과 수의 합은 한 상자에 들어 있는 과일 수와 같다.

셋째 번 상자에 들어 있는 사과의 수는 전체 사과의 $\frac{3}{7}$이므로 첫째 번, 둘째 번 상자에 들어 있는 사과의 합은 전체 사과의 $\frac{4}{7}$가 되어 셋째 번 상자에 들어 있는 사과는 나머지 두 상자에 들어 있는 사과 수의 $\frac{3}{4}$이 되고 결국 한 상자의 $\frac{3}{4}$이 된다.

따라서 배는 첫째 번, 둘째 번 상자에 한 상자 분량이 있고 셋째 번 상자에 $\frac{1}{4}$만큼이 있으므로

$\frac{\left(1+\frac{1}{4}\right)\text{상자}}{3\text{상자}}=\frac{\frac{5}{4}}{3}=\frac{5}{4}\div 3=\frac{5}{4}\times\frac{1}{3}=\frac{5}{12}$

**6** 거꾸로 생각하면

(누나에게 준 딱지의 수)×4+10=(처음 딱지의 수)×3

또 (누나에게 준 딱지의 수)+8=(처음 딱지의 수)이므로

(처음 딱지의 수)×3

={(누나에게 준 딱지의 수)+8}×3

=(누나에게 준 딱지의 수)×3+24

즉 (누나에게 준 딱지의 수)×4+10

=(누나에게 준 딱지의 수)×3+24이므로

따라서 (누나에게 준 딱지의 수)=24−10=14(장)이므로

(근욱이의 처음 딱지의 수)=14+8=22(장)

**7** A 물통에서 떠낸 양은 $\frac{3}{5}-\frac{1}{2}=\frac{6-5}{10}=\frac{1}{10}$이므로

A 물통 들이의 $\frac{1}{10}$만큼이고,

B에서 떠낸 양은 $\frac{2}{3}-\frac{1}{6}=\frac{4-1}{6}=\frac{3}{6}=\frac{1}{2}$이므로

B 물통 들이의 $\frac{1}{2}$만큼이다.

두 물통에서 떠낸 양이 같으므로 $\left(\text{A의 }\frac{1}{10}\right)=\left(\text{B의 }\frac{1}{2}\right)$에서 A 물통의 들이는 B 물통의 들이의 5배이다.

B 물통의 들이를 3덩어리라고 하면

(B 물통에 들어 있던 물의 양)

$=3(\text{덩어리})\times\frac{2}{3}=2(\text{덩어리})$

(A 물통에 들어 있던 물의 양)

$=(\text{B 물통 들이의 5배})\times\frac{3}{5}=9(\text{덩어리})$

따라서 2+9=11(덩어리)가 44L이므로 1덩어리는 44÷11=4(L)이다.

따라서 떠낸 물의 양은 $\left(\text{B 물통 크기의 }\frac{1}{2}\right)\times 2$이므로

$(3\text{덩어리})\times\frac{1}{2}\times 2=3(\text{덩어리})=12(\text{L})$이다.

**8** (남학생 수)=(전체 학생 수)×$\frac{3}{5}$−105명이므로

(여학생 수)=(전체 학생 수)×$\frac{2}{5}$+105명

그런데 여학생 수는 (전체 학생 수)×$\frac{3}{7}$+42명이므로

(전체 학생 수)×$\frac{2}{5}$+105=(전체 학생 수)×$\frac{3}{7}$+42

$\frac{3}{7}-\frac{2}{5}=\frac{15-14}{35}=\frac{1}{35}$이므로

전체 학생 수의 $\frac{1}{35}$은 105−42=63(명)이다.

따라서 (전체 학생 수)=63×35=2205(명)이다.

**9** (합격자의 수)=(응시자의 수)$\times\frac{4}{7}+10$

(불합격자의 수)=(합격자의 수)$\times\frac{3}{5}+20$이므로

(불합격자의 수)=$\left\{(\text{응시자의 수})\times\frac{4}{7}+10\right\}\times\frac{3}{5}+20$

=(응시자의 수)$\times\frac{12}{35}+10\times\frac{3}{5}+20$

=(응시자의 수)$\times\frac{12}{35}+6+20$

=(응시자의 수)$\times\frac{12}{35}+26$

즉 (응시자의 수)

=(합격자의 수)+(불합격자의 수)

=$\left\{(\text{응시자의 수})\times\frac{4}{7}+10\right\}$

$+\left\{(\text{응시자의 수})\times\frac{12}{35}+26\right\}$

$\frac{4}{7}+\frac{12}{35}=\frac{32}{35}$이므로

$10+26=36$(명)은 응시자 수의 $1-\frac{32}{35}=\frac{3}{35}$이다.

응시자 수의 $\frac{3}{35}$이 36명이므로 $\frac{1}{35}$은 $36\div3=12$(명)이다. 따라서, 응시자의 수는 $12\times35=420$(명)이다.

**10** (첫째 날 읽은 쪽수)=(전체 쪽수)$\times\frac{2}{3}-95$

(둘째 날 읽은 쪽수)=(전체 쪽수)$\times\frac{1}{4}$

셋째 날 읽은 쪽수는 $1-\frac{2}{3}-\frac{1}{4}=\frac{1}{12}$, 즉 전체의 $\frac{1}{12}$과 95쪽을 더 읽은 셈이다.

(셋째 날 읽은 쪽수)=(첫째 날 읽은 쪽수)$\times\frac{3}{5}$이므로

(전체 쪽수)$\times\frac{2}{3}\times\frac{3}{5}$인 (전체 쪽수)$\times\frac{2}{5}$에서

$95\times\frac{3}{5}=57$(쪽)을 덜 읽은 것이 된다.

따라서 (전체 쪽수)$\times\frac{1}{12}+95=$(전체 쪽수)$\times\frac{2}{5}-57$

$\frac{2}{5}-\frac{1}{12}=\frac{24-5}{60}=\frac{19}{60}$이므로 전체 쪽수의 $\frac{19}{60}$는 $95+57=152$(쪽)과 같다.

따라서 전체 쪽수의 $\frac{1}{60}$은 $152\div19=8$(쪽)이고

전체 쪽수는 $8\times60=480$(쪽)이다.

본문 112~115쪽

## 25 배수의 개수 구하기

유제

**1** 10000 **2** 67개 **3** 360개 **4** 14장

특강탐구문제

**1** 81개 **2** 102개 **3** 15개 **4** 167 **5** 400
**6** 72개 **7** 240개 **8** 26개 **9** 9장 **10** 72번

### 유제풀이

**1** 15=3×5이므로 분모가 15인 분수가 기약분수가 되려면 분자가 3 또는 5의 배수가 아니어야 한다.
50보다 작은 분수이므로 분자의 크기가 50×15=750이 될 때까지 15개씩 나누어 생각해 보자.
이 때, 1부터 15까지, 16부터 30까지, 31부터 45까지, …, 736부터 750까지 묶음을 만들면 3과 5의 배수는 각 묶음마다 같은 위치에 놓이게 된다.

$$\frac{1}{15}+\frac{2}{15}+\frac{4}{15}+\frac{7}{15}+\frac{8}{15}+\frac{11}{15}+\frac{13}{15}+\frac{14}{15}=\frac{60}{15}=4$$

$$\frac{16}{15}+\frac{17}{15}+\frac{19}{15}+\frac{22}{15}+\frac{23}{15}+\frac{26}{15}+\frac{28}{15}+\frac{29}{15}$$
$$=1\frac{1}{15}+1\frac{2}{15}+1\frac{4}{15}+1\frac{7}{15}$$
$$+1\frac{8}{15}+1\frac{11}{15}+1\frac{13}{15}+1\frac{14}{15}$$
$$=8\frac{60}{15}=8\times1+4$$

$$\frac{31}{15}+\frac{32}{15}+\frac{34}{15}+\frac{37}{15}+\frac{38}{15}+\frac{41}{15}+\frac{43}{15}+\frac{44}{15}$$
$$=2\frac{1}{15}+2\frac{2}{15}+2\frac{4}{15}+2\frac{7}{15}$$
$$+2\frac{8}{15}+2\frac{11}{15}+2\frac{13}{15}+2\frac{14}{15}$$
$$=16\frac{60}{15}=8\times2+4$$

⋮

$$\frac{736}{15}+\frac{737}{15}+\frac{739}{15}+\frac{742}{15}+\frac{743}{15}+\frac{746}{15}+\frac{748}{15}+\frac{749}{15}$$
$$=49\frac{1}{15}+49\frac{2}{15}+49\frac{4}{15}+49\frac{7}{15}+49\frac{8}{15}+49\frac{11}{15}$$
$$+49\frac{13}{15}+49\frac{14}{15}=8\times49+4$$

따라서 모두 더하면

$$8\times1+8\times2+8\times3+\cdots+8\times49+4\times50$$
$$=8\times(1+2+\cdots+49)+200$$
$$=8\times1225+200=9800+200=10000$$

**2** 구하는 수는 5의 배수 중 5와 2, 5와 3의 공배수를 모두 뺀 수이다. 그림으로 나타내면 오른쪽 그림의 색칠한 부분이다.

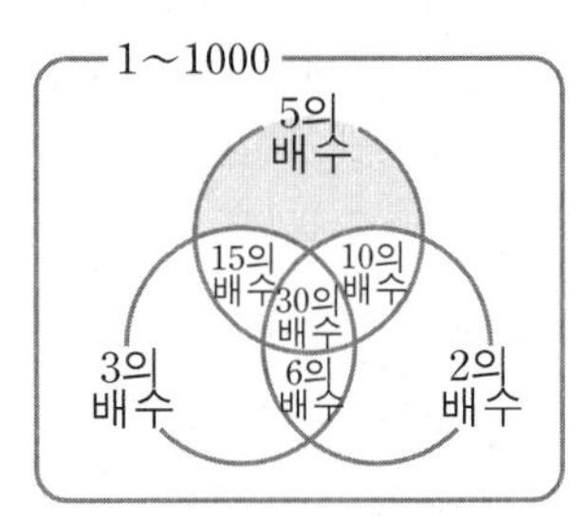


5의 배수의 개수에서 15의 배수의 개수, 10의 배수의 개수를 빼면 30의 배수의 개수를 2번 뺀 것이므로 30의 배수의 개수를 1번 더해 준다.
5의 배수의 개수는 1000÷5=200이므로 200개
10의 배수의 개수는 1000÷10=100이므로 100개
15의 배수의 개수는 1000÷15=66…10이므로 66개
30의 배수의 개수는 1000÷30=33…10이므로 33개
따라서 구하는 수의 개수는
200−100−66+33=67(개)

**3** 기약분수가 되기 위해서는 분모와 분자의 공약수가 1뿐이어야 한다. 504=2×2×2×3×3×7이므로 분자가 2의 배수, 3의 배수 또는 7의 배수이면 그 분수는 기약분수가 아니다.
2, 3, 7의 배수의 개수를 모두 더하고 2번 중복되는 6, 14, 21의 배수의 개수를 모두 뺀 후, 3번 중복되는 42의 배수의 개수를 한 번 더해 준다. 각 배수의 개수는 다음과 같다.

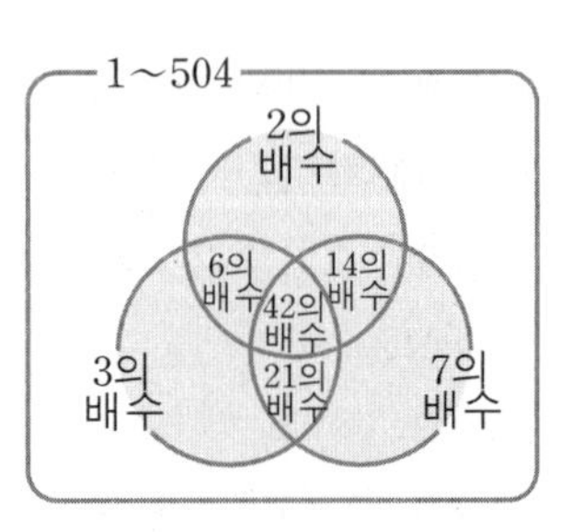


2의 배수의 개수는 504÷2=252이므로 252개
3의 배수의 개수는 504÷3=168이므로 168개
7의 배수의 개수는 504÷7=72이므로 72개
6의 배수의 개수는 504÷6=84이므로 84개
14의 배수의 개수는 504÷14=36이므로 36개
21의 배수의 개수는 504÷21=24이므로 24개
42의 배수의 개수는 504÷42=12이므로 12개
따라서 구하는 분수의 개수는
252+168+72−84−36−24+12=360(개)

**4** 가져올 수 있는 카드는 5 또는 7 또는 9의 배수인 카드이다.

5의 배수의 개수 :
$100 \div 5 = 20$이므로 20개
7의 배수의 개수 :
$100 \div 7 = 14 \cdots 2$이므로 14개
9의 배수의 개수 :
$100 \div 9 = 11 \cdots 1$이므로 11개
35의 배수의 개수 : $100 \div 35 = 2 \cdots 30$이므로 2개
45의 배수의 개수 : $100 \div 45 = 2 \cdots 10$이므로 2개
63의 배수의 개수 : $100 \div 63 = 1 \cdots 37$이므로 1개
315의 배수의 개수 : $100 \div 315 = 0 \cdots 100$이므로 0개
그러므로 5의 배수 또는 7의 배수 또는 9의 배수의 개수는 $20+14+11-2-2-1+0=40$(개)이다.
3사람이 차례로 1장씩 가져가므로 각각 $40 \div 3 = 13 \cdots 1$, 13장씩 가져가고 갑이 남은 1장을 가져간다. 따라서 최대로 가져오게 되는 카드 수는 14장이다.

**특강탐구문제풀이**

**1** 9 또는 11로 나누어떨어지는 수의 개수를 구하여 100에서 빼면 된다.
9의 배수의 개수 : $100 \div 9 = 11 \cdots 1$이므로 11개
11의 배수의 개수 : $100 \div 11 = 9 \cdots 1$이므로 9개
한편 99는 9와 11의 배수 양쪽에 포함되어 두 번 더해진 것이 되므로 한 번 빼 준다.
그러므로 9 또는 11로 나누어떨어지는 수의 개수는
$11+9-1=19$(개)이다.
그러므로 구하는 자연수의 개수는 $100-19=81$(개)이다.

**2** 100부터 999까지의 자연수 중 7의 배수의 개수를 구한 후, 7과 5의 최소공배수인 35의 배수의 개수를 빼면 된다. 100 이상의 수 중 제일 작은 7의 배수는 $7 \times 15 = 105$이고, 999 이하의 수 중 제일 큰 7의 배수는 $7 \times 142 = 994$이다. 그러므로 세 자리 자연수 중 7의 배수의 개수는 $142-15+1=128$(개)
한편 100 이상의 수 중 제일 작은 35의 배수는
$35 \times 3 = 105$
999 이하의 수 중 제일 큰 35의 배수는 $35 \times 28 = 980$
그러므로 세 자리 자연수 중 35의 배수의 개수는
$28-3+1=26$(개)
따라서 세 자리 자연수 중 7의 배수이지만 5의 배수가 아닌 수의 개수는 $128-26=102$(개)이다.

**3** 구하는 단위분수의 분모를 A라고 하자.
이 수를 두 번 더하면 $\frac{1}{A}+\frac{1}{A}=\frac{2}{A}$이다.
이 수가 다시 단위분수가 되기 위해서는 A는 2의 배수이어야 한다. 마찬가지로 세 번, 네 번, 다섯 번을 더하면 각각
$\frac{1}{A}+\frac{1}{A}+\frac{1}{A}=\frac{3}{A}$, $\frac{1}{A}+\frac{1}{A}+\frac{1}{A}+\frac{1}{A}=\frac{4}{A}$
$\frac{1}{A}+\frac{1}{A}+\frac{1}{A}+\frac{1}{A}+\frac{1}{A}=\frac{5}{A}$가 되고 이 분수들이 단위분수가 되려면 A는 3, 4, 5의 배수이어야 한다.
그러므로 세 자리 수인 분모 A는 3, 4, 5의 공배수이다.
3, 4, 5의 최소공배수는 60이므로 세 자리 자연수 중 60의 배수는 120, 180, 240, …, 960이다. 따라서 구하는 단위분수의 개수는 $16-2+1=15$(개)이다.

**4** 4, 5, 6의 최소공배수는 60이므로 4, 5, 6의 배수는 1부터 60까지, 61부터 120까지, 121부터 180까지, …로 묶음을 만들면 각 묶음마다 같은 위치에 놓이게 된다.
60 이하의 수 중에서

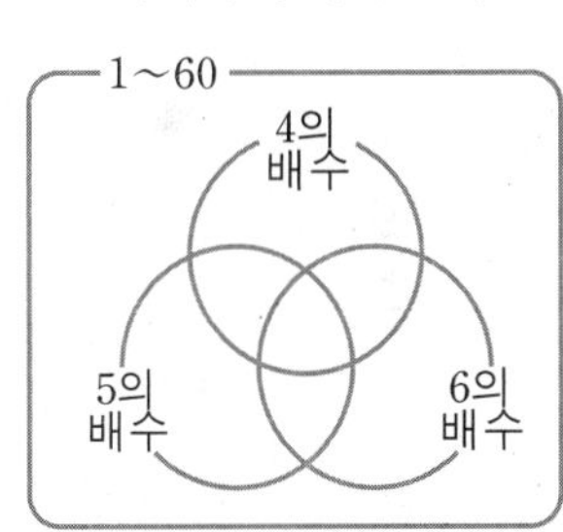


4의 배수의 개수 :
$60 \div 4 = 15$이므로 15개
5의 배수의 개수 :
$60 \div 5 = 12$이므로 12개
6의 배수의 개수 :
$60 \div 6 = 10$이므로 10개

12의 배수의 개수 : $60 \div 12 = 5$이므로 5개
20의 배수의 개수 : $60 \div 20 = 3$이므로 3개
30의 배수의 개수 : $60 \div 30 = 2$이므로 2개
60의 배수의 개수 : $60 \div 60 = 1$이므로 1개
그러므로 60 이하의 자연수 중 4의 배수 또는 5의 배수 또는 6의 배수의 개수는
$15+12+10-5-3-2+1=28$(개)
따라서 60 이하의 자연수 중 지워지지 않는 수의 개수는
$60-28=32$(개)
$32 \times 3 = 96$이므로 $60 \times 3 = 180$ 이하의 자연수 중 지워지지 않는 수의 개수는 96개이다.
90째 번 수는 180부터 4, 5, 6의 배수를 거꾸로 지워나가

면 7째 번 수이다.

~~180~~, 179(96), 178(95), 177(94), ~~176~~, ~~175~~, ~~174~~, 173(93), ~~172~~, 171(92),
~~170~~, 169(91), ~~168~~, 167(90), …

따라서 90째 번에 있는 수는 167이다.

**5** $30=2\times3\times5$이므로 분모가 30인 분수가 기약분수가 되기 위해서는 분자가 2 또는 3 또는 5의 배수가 아니어야 한다.

한편 2, 3, 5의 최소공배수는 30이므로 2, 3, 5의 배수는 1부터 30까지, 31부터 60까지, 61부터 90까지, …로 묶음을 만들면 기약분수는 각 묶음마다 같은 위치에 놓이게 된다.

10보다 작은 분수이므로 분자의 크기를 $30\times10=300$까지 30개씩 잘라서 생각해 보자.

$$\frac{1}{30}+\frac{7}{30}+\frac{11}{30}+\frac{13}{30}+\frac{17}{30}+\frac{19}{30}+\frac{23}{30}+\frac{29}{30}=\frac{120}{30}=4$$

$$\frac{31}{30}+\frac{37}{30}+\frac{41}{30}+\frac{43}{30}+\frac{47}{30}+\frac{49}{30}+\frac{53}{30}+\frac{59}{30}$$

$$=1\frac{1}{30}+1\frac{7}{30}+1\frac{11}{30}+1\frac{13}{30}$$

$$+1\frac{17}{30}+1\frac{19}{30}+1\frac{23}{30}+1\frac{29}{30}=1\times8+4$$

$$\vdots$$

$$\frac{271}{30}+\frac{277}{30}+\frac{281}{30}+\frac{283}{30}+\frac{287}{30}+\frac{289}{30}+\frac{293}{30}+\frac{299}{30}$$

$$=9\frac{1}{30}+9\frac{7}{30}+9\frac{11}{30}+9\frac{13}{30}+9\frac{17}{30}+9\frac{19}{30}+9\frac{23}{30}$$

$$+9\frac{29}{30}=9\times8+4$$

따라서 $8\times1+8\times2+8\times3+\cdots+8\times9+4\times10$
$=8\times(1+2+3+\cdots+9)+4\times10=360+40=400$

**6** 끈의 길이를 24, 28, 30의 공배수인 840cm라 하자. 24등분, 28등분, 30등분 하였으므로 35cm, 30cm, 28cm씩 표시를 했다. 35, 30, 28의 최소공배수는 420이므로 420cm인 곳에는 3번 겹쳐져 표시를 하였다.

1에서 840까지 35와 30의 공배수는 4개, 30과 28의 공배수는 2개, 35와 28의 공배수는 6개이므로 두 번 표시한 곳의 개수는 1개씩 적게 생겨 표시한 곳의 개수를 그림으로 나타내면 다음과 같다.

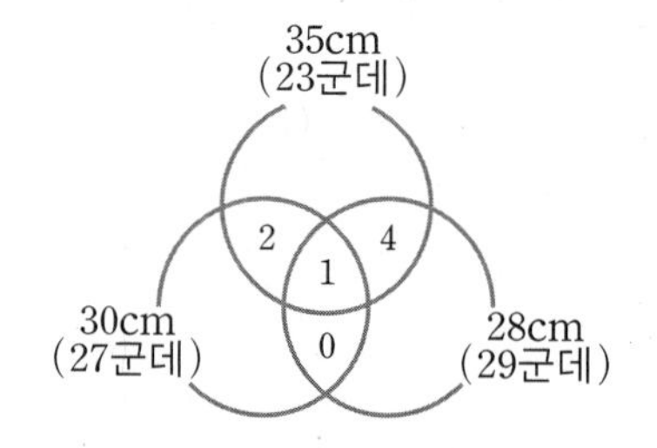


표시한 곳의 개수는 $23+27+29-3-1-5+1=71$(군데)이므로 잘라진 끈은 72개 생긴다.

**7** $495=3\times3\times5\times11$이므로 진분수이고 기약분수가 되려면 분자가 3의 배수, 5의 배수, 11의 배수가 아니어야 한다.

먼저, 3의 배수이거나 5의 배수이거나 11의 배수인 수의 개수를 구해 보자. 3, 5, 11의 배수의 개수를 모두 더하고 2번 중복되는 15, 33, 55의 배수의 개수를 뺀 후, 3번 중복되는 165의 배수가 모두 제외되었으므로 165의 배수의 개수를 다시 더하면 된다.

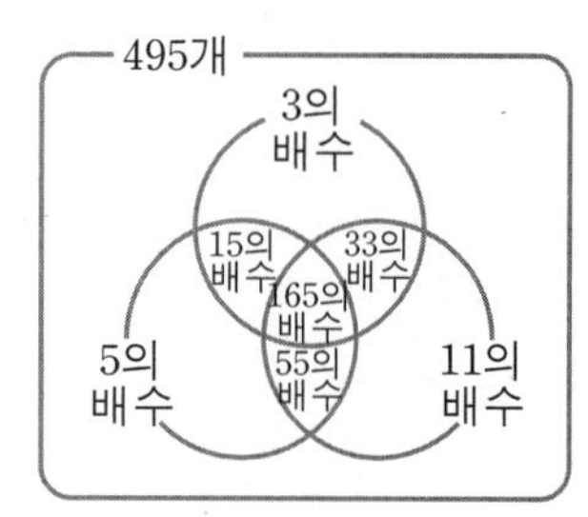


1에서 495까지 각 배수의 개수는 다음과 같다.

3의 배수의 개수 : $495\div3=165$이므로 165개
5의 배수의 개수 : $495\div5=99$이므로 99개
11의 배수의 개수 : $495\div11=45$이므로 45개
15의 배수의 개수 : $495\div15=33$이므로 33개
33의 배수의 개수 : $495\div33=15$이므로 15개
55의 배수의 개수 : $495\div55=9$이므로 9개
165의 배수의 개수 : $495\div165=3$이므로 3개

그러므로 분자가 3의 배수 또는 5의 배수 또는 11의 배수인 수는 $165+99+45-33-15-9+3=255$(개)이다.

따라서 구하는 분수의 개수는 $495-255=240$(개)이다.

**8** 2, 3, 4, 5, 6 중 어느 하나로 나누어떨어지는 수를 구하여 전체 개수에서 빼면 된다.

4의 배수는 모두 2의 배수이고, 6의 배수는 모두 2의 배수, 3의 배수이므로 2의 배수 또는 3의 배수 또는 5의 배수인 수의 개수를 구하여 보자.

2, 3, 5의 배수의 개수를 모두 더하고 여기에서 2번 중복되는 6, 10, 15의 배수의 개수를 뺀다. 이 때 30의 배수는 6, 10, 15의 배수를 뺄 때, 3번 중복되

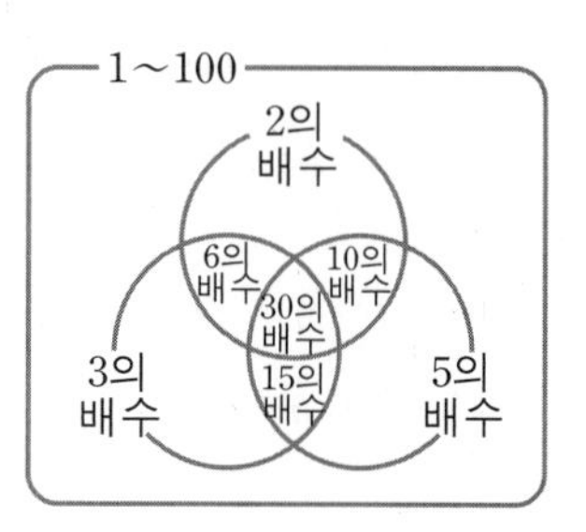

어서 빠졌으므로, 30의 배수의 개수를 한 번 더해 준다.
2의 배수의 개수 : $100 \div 2 = 50$이므로 50개
3의 배수의 개수 : $100 \div 3 = 33 \cdots 1$이므로 33개
5의 배수의 개수 : $100 \div 5 = 20$이므로 20개
6의 배수의 개수 : $100 \div 6 = 16 \cdots 4$이므로 16개
10의 배수의 개수 : $100 \div 10 = 10$이므로 10개
15의 배수의 개수 : $100 \div 15 = 6 \cdots 10$이므로 6개
30의 배수의 개수 : $100 \div 30 = 3 \cdots 10$이므로 3개
따라서 2, 3, 5 중 적어도 하나 이상의 배수인 수는 $50+33+20-16-10-6+3=74$(개)이고, 2, 3, 4, 5, 6 중 어느 것으로도 나누어떨어지지 않는 수의 개수는 $100-74=26$(개)이다.

**9** 1부터 50까지의 자연수 중 1의 배수는 50개, 2의 배수는 25개, 3의 배수는 16개, 4의 배수는 12개, 5의 배수는 10개, 6의 배수는 8개이다.
또, 주사위는 1의 눈이 6번, 2의 눈이 6번, 3의 눈이 9번, 4의 눈이 9번, 5의 눈이 10번, 6의 눈이 10번 나왔다.
5의 눈이 10번 나왔으므로 5의 배수가 적힌 카드 10장은 모두 동생에게 줄 수 있다.
6의 눈이 10번 나왔으므로 6의 배수 카드가 적힌 8장 중 30의 배수를 제외한 $8-1=7$(장)은 모두 동생에게 주고 나머지 3번은 카드를 줄 수 없다.
4의 눈이 9번 나왔으므로 4의 배수 카드 12장 중 12의 배수, 20의 배수를 제외한 $12-(4+2)=6$(장)은 동생에게 주고 나머지 3번은 카드를 줄 수 없다.
3의 눈이 9번 나왔으므로 3의 배수 카드 16장 중 6의 배수, 15의 배수를 제외한 $16-(8+3-1)=6$(장)은 동생에게 주고 나머지 3번은 카드를 줄 수 없다.
2의 눈이 6번 나왔으므로 2의 배수 카드 25장 중 4의 배수, 6의 배수, 10의 배수를 제외한 $25-(12+8+5-4-1-2)=7$(장) 중 6장만 동생에게 줄 수 있다.
$10+7+6+6+6=35$(장)을 주었으므로 남은 15장 중 1의 눈이 6번 나왔으므로 6장을 동생에게 더 줄 수 있다.
따라서, 최대 41장을 줄 수 있으므로 50번 던진 후 예지에게 남은 숫자 카드의 수가 최소일 때는 9장 남았을 때이다.

**10** 폭죽은 모두 $30 \times 3 = 90$(번) 터진다. 폭죽이 같이 터진 경우 소리가 한 번 들리므로 90번 중 (갑, 을), (을, 병), (갑, 병)의 폭죽이 같이 터진 경우를 각각 모두 뺀 후, (갑, 을, 병)의 폭죽이 모두 같이 터진 횟수를 더해 주면 된다.

87분 동안 3분 간격
갑 |————|
116분 동안 4분 간격
을 |——————|
145분 동안 5분 간격
병 |————————|

갑과 을의 폭죽이 같이 터지는 것은 최초의 1번과 시간이 87분 흐를 때까지 3과 4의 최소공배수인 12의 배수가 될 때마다이다.
그러므로 $87 \div 12 = 7 \cdots 3$이므로 $7+1=8$(번)이다.
갑과 병의 폭죽이 같이 터지는 것은 최초의 1번과 시간이 87분 흐를 때까지 3과 5의 최소공배수인 15의 배수가 될 때마다이다.
그러므로 $87 \div 15 = 5 \cdots 12$이므로 $5+1=6$(번)이다.
또 을과 병의 폭죽이 같이 터지는 것은 최초의 1번과 116분 흐를 때까지 4와 5의 최소공배수인 20의 배수가 될 때마다이다.
그러므로 $116 \div 20 = 5 \cdots 16$이므로 $5+1=6$(번)이다.
한편, 갑, 을, 병의 폭죽이 모두 같이 터지는 것은 최초의 1번과 시간이 87분 흐를 때까지 3, 4, 5의 최소공배수인 60의 배수가 될 때마다이다.
그러므로 $87 \div 60 = 1 \cdots 27$이므로 $1+1=2$(번)이다.
따라서 폭죽이 터지는 소리는 모두
$90-8-6-6+2=72$(번) 들린다.

**참고*** 맨 처음 동시에 터뜨린 폭죽을 제외시키고 계산해도 된다.

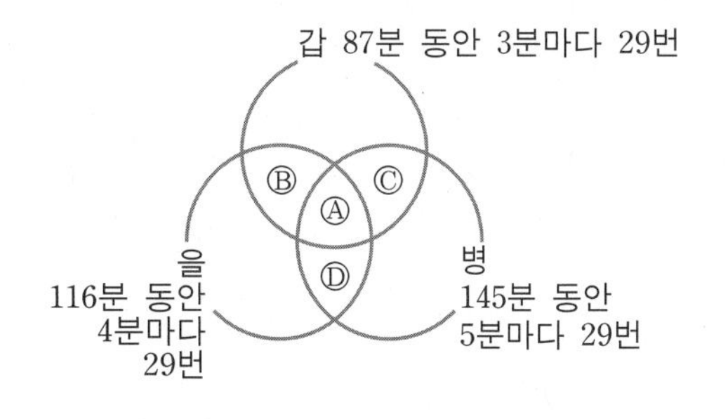


Ⓐ는 87분 동안 60분마다 1번
Ⓑ는 87분 동안 12분마다 $7-1=6$(번)
Ⓒ는 87분 동안 15분마다 $5-1=4$(번)
Ⓓ는 116분 동안 20분마다 $5-1=4$(번)
따라서 $29 \times 3-6-4-4-1 \times 2=71$(번)이고, 여기에 최초의 1번을 더하면 72번 들리게 된다.

본문 116~119쪽

## 둘레를 이용하여 계산하기 ② 26

**유제**

**1** 282cm **2** 120cm² **3** 260cm² **4** 36cm

**특강탐구문제**

**1** 1250cm² **2** 37m **3** 72cm² **4** 49cm²
**5** 1488cm² **6** 945cm² **7** 38cm **8** 60cm
**9** 86cm **10** 18cm

### 유제풀이

**1** 작은 직사각형의 긴 변과 짧은 변의 길이 사이에는 다음과 같은 관계가 있다.
(긴 변의 길이)×5=(짧은 변의 길이)×7
즉, 작은 직사각형의 긴 변의 길이를 7덩어리(●●●●●●●)라고 하면 짧은 변의 길이는 5덩어리(●●●●●)라고 할 수 있다.
작은 직사각형 12개의 넓이가 3780cm²이므로 작은 직사각형 1개의 넓이는 3780÷12=315(cm²)이다.
(7×●)×(5×●)=315, ●×●=9, ●=3
그러므로 작은 직사각형의 긴 변은 21cm, 짧은 변은 15cm이다.
따라서, 큰 직사각형의 둘레에는 작은 직사각형의 긴 변이 7개, 짧은 변이 9개 놓여 있으므로 그 길이는
21×7+15×9=282(cm)이다.

**2** 세 장의 종이가 놓인 모양을 그려 보면 다음과 같고 세 장이 모두 겹쳐진 부분은 색칠한 부분이다.

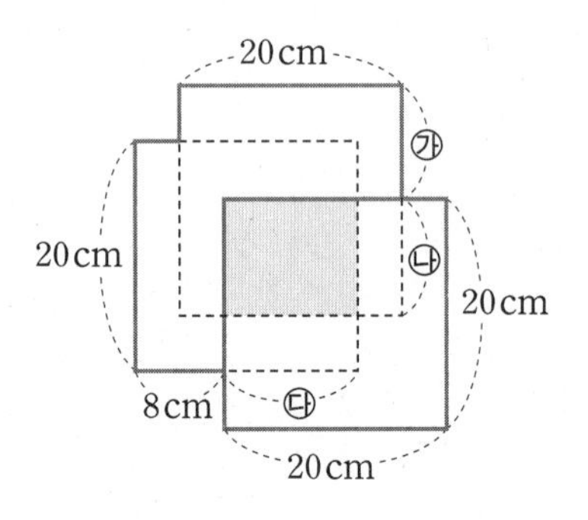


(8+20+㉮+20)×2=116이므로 ㉮+20=30에서 ㉮의 길이는 10cm이고 정사각형의 한 변의 길이가 20cm이므로 ㉯의 길이도
20−10=10(cm)이다.
또, ㉰의 길이는 20−8=12(cm)이다.
따라서, 3장의 종이가 모두 겹쳐진 부분의 넓이는
12×10=120(cm²)이다.

**3** ㉮와 ㉯에서 겹치는 부분의 가로는 똑같이 1cm이므로 ㉮의 겹쳐지는 부분의 넓이는 $b$이고, ㉯의 겹쳐지는 부분의 넓이는 $a$가 된다. 이 때, ㉮가 ㉯보다 16cm² 더 넓으므로 처음 직사각형의 긴 변의 길이는 짧은 변의 길이보다 16cm 더 길다.
그러므로 처음 직사각형의 짧은 변의 길이를 □라고 하면 긴 변의 길이는 □+16이다. 도형 ㉯의 둘레의 길이가 90cm이므로 도형 ㉯의 가로와 세로의 합은 45cm이고 □+□−1+□+16=45에서 □=10이다.
따라서, 처음 직사각형 한 개의 넓이는 10×26=260(cm²)이다.

**4**

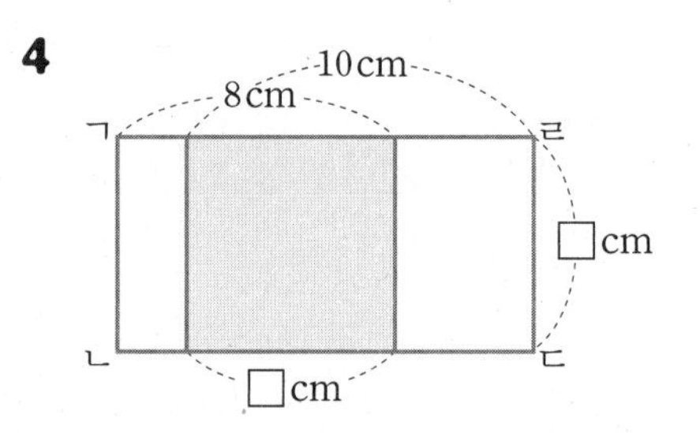


정사각형의 한 변의 길이를 □cm라 하면
(변 ㄱㄴ의 길이)=(변 ㄷㄹ의 길이)=□(cm)이다.
또, 직사각형의 가로인 변 ㄱㄹ, 변 ㄴㄷ의 길이는
8+10−□=(18−□)cm이다.
따라서 직사각형 ㄱㄴㄷㄹ의 둘레의 길이는
□+□+(18−□)+(18−□)=36(cm)이다.
**참고*** 다음과 같이 생각해도 된다.

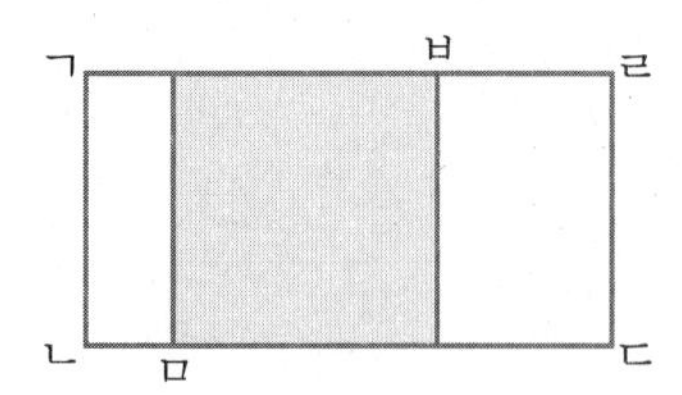


(변 ㄱㅂ)=8(cm)이므로 (변 ㄱㄴ)+(변 ㄴㅁ)=8(cm)
(변 ㅁㄷ)=10(cm)이므로 (변 ㅂㄹ)+(변 ㄷㄹ)=10(cm)
따라서 (직사각형 ㄱㄴㄷㄹ의 둘레)
=(변 ㄱㄴ)+(변 ㄴㅁ)+(변 ㅁㄷ)
+(변 ㄷㄹ)+(변 ㅂㄹ)+(변 ㄱㅂ)
=8+10+10+8=36(cm)이다.

**특강탐구문제풀이**

**1** 5등분된 작은 직사각형 하나의 가로를 2덩어리(2×●)라고 하면 처음 직사각형의 가로는 5×(2×●)=10×●이다. 이등분하면 정사각형이 된다고 하였으므로 세로의 길이는 10×●÷2=5×●이다. 5등분된 작은 직사각형의 둘레의 길이가 70cm이므로 가로와 세로의 합은 35cm이다.
즉 2×●+5×●=7×●=35이므로 ●=5(cm)이다.
따라서, 처음 직사각형의 넓이는
$(10\times5)\times(5\times5)=1250(cm^2)$이다.

**2** 길의 모서리 4부분은 넓이가 각각 $4\times4=16(cm^2)$이다.

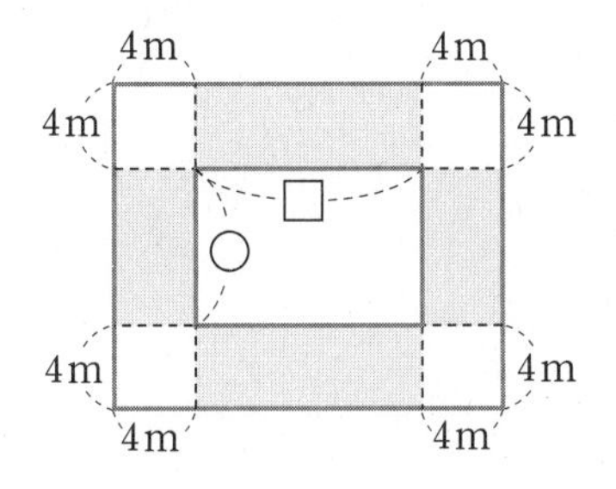


길의 넓이 $212m^2$에서 $16\times4=64(m^2)$를 빼면
$212-64=148(m^2)$이다.
즉 위의 그림의 색칠한 부분을 떼어 아래 그림과 같이 붙여 놓으면 넓이가 $148m^2$인 직사각형이 된다.

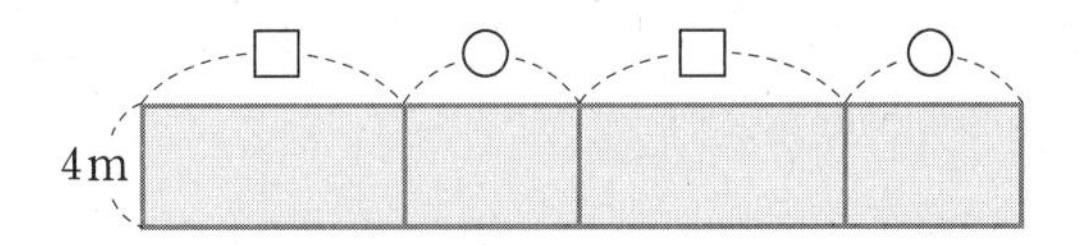


이 때 가로는 꽃밭의 둘레의 길이이고, 세로는 4m이다.
따라서, (꽃밭의 둘레의 길이)×4=148에서 꽃밭의 둘레의 길이는 37m이다.

**3**

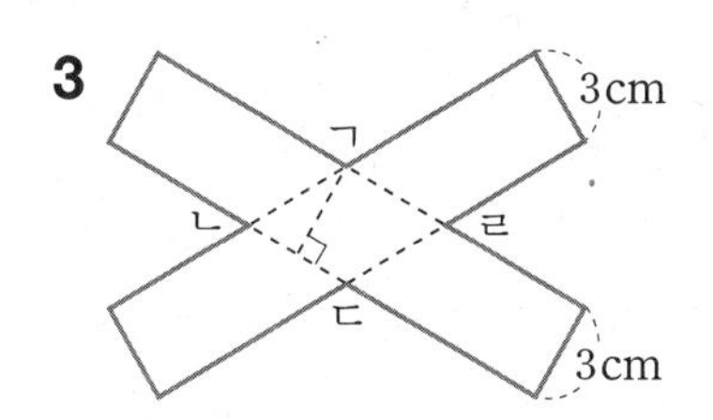


두 직사각형이 겹쳐진 부분을 사각형 ㄱㄴㄷㄹ이라고 하자.
직사각형 한 개의 둘레의 길이는
(15+3)×2=36(cm)이고 2개의 둘레의 합은 72cm인데 굵은 선으로 표시된 둘레의 길이는 48cm이므로 사각형 ㄱㄴㄷㄹ의 둘레의 길이는 72−48=24(cm)이다.
사각형 ㄱㄴㄷㄹ은 마름모이므로 한 변의 길이는
24÷4=6(cm)이고, 그 넓이는 $6\times3=18(cm^2)$이다.
따라서 도형의 넓이는
$15\times3\times2-18=90-18=72(cm^2)$이다.

**4**

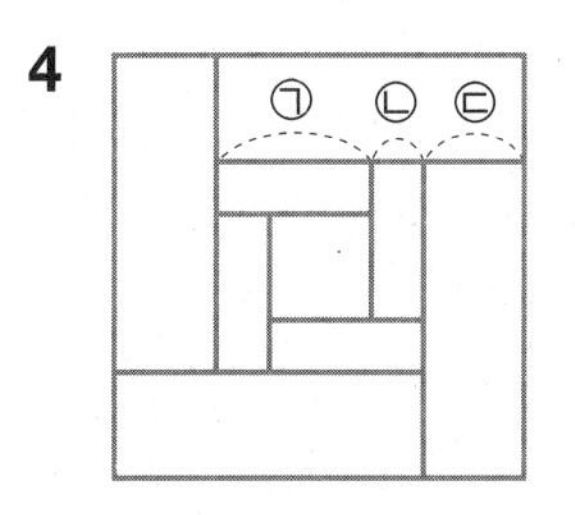


㉡을 한 덩어리(●)라 하면 ㉠은 3배이므로 3덩어리 (3×●), ㉢은 ㉠+㉡+㉢의 $\frac{1}{3}$이므로 ㉠+㉡이 ㉢의 2배가 되어 ㉢은 2덩어리 (2×●)가 된다.
그러므로 큰 정사각형의 한 변의 길이는 8덩어리(8×●)이고, 작은 정사각형의 한 변의 길이는 2덩어리(2×●)가 되어 둘의 차는 6덩어리(6×●)가 된다.
6×●$=5\frac{1}{4}$, ●$=\frac{21}{4}\div6=\frac{21}{4}\times\frac{1}{6}=\frac{7}{8}$
따라서, 처음 정사각형의 넓이는
$\left(\frac{7}{8}\times8\right)\times\left(\frac{7}{8}\times8\right)=49(cm^2)$이다.

**5** 직사각형의 위쪽에는 큰 원 3개가 만나고 있고 아래쪽에는 작은 원 12개가 만나고 있으므로 직사각형 가로 48cm는 큰 원의 지름의 3배, 작은 원의 지름의 12배와 같다.
즉, (큰 원의 지름)=16cm, (작은 원의 지름)=4cm이다.

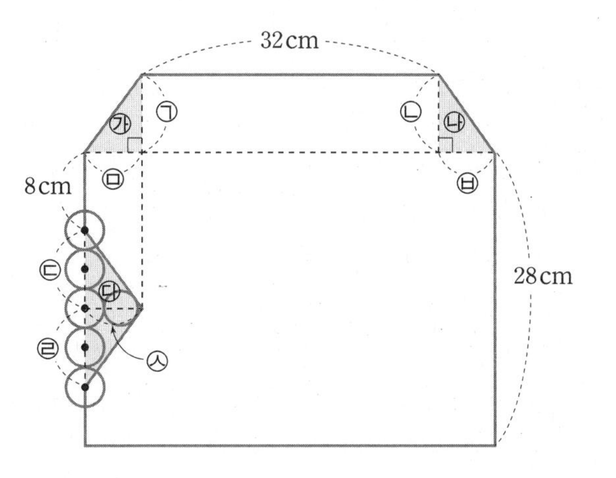


색칠한 부분의 그림에서 ㉠=㉡=㉢=㉣이고, ㉤=㉥

=㉧이므로 ㉮와 ㉯의 넓이의 합은 ㉰와 같다.
또한 ㉢, ㉣ 위치에 작은 원을 3개 넣을 수 있으므로
㉢+㉣=16(cm)이다.
㉠=㉡=㉢=㉣=8(cm)이고 ㉤, ㉥, ㉦은 큰 원의 반지름에서 작은 원의 반지름을 뺀 길이와 같으므로
$16\div2-4\div2=6$(cm)이다.
따라서, 전체 도형의 넓이는
$(6+32+6)\times28+32\times8=1488$(cm²)이다.

**6**

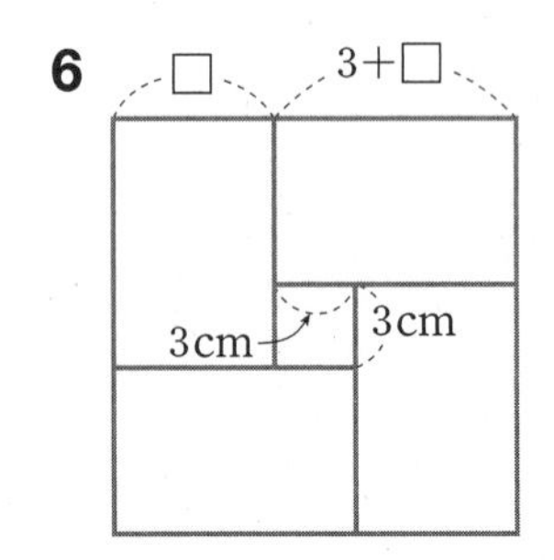


세 개의 정사각형 빈 칸의 넓이가 각각 9cm²이므로 한 변의 길이는 3cm($3\times3=9$)이다.
작은 직사각형의 짧은 변의 길이를 □라고 하면 긴 변의 길이는 □+3이 된다.
그러므로 큰 직사각형 ㄱㄴㄷㄹ의 가로는
{(□가 3개)+((□+3)이 3개}가 되어 {(□가 6개)+9}가 되고, 이것은 □+3이 5개이므로
{(□가 5개)+15}가 된다.
즉 (□가 6개)+9=(□가 5개)+15이므로 □는
$15-9=6$(cm)이고
직사각형 ㄱㄴㄷㄹ의 가로는 $6\times5+15=45$(cm)
세로는 $(6+3)+6+6=21$(cm)가 되어
넓이는 $45\times21=945$(cm²)이다.

**7** 도형 ㉮의 둘레에는 작은 직사각형의 가로가 4번, 세로가 6번 쓰이고 90cm이고, 도형 ㉯의 둘레에는 가로가 6번, 세로가 4번 쓰이고 100cm이다.
가로를 □, 세로를 ○라 하면
{ (□×4)+(○×6)=90
  (□×6)+(○×4)=100
{ (□×12)+(○×18)=270
  (□×12)+(○×8)=200
(○×10)=70, ○=7(cm),
□=(90−7×6)÷4=12(cm)
따라서 직사각형 하나의 둘레의 길이는
$(7+12)\times2=38$(cm)이다.

**8** ㉮와 ㉯에서 겹치는 부분의 가로는 똑같이 2cm인데, ㉯의 넓이가 ㉮보다 24cm² 더 넓고 겹쳐진 부분이 2군데이므로 한 군데에서 12cm²씩 차가 난다. 따라서 처음 직사각형의 긴 변의 길이는 짧은 변의 길이보다 $12\div2=6$(cm) 더 길다.
㉯의 둘레의 길이가 84cm이므로 ㉯의 가로와 세로의 합은 42cm이다.
처음 직사각형의 짧은 변의 길이를 □라 하면
□+(긴 변)+(긴 변)+(긴 변)−2×2=42
□+(□+6)+(□+6)+(□+6)−4=42
□×4+14=42
□=7(cm)
(긴 변)=7+6=13(cm)
따라서, ㉮의 둘레는
$(13+7+7+7-2-2)\times2=60$(cm)이다.

**9**

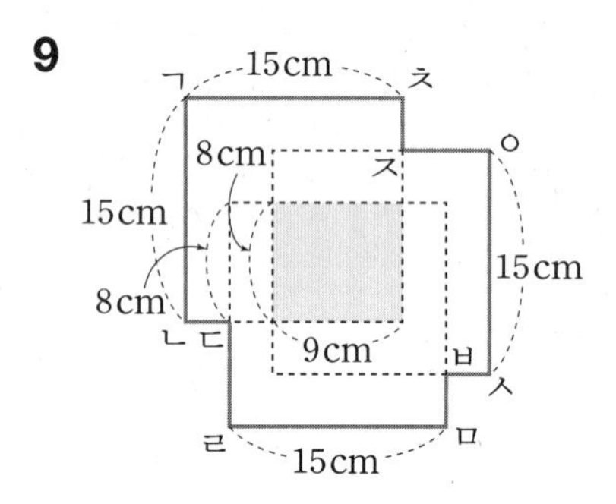


위 그림에서
(변 ㄱㅊ의 길이)+(변 ㅈㅇ의 길이)
=(변 ㄴㄷ의 길이)+(변 ㄹㅁ의 길이)+(변 ㅂㅅ의 길이),
(변 ㄱㄴ의 길이)+(변 ㄷㄹ의 길이)
=(변 ㅁㅂ의 길이)+(변 ㅅㅇ의 길이)+(변 ㅈㅊ의 길이)
그림에서 세 정사각형이 모두 겹쳐진 부분인 색칠된 사각형의 세로가 8cm이고 처음 정사각형의 한 변의 길이가 15cm이므로 (변 ㄷㄹ의 길이)=7(cm)이다.
또, 색칠된 사각형의 가로가 9cm이므로
(변 ㅈㅇ의 길이)=15−9=6(cm)이다.
따라서, 전체 둘레의 길이는
$(15+6)\times2+(15+7)\times2=86$(cm)이다.

**10** 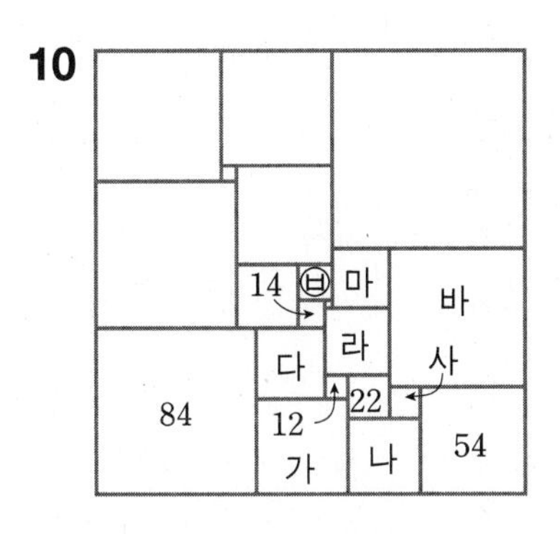


정사각형 한 변의 길이를 도형 안에 숫자로 표시하면 그림과 같다.

가+다=84, 가−다=12에서

가=48, 다=36

가+나=224−(84+54)=86에서 나=38

사=나−22=38−22=16

바=54+사=54+16=70

라=12+22=34

마=(바+16)−(라+22)=(70+16)−(34+22)

=30

(ⓗ의 한 변의 길이)−14=라−마=34−30=4

따라서, (ⓗ의 한 변의 길이)=4+14=18(cm)이다.

본문 120~123쪽

## 쪼개어 구하기 ② 27

### 유제

**1** 3배 **2** $32\,cm^2$ **3** $32\,cm^2$ **4** $180\,cm^2$

### 특강탐구문제

**1** 풀이 참조 **2** $144\,cm^2$ **3** $36\,cm^2$ **4** $14\,cm^2$
**5** $250\,cm^2$ **6** $24\,cm^2$ **7** $24\,cm^2$ **8** $24\,cm^2$
**9** $18\,cm^2$ **10** $42\,cm^2$

### 유제풀이

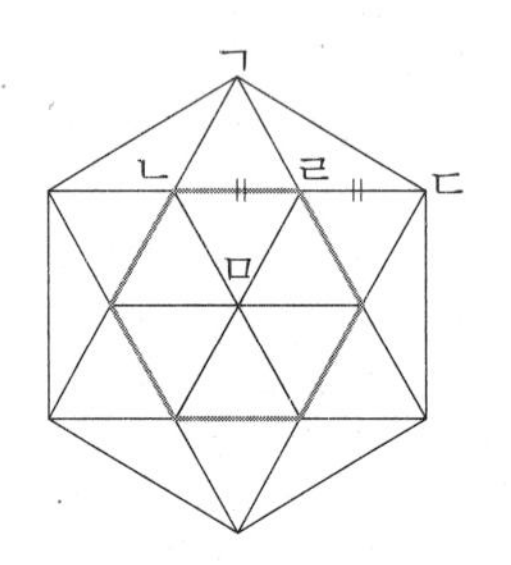


**1** 그림에서 가운데의 작은 정육각형은 6개의 정삼각형으로 나눌 수 있다.
한편 작은 정육각형의 두 변을 연장하여 만나는 점과 정육각형의 한 변으로 이루어진 삼각형 ㄱㄴㄹ에서 각 ㄱㄴㄹ과 각 ㄱㄹㄴ은 $180^\circ-120^\circ=60^\circ$이므로, 삼각형 ㄱㄴㄹ은 작은 정육각형 안의 정삼각형 ㄴㄹㅁ과 합동이다.
또 삼각형 ㄱㄴㄹ과 삼각형 ㄱㄹㄷ은 높이가 같고 밑변의 길이도 같으므로 넓이가 같다. 그러므로
(삼각형 ㄱㄴㄹ의 넓이)
=(삼각형 ㄴㅁㄹ의 넓이)
=(삼각형 ㄱㄹㄷ의 넓이)
이다.
(작은 정육각형의 넓이)=(삼각형 ㄱㄴㄹ의 넓이)×6
이므로
(큰 정육각형의 넓이)
=(삼각형 ㄱㄴㄹ의 넓이)×18
=(삼각형 ㄱㄴㄹ의 넓이)×6×3
이므로
따라서 (큰 정육각형의 넓이)
=(처음 작은 정육각형의 넓이)×3이다.

**2** 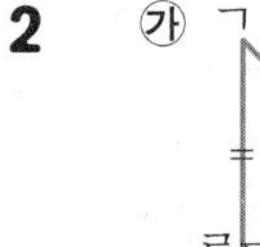
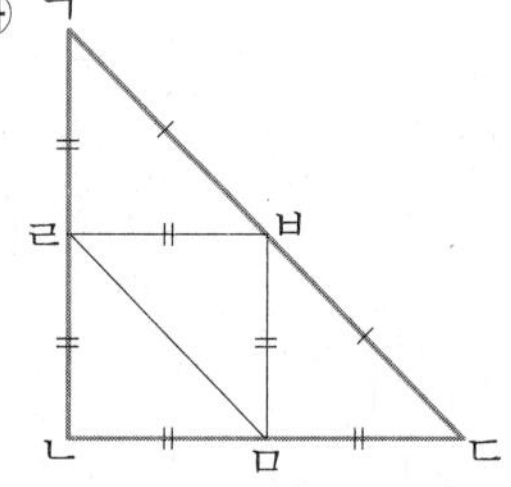


먼저 그림 ㉮에서 점 ㄹ과 점 ㅁ을 잇는 선분을 그으면 위 그림과 같이 모양과 크기가 같은 직각이등변삼각형 4개가 생긴다.
(작은 삼각형 1개의 넓이)
=(정사각형 ㄹㄴㅁㅂ의 넓이)÷2
$=36\div2=18\,(cm^2)$
이다.
삼각형 ㄱㄴㄷ의 넓이는 작은 삼각형 4개의 넓이와 같으므로 (삼각형 ㄱㄴㄷ의 넓이)$=18\times4=72\,(cm^2)$이다.

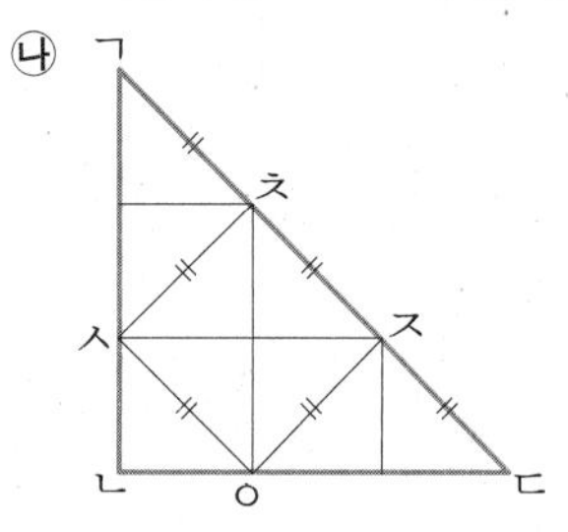


한편 그림 ㉯를 위와 같이 나누면 모양과 크기가 같은 직각이등변삼각형 9개가 생긴다.
(작은 삼각형 1개의 넓이)
=(삼각형 ㄱㄴㄷ의 넓이)÷9
$=72\div9=8\,(cm^2)$
이다.
정사각형 ㅅㅇㅈㅊ의 넓이는 작은 삼각형 4개의 넓이와 같으므로
(정사각형 ㅅㅇㅈㅊ의 넓이)$=8\times4=32\,(cm^2)$이다.

**참고*** 도형의 합동
모양과 크기가 같아서 완전히 포개어지는 두 도형을 서로 합동이라고 한다.
〈삼각형의 합동 조건〉
① 세 변의 길이가 같을 때
② 두 변과 그 사이의 각의 크기가 같을 때
③ 한 변과 그 양 끝각의 크기가 같을 때

**3** 오른쪽 그림과 같이 나누면 사각형 ㄱㄴㄷㄹ의 넓이는 각각 가장 작은 정삼각형 2개, 4개, 6개, 12개로 이루어진 4개의 평행사변형의 넓이의 $\frac{1}{2}$과 가장 작은 정삼각형 4개의 넓이의 합과 같음을 알 수 있다.

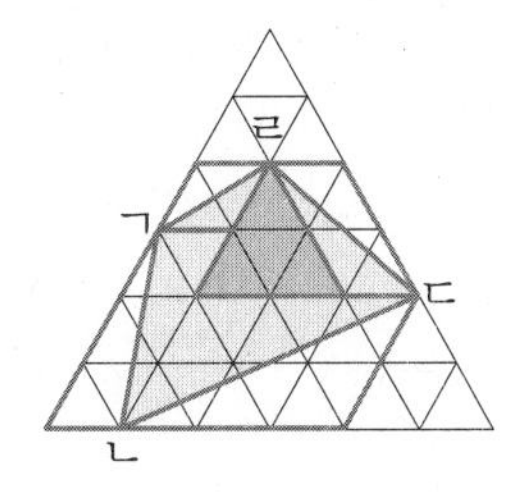


따라서 (사각형 ㄱㄴㄷㄹ의 넓이)

$=2\times(2+6+12+4)\div2+2\times4$

$=32(\text{cm}^2)$이다.

**4** (삼각형 ㄱㄴㄷ의 넓이)

=(사각형 ㄱㄴㄷㄹ의 넓이)÷2

이므로 구하는 정사각형 하나의 넓이는 삼각형 ㄱㄴㄷ의 넓이와 같다.

한편 오른쪽과 같이 대각선 ㄱㄷ을 한 변으로 하는 정사각형을 그리면 정사각형 ㄱㅁㅂㄷ이 생긴다.

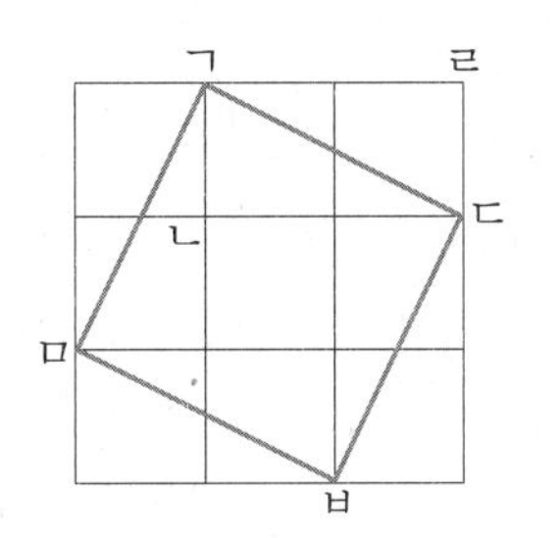


정사각형 ㄱㅁㅂㄷ은 모양과 크기가 같은 4개의 삼각형과 한 개의 작은 정사각형으로 이루어졌다.

(작은 정사각형의 넓이)=(삼각형 ㄱㄴㄷ의 넓이)이므로

(사각형 ㄱㄷㅂㅁ의 넓이)

=(구하는 정사각형의 넓이)×5

$=30\times30=900(\text{cm}^2)$

따라서 (구하는 정사각형의 넓이)

$=900\div5=180(\text{cm}^2)$이다.

**특강탐구문제풀이**

**1** 다음과 같은 경우가 있다.

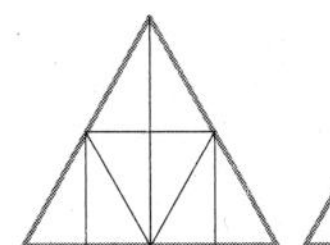
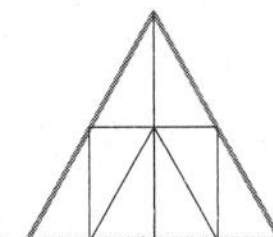
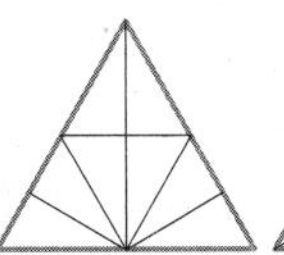
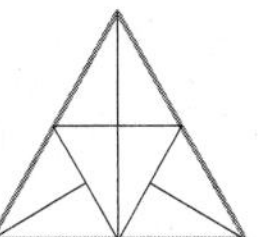

이 밖에도 여러 가지 경우가 있다.

**2** 그림과 같이 작은 정육각형을 6개의 합동인 정삼각형으로 나눌 수 있다.

한편 정삼각형 ㄱㅅㅇ은 변 ㅅㅇ을 공통으로 하므로 정삼각형 ㅅㅇㅈ과 합동이다.

또 삼각형 ㄱㅇㅂ은 정삼각형

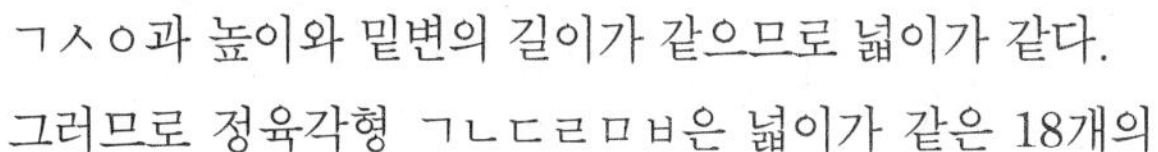

ㄱㅅㅇ과 높이와 밑변의 길이가 같으므로 넓이가 같다.

그러므로 정육각형 ㄱㄴㄷㄹㅁㅂ은 넓이가 같은 18개의 삼각형으로 나뉘어진다.

따라서 색칠한 부분의 넓이는 정삼각형 12개의 넓이의 합과 같으므로

(색칠한 부분의 넓이)$=216\div18\times12=144(\text{cm}^2)$이다.

**3** 그린 작은 정육각형은 오른쪽과 같이 넓이가 같은 18개의 삼각형으로 나누어진다. (**2**번 풀이 참조)

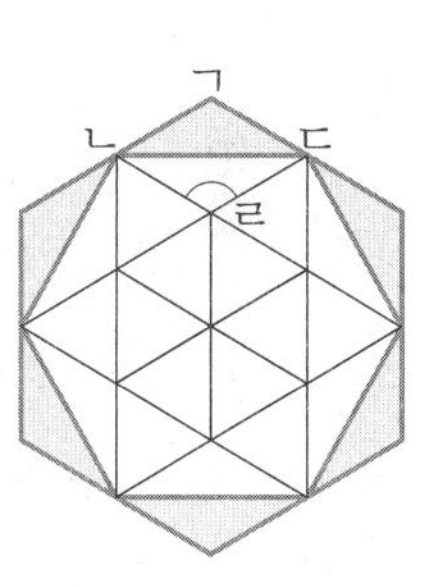


한편 각 ㄴㄱㄷ은 정육각형의 한 내각이므로 삼각형 ㄱㄴㄷ은 각 ㄴㄱㄷ이 120°인 이등변삼각형이다.

또 (각 ㄴㄹㄷ)=180°−60°=120°이므로 삼각형 ㄴㄷㄹ도 각 ㄴㄹㄷ이 120°인 이등변삼각형이고 두 삼각형은 변 ㄴㄷ을 공통으로 하므로 삼각형 ㄱㄴㄷ과 삼각형 ㄴㄷㄹ은 합동이다.

(삼각형 한 개의 넓이)

=(작은 정육각형의 넓이)÷18

$=108\div18=6(\text{cm}^2)$

이다.

따라서 색칠한 부분의 넓이는 삼각형 6개의 넓이와 같으므로

(색칠한 부분의 넓이)$=6\times6=36(\text{cm}^2)$이다.

**4** 구하는 사각형의 넓이는 굵은 선으로 둘러 싸인 도형에서 색칠한 부분의 넓이를 뺀 것과 같다.

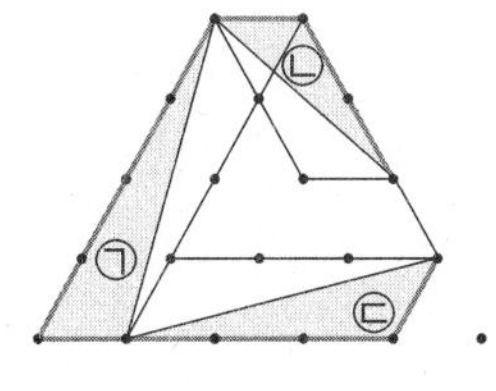


(굵은 선으로 둘러싸인 부분의 넓이)$=23\times1=23(\text{cm}^2)$

한편 색칠한 부분의 넓이는 각각 평행사변형의 넓이의 절반이다.
(㉠의 넓이)$=8\div2=4(cm^2)$
(㉡의 넓이)$=4\div2=2(cm^2)$
(㉢의 넓이)$=6\div2=3(cm^2)$
따라서 (구하는 사각형의 넓이)
$=23-(4+2+3)$
$=14(cm^2)$이다.

**5**

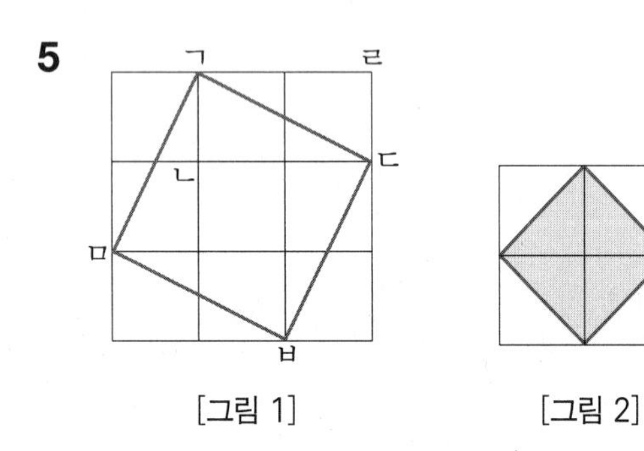

[그림 1] [그림 2]

[그림 1]에서 삼각형 ㄱㄴㄷ의 넓이는 2개의 정사각형을 이어 만든 직사각형 ㄱㄴㄷㄹ의 넓이의 $\frac{1}{2}$과 같다.
그러므로 (삼각형 ㄱㄴㄷ의 넓이)=(정사각형 1개의 넓이)이다.
한편 직사각형 ㄱㄴㄷㄹ의 대각선 ㄱㄷ을 한 변으로 하는 정사각형 ㄱㅁㅂㄷ는 합동인 삼각형 4개와 1개의 정사각형으로 이루어져 있다.
(작은 정사각형의 넓이)$\times5$
=(사각형 ㄱㅁㅂㄷ의 넓이)
$=25\times25=625(cm^2)$이므로
(작은 정사각형의 넓이)$=625\div5=125(cm^2)$이다.
한편 작은 정사각형의 대각선을 한 변으로 하는 정사각형의 넓이는 [그림 2]와 같이 4개의 정사각형의 넓이의 $\frac{1}{2}$이다.
따라서
(구하는 정사각형의 넓이)$=125\times4\div2=250(cm^2)$이다.

**6** ㉮는 오른쪽 그림과 같이 합동인 2개의 직각이등변삼각형으로 나눌 수 있다.

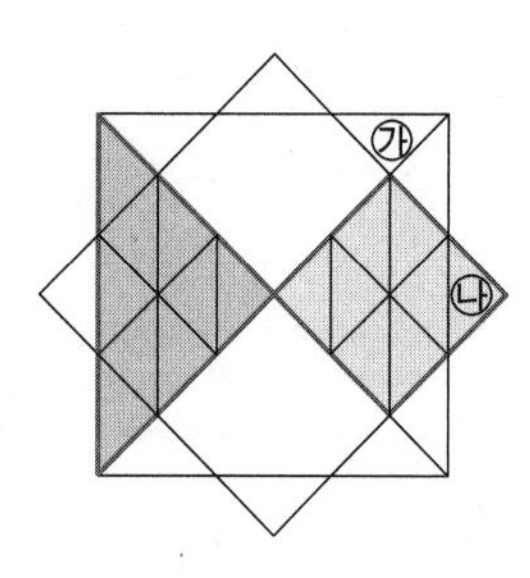


또 ㉯는 ㉮의 넓이의 $\frac{1}{2}$인 직각이등변삼각형이므로 그림에서 ㉮의 $\frac{1}{2}$쪽과 ㉯는 합동이다.
따라서 문제의 그림은 위와 같이 ㉯와 합동인 삼각형으로 나눌 수 있다. 한편 ▩색 부분은 큰 정사각형 넓이의 $\frac{1}{4}$이고 ▢색 부분은 작은 정사각형 넓이의 $\frac{1}{4}$이다. 두 부분을 이루고 있는 삼각형의 개수는 각각 9개, 8개이므로 두 사각형의 $\frac{1}{4}$ 부분의 넓이의 차는 삼각형 한 개의 넓이인 $6cm^2$이다.
따라서 두 사각형의 넓이의 차는 $6\times4=24(cm^2)$이다.

**7**

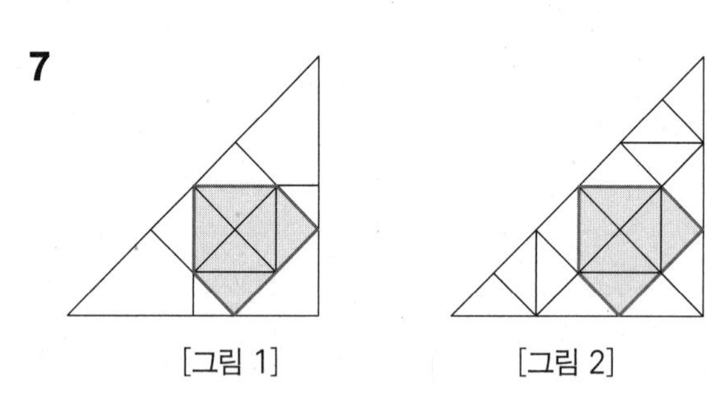
[그림 1] [그림 2]

먼저 색칠한 부분은 [그림 1]과 같이 넓이가 같은 6개의 직각이등변삼각형으로 나눌 수 있다.
한편 큰 직각이등변삼각형은 [그림 2]와 같이 합동인 직각이등변삼각형 18개로 나누어진다.
(작은 직각이등변삼각형의 넓이)
=(큰 직각이등변삼각형의 넓이)$\div18$
$=(12\times12\div2)\div18=4(cm^2)$이다.
따라서 (색칠한 부분의 넓이)$=4\times6=24(cm^2)$이다.

**8**

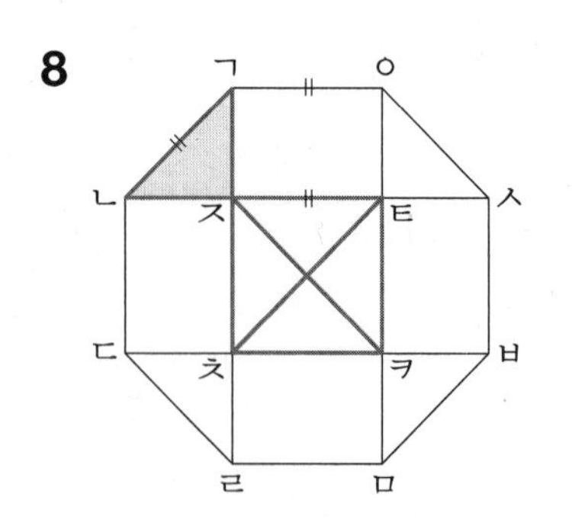

정사각형 ㅈㅊㅋㅌ은 그림과 같이 4개의 직각이등변삼각형으로 나누어진다.
한편, 직각이등변삼각형의 빗변의 길이는 가운데 정사각형의 한 변의 길이와 같다. 그러므로 정사각형 ㅈㅊㅋㅌ을 4개로 나누는 직각이등변삼각형과 삼각형 ㄱㄴㅈ은 합동이다.
따라서
(삼각형 ㄱㄴㅈ의 넓이)=(정사각형 ㅈㅊㅋㅌ의 넓이)÷4
=96÷4
=24 (cm$^2$)
이다.

**9** 각 변과 각 변에서 45°를 이루게 그은 선의 연장선이 만나도록 그리면 오른쪽과 같은 직각이등변삼각형들이 생긴다. 이 때 삼각형 ㄱㄴㄷ과 삼각형 ㄹㅁㅂ은 합동이다.

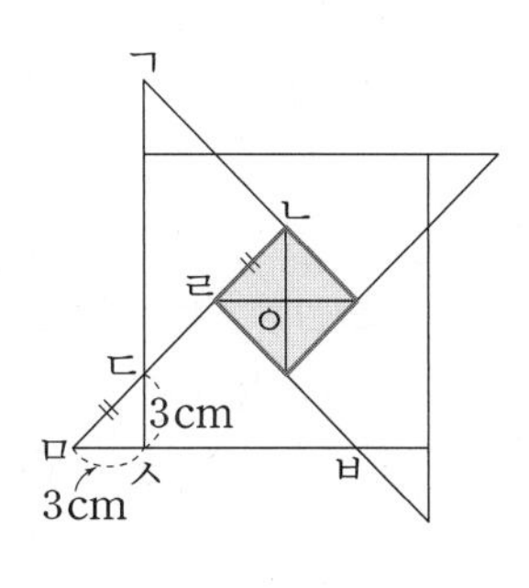


그러므로 (변 ㄴㄷ의 길이)=(변 ㄹㅁ의 길이)이고, 이 두 변은 변 ㄷㄹ을 공통으로 포함하므로
(변 ㄴㄹ의 길이)=(변 ㄷㅁ의 길이)이다.
즉, 가운데 생기는 정사각형을 4등분 하는 직각이등변삼각형 중 하나인 삼각형 ㄴㄹㅇ의 빗변 ㄴㄹ의 길이는 삼각형 ㄷㅁㅅ의 빗변 ㄷㅁ의 길이와 같으므로 삼각형 ㄴㄹㅇ과 삼각형 ㄷㅁㅅ은 합동이다.
따라서
(가운데 생긴 정사각형의 넓이)
=(삼각형 ㄴㄹㅇ의 넓이)×4
=(삼각형 ㄷㅁㅅ의 넓이)×4
=(3×3÷2)×4
=18 (cm$^2$)
이다.

**10**

(사각형 ㄱㅂㅅㅇ의 넓이)
=(삼각형 ㄱㅁㅂ의 넓이)+(삼각형 ㅂㅁㅅ의 넓이)+(삼각형 ㅅㅁㅇ의 넓이)이다.
(삼각형 ㄱㅁㅂ의 넓이)
=(삼각형 ㄱㄴㅁ의 넓이)÷2=64÷2=32 (cm$^2$)
(삼각형 ㅂㅁㅅ의 넓이)
=(삼각형 ㄴㄷㅁ의 넓이)÷4÷2=8 (cm$^2$)
(삼각형 ㅅㅁㅇ의 넓이)
=(삼각형 ㄷㅁㄹ의 넓이)÷16÷2=2(cm$^2$)
따라서 (사각형 ㄱㅂㅅㅇ의 넓이)
=32+8+2=42 (cm$^2$)

본문 124~127쪽

## 추리하여 연산식 완성하기 28

### 유제

**1** 332 **2** 4 **3** 2 **4** 17935

### 특강탐구문제

**1** $(6+3)\times(7-2+9\div3)\div4=18$ **2** $8\frac{1}{3}$

**3** 5 **4** 9 **5** 4 **6** 풀이 참조 **7** 풀이 참조

**8** 860 **9** $5\frac{1}{6}$ **10** 7359

### 유제풀이

**1** 가장 큰 값을 얻으려면 4배 하는 계산을 마지막에 하고 4배 되는 수가 될 수 있는 대로 커야 하므로

$(100-5+20\div5)\times4=396$이다.

가장 작은 값을 얻으려면 100에서 가능한 한 큰 값을 빼야 하므로 $100-(5+20\div5)\times4=64$이다.

따라서 가장 큰 값과 가장 작은 값의 차는

$396-64=332$이다.

**2** ▲×▲=■가 될 수 있는 경우는 $2\times2=4$ 또는 $3\times3=9$인 경우 뿐이다.

▲=2라면 $2\times2=4$에서 ■=4인데,

■−▲=4−2=2=●에서 각 기호들은 서로 다른 수이어야 하므로 맞지 않는다.

즉, ▲=3, ■=9, ●=9−3=6이다.

★=●÷▲=6÷3=2, ◆=●−★=6−2=4

따라서 ■+★+▲−(●+◆)=9+2+3−(6+4)=4이다.

**3** □4÷3이 자연수가 되어야 하므로 □4는 3의 배수가 되어 □에는 2, 5, 8 중 하나가 들어갈 수 있다.

① □=2이면 $(20-2)\times3+24\div3=18\times3+8=62$이므로 성립한다.

② □=5이면 $(50-5)\times3+54\div3=135+18=153$이므로 성립하지 않는다.

③ □=8이면 $(80-8)\times3+84\div3=216+28=244$이므로 성립하지 않는다.

따라서 □ 안에 들어갈 숫자는 2이다.

**4** (8+[나])×2가 5로 나누어떨어져야 하므로 8+[나]의 일의 자리는 0 또는 5가 되어야 하므로 [나]=7이다.

[라]0÷[마]가 자연수가 되기 위해서는

([라], [마])=(1, 5), (3, 5), (9, 3), (9, 5), (3, 1), (5, 1), (9, 1)이 될 수 있다.

이 중 만족하는 식은

$\{120-(8+7)\times2\}\div5=19+30\div5-7=18$이다.

따라서 [가]=1, [나]=7, [다]=9, [라]=3, [마]=5이고 다섯 자리 수는 17935이다.

### 특강탐구문제풀이

**1** '÷3', '÷4'가 연속으로 나와 있으므로 마지막에 4로 나누어 18이 되려면 '÷4' 앞까지의 수는 $18\times4=72$이어야 한다. '×'를 사이에 두고 8과 9가 있으면 되므로 적당한 위치에 괄호를 넣으면

$(6+3)\times(7-2+9\div3)\div4=18$이다.

**2** [가]−[나]×[다]÷[라]+[마]에서 더해지는 수인 [가]와 [마]는 되도록 큰 수가 되어야 하고, 빼는 수인 [나]×[다]÷[라]는 되도록 작은 수가 되어야 한다.

그러므로 [가]와 [마]에는 4 또는 5, [나], [다]에는 1 또는 2가 들어가고 [라]에는 3이 들어가면 된다.

[5]−[1]×[2]÷[3]+[4]$=5-\frac{2}{3}+4=8\frac{1}{3}$

따라서 그 계산 결과가 가장 클 때의 값은 $8\frac{1}{3}$이다.

**3** ㉤+㉣=㉤에서 ㉣=0

㉠×㉡=㉠에서 ㉡=1

㉢+㉢=㉥에서 ㉢=2, ㉥=4

㉠−㉢=㉡에서 ㉠−2=1이므로 ㉠=3

따라서 남은 숫자는 5이므로 ㉤=5이다.

**4** [가]×[나]=㉠, [다]+[라]=㉡, [마]−[바]=㉢=1에서 ㉠, ㉡은 한 자리의 수이므로 들어갈 수 있는 수들은 다음과 같다.

| (가, 나, ㉠) | (다, 라, ㉡) |
|---|---|
| (2, 3, 6)<br>(2, 4, 8) | (3, 4, 7)<br>(3, 5, 8)<br>(3, 6, 9)<br>(4, 5, 9) |
| | ※ (가, 나, ㉠)에 2가 반드시 쓰이므로 2는 제외한다. |

(가, 나, ㉠)에서 (2, 3, 6)을 선택하면 3이 쓰였기 때문에 (다, 라, ㉡)에서 (4, 5, 9)를 선택해야 하고, [마]−[바]=8−7=1이 된다.

(가, 나, ㉠)에서 (2, 4, 8)을 선택하면 4와 8이

쓰였으므로 (다, 라, ㉡)에서 (3, 6, 9)를 선택해야 하고, 마 − 바 $=7-5$는 1이 아니므로 답이 아니다.
따라서 ㉡은 9이다.

**5** □$1-5$는 일의 자리의 숫자가 6이므로
(□$1-5)\div$□에서 나누는 수는 1 또는 2의 배수 또는 3의 배수이다.
① □가 1일 경우 $\{71+(11-5)\div1\}+51=128\neq131$로 성립하지 않는다.
② □가 3의 배수일 경우
$(31-5)\div3=26\div3$, $(61-6)\div6=56\div6$,
$(91-5)\div9=86\div9$는 모두 자연수가 아니므로 성립하지 않는다.
③ □가 2의 배수일 경우
$(21-5)\div2=16\div2$, $(41-5)\div4=36\div4$,
$(61-5)\div6=56\div6$, $(81-5)\div8=76\div8$에서 □가 2, 4일때만 성립한다.
□가 2인 경우 $\{71+(21-5)\div2\}+52=131\neq132$이므로 성립하지 않는다.
□가 4인 경우
$\{71+(41-5)\div4\}+54=134$로 성립한다.
따라서 □안의 수는 4이다.
**다른 풀이** $\{71+$□$1-5)\div$□$\}=80$이므로
(□$1-5)\div$□$=9$,
(□$1-5)$는 9의 배수이다.
□$1-5$는 일의 자리가 6이므로 이 중 9의 배수는 36 뿐이다.
□$1-5=36$, □$1=41$
따라서 □$=4$이고, 이 때 이 식은 성립한다.

**6** (1) 예 $(99-9)\div9+9=19$
(2) 예 $5\times5\times5\div5+5\div5=26$
참고* (2)의 경우 위의 경우 외에도 여러 가지가 있다.

**7** 사칙 혼합 계산의 계산 순서에 맞게 계산 과정을 생각해 보자.
답이 100, 1000인 경우는 기호가 들어가지 않고 두 자리 수 이상의 수로 계산되는 경우를 생각해 보자.
(1) 예 $88+8+(8+8+8+8)\div8=100$
또는 $(888-88)\div8+8-8=100$
(2) 예 $888+(8-8\div8)\times(8+8)=1000$
또는 $(8888-888)\div8=1000$
또는 $888+88+8+8+8=1000$
참고* 위의 경우 외에도 여러 가지가 있다.

**8** 가장 큰 값을 갖기 위해서는 '×'를 가장 큰 두 수 사이에 넣고, 나눗셈으로 작아진 수를 뺀다.
$36\times24+8-4\div2=870$이다.
또 가장 작은 값을 갖기 위해서는 큰 수들을 나누거나 빼어야 한다.
즉, $36\div24\times8-4+2=10$이다.
따라서 가장 큰 값과 가장 작은 값의 차는
$870-10=860$이다.

**9** (□−□)×□는 모두 1이 넘지 않는 분수들의 계산으로 1보다 작다. □÷□는 뒤의 분수의 역수가 곱해지므로 1보다 클 수 있다.
즉, (가−나)×다+라÷마를 계산하여 가장 큰 값을 얻기 위해서는 라에 가장 큰 수, 마에 가장 작은 수를 넣어 계산한 값이 최대한 커지게 하고,
가, 나, 다에 나머지 수를 넣는다.
따라서 가장 큰 수는 $\left(\frac{4}{6}-\frac{2}{6}\right)\times\frac{3}{6}+\frac{5}{6}\div\frac{1}{6}=5\frac{1}{6}$이다.

**10** $18\div$라는 자연수이므로 라에는 3 또는 9가 들어갈 수 있다.
① 라$=3$인 경우
다$3\times(18\div3)$의 일의 자리의 숫자는 8이므로,
4가$+89-$나0의 일의 자리의 숫자가 8이 되어야 한다.
즉, 가$=9$이어야 한다.
식을 정리해 보면 $138-$나0$=$다$3\times6$인데,
나와 다에 5 또는 7을 넣으면 성립하지 않는다.
② 라$=9$인 경우
다$3\times(18\div9)$의 일의 자리의 숫자는 6이므로,
4가$+89-$나0의 일의 자리의 숫자도 6이 되어야 한다.
즉, 가$=7$이어야 한다.
식을 정리해 보면 $136-$나0$=$다$3\times2$인데,
다$=5$, 나$=3$일 때만 성립한다.
따라서 가$=7$, 나$=3$, 다$=5$, 라$=9$이고, 네 자리 수 가나다라는 7359이다.

본문 128~131쪽

## 평균에 관한 문제 ① 29

유제

**1** 1회 : 92점, 2회 : 84점, 3회 : 97점, 4회 : 78점, 5회 : 83점 **2** 143cm **3** 39.2회 **4** 79점

특강탐구문제

**1** 48kg **2** 143.5cm **3** 23 **4** 78점
**5** 3900원 **6** 30 **7** A : 88권, C : 8권 **8** 92점
**9** 5번 **10** 98점

### 유제풀이

**1** (5회까지의 총점)$=86.8\times5=434$(점)
(1회, 2회, 3회의 총점)$=91\times3=273$(점)
(3회, 4회, 5회의 총점)$=86\times3=258$(점)
따라서 (3회 점수)$=273+258-434$
$=97$(점)
(1회, 2회, 3회의 총점)−(3회 점수)=(1회, 2회의 총점)이므로
(1회, 2회의 총점)$=273-97$
$=176$(점)이고,
1회, 2회의 점수는 8점 차가 나므로
(1회 점수)$=(176+8)\div2=92$(점)
(2회 점수)$=(176-8)\div2=84$(점)
(4회 점수)=(2회 점수)$-6$
$=84-6$
$=78$(점)
(5회 점수)=(3회, 4회, 5회의 총점)−(3회 점수)−(4회 점수)
$=258-97-78$
$=83$(점)

**2** 문제의 조건에 맞게 그림으로 나타내면 다음과 같다.

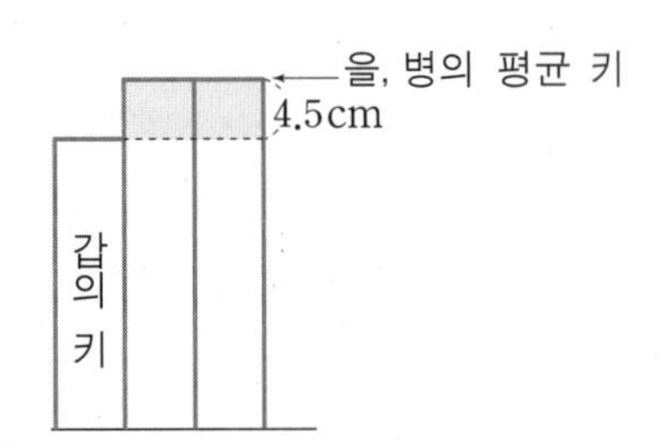


(세 사람의 키의 합)
$=143\times3$
$=429$(cm)
이다.
(갑의 키)
$=(429-4.5\times2)\div3=140$(cm)
(을과 병의 키의 합)$=429-140=289$(cm)
따라서 을이 병보다 3cm 더 크므로
(병의 키)$=(289-3)\div2=143$(cm)
이다.

**다른 풀이** (을과 병의 키의 합)
$=\{$(갑의 키)$+4.5\}\times2$
=(갑의 키)$\times2+9$
이다.
따라서 (갑의 키)+(갑의 키)$\times2+9=429$
(갑의 키)$\times3+9=429$
(갑의 키)$\times3=420$
(갑의 키)$=140$(cm)

**3** 형철이네 반 학생 전체의 줄넘기 횟수의 평균은 형철이네 반 학생 전체의 줄넘기 횟수를 형철이네 반 학생 수로 나누어 주면 된다.
• (형철이네 반 학생들의 줄넘기 횟수의 합)
=(가 모둠의 줄넘기 횟수의 합)+(나 모둠의 줄넘기 횟수의 합)
$=36\times14+42\times16$
$=504+672$
$=1176$(회)
• (형철이네 반 학생 수)
=(가 모둠의 학생 수)+(나 모둠의 학생 수)
$=14+16=30$(명)
따라서 (형철이네 반 학생들의 줄넘기 횟수의 평균)
$=1176\div30=39.2$(회)이다.

**주의** $\frac{\text{(가 모둠의 평균)}+\text{(나 모둠의 평균)}}{2}$으로 계산하면 안 된다.

**4**

| 2 | 2 | 2 | | |
|---|---|---|---|---|
| | | | 3 | 3 |
| 가 | 나 | 다 | 라 | 마 |

← 가,나,다의 평균 점수
← 전체 평균 점수
← 76점

가, 나, 다의 평균 점수가 5명의 평균 점수보다 2점 높으므로

$2\times3=6$(점)을 라와 마에게 $6\div2=3$(점)씩 나누어 주면 라와 마의 평균 점수가 다섯 명의 평균 점수와 같아진다.

(라와 마의 평균 점수)$=(72+80)\div2=76$(점)

따라서 (5명의 평균 점수)$=76+3=79$(점)이다.

**특강탐구문제풀이**

**1** (4명의 몸무게의 총합)$=43\times4=172$(kg)이다.

(성수, 상민, 세웅의 몸무게의 합)

$=45\times3=135$(kg)이므로

(원용의 몸무게)$=172-135=37$(kg)이다.

또 (성수와 원용의 몸무게의 합)

$=42.5\times2=85$(kg)이므로

(성수의 몸무게)$=85-37=48$(kg)이다.

**2** (다섯 명의 키의 총합)$=142.3\times5=711.5$(cm)

(1번, 2번, 3번의 키의 합)$=138\times3=414$(cm)

(3번, 4번, 5번의 키의 합)$=147\times3=441$(cm)

따라서 (3번의 키)

$=414+441-711.5$

$=143.5$(cm)

**3**

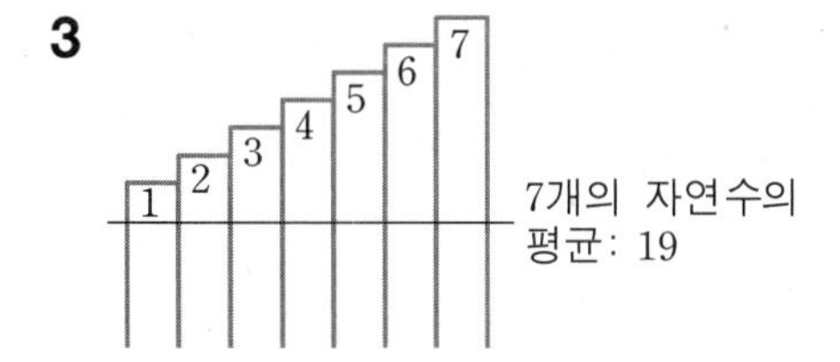


(7개의 자연수의 총합)

$=19\times7=133$

(각각의 자연수가 커진 후의 총합)

$=133+(1+2+3+4+5+6+7)$

$=133+28=161$

따라서 구하는 (평균)$=161\div7=23$

**참고*** 다음과 같이 커진 수의 평균을 구하여도 된다.

(커진 수의 총합)$=1+2+3+4+5+6+7=28$이므로

(커진 수의 평균)$=28\div7=4$이다.

따라서 (커진 후의 평균)

$=$(처음 평균)$+$(커진 수의 평균)

$=19+4=23$

**4** 먼저 갑의 평균 점수가 5회 점수와 같으므로 갑의 5회 점수 ㉠을 제외한 1회에서 4회까지의 평균은 갑의 평균과 같다.

(갑의 평균)

$=$㉠$=(68+77+95+100)\div4$

$=340\div4$

$=85$(점)

또, 을의 1회, 2회 평균 점수가 갑의 4, 5회 평균과 같다고 했으므로, 을의 1, 2회 점수의 합은 갑의 4, 5회 점수의 합과 같다.

㉡$+90=100+85$

㉡$=95$(점)

한편 갑의 평균 점수가 을의 평균 점수보다 3점 낮으므로

(을의 평균)$=85+3=88$(점)이다.

따라서 ㉢$=$(을의 총점)$-$(을의 1, 2, 3, 5회 점수의 합)

$=88\times5-(95+90+82+95)$

$=440-362$

$=78$(점)

**5** A의 용돈이 B보다 800원 많으므로 B의 용돈은 두 사람의 평균 용돈에서 $800\div2=400$(원)을 뺀 것과 같다.

(B의 용돈)$=3000-400=2600$(원)

(B와 C의 용돈의 합)$=2100\times2=4200$(원)

그러므로 (C의 용돈)

$=$(B와 C의 용돈의 합)$-2600$

$=4200-2600=1600$(원)

따라서
(D의 용돈)$=2750\times2-1600=3900$(원)이다.

**6**

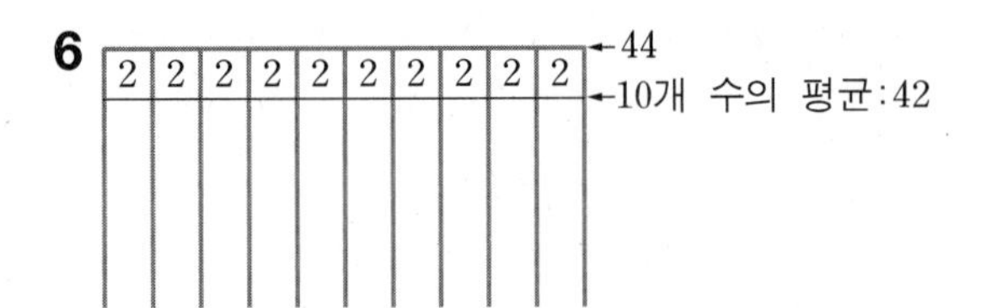


구하는 수를 50으로 고친 후 늘어난 평균이 2이므로 10개의 수의 총합은 $2\times10=20$ 늘어났다.
즉, 이 수는 20만큼 커져서 50이 된 것이다.
따라서 (구하는 수)$=50-20=30$이다.

**7**

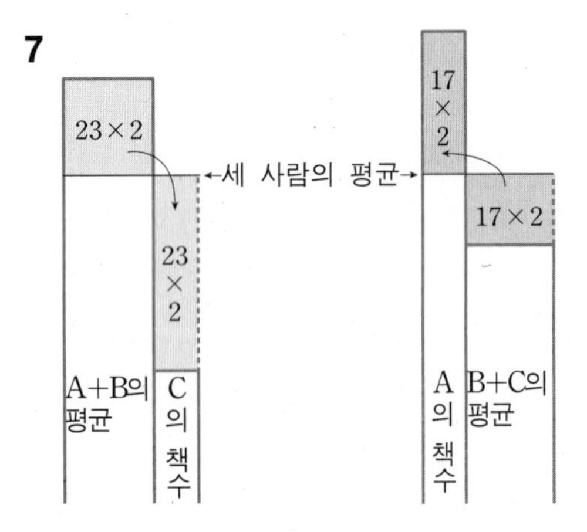


A, B 두 사람의 평균이 세 사람의 평균보다 23권 많으므로 A, B가 각각 평균보다 23권씩 많다고 생각하면 C는 평균보다 $23\times2=46$(권) 적다.
또 B, C 두 사람의 평균이 세 사람의 평균보다 17권 적으므로 B, C가 각각 평균보다 17권씩 적다고 생각하면 A는 평균보다 $17\times2=34$(권) 많다.

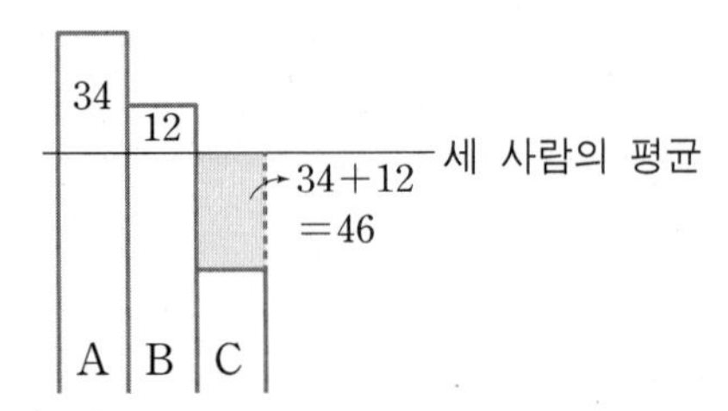


A는 평균보다 34권 많고 C는 평균보다 46권 적으므로 B는 평균보다 12권 많다. B가 66권을 가지고 있으므로 세 사람이 가지고 있는 책수의 평균은 $66-12=54$(권)이다.
따라서 A는 $54+34=88$(권),
C는 $54-46=8$(권)을 가지고 있다.

**8** 학생 수를 10명이라고 생각하자.
상위 10%의 학생은 1명, 나머지는 9명이다.
(9명의 총점)$=52\times9=468$(점)이다.
따라서 (상위 10%인 학생의 점수)$=560-468=92$(점)이고, 상위 10%인 학생 수는 1명이므로 평균 점수는 92점이다.

**다른 풀이** 학생 수를 10명이라고 생각하자.
상위 10%의 학생은 1명, 나머지는 9명이다.
10%의 학생 1명의 점수를 더하면 전체 평균은 4점 오른다.
즉 10명이 4점씩 오르므로 1명의 점수는 전체 점수를 $4\times10=40$(점) 올린 것이다.
따라서 상위 10%인 학생의 점수는
$=52+40=92$(점)

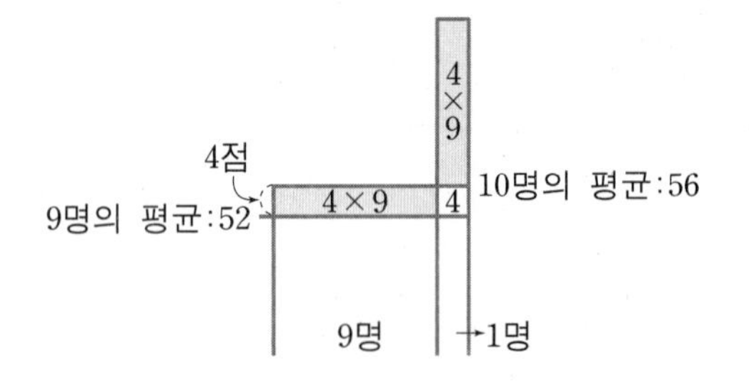


**9**

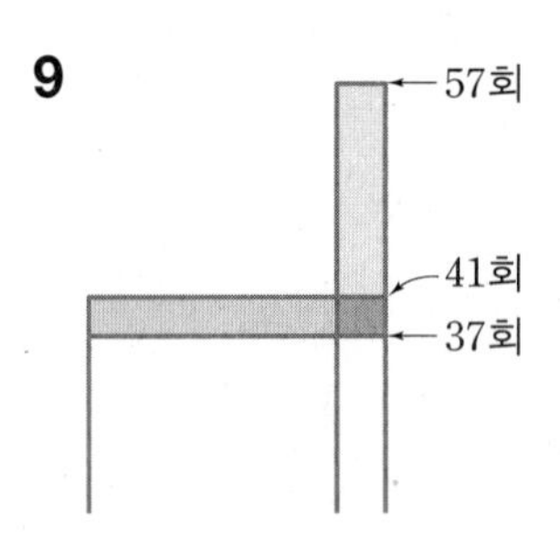


마지막에 넘은 57회는 이전의 평균보다 $57-37=20$(회) 많다. 이 20회가 전체 평균을
$41-37=4$(회) 올린 것이다.
따라서 줄넘기 연습을 $20\div4=5$(번) 했다.

**10** (5과목의 총점)$=90.6\times5=453$(점)

(국어)+(수학)+(과학)=92×3=276(점)이고

(도덕)+(사회)+(과학)=89×3=267(점)이므로

(국어)+(수학)+(과학)+(도덕)+(사회)+(과학)

=276+267=543(점)

(5과목)+(과학)=543

453+(과학)=543,

(과학)=90점이다.

또, (도덕)+(사회)+(과학)=89×3=267(점)이므로

(도덕)+(사회)+90=267에서

(도덕)+(사회)=177점

또, (도덕)+(국어)=91.5×2=183(점)이고

(국어)+(사회)=85×2=170(점)이므로

(도덕)+(국어)+(국어)+(사회)=183+170=353(점)

(도덕)+(사회)+(국어)×2=177+(국어)×2=353

(국어)×2=176

(국어)=88점이다.

(국어)+(수학)+(과학)=276점이므로

88+(수학)+90=276

(수학)+178=276

따라서 (수학)=276−178=98(점)

## 분수 크기 비교 문제 30

**유제**

**1** $\frac{17}{23}$, $\frac{17}{24}$, $\frac{17}{25}$ **2** $\frac{7}{9}$

**3** $\frac{42}{1237}$, $\frac{53}{1561}$, $\frac{37}{1090}$, $\frac{76}{2239}$, $\frac{17}{501}$

**4** $2\frac{10}{11}$, $3\frac{1}{11}$, $\frac{32}{11}$

**특강탐구문제**

**1** $\frac{77}{80}$ **2** 10, 11 **3** 47, 48, 49 **4** $\frac{9}{13}$

**5** $\frac{81}{713}$ **6** $>$ **7** $\frac{198}{797}$, $\frac{278}{1119}$, $\frac{159}{640}$, $\frac{438}{1763}$

**8** $\frac{24}{2207}$, $\frac{17}{1571}$, $\frac{19}{1758}$, $\frac{7}{673}$, $\frac{8}{785}$, $\frac{5}{634}$

**9** $4\frac{7}{8}$ **10** 50

### 유제풀이

**1** $\frac{2}{3}<\frac{17}{\square}<\frac{3}{4}$에서 분자를 똑같이 만들면

$2\times17\times3=102$이므로 3개의 분수의 분자를 102로 만든다.

$\frac{102}{153}<\frac{102}{\square\times6}<\frac{102}{136}$에서

$\square\times6$이 136보다 크고 153보다 작으면 된다.

$136=6\times22+4$, $153=6\times25+3$이므로

$\square=23, 24, 25$이다.

따라서 만족하는 분수는 $\frac{17}{23}$, $\frac{17}{24}$, $\frac{17}{25}$이다.

**2** 주어진 각 분수와 $\frac{4}{5}$와의 차는 다음과 같다.

$\frac{4}{5}-\frac{7}{9}=\frac{36}{45}-\frac{35}{45}=\frac{1}{45}$

$\frac{4}{5}-\frac{241}{400}=\frac{320}{400}-\frac{241}{400}=\frac{79}{400}$

$\frac{4}{5}-\frac{42}{55}=\frac{44}{55}-\frac{42}{55}=\frac{2}{55}$

$\frac{4}{5}-\frac{7}{10}=\frac{8}{10}-\frac{7}{10}=\frac{1}{10}$

$\frac{1}{45}$, $\frac{79}{400}$, $\frac{2}{55}$, $\frac{1}{10}$의 역수를 대분수로 고치면

$\frac{1}{45}\rightarrow45$, $\frac{79}{400}\rightarrow5\frac{5}{79}$, $\frac{2}{55}\rightarrow27\frac{1}{2}$, $\frac{1}{10}\rightarrow10$인데

차가 가장 작기 위해서는

차의 역수가 가장 커야 하므로 $\frac{1}{45}$이 해당된다.

따라서 $\frac{4}{5}$와 가장 가까이 있는 분수는 $\frac{7}{9}$이다.

**3** 주어진 분수의 역수를 대분수로 고치면

$\frac{17}{501}\rightarrow\frac{501}{17}=29\frac{8}{17}$, $\frac{37}{1090}\rightarrow\frac{1090}{37}=29\frac{17}{37}$,

$\frac{42}{1237}\rightarrow\frac{1237}{42}=29\frac{19}{42}$, $\frac{53}{1561}\rightarrow\frac{1561}{53}=29\frac{24}{53}$,

$\frac{76}{2239}\rightarrow\frac{2239}{76}=29\frac{35}{76}$

자연수 부분이 29로 같으므로 진분수 부분의 역수를 다시 대분수로 고치면

$2\frac{1}{8}$, $2\frac{3}{17}$, $2\frac{4}{19}$, $2\frac{5}{24}$, $2\frac{6}{35}$이다.

또, 자연수 부분이 2로 같으므로 진분수 부분의 역수를 다시 대분수로 고치면

$8$, $5\frac{2}{3}$, $4\frac{3}{4}$, $4\frac{4}{5}$, $5\frac{5}{6}$

수의 크기를 비교해 보면

$8>5\frac{5}{6}>5\frac{2}{3}>4\frac{4}{5}>4\frac{3}{4}$

➡ $2\frac{1}{8}<2\frac{6}{35}<2\frac{3}{17}<2\frac{5}{24}<2\frac{4}{19}$

➡ $29\frac{8}{17}>29\frac{35}{76}>29\frac{17}{37}>29\frac{24}{53}>29\frac{19}{42}$

➡ $\frac{17}{501}<\frac{76}{2239}<\frac{37}{1090}<\frac{53}{1561}<\frac{42}{1237}$

따라서 큰 수부터 차례로 나열하면

$\frac{42}{1237}$, $\frac{53}{1561}$, $\frac{37}{1090}$, $\frac{76}{2239}$, $\frac{17}{501}$이다.

**4** 3에 가까운 분수는 $\boxed{2}\frac{\boxed{10}}{\boxed{11}}$, $\boxed{2}\frac{\boxed{9}}{\boxed{10}}$, $\boxed{2}\frac{\boxed{11}}{\boxed{10}}$,

$\boxed{2}\frac{\boxed{10}}{\boxed{9}}$, $\boxed{3}\frac{\boxed{1}}{\boxed{9}}$, $\boxed{3}\frac{\boxed{1}}{\boxed{10}}$, $\boxed{3}\frac{\boxed{1}}{\boxed{11}}$, $\frac{\boxed{3}\boxed{1}}{\boxed{10}}$, $\frac{\boxed{2}\boxed{9}}{\boxed{10}}$,

$\frac{\boxed{3}\boxed{1}}{\boxed{11}}$, $\frac{\boxed{3}\boxed{2}}{\boxed{11}}$ 등이 있다.

이 분수들과 3과의 차는 $\frac{1}{11}$, $\frac{1}{10}$, $\frac{1}{9}$인데 가장 차가 작은 것은 $\frac{1}{11}$이므로 3에 가장 가까운 분수는

$\boxed{2}\dfrac{\boxed{10}}{\boxed{11}}$, $\boxed{3}\dfrac{\boxed{1}}{\boxed{11}}$, $\dfrac{\boxed{3}\boxed{2}}{\boxed{11}}$이다.

**특강탐구문제풀이**

**1** $\frac{53}{50}-1=\frac{53}{50}-\frac{50}{50}=\frac{3}{50}$

$\frac{17}{16}-1=\frac{17}{16}-\frac{16}{16}=\frac{1}{16}$

$1-\frac{77}{80}=\frac{80}{80}-\frac{77}{80}=\frac{3}{80}$

$1-\frac{14}{15}=\frac{15}{15}-\frac{14}{15}=\frac{1}{15}$

$\frac{3}{50}$, $\frac{1}{16}$, $\frac{3}{80}$, $\frac{1}{15}$의 역수를 대분수로 고쳐 보면

$16\frac{2}{3}$, 16, $26\frac{2}{3}$, 15이고 이 중 가장 큰 수는 $26\frac{2}{3}$이다.

따라서 1과의 차가 가장 작은 분수는 $\frac{3}{80}$이 되어 1과 가장 가까운 분수는 $\frac{77}{80}$이다.

**2** $\frac{3}{5}<\frac{\square}{15}<\frac{7}{9}$에서 분모를 5, 15, 9의 최소공배수인 45로 똑같이 만들면

$\frac{27}{45}<\frac{\square\times3}{45}<\frac{35}{45}$이다.

$\square\times3$이 27보다 크고 35보다 작으면 되고

$27=3\times9$, $35=3\times11+2$이므로

$\square=10,\ 11$이다.

**3** $\frac{7}{8}<\frac{43}{\square}<\frac{11}{12}$에서 분자를 7, 43, 11의 최소공배수를 구해 똑같이 만들면

$7\times43\times11=3311$이므로

$\frac{3311}{3784}<\frac{3311}{\square\times77}<\frac{3311}{3612}$에서

$\square\times77$이 3612보다 크고 3784보다 작으면 된다.

$3612=77\times46+70$, $3784=77\times49+11$이므로

$\square=47,\ 48,\ 49$이다.

**4** 0.7은 $\frac{7}{10}$이므로 주어진 분수들과 $\frac{7}{10}$의 차를 구하면

$\frac{7}{10}-\frac{9}{13}=\frac{91}{130}-\frac{90}{130}=\frac{1}{130}$

$\frac{11}{15}-\frac{7}{10}=\frac{22}{30}-\frac{21}{30}=\frac{1}{30}$

$\frac{16}{21}-\frac{7}{10}=\frac{160}{210}-\frac{147}{210}=\frac{13}{210}$

$\frac{27}{35}-\frac{7}{10}=\frac{54}{70}-\frac{49}{70}=\frac{5}{70}=\frac{1}{14}$

$\frac{11}{14}-\frac{7}{10}=\frac{55}{70}-\frac{49}{70}=\frac{6}{70}=\frac{3}{35}$

각각의 차를 역수로 바꾸어 대분수로 나타내면

130, 30, $16\frac{2}{13}$, 14, $11\frac{2}{3}$이므로

이 중 가장 큰 수는 130이고

역수의 차가 가장 적은 것은 $\frac{1}{130}$이다.

따라서 0.7에 가장 가까운 분수는 $\frac{9}{13}$이다.

**5** 주어진 분수들의 역수를 대분수로 나타내면

$2\frac{3}{10}$, $2\frac{1}{13}$, $1\frac{14}{17}$, $2\frac{1}{18}$, $2\frac{3}{19}$, $2\frac{3}{20}$이고,

이 분수 중 $1\frac{14}{17}$가 가장 작으므로 $\frac{17}{31}$이 가장 큰 분수이다.

$1\frac{14}{17}$를 제외한 나머지 분수들은 자연수 부분이 같으므로 진분수 부분을 다시 역수로 바꿔 대분수로 나타내면

$3\frac{1}{3}$, 13, 18, $6\frac{1}{3}$, $6\frac{2}{3}$이므로 이 중 가장 작은 분수는 $3\frac{1}{3}$이다.

즉, 주어진 분수 중 가장 작은 분수는 $\frac{10}{23}$이다.

따라서 가장 큰 분수와 가장 작은 분수의 차는

$\frac{17}{31}-\frac{10}{23}=\frac{391}{713}-\frac{310}{713}=\frac{81}{713}$이다.

**6** 두 분수는 분모가 분자보다 약간 더 크므로 분모, 분자를 뒤바꾸어 가며 크기를 비교한다.

$\frac{9262999}{9263003}$의 역수는 $\frac{9263003}{9262999}=1\frac{4}{9262999}$이므로

진분수 부분의 역수를 대분수로 나타내면

$\frac{9262999}{4}=2315749\frac{3}{4}$이다.

$\frac{6947249}{6947252}$의 역수는 $\frac{6947252}{6947249}=1\frac{3}{6947249}$이므로

진분수 부분의 역수를 대분수로 나타내면

$\frac{6947249}{3}=2315749\frac{2}{3}$이다.

$\frac{3}{4}>\frac{2}{3}$이므로

$\frac{9263003}{9262999}<\frac{6947252}{6947249}$이다.

따라서 $\frac{9262999}{9263003}>\frac{6947249}{6947252}$이다.

**7** 주어진 분수의 역수를 대분수로 나타내면 다음과 같다.

$4\frac{4}{159}$, $4\frac{5}{198}$, $4\frac{7}{278}$, $4\frac{11}{438}$

자연수 부분이 모두 4로 같으므로 진분수 부분을 다시 역수로 바꾸어 대분수로 나타내면 다음과 같다.

$39\frac{3}{4}$, $39\frac{3}{5}$, $39\frac{5}{7}$, $39\frac{9}{11}$

자연수 부분이 모두 39이므로 진분수 부분의 크기를 비교하면

$\frac{9}{11}>\frac{3}{4}>\frac{5}{7}>\frac{3}{5}$

➡ $\frac{11}{438}<\frac{4}{159}<\frac{7}{278}<\frac{5}{198}$

➡ $\frac{438}{1763}>\frac{159}{640}>\frac{278}{1119}>\frac{198}{797}$

따라서 작은 수부터 차례로 나열하면

$\frac{198}{797}$, $\frac{278}{1119}$, $\frac{159}{640}$, $\frac{438}{1763}$이다.

**8** 주어진 분수의 역수를 대분수로 나타내면

$91\frac{23}{24}$, $92\frac{10}{19}$, $92\frac{7}{17}$, $98\frac{1}{8}$, $96\frac{1}{7}$, $126\frac{4}{5}$이므로

자연수 부분이 같은 두 분수 $92\frac{10}{19}$, $92\frac{7}{17}$에서

$92\frac{10}{19}$, $92\frac{7}{17}$을 제외하고 크기를 비교하면

$126\frac{4}{5}>98\frac{1}{8}>96\frac{1}{7}>91\frac{23}{24}$이다.

진분수 부분의 역수를 대분수로 나타내면 $1\frac{9}{10}$, $2\frac{3}{7}$이므로

$92\frac{10}{19}>92\frac{7}{17}$이다.

➡ $126\frac{4}{5}>98\frac{1}{8}>96\frac{1}{7}>92\frac{10}{19}>92\frac{7}{17}>91\frac{23}{24}$

➡ $\frac{5}{634}<\frac{8}{785}<\frac{7}{673}<\frac{19}{1758}<\frac{17}{1571}<\frac{24}{2207}$

따라서 큰 분수부터 차례로 나열하면

$\frac{24}{2207}$, $\frac{17}{1571}$, $\frac{19}{1758}$, $\frac{7}{673}$, $\frac{8}{785}$, $\frac{5}{634}$이다.

**9** 만들 수 있는 5에 가까운 분수들은 다음과 같다.

$\boxed{5}\frac{\boxed{2}}{\boxed{8}}$, $\boxed{4}\frac{\boxed{7}}{\boxed{8}}$, $\frac{\boxed{2}\boxed{3}}{\boxed{4}}$, $\frac{\boxed{2}\boxed{4}}{\boxed{5}}$, $\frac{\boxed{3}\boxed{2}}{\boxed{6}}$, $\frac{\boxed{4}\boxed{2}}{\boxed{8}}$, …

이 분수들과 5와의 차는 각각 다음과 같다.

$\frac{1}{4}$, $\frac{1}{8}$, $\frac{3}{4}$, $\frac{1}{5}$, $\frac{1}{3}$, $\frac{1}{4}$, …

이 중에서 5와의 차가 가장 작은 것은 $\frac{1}{8}$이므로

5에 가장 가까운 분수는 $4\frac{7}{8}$이다.

**10** 주어진 분수의 분모의 범위는 다음과 같다.

$$\underbrace{\frac{2}{2022}+\frac{2}{2022}+\cdots+\frac{2}{2022}}_{22-3+1=20(개)}<\frac{2}{2003}+\frac{2}{2004}+\cdots+\frac{2}{2022}$$

$$\frac{2}{2003}+\frac{2}{2004}+\cdots+\frac{2}{2022}<\underbrace{\frac{2}{2003}+\frac{2}{2003}+\cdots+\frac{2}{2003}}_{22-3+1=20(개)}$$

$$\frac{2}{2022}\times 20<\frac{2}{2003}+\frac{2}{2004}+\cdots+\frac{2}{2022}<\frac{2}{2003}\times 20$$

$$\frac{20}{1011}<\frac{2}{2003}+\frac{2}{2004}+\cdots+\frac{2}{2022}<\frac{40}{2003}$$

$$\frac{1}{\frac{20}{1011}}>\frac{1}{\frac{2}{2003}+\frac{2}{2004}+\cdots+\frac{2}{2022}}>\frac{1}{\frac{40}{2003}}$$에서

$$1\div\frac{20}{1011}=1\times\frac{1011}{20}=50\frac{11}{20}=50\frac{22}{40}$$

$1 \div \frac{40}{2003} = \frac{2003}{40} = 50\frac{3}{40}$이므로

$50\frac{3}{40} < \frac{1}{\frac{2}{2003}+\frac{2}{2004}+\cdots+\frac{2}{2022}} < 50\frac{22}{40}$이다.

따라서 주어진 분수를 대분수로 고치면 자연수 부분은 50이다.

본문 138~141쪽

## 31 배수만들기

**유제**

**1** 6 **2** 182, 910 **3** 7가지 **4** 46763

**특강탐구문제**

**1** (3, 7), (7, 2) **2** 1094 **3** 523 **4** 2624
**5** 68 **6** 802권 **7** 894166 **8** 1000440
**9** 가장 큰 수 : 1629996, 가장 작은 수 : 1620156
**10** ㉠=9, ㉡=5

### 유제풀이

**1** $4000 \div 93 = 43 \cdots 1$, $93 - 1 = 92$이므로 4000보다 크면서 가장 작은 93의 배수는 $4000 + 92 = 4092$이다.
십의 자리의 숫자가 8이 되게 하기 위해 93을 더하면 $4092 + 93 = 4185$이다.
따라서 ㉠=1, ㉡=5이고, ㉠+㉡=1+5=6이다.

**2** $2 \times 7 \times 13 = 182$이므로 637㉠㉡㉢은 182의 배수이어야 한다. $637000 \div 182 = 3500$이므로 637000에 182의 배수 중 세 자리 수를 더해 보며 각 자리의 숫자가 다른 것을 찾아본다.
$182 \times 1 = 182$ ⟶ 637182 (○)
$182 \times 2 = 364$ ⟶ 637364 (×) : 3, 6중복
$182 \times 3 = 546$ ⟶ 637546 (×) : 6 중복
$182 \times 4 = 728$ ⟶ 637728 (×) : 7 중복
$182 \times 5 = 910$ ⟶ 637910 (○)
따라서 ㉠㉡㉢은 182 또는 910이다.

**3** 12㉠㉡㉢8=120000+㉠㉡㉢×10+8에서
$120000 \div 137 = 875 \cdots 125$
㉠㉡㉢×10+8+125=㉠㉡㉢×10+133이므로
□□□3이 137의 배수가 되는 개수를 찾아야 한다.
137의 일의 자리의 숫자 7에 어떤 수를 곱해서 일의 자리의 숫자가 3이 되려면 9, 19, 29, …를 곱해야 한다. 또는 $9999 \div 137 = 72 \cdots 135$이므로 네 자리 수 중에서 137의 배수는 72개이고 그 중 9, 19, 29, 39, 49, 59, 69가 곱해져서 만들어진 137의 배수는 7개이다.
**참고*** 실제로 구해 보면 아래와 같다.
$137 \times 9 + 120000 - 125 = 121108$
$137 \times 19 + 120000 - 125 = 122478$
$137 \times 29 + 120000 - 125 = 123848$
$137 \times 39 + 120000 - 125 = 125218$
$137 \times 49 + 120000 - 125 = 126588$
$137 \times 59 + 120000 - 125 = 127958$
$137 \times 69 + 120000 - 125 = 129328$

**4** 우선, 만의 자리와 천의 자리 숫자는 그대로 둔 48□□□의 수 중에서 463의 배수를 찾아보자.
$48000 \div 463 = 103 \cdots 311$, $463 - 311 = 152$이므로 48000보다 큰 수 중 가장 작은 463의 배수는 $48000 + 152 = 48152$이다. 그러므로 48□□□ 꼴의 463의 배수는 48152, 48615뿐이므로 4 또는 8을 바꿔야 한다.
□8763인 수 중 463의 배수를 찾아보자.
□8763이 463의 배수이면 □8763−463=□8300도 463의 배수이고 □83도 463의 배수인데 이것을 만족하는 수는 없다.
4□763의 수 중 463의 배수를 찾아보자.
4□763이 463의 배수이면 4□763−463=4□300도 463의 배수이고 4□3도 463의 배수이다. 따라서 □=6

### 특강탐구문제풀이

**1** $4005 \div 175 = 22 \cdots 155$, $175 - 155 = 20$에서 4005보다 큰 수 중 가장 작은 175의 배수는 $4005 + 20 = 4025$
그러므로 4㉠㉡5 중 175의 배수는 일의 자리의 숫자가 5가 되기 위해 4025에 175의 짝수배 곱을 더해 나가면서 구하면 된다. $4025 + 175 \times 2 = 4375$,
$4025 + 175 \times 4 = 4725$, $4025 + 175 \times 6 = 5075$
따라서 두 자리 수 (㉠, ㉡)은 02를 제외한 (3, 7), (7, 2)이다.

**2** $57 \times 4 = 228$에서 일의 자리의 숫자 8을 맞추고, 십의 자리의 숫자 5를 맞추기 위해 2+□=5, 즉 3이 필요하므로 $57 \times 90 = 5130$을 더해서 $57 \times 94 = 5358$을 맞춘다.
㉠㉡358이 다섯 자리 수이므로 $57 \times 1000 = 57000$을 더하면 $57 \times 1094 = 62358$이 되어 ㉠=6, ㉡=2가 된다.
따라서 62358을 57로 나눈 몫은 1094이다.

**3** $7 \times 9 \times 13 = 819$이므로 341㉠㉡㉢은 819의 배수이어야 한다.
$341000 \div 819 = 416 \cdots 296$, $819 - 296 = 523$이므로 341000보다 큰 수 중 가장 작은 819의 배수는

341000+523=341523이다.

따라서 세 자리 수 ㉠㉡㉢은 523이다.

**4** 716000÷273=2622 … 194, 273−194=79이므로 716000보다 큰 수 중 가장 작은 273의 배수는 716000+79=716079이다. 여기에 273을 더해 가며 각 자리의 숫자가 모두 다른 수를 찾아본다.

273×2623=716079 (×) : 7 중복

273×2624=716352 (○)

273×2625=716625 (×) : 6 중복

273×2626=716898 (×) : 8 중복

273×2627=717171 (×) : 천의 자리의 숫자가 7

따라서 만족하는 ㉠㉡㉢은 352이고 716352를 273으로 나눈 몫은 2624이다.

**5** 29와 23의 배수의 합의 일의 자리의 숫자가 0이 되기 위해서 다음과 같이 생각해 본다.

29×1+23×7=29+161=190 ← 2배 하면 300보다 커진다.

29×2+23×4=58+92=150 ← 2배 하면 300이 된다.

즉 29×2가 2번, 23×4가 2번 있는 것이므로, 두 수는 29×2×2=116과 23×4×2=184이다.

따라서 두 자연수의 차는 184−116=68이다.

**6** 857×2=1714에서 십과 일의 자리의 숫자 1, 4를 맞추고, 백의 자리의 숫자 3을 맞추기 위해서는 7+□=13에서 6이 필요하므로 857×800=685600을 더한다.

685600+1714=687314가 되어 천의 자리의 숫자까지 맞추어진다.

따라서 857×802=687314가 되어 공책은 모두 802권을 주문한 것이 된다.

**7** 7×13×17=1547이므로 8□□□□□은 1547의 배수이어야 한다.

800000÷1547=517 … 201, 1547−201=1346이므로 800000보다 큰 수 중 가장 작은 1547의 배수는 800000+1346=801346이다.

십의 자리와 일의 자리의 숫자를 같게 하기 위해서 4+□=6, 즉 2가 필요하므로 1547×60=92820을 801346에 더하면 801346+92820=894166이 된다.

894166+1547=895713,

895713+1547=897260,

897260+1547=898807,

898807+1547=900354,

이므로, 조건에 만족하는 수는 894166이다.

**8** 1부터 9까지의 자연수로 모두 나누어떨어지는 수를 생각해 보자.

2와 4의 배수의 대표 8, 3과 6의 배수의 대표 9와 나머지 수인 5, 7의 곱인 5×7×8×9=2520의 배수를 찾으면 된다. 2520의 배수인 일곱 자리 수 중에서 0이 4번 쓰인 가장 작은 수는 2520에서 일의 자리에 0이 있으므로 1000□□0의 형태가 된다.

1000000÷2520=396 … 2080, 2520−2080=440이므로 1000000보다 큰 수 중 가장 작은 2520의 배수는 1000000+440=1000440이다.

따라서 조건에 맞는 수는 1000440이다.

**9** 1620000÷123=13170 … 90, 123−90=33이므로 1620000보다 큰 수 중 가장 작은 123의 배수는 1620033이다. 그런데 일의 자리의 숫자가 6이어야 하므로 1620033+123=1620156이 가장 작은 수가 된다.

가장 큰 수를 구하기 위해서는 1620156에서 일의 자리의 숫자는 그대로 두고 천, 백, 십의 자리에만 123의 배수를 더한다. 123의 배수 중 가장 큰 세 자리 수는 123×8=984이므로

1620156+123×80=1620156+9840=1629996이다.

따라서 가장 큰 수는 1629996, 가장 작은 수는 1620156이다.

**10** 75700000÷357=212044 … 292, 357−292=65이므로 75700000보다 큰 수 중 가장 작은 357의 배수는 75700065이다.

757㉠㉡384에 맞추기 위해서 먼저 일의 자리의 숫자가 4이어야 하므로 357×7=2499를 더하면

75700065+2499=75702564이다.

십의 자리의 숫자를 8로 맞추기 위해 357×60=21420을 더하면 75702564+21420=75723984이다.

백의 자리의 숫자를 3으로 맞추기 위해

357×200=71400을 더하면

75723984+71400=75795384이다.

따라서 ㉠=9, ㉡=5이다.

본문 142~145쪽

## 사다리꼴의 넓이 32

### 유제

**1** 91cm$^2$ **2** 9초 후 **3** $1\frac{1}{2}$배 **4** 4cm, 6cm, 6cm

### 특강탐구문제

**1** 2.5cm **2** 4초 후 **3** 294cm$^2$ **4** 8cm **5** 14cm **6** 9 : 5 **7** 8초 후 **8** 37 : 23 **9** $\frac{3}{4}$ **10** $\frac{23}{33}$

### 유제풀이

**1** 사다리꼴 ㄱㄴㅅㅇ은 사다리꼴 ㄱㄴㅁㅂ보다 높이가 7cm 더 높고 아랫변, 윗변의 길이는 모두 같다.
사다리꼴 ㄱㄴㅅㅇ의 넓이는 사다리꼴 ㄱㄴㅁㅂ의 넓이보다 $(16+10)\times7\div2$만큼 더 넓다.
따라서 색칠한 부분의 넓이는 사다리꼴 ㄱㄴㅅㅇ과 사다리꼴 ㄱㄴㅁㅂ의 넓이의 차이므로
$(16+10)\times7\div2=91(cm^2)$이다.

**다른 풀이** 색칠한 부분을 사각형과 삼각형으로 나누어 넓이를 구한다.

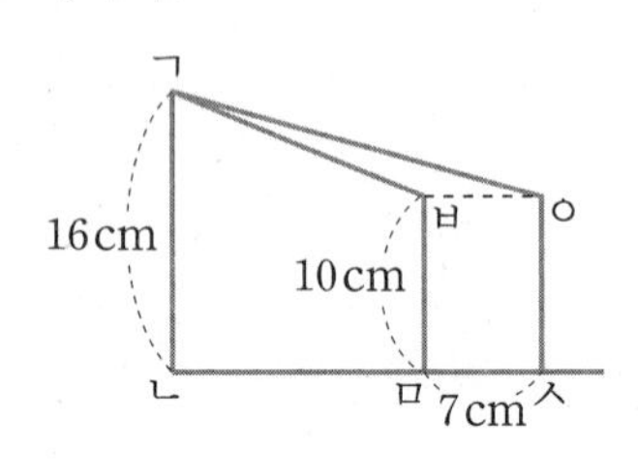


$(7\times10)+\{7\times(16-10)\div2\}$
$=70+21=91(cm^2)$

**2** 삼각형 ㄱㄴㅇ과 사다리꼴 ㄱㄴㄷㄹ의 높이는 같으므로 선분 ㄴㅇ의 길이가 선분 ㄱㄹ과 선분 ㄴㄷ의 길이의 합의 $\frac{1}{4}$이 될 때 삼각형 ㄱㄴㅇ의 넓이가 사다리꼴 ㄱㄴㄷㄹ의 넓이의 $\frac{1}{4}$이 된다.

즉 (선분 ㄴㅇ의 길이)$=(13+23)\times\frac{1}{4}$

(선분 ㄴㅇ의 길이)$=\frac{36}{4}=9$(cm)

따라서 점 ㅇ은 매초 1cm의 속도로 움직이므로 삼각형 ㄱㄴㅇ의 넓이가 사다리꼴 ㄱㄴㄷㄹ의 넓이의 $\frac{1}{4}$이 될 때는 점 ㅇ이 점 ㄴ에서 출발한지 9초 후이다.

**3**

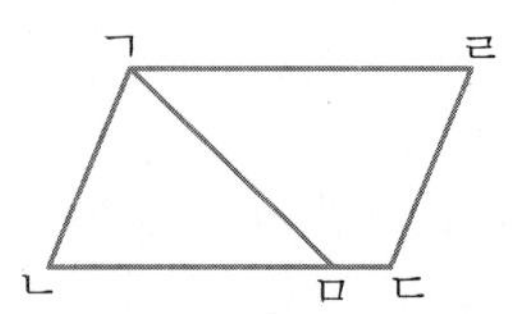


삼각형 ㄱㄴㅁ과 사다리꼴 ㄱㅁㄷㄹ은 높이가 같다.
변 ㅁㄷ의 길이를 한 덩어리(◯)라고 하면, 변 ㄴㅁ의 길이는 네 덩어리(◯◯◯◯)이고, 변 ㄱㄹ의 길이는 다섯 덩어리(◯◯◯◯◯)이다.
즉, 삼각형 ㄱㄴㅁ의 밑변의 길이는 네 덩어리이고, 사다리꼴 ㄱㅁㄷㄹ의 윗변과 아랫변의 길이의 합은 여섯 덩어리이므로 사다리꼴 ㄱㅁㄷㄹ의 넓이는 삼각형 ㄱㄴㅁ의 넓이의 $\frac{6}{4}$배$=\frac{3}{2}$배$=1\frac{1}{2}$배이다.

**4** (삼각형 ㉮의 넓이)
=(변 ㄴㅁ의 길이)×(높이)÷2,
(사다리꼴 ㉰의 넓이)
={(변 ㅂㄹ의 길이)+(변 ㅅㄷ의 길이)}×(높이)÷2
또 평행사변형의 넓이도 (평행인 두 변의 길이의 합)×(높이)÷2로 생각하면
(평행사변형 ㉯의 넓이)
={(변 ㄱㅂ의 길이)+(변 ㅁㅅ의 길이)}×(높이)÷2
(변 ㄴㅁ의 길이)=◯라고 하면
(변 ㄱㅂ의 길이)+(변 ㅁㅅ의 길이)=◯◯◯,
(변 ㅅㄷ의 길이)+(변 ㅂㄹ의 길이)=◯◯◯◯이다.
한편 (변 ㄴㅁ의 길이)+(변 ㄱㅂ의 길이)+(변 ㅁㅅ의 길이)+(변 ㅂㄹ의 길이)+(변 ㅅㄷ의 길이)=◯◯◯◯◯◯◯◯이고
이것은 (변 ㄱㄹ의 길이)+(변 ㄴㄷ의 길이)$=16\times2=32$(cm)와 같으므로
◯×8=32, ◯=4cm이다.
(변 ㄴㅁ의 길이)=4cm
또, (변 ㄱㅂ의 길이)+(변 ㅁㅅ의 길이)
$=4\times3=12$(cm)이므로
(변 ㅁㅅ의 길이)×2=12cm
(변 ㅁㅅ의 길이)=6cm
또 (변 ㅅㄷ의 길이)
=(변 ㄴㄷ의 길이)−{(변 ㄴㅁ의 길이)+(변 ㅁㅅ의 길이)}

$=16-(4+6)=6$(cm)

**특강탐구문제풀이**

**1**

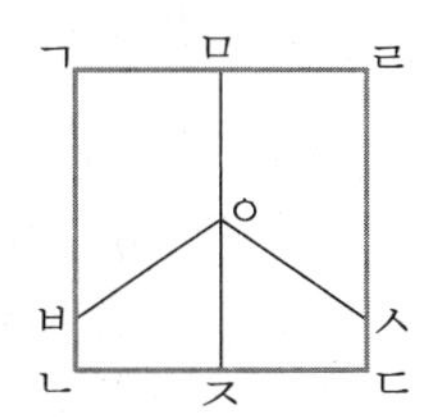


그림과 같이 변 ㄴㄷ의 중점 ㅈ을 정해 선분 ㅇㅈ을 긋자.

(사다리꼴 ㄱㅂㅇㅁ의 넓이)$=2\times$(사다리꼴 ㅂㄴㅈㅇ의 넓이)이고,

(사다리꼴 ㅂㄴㅈㅇ의 넓이)

$=$(오각형 ㄴㄷㅅㅇㅂ의 넓이)$\times\frac{1}{2}$이다.

사다리꼴 ㅂㄴㅈㅇ은 사다리꼴 ㄱㅂㅇㅁ과 높이가 같고 넓이는 $\frac{1}{2}$이므로

(선분 ㄱㅂ의 길이)$+$(선분 ㅁㅇ의 길이)

$=\{$(선분 ㅂㄴ의 길이)$+$(선분 ㅇㅈ의 길이)$\}\times2$이다.

그런데 (선분 ㄱㅂ의 길이)$+$(선분 ㅂㄴ의 길이)$+$(선분 ㅁㅇ의 길이)$+$(선분 ㅇㅈ의 길이)$=15\times2=30$(cm)이므로

(선분 ㄱㅂ의 길이)$+$(선분 ㅁㅇ의 길이)$=20$cm,

(선분 ㅂㄴ의 길이)$+$(선분 ㅇㅈ의 길이)$=10$cm이다.

따라서 (선분 ㅁㅇ의 길이)$=$(선분 ㅇㅈ의 길이)$=7.5$cm이므로

(선분 ㅂㄴ의 길이)$=10-7.5=2.5$(cm)이다.

**2** 사다리꼴 ㄱㄴㅂㅁ은 사다리꼴 ㄱㄴㄷㄹ과 높이가 같으므로 넓이가 $\frac{1}{3}$이 되려면

(선분 ㄱㅁ의 길이)$+$(선분 ㄴㅂ의 길이)

$=\{$(선분 ㄱㄹ의 길이)$+$(선분 ㄴㄷ의 길이)$\}\times\frac{1}{3}$이 되어야 한다.

선분 ㄱㅁ이 ○만큼 이동하면 선분 ㄴㅂ은 ○○만큼 이동하므로

$○+○○=(12+24)\times\frac{1}{3}$

$○○○=36\times\frac{1}{3}=12$

$○=4$cm이다.

즉 선분 ㄱㅁ이 4cm만큼 이동한 때는 점 ㅁ이 점 ㄱ을 출발한지 4초 후이다.

**3**

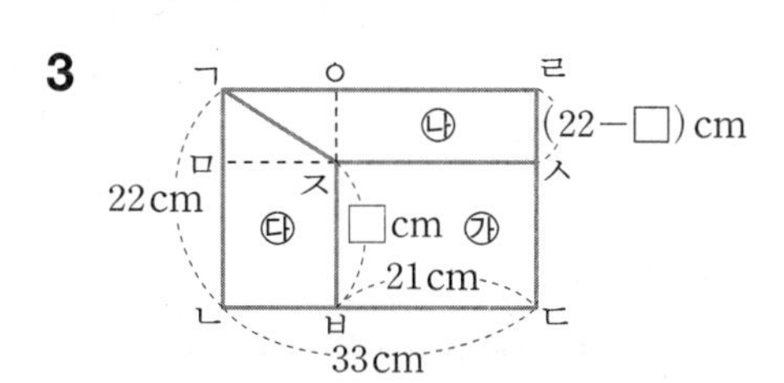


선분 ㄱㅈ을 대각선으로 하는 직사각형 ㄱㅁㅈㅇ을 그려 보면 삼각형 ㄱㅁㅈ과 삼각형 ㄱㅇㅈ의 넓이가 같으므로 사다리꼴 ㉯와 ㉰에서 두 삼각형의 넓이를 뺀 나머지 부분인 직사각형 ㅁㄴㅂㅈ과 직사각형 ㅇㅈㅅㄹ의 넓이도 같다.

변 ㅈㅂ의 길이를 □cm라고 하면, 변 ㄹㅅ의 길이는 (22−□)cm가 된다.

(직사각형 ㅁㄴㅂㅈ의 넓이)$=$(직사각형 ㅇㅈㅅㄹ의 넓이)

$12\times□=21\times(22-□)$

$12\times□=462-21\times□$

$33\times□=462$

$□=462\div33=14$(cm)

따라서 (㉮의 넓이)$=14\times21=294$(cm$^2$)

**4** 사다리꼴 ㄱㄴㄷㄹ의 넓이가 336cm$^2$이므로

$336\times2\div16-16=26$, 즉, 변 ㄴㄷ의 길이는 26cm이다.

또, 삼각형 ㄱㄴㅁ과 사다리꼴 ㄱㅁㄷㄹ의 넓이의 비가 3 : 4이므로

삼각형 ㄱㄴㅁ의 넓이는 $336\div7\times3=144$(cm$^2$)이고

(변 ㄴㅁ의 길이)$=144\times2\div16=18$(cm)이다.

따라서 (변 ㅁㄷ의 길이)$=26-18=8$(cm)이다.

**5** 삼각형 ㄹㅁㄷ의 넓이가 사다리꼴 ㄱㄴㄷㄹ의 넓이의 $\frac{2}{5}$이고, 삼각형 ㄹㅁㄷ과 사다리꼴 ㄱㄴㄷㄹ은 높이가 같으므로 변 ㅁㄷ의 길이는 변 ㄱㄹ과 변 ㄴㄷ의 길이의

합의 $\frac{2}{5}$이다.

(변 ㅁㄷ의 길이)$=(28+42)\times\frac{2}{5}$

$=70\times\frac{2}{5}=28$(cm)

따라서 (변 ㄴㅁ의 길이)

$=42-28=14$(cm)이다.

**6** 사다리꼴 ㄱㄴㅂㅁ과 사다리꼴 ㅁㅂㄷㄹ의 넓이의 비가 13 : 9이므로, 변 ㄱㅁ과 변 ㄴㅂ의 길이의 합과 변 ㅁㄹ과 변 ㅂㄷ의 길이의 합의 비도 13 : 9이다.

사다리꼴 ㄱㄴㄷㄹ의 윗변과 아랫변의 길이의 합이 $8+8+28=44$(cm)이므로

(변 ㄱㅁ의 길이)+(변 ㄴㅂ의 길이)

$=44\div(13+9)\times13=26$(cm)이다.

(변 ㄱㅁ의 길이)$=8$cm이므로

(변 ㄴㅂ의 길이)$=26-8=18$(cm)

(변 ㅂㄷ의 길이)$=28-18=10$(cm)

따라서 변 ㄴㅂ과 변 ㅂㄷ의 길이의 비는

18 : 10=9 : 5이다.

**7** (㉮의 넓이) : (㉯의 넓이)=2 : 5이고

(사다리꼴 ABCD의 넓이)=(㉮의 넓이)+(㉯의 넓이)이므로

(㉮의 넓이) : (사다리꼴 ABCD의 넓이)=2 : 2+5=2 : 7이다.

사다리꼴 ABCD의 윗변과 아랫변의 길이의 합은

$28+42=70$(cm)이고

사다리꼴 ㉮의 윗변과 아랫변의 길이의 합은

$70\div7\times2=20$(cm)이다.

1초에 점 A와 점 B가 이동하는 거리의 합은 $1+1.5=2.5$(cm)이므로 두 사다리꼴 ㉮와 ㉯의 넓이의 비가 2 : 5일 때는 점 P와 점 Q가 점 A와 점 B를 출발한지 $20\div2.5=8$(초) 후이다.

**8** 변 ㄱㄹ과 변 ㄴㄷ의 길이를 각각 2 : 3과 5 : 1로 나누었으므로 변 ㄱㄹ의 길이를 $2+3=5$와 $5+1=6$의 최소공배수인 30으로 생각하면

(변 ㄱㅁ의 길이)$=30\div(2+3)\times2=12$

(변 ㅁㄹ의 길이)$=30\div(2+3)\times3=18$

(변 ㄴㅂ의 길이)$=30\div(5+1)\times5=25$

(변 ㅂㄷ의 길이)$=30\div(5+1)\times1=5$이다.

두 사다리꼴은 높이가 같으므로 넓이의 비는 변 ㄱㅁ과 변 ㄴㅂ의 길이의 합과 변 ㅁㄹ과 변 ㅂㄷ의 길이의 합의 비와 같다.

$12+25=37$, $18+5=23$이므로 두 사다리꼴의 넓이의 비는 37 : 23이다.

**9** 평행사변형 ㉯의 넓이는 삼각형 ㉮의 넓이의 1.5배, 사다리꼴 ㉰의 넓이는 삼각형 ㉮의 넓이의 2.5배이므로, 삼각형 ㉮의 넓이를 2라 하면 평행사변형 ㉯의 넓이는 3, 사다리꼴 ㉰의 넓이는 5이다.

세 도형 ㉮, ㉯, ㉰는 높이가 같으므로

변 ㄱㅁ의 길이를 2라 하면, 변 ㅁㅂ과 변 ㄴㅅ의 길이의 합은 3, 변 ㅂㄹ과 변 ㅅㄷ의 길이의 합은 5이다.

(변 ㄱㅁ의 길이)$=2$,

(변 ㅁㅂ의 길이)$=3\div2=1.5$

(변 ㄴㅅ의 길이)$=1.5$이므로 변 ㅅㄷ의 길이는 변 ㅂㄹ의 길이보다 2만큼 더 길다.

변 ㅂㄹ과 변 ㅅㄷ의 길이의 합이 5이므로

(변 ㅂㄹ의 길이)$=(5-2)\div2=1.5$,

(변 ㅅㄷ의 길이)$=3.5$이다.

따라서 변 ㅂㄹ의 길이는 변 ㄱㅁ의 길이의 $\frac{1.5}{2}=\frac{3}{4}$이다.

**10** 변 AE의 길이는 변 ED의 길이의 $\frac{1}{3}$이고, 변 FC의 길이는 변 ED의 길이의 $\frac{4}{7}$이므로, 변 ED의 길이를 3과 7의 최소공배수 21이라고 하면

(변 ED의 길이)$=21$,

(변 AE의 길이)$=21\times\frac{1}{3}=7$이다.

한편 (변 BC의 길이)=(변 AD의 길이)

$=7+21=28$

(변 FC의 길이)$=21\times\frac{4}{7}=12$,

(변 BF의 길이)$=28-12=16$

사다리꼴 ㉮와 ㉯는 높이가 같으므로

(㉮의 넓이) : (㉯의 넓이)

$=(7+16):(21+12)=23:33$이다.

따라서 사다리꼴 ㉮의 넓이는 사다리꼴 ㉯의 넓이의 $\frac{23}{33}$ 이다.

본문 146~149쪽

## 원에 내접하는 다각형 33

**유제**

**1** ㉮ : 48° ㉯ : 108° **2** 105° **3** 143°
**4** ㉮ : 30° ㉯ : 60°

**특강탐구문제**

**1** 47° **2** 137° **3** 50° **4** 57° **5** 45°
**6** 2배 **7** 102° **8** 115° **9** 111° **10** 60°

### 유제풀이

**1**

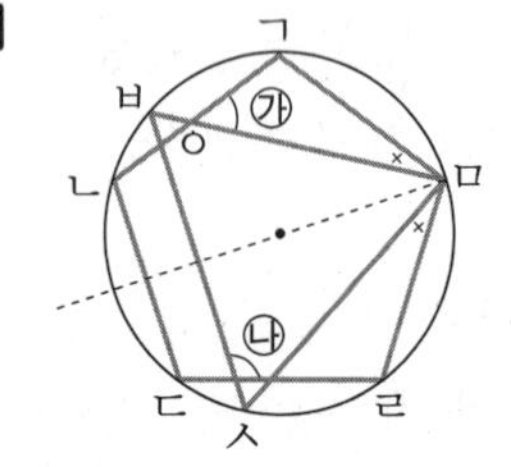


오각형의 내각의 합이 180°×3=540°이므로 정오각형에서의 한 내각은 540°÷5=108°이다.
삼각형 ㄱㅇㅁ에서 각 ㅇㄱㅁ은 108°이고, 정삼각형과 정오각형이 선대칭도형이므로 각 ㄱㅁㅇ은
(108°−60°)÷2=24°
따라서 (각 ㉮)=180°−108°−24°=48°이다.
또, 각 ㉯는 각 ㄴㄷㄹ과 동위각(같은 위치에 있는 각)이므로 108°이다.

**2**

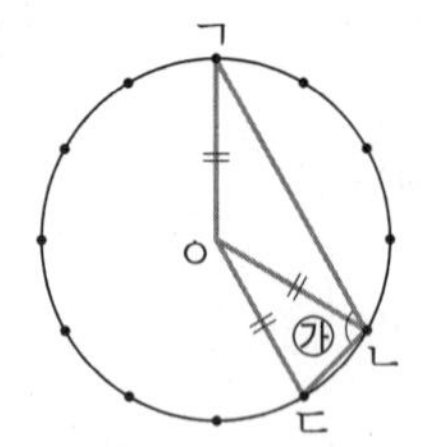


삼각형 ㅇㄴㄱ은 변 ㅇㄱ의 길이와 변 ㅇㄴ의 길이가 같은 이등변삼각형이고, 각 ㄱㅇㄴ은 원주를 12등분 한 것 중 4개에 대한 중심각이므로

$360° \times \frac{4}{12}$=120°이다.

또한, 삼각형 ㅇㄷㄴ도 이등변삼각형이므로 각 ㄷㅇㄴ은

$360° \times \frac{1}{12}$=30°이다.

따라서 (각 ㉮)=(각 ㅇㄴㄱ)+(각 ㅇㄴㄷ)
=(180°−120°)÷2+(180°−30°)÷2
=30°+75°
=105°
이다.

**3**

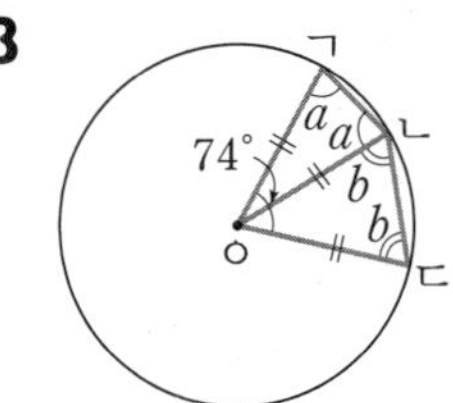


점 ㄴ과 점 ㅇ을 이어 보면 삼각형 ㅇㄱㄴ과 삼각형 ㅇㄴㄷ은 이등변삼각형이다.
(각 ㅇㄱㄴ)=(각 ㅇㄴㄱ)=$a$
(각 ㅇㄴㄷ)=(각 ㅇㄷㄴ)=$b$
라고 하면 사각형 ㅇㄱㄴㄷ은 내각의 합이 360°이므로
$2\times a+2\times b$=360°−74°=286°
(각 ㄱㄴㄷ)=$a+b$=286°÷2
=143°
이다.

**4**

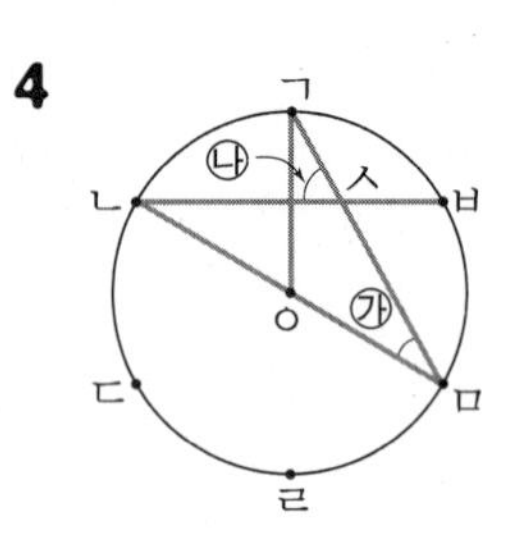


삼각형 ㅇㅁㄱ은 이등변삼각형이고 각 ㄱㅇㅁ은 원주를 6등분 한 것 중 2개에 대한 중심각이므로

$360° \times \frac{2}{6}$=120°

㉮=(180°−120°)÷2=30°
마찬가지로 각 ㅅㄴㅁ도 30°이고 삼각형 ㅅㄴㅁ에서 ㉯는 한 외각이므로 이웃하지 않는 두 내각의 크기의 합과 같다.
따라서 각 ㉯의 크기는 30°+30°=60°이다.
**참고*** 삼각형에서 한 외각의 크기는 이웃하지 않는 두 내각의 크기의 합과 같다.

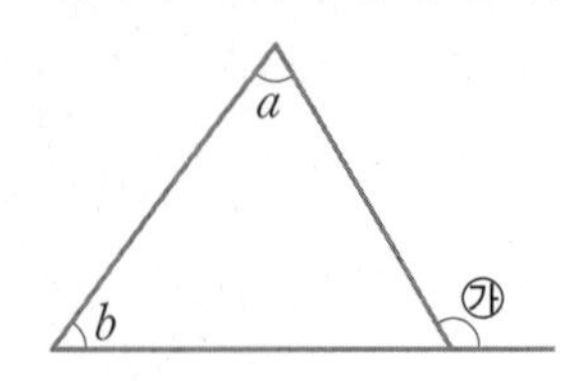


(각 ㉮)=$a+b$

**특강탐구문제풀이**

**1**

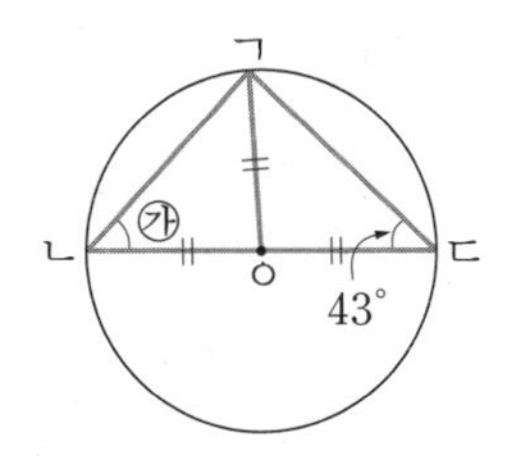


점 ㄱ과 ㅇ을 연결하면 삼각형 ㅇㄱㄴ과 삼각형 ㅇㄱㄷ은 각각 이등변삼각형이 된다.

즉, (각 ㅇㄴㄱ)=(각 ㅇㄱㄴ)=㉮,

(각 ㅇㄷㄱ)=(각 ㅇㄱㄷ)=43°이고 삼각형 ㄱㄴㄷ의 내각의 합은 180°이므로 2×㉮+43×2=180°이다.

따라서 2×㉮=94°로, ㉮=47°이다.

**2**

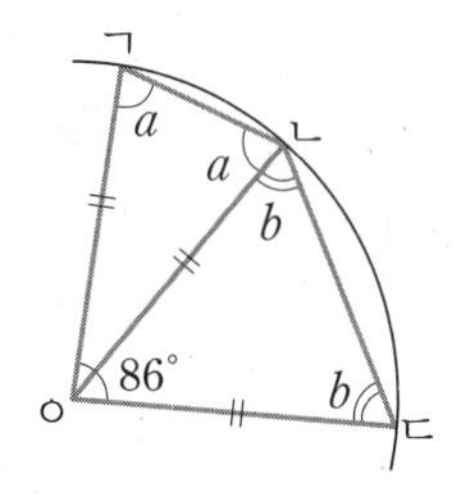


점 ㄴ과 점 ㅇ을 이어 보면 삼각형 ㅇㄱㄴ과 삼각형 ㅇㄴㄷ은 원의 반지름을 두 변으로 갖는 이등변삼각형이 되므로 사각형 ㄱㅇㄷㄴ의 그 내각의 합은 180°×2=360°가 된다.

(각 ㅇㄱㄴ)=(각 ㅇㄴㄱ)=$a$라 하고,

(각 ㅇㄴㄷ)=(각 ㅇㄷㄴ)=$b$라 하면

(각 ㄱㄴㄷ)=$a+b$이다.

$2\times a+2\times b=360°-86°=274°$

(각 ㄱㄴㄷ)=$a+b=274°\div 2=137°$

**3**

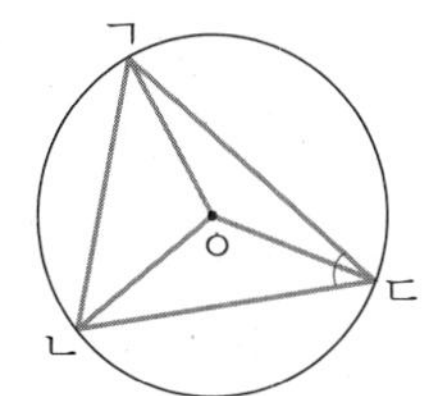


호 ㄱㄴ, 호 ㄴㄷ, 호 ㄷㄱ의 길이의 비가 5 : 6 : 7이므로 각 ㄱㅇㄴ, 각 ㄴㅇㄷ, 각 ㄷㅇㄱ의 크기의 비도 5 : 6 : 7이다. 또, 삼각형 ㅇㄱㄴ, 삼각형 ㅇㄴㄷ, 삼각형 ㅇㄱㄷ은 모두 이등변삼각형이므로 두 밑각의 크기가 각각 같다.

(각 ㄱㅇㄷ)=360°÷18×7=140°

(각 ㄴㅇㄷ)=360°÷18×6=120°

(각 ㄱㄷㅇ)=(180°−140°)÷2=20°

(각 ㄴㄷㅇ)=(180°−120°)÷2=30°

따라서 (각 ㄱㄷㄴ)=(각 ㄱㄷㅇ)+(각 ㄴㄷㅇ)

=20°+30°=50°

**4**

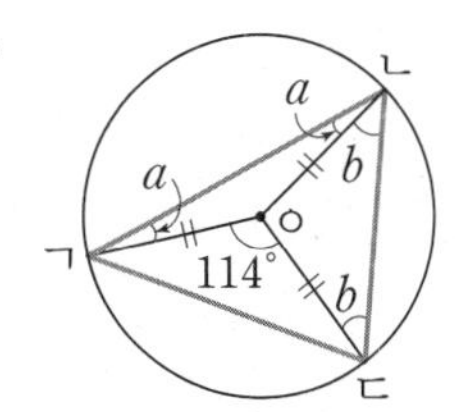


점 ㄴ, 점 ㅇ을 이어 보면 삼각형 ㅇㄱㄴ과 삼각형 ㅇㄴㄷ은 이등변삼각형이 되고, 사각형 ㄱㅇㄷㄴ의 내각의 합은 180°×2=360°이다.

또, (각 ㄱㅇㄴ)+(각 ㄴㅇㄷ) =360°−114°=246°이다.

(각 ㅇㄱㄴ)=(각 ㅇㄴㄱ)=$a$라 하고,

(각 ㅇㄴㄷ)=(각 ㅇㄷㄴ)=$b$라 하면

(각 ㄱㄴㄷ)=$a+b$이다.

$2\times a+2\times b=360°-246°=114°$

$(a+b)=114°\div 2=57°$

**5**

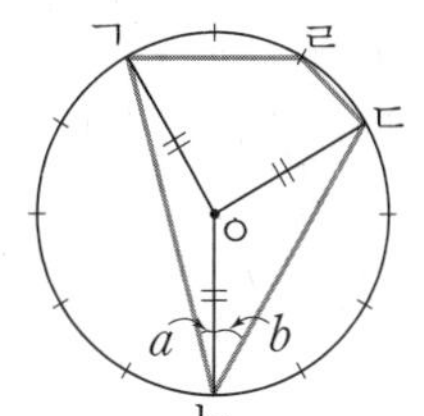


각 ㄱㅇㄷ은 원주를 12등분 한 것 중 3개에 대한 중심각이므로 $360°\times\frac{3}{12}=90°$이다.

삼각형 ㅇㄱㄴ과 삼각형 ㅇㄴㄷ은 이등변삼각형이므로, 사각형 ㄱㄴㄷㅇ의 내각의 합은 180°×2=360°이다.

또, (각 ㄱㅇㄴ)+(각 ㄴㅇㄷ)=360°−90°=270°이다.

$2\times a+2\times b=360°-270°=90°$

$a+b=90°\div 2=45°$

**6**

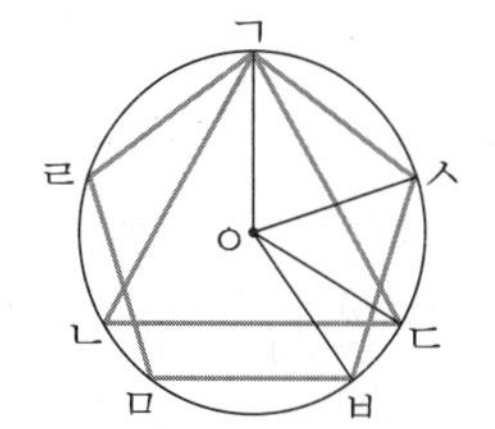

(각 ㄷㅇㅅ)

=(각 ㄷㅇㄱ)−(각 ㅅㅇㄱ)

$=120^\circ-72^\circ=48^\circ$

(각 ㅂㅇㄷ)

=(각 ㅂㅇㅅ)−(각 ㄷㅇㅅ) $=72^\circ-48^\circ=24^\circ$

따라서 각 ㄷㅇㅅ은 각 ㅂㅇㄷ의 $48 \div 24=2$(배)이다.

**7**

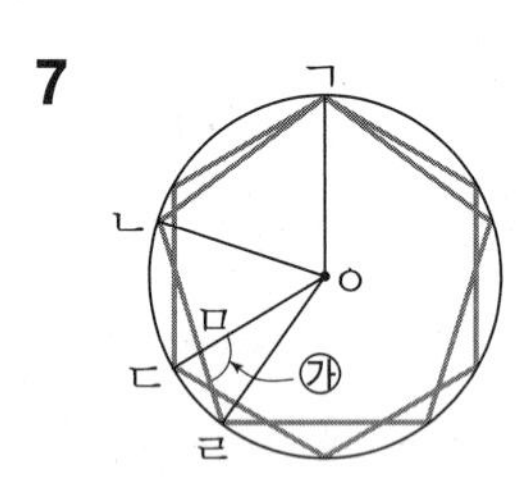


(각 ㄴㅇㄷ)=(각 ㄱㅇㄷ)−(각 ㄱㅇㄴ)

$=120^\circ-72^\circ=48^\circ$

삼각형 ㅇㄴㄹ은 이등변삼각형이고

(각 ㄴㅇㄹ)$=360^\circ \div 5=72^\circ$이므로

(각 ㅇㄴㅁ)$=(180^\circ-72^\circ)\div 2=54^\circ$이다.

따라서 삼각형 ㄴㅁㅇ에서 각 ㉮는 한 외각이므로 이웃하지 않는 두 내각의 합과 같다.

(각 ㄴㅇㅁ)+(각 ㅇㄴㅁ)$=48^\circ+54^\circ=102^\circ$

**8**

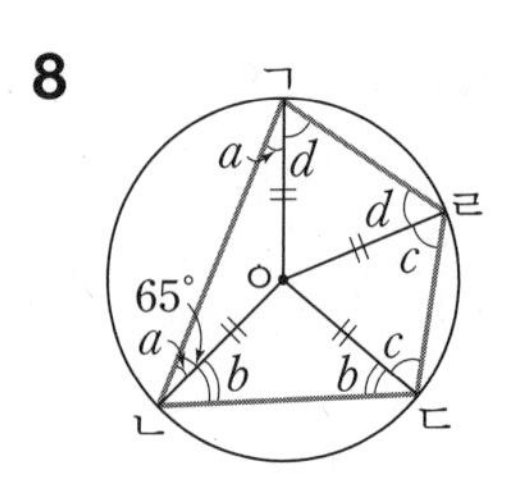


선분 ㄱㅇ, 선분 ㄴㅇ, 선분 ㄷㅇ, 선분 ㄹㅇ은 원의 반지름으로 길이가 모두 같다. 즉, 삼각형 ㅇㄱㄴ, 삼각형 ㅇㄴㄷ, 삼각형 ㅇㄷㄹ, 삼각형 ㅇㄹㄱ은 모두 이등변삼각형이다.

(각 ㅇㄱㄴ)=(각 ㅇㄴㄱ)$=a$,

(각 ㅇㄴㄷ)=(각 ㅇㄷㄴ)$=b$,

(각 ㅇㄷㄹ)=(각 ㅇㄹㄷ)$=c$,

(각 ㅇㄹㄱ)=(각 ㅇㄱㄹ)$=d$라 하면

$(a+b)=65^\circ$이므로 $(a+a+b+b)=65^\circ\times 2=130^\circ$이다.

사각형 ㄱㄴㄷㄹ에서 내각의 합은 $360^\circ$이므로

$(c+c+d+d)=360^\circ-(a+a+b+b)$

$=360^\circ-130^\circ=230^\circ$

따라서 $(c+d)=230^\circ\div 2=115^\circ$이다.

즉, (각 ㄱㄹㄷ)$=115^\circ$

**9**

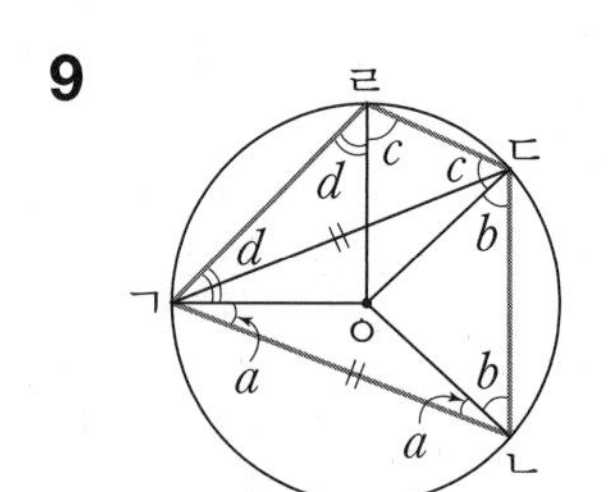


삼각형 ㄱㄴㄷ은 이등변삼각형이므로

(각 ㄱㄴㄷ)

$=(180^\circ-42^\circ)\div 2=69^\circ$

(각 ㅇㄱㄴ)=(각 ㅇㄴㄱ)$=a$,

(각 ㅇㄴㄷ)=(각 ㅇㄷㄴ)$=b$,

(각 ㅇㄷㄹ)=(각 ㅇㄹㄷ)$=c$,

(각 ㅇㄹㄱ) =(각 ㅇㄱㄹ)$=d$라 하면

(각 ㄱㄴㄷ)$=a+b=69^\circ$

$(a+a+b+b)=69^\circ\times 2=138^\circ$

사각형 ㄱㄴㄷㄹ에서 내각의 합은 $360^\circ$이므로

$(c+c+d+d)=360^\circ-138^\circ=222^\circ$, $(c+d)=111^\circ$

따라서 (각 ㄱㄹㄷ)$=(c+d)=111^\circ$이다.

**다른 풀이** 다음과 같이 생각해도 된다.

$a+a+b+b+c+c+d+d=360^\circ$이므로

$a+b+c+d=180^\circ$이다.

따라서 $a+b=69^\circ$이므로 $c+d=180-69=111^\circ$이다.

**참고*** 원에 사각형이 내접할 때는 마주 보는 내각의 합은 $180^\circ$이다.

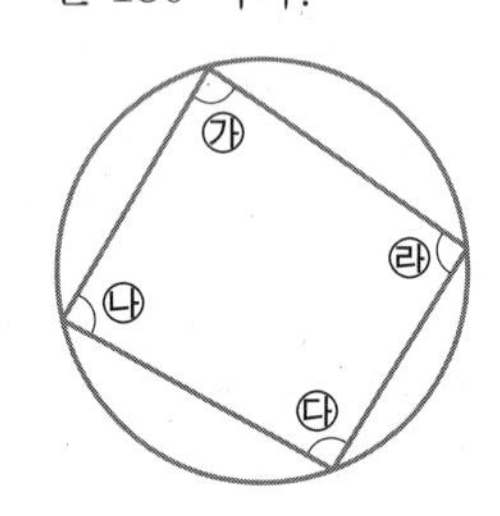


㉮+㉰$=180^\circ$

㉯+㉱$=180^\circ$

**10**

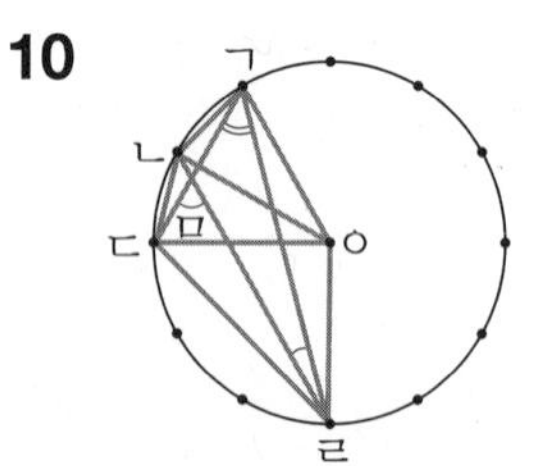


선분 ㅇㄱ, 선분 ㅇㄴ, 선분 ㅇㄷ, 선분 ㅇㄹ은 모두 원의 반지름으로 길이가 같다.

즉, 삼각형 ㅇㄱㄹ, 삼각형 ㅇㄴㄹ, 삼각형 ㅇㄱㄷ은 각각 이등변삼각형이다.

삼각형 ㅇㄱㄹ에서 각 ㄱㅇㄹ은 원주를 12등분 한 것 중

5개에 대한 중심각이므로 $360^\circ \div 12 \times 5 = 150^\circ$
따라서 (각 ㅇㄱㄹ)=(각 ㅇㄹㄱ)
$= (180^\circ - 150^\circ) \div 2 = 15^\circ$
마찬가지 방법으로 삼각형 ㅇㄱㄷ과 삼각형 ㅇㄴㄹ에서
(각 ㅇㄱㄷ)$= \{180^\circ - (360^\circ \div 12 \times 2)\} \div 2 = 60^\circ$
(각 ㅇㄹㄴ)$= \{180^\circ - (360^\circ \div 12 \times 4)\} \div 2 = 30^\circ$

(각 ㅇㄱㄹ)=(각 ㅇㄹㄱ)$=15^\circ$이므로
(각 ㄱㄹㅁ)$=30^\circ - 15^\circ = 15^\circ$
(각 ㄹㄱㅁ)$=60^\circ - 15^\circ = 45^\circ$이다.
구하고자 하는 각은 삼각형 ㄱㅁㄹ의 한 외각이므로
(각 ㄷㅁㄹ)=(각 ㄱㄹㅁ)+(각 ㄹㄱㅁ)
$= 15^\circ + 45^\circ = 60^\circ$

본문 150~153쪽

## 점수맞히기 34

### 유제

**1** ㉥ **2** 100점 **3** 65점 **4** 10점

### 특강탐구문제

**1** 3번 이기고 0번 졌다. **2** 0점 **3** A **4** 2 : 1
**5** ×○××○××○○× **6** 100점 **7** B, C, A, D
**8** 1승2패 **9** 5개 **10** 2 : 1

### 유제풀이

**1** 〔그림 1〕과 같이 대진표를 만든 후 선분의 양끝에 이긴 경우에는 ○를, 진 경우에는 ×를, 비긴 경우에는 △ 표시를 하여 나타내 보자. 5번 모두 이긴 ㉣를 표시하면 ㉯가 1번 진 것이 ㉣와의 경기이므로 ㉯가 그 외의 경기에서는 이긴 것을 알 수 있다. 같은 방법으로 ㉰는 ㉯, ㉣와의 경기를 제외한 모든 경기에서 이겼다.

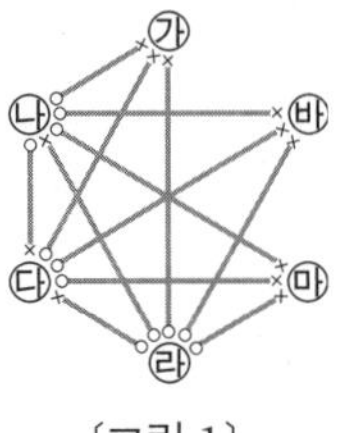

〔그림 1〕

이제 남아 있는 세 학교를 따로 생각하면 〔그림 2〕와 같이 된다. ㉮가 한 번 이긴 것이 ㉤와의 경기라면 ㉤는 4번 진 것이 되므로 조건에 맞지 않는다.
따라서 ㉮는 ㉥와의 경기에서 이겼다.

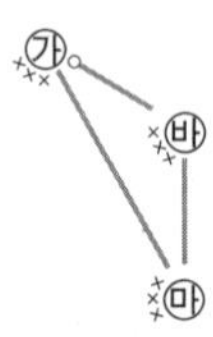

〔그림 2〕

참고* ㉮ 학교가 한 번만 이겼다는 것은 나머지 4번의 경기에서 모두 진 것을 뜻하는 것은 아니다. 3번 진 것은 분명하므로 나머지 한 번은 진 것일 수도 있고 비긴 것일 수도 있다.

**2**

| 과목 / 이름 | ① | ② | ③ | ④ | ⑤ |
|---|---|---|---|---|---|
| ㉠ | 20 | 60 | 50 | 10 | 70 |
| ㉡ | 40 | 30 | 60 | 50 | 20 |
| ㉢ | 30 | 20 | 70 | 10 | 80 |
| ㉣ | 80 | 50 | 10 | 70 | 10 |
| ㉤ | 50 | 40 | 20 | 80 | 30 |

• 먼저 과학 점수의 평균이 40점이므로 총점은 $40 \times 5 = 200$(점)이다. 그러므로 유일하게 총점이 200점이 되는 ②가 과학이다.

• A와 C의 수학 점수의 합이 150점인데, 두 점수를 더하여 150점이 되는 것은 70점, 80점을 갖고 있는 ④ 또는 ⑤이다.
만일 ⑤가 수학이라면 A의 수학 점수와 합하여 190점이 되는 수학, 국어 점수를 갖고 있는 B가 있어야 한다.
A의 수학 점수가 70점일 때는 B의 수학, 국어 점수의 합은 $190-70=120$(점)인데 이런 경우는 없다. A의 수학 점수가 80점일 때는 B의 수학, 국어 점수의 합은 $190-80=110$(점)이다.
㉤의 ④와 ⑤ 과목 점수 합계가 110이므로 다음 표와 같이 ㉤은 B이다.

| 과목 / 이름 | | 과학 | | 국어 | 수학 |
|---|---|---|---|---|---|
| C | 20 | 60 | 50 | 10 | 70 |
| | 40 | 30 | 60 | 50 | 20 |
| A | 30 | 20 | 70 | 10 | 80 |
| | 80 | 50 | 10 | 70 | 10 |
| B | 50 | 40 | 20 | 80 | 30 |

그런데 이 경우 C의 사회 점수는 20점 또는 50점이고, D의 과학 점수는 30점 또는 50점이므로 C의 사회, D의 과학 점수의 합이 140점인 경우는 없다.
그러므로 ⑤가 수학이 아니다.
④가 수학일 때 A의 수학 점수가 70점이면 B의 수학, 국어 점수의 합은 120(점)인데 이런 경우는 없다.
A의 수학 점수가 80점이면 B의 수학, 국어 점수의 합은 110(점)이므로 ㉡이 B가 되고 ③이 국어가 된다.
• C의 사회, D의 과학 점수의 합이 140점이므로 ㉣의 80점과 ㉠의 60점이 더해지면 140이 되어 ①은 사회, ㉠은 D, ㉢은 E, ⑤는 영어이다.
따라서 D의 영어 점수와 E의 사회 점수의 합은
$70+30=100$(점)이다.

**3** 5명의 평균 점수가 47점이므로 총점은
$47 \times 5 = 235$(점)이다. A와 B의 평균 점수가 C와 같으므로 C는 A와 B의 사이에 있다. 또 A, B, C의 점수의 합은 C×3으로 나타낼 수 있다. 한편 A의 점수가 C보다 낮으므로 점수가 낮은 순으로 A−C−B이다.
또 A의 점수는 D보다 높으므로 D−A−C−B이다.
E의 점수는 D보다 높으므로 D의 점수는 가장 낮은 15

점이다.
또한 E의 점수는 C의 점수보다 40점 낮으므로 C－40으로 나타낼 수 있다.
따라서
A＋B＋C＋D＋E＝C×3＋15＋C－40
＝C×4－25＝235, C×4＝260, C＝65(점)이다.

**4** 가, 나, 다 모두 2문제씩 답을 안 썼으므로 맞힌 문제만의 점수는 각각 14－2＝12(점), 12－2＝10(점), 12－2＝10(점)이고, 맞힌 문제 수는 각각 12÷2＝6(문제), 10÷ 2＝5(문제), 10÷2＝5(문제)이다.
나, 다만을 비교하면 양쪽 모두 답을 쓴 1, 2, 3, 8, 9, 10번 6문제의 답이 서로 다르다. 한 명이 맞히면 한 명이 틀리게 되고, 두 사람의 정답 수의 합은 5＋5＝10(문제)가 되어야 하므로 나머지 4, 5, 6, 7번에서 두 사람이 적은 나의 6, 7번 답과 다의 4, 5번 답은 모두 정답이다.
즉, 4번 : ○, 5번 : ×, 6번 : ○, 7번 : ×가 정답이다.
이것을 이용해 가의 4, 5, 6, 7번을 채점하면 정답 수는 2문제이다. 그런데 가의 정답 수는 6문제이므로 답을 적은 나머지 1, 8, 9, 10번은 모두 정답이다.
즉, 1번 : ○, 8번 : ×, 9번 : ○, 10번 : ○가 정답이다.
다시 이것을 이용해 나를 채점하면 나는 1, 6, 7, 8, 10번을 맞혔고, 2, 3, 9번을 틀렸으므로 2, 3, 9번의 답은 다가 맞혔다. 즉, 2번 : ×, 3번 : ○, 9번 : ○가 정답이다.
따라서 완성된 정답표에 따라 라를 채점하면 라는 1, 2, 3, 4번을 맞혔고, 7, 8번의 답을 안 썼으므로 8＋2＝10(점)이다.
각 문제의 정답은 아래와 같다.

| 번호 | 1 | 2 | 3 | 4 | 5 | 6 | 7 | 8 | 9 | 10 |
|---|---|---|---|---|---|---|---|---|---|---|
| 정답 | ○ | × | ○ | ○ | × | ○ | × | × | ○ | ○ |

**특강탐구문제풀이**

**1** 모두 4×3÷2＝6(번) 팔씨름을 하였다. 따라서 이긴 횟수는 6번, 진 횟수는 6번이다. 갑이 을을 이겼으므로 남은 이긴 횟수는 5번이다. 이 중 을, 병, 정의 이긴 횟수가 같으므로 각각 1번씩 이기고 5－3＝2(번)은 갑이 이긴 것이다. 즉, 갑이 이긴 횟수는 처음 을을 이긴 1번을 합하여 3번이다.
따라서 갑은 3번 이기고 0번 졌다.

**2** 그림과 같이 대진표를 만들어 선분의 양끝에 이긴 경우를 ○, 진 경우를 ×, 비긴 경우를 △로 표시해 보자. 문제에 나와 있는 내용을 모두 표시하면 A, B, C, D 팀은 각각 0점, 2점, 3점, 3점이다.

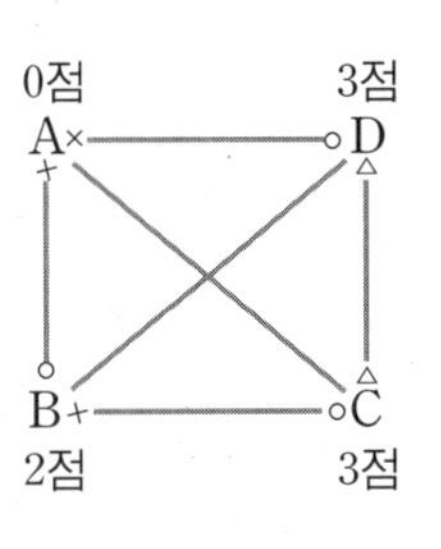


B 팀이 2위를 하기 위해서는 남아 있는 D 팀과의 경기에서 이겨서 2점을 따야 한다. 즉, B 팀은 4점이 된다. 또 C 팀은 A 팀과의 경기에서 이겨 2점을 따야만 3＋2＝5(점)으로 1등이 된다.
따라서 A 팀은 한 번도 이기지 못했으므로 0점이다.

**3** 그림과 같이 대진표를 만들고 알 수 있는 내용을 순서대로 표시하자. 먼저 D는 E에게 이겼다. D의 유일한 1승을 알았으므로 2패 2무만 남았다. 한편 A는 무승부가 없으므로 D는 A에게 졌다. 또, B도 이긴 경기가 없으므로 무승부가 없는 A와 E에게는 졌다.

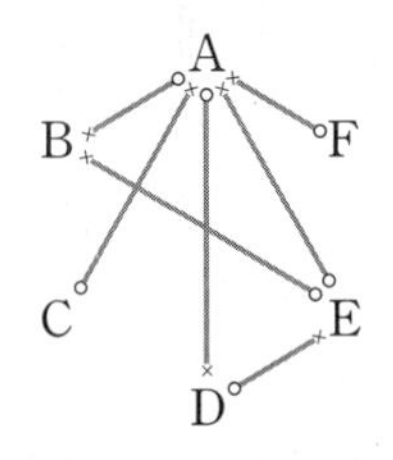


이제 A의 2승을 알았으므로 A는 나머지 경기에서 모두 졌다. 따라서 F가 이긴 한 경기는 A와의 경기이다.

**4** 먼저 다음과 같이 표를 만들자.

| | 승 | 패 | 무 | 득점 | 실점 |
|---|---|---|---|---|---|
| A | 0 | ①1 | 1 | 3〈 B : 1, ④C : 2 | 5〈 |
| B | 2 | 0 | 0 | 5〈 ⑤C : 2 | ③2〈 ④A : 1, ④C : 1 |
| C | 0 | ①1 | ②1 | 3〈 ④A : 2, ④B : 1 | 4〈 ⑤A : 2, ⑤B : 2 |

한 팀은 2번씩 경기를 하므로 B는 지거나 비긴 경기가 없다. 또 A와 C를 상대로 한 두 경기에서 두 번 이긴 것이므로 A와 C는 한 번씩 졌다. …… ①
C는 B를 상대로 1번 졌고, A와의 경기에선 비긴 것을 알 수 있다. …… ②

한편, 세 팀의 득점의 합과 실점의 합은 같으므로 B의 실점은 3+5+3−5−4=2(점)이다. …… ③
A와 C는 무승부이고 총 득점이 같다. A, C는 서로 득점과 실점은 같고 나머지 득점이 똑같이 B에게서 얻은 점수이다. B가 실점이 2골이므로 A, C는 각각 1골씩 B와의 경기에서 얻었다. 따라서 A, C의 득점이 3점씩이므로 A와 C는 2 : 2로 비겼다. …… ④
또, C는 4골 중 2골을 A에게 실점했으므로 나머지 2골은 B에게 실점한 것이다. …… ⑤
따라서 B와 C의 경기 결과는 2 : 1이다.

**5**

| | 1 | 2 | 3 | 4 | 5 | 6 | 7 | 8 | 9 | 10 |
|---|---|---|---|---|---|---|---|---|---|---|
| 가 | × | ⊗ | × | × | ○ | ◎ | × | ○ | ○ | × |
| 나 | × | ○ | ◎ | × | ○ | × | ◎ | ○ | ○ | × |
| 다 | × | ○ | × | ◎ | ⊗ | × | × | ○ | ⊗ | ◎ |
| 정답 | × | ○ | × | × | ○ | × | × | ○ | ○ | × |

가, 나, 다가 푼 문제의 개수는 3×10=30(개)이고, 그 중 정답은 8+8+6=22(개)이므로 틀린 답의 개수는 30−22=8(개)이다. 틀린 답이 가장 적은 경우를 생각해 보면 세 명의 답이 같은 경우 정답이라고 하고, 세 명 중 두 명이 같은 경우에는 두 명의 답이 정답이라고 할 수 있다. 이 경우에 따라 틀린 답을 ◯로 표시하면 모두 8개이므로 위 조건에 맞는다. 만일 틀린 답을 바꾸면 실제 결과에서 틀린 답 전체의 개수가 늘어나게 되므로 위 조건에 맞지 않는다. 따라서 정답은 위 표의 맨 아랫줄과 같다.

**6** 갑은 정보다 2문제 더 맞혔으므로 갑의 점수는 (정의 점수)+20이다. 또, 정의 점수가 4명의 평균 점수이므로 (총점)=(정의 점수)×4이다.
갑+을+병+정=정+20+을+20+정=정×4,
을+40=정×2, 을=정×2−40
한편, 정의 점수가 4명의 평균이므로 정은 가장 낮은 점수일 수 없고, 갑은 정보다 20점 높으므로 높은 점수 순서대로 나열하면 을−갑−정−병이다.
을의 점수는 갑의 점수보다 높으므로 정×2−40이 정+20보다 크면 된다. 정이 60점일 때 갑과 을의 점수가 80점으로 같아지고 정이 70점일 때 갑의 점수는 90점, 을의 점수는 100점이 된다.
10점씩인 문제 10문제를 풀었으므로 을의 점수는 100점보다 높을 수는 없다. 따라서 을의 점수는 100점이다.

참고*
다음과 같이 생각할 수 있다.
점수가 높은 순서대로 을−갑−정−병(20점)이다.
정이 30점일 때, 갑은 50점, 총점은 120점, 을은 20점이다.
정이 40점일 때, 갑은 60점, 총점은 160점, 을은 40점이다.
정이 50점일 때, 갑은 70점, 총점은 200점, 을은 60점이다.
정이 60점일 때, 갑은 80점, 총점은 240점, 을은 80점이다.
정이 70점일 때, 갑은 90점, 총점은 280점, 을은 100점이다. 이 때, 정이 70점일 때가 조건에 맞는다.

**7** 5번의 경기는 A와 B, C와 D, B와 C, A와 C, A와 D 사이의 경기였음을 알 수 있다. 이 중 B와 C의 경기에서는 B가 이겼고, A와 C의 경기에서는 C가 이겼으며 A와 D의 경기에서는 A가 이겼다. 즉, A와 B, C와 D가 경기한 후 다시 B와 C, A와 D가 경기했음을 알 수 있다. 그 후 A와 C가 또 경기를 한 것은 A, C의 순위가 같았기 때문이다. 그런데 A와 D의 경기에서는 A가 이겼고 B와 C의 경기에서는 C가 졌으므로 4번 경기한 후 A, C의 순위가 같아지려면 처음 A와 B의 경기에서는 A가 지고 C와 D의 경기에서는 C가 이겼음을 알 수 있다. 마지막 A와 C의 경기에서는 C가 이겼으므로 A는 1승 2패, B는 2승, C는 2승 1패, D는 2패임을 알 수 있다.
따라서 순위가 높은 사람의 순서대로 쓰면 B, C, A, D이다.

**8** 각 팀은 모두 3번씩 경기를 하고 총 6번의 경기를 하였다. 처음 3회의 경기에서 B 팀은 A 팀에게 지고, C 팀에게 이겼으므로 1승 1패다. 또 D 팀은 C 팀에게 졌으므로 1패이다.
경기를 모두 마친 후 D 팀은 2승 1패이므로 D팀의 1패는 C 팀에게 진 것이고 나머지 2승은 각각 A 팀, B 팀에게서 이긴 것이다.
따라서 B 팀은 처음 3회 경기의 1승 1패와 D 팀에게 진 1패를 더해서 1승 2패를 하였다.

**9**

| | 1 | 2 | 3 | 4 | 5 | 6 | 7 | 8 | 9 | 10 | 정답수 |
|---|---|---|---|---|---|---|---|---|---|---|---|
| 가 | × | ○ | × | × | ○ | ○ | × | × | × | ○ | 9 |
| 나 | × | × | × | ○ | × | × | × | × | ○ | × | 3 |
| 다 | ◎ | ○ | × | × | × | ○ | ○ | × | ○ | × | 6 |
| 라 | × | ○ | ○ | × | ○ | ○ | ○ | ○ | × | ○ | 6 |

전체 정답 수는 9+3+6+6=24(개)이다.

먼저 4명의 답이 2개씩 같은 것은 5, 7, 9, 10의 4문제이므로 이 중에 정답이 반드시 2×4=8(개) 있다.

또 나머지 1, 2, 3, 4, 6, 8의 6문제는 3명의 답이 같고 1명만 다르므로 3명의 답을 정답이라고 생각하면 이 중 정답은 3×6=18(개) 있다.

이 때 정답은 모두 8+18=26(개)가 된다. 이것은 전체 정답 수보다 26−24=2(개)가 많다. 따라서 1, 2, 3, 4, 6, 8번 중 하나를 3명이 틀리고 1명만 맞힌 것으로 생각하면 정답의 수가 2개 줄어 24개가 된다.

한편 1, 2, 3, 4, 6, 8번을 모두 3명의 답이 정답인 것으로 생각하면 가는 표와 같이 6문제 모두 맞힌 것이 되지만 이 중 한 문제는 3명의 답이 틀린 것이므로 가는 1, 2, 3, 4, 6, 8번 중 1문제를 틀렸다. 가의 정답 수는 9개이므로 가는 5, 7, 9, 10번을 모두 맞혔다.

이제 1, 2, 3, 4, 6, 8번 중 한 문제를 나머지 3사람과 다른 답을 정답으로 하면 된다. 그런데 현재 색칠되어 있는 것으로 채점하면 가 : 10개, 나 : 4개, 다 : 5개, 라 : 7개로 다만 1개 적고 모두 1개씩 많다. 따라서 다만 틀리고 나머지 3명이 모두 맞힌 것으로 되어 있는 1번의 정답을 ×에서 ○로 고치면 된다.

따라서 정답이 ○인 것은 1, 2, 5, 6, 10번의 5개이다.

**10** 먼저 표를 만들어 보자.

한 팀이 3번씩 경기하므로 C가 5점을 얻은 경우는 2승 1무일 때뿐이다. …… ①

모두 6경기를 하였고, 한 경기당 양팀이 얻는 점수의 합은 항상 2점이므로, 점수의 총합은 12점이다.

C 팀이 5점, A 팀이 4점이므로 남은 점수는 3점이고, 0점을 얻은 팀이 없고 D 팀이 3등이므로 D 팀은 2점, B 팀은 1점이다.

따라서 B 팀은 1무 2패이고, D 팀은 1승 2패 또는 2무 1패이다. …… ②

그런데, D 팀이 1승 2패라면 비긴 경기는 B와 C 팀의 경기뿐이고, D 팀은 B 팀에 이겼고 득점이 1골이므로 1 : 0으로 이겼다.

이 때 B 팀의 득점은 0 : 0, 0 : 1에서 A와의 경기에서만 3골을 넣고 졌다.

그런데 A 팀은 총 3골을 넣었으므로, B 팀에게 이길 수 없다. 이것은 성립하지 않으므로, D 팀은 2무 1패이다.

이 때 C와 D, B와 D의 경기가 무승부이다. …… ③

또 무승부인 경기는 모두 0 : 0이고 D는 B, C와 무승부였으므로 D가 얻은 1골은 A에게서 얻은 것이다. …… ④

한편 D 팀은 승이 없으므로 A 팀은 D 팀을 상대로 2 또는 3골을 얻었다. 그런데 A 팀은 2승을 했으므로 3골 모두 D 팀에게서 얻은 점수일 수는 없다. 따라서 A 팀은 D 팀에게서 2골을 얻었다. …… ⑤

따라서 A와 D 팀의 경기 결과는 2 : 1이다.

| | 점수 | 승 | 패 | 무 | 득점 | 실점 |
|---|---|---|---|---|---|---|
| A | 4 | 2 | 1 | 0 | 3〈 ⑤ D : 2 | ④ D : 1 |
| B | ②1 | 0 | ②2 | ②1 | 3〈 C : 3 | C : 4 |
| C | 5 | ①2 | 0 | ①1 | 5〈 B : 4 | B : 3 |
| D | ③2 | 0 | ③1 | ③2 | 1〈 ④ A : 1 | ⑤ A : 2 |

본문 154~157쪽

## 그림으로 푸는 속력 문제 35

**유제**

**1** 15km **2** 1800m **3** 시속 $13\frac{1}{11}$km **4** 4.5km

**특강탐구문제**

**1** 2km **2** 6km **3** 시속 $22\frac{1}{2}$(22.5)km

**4** $4\frac{1}{2}$(4.5)km **5** 35분 **6** 오전 8시 30분

**7** 오전 7시 **8** 2시간 24분 **9** 50km **10** 15km

### 유제풀이

**1** 1시간에 60km씩 가면 45km씩 갈 때보다 15km씩 더 가게 되는데 이 때문에 5분$=\frac{5}{60}$시간$=\frac{1}{12}$시간 적게 걸린다.

그림으로 나타내면 다음과 같다.

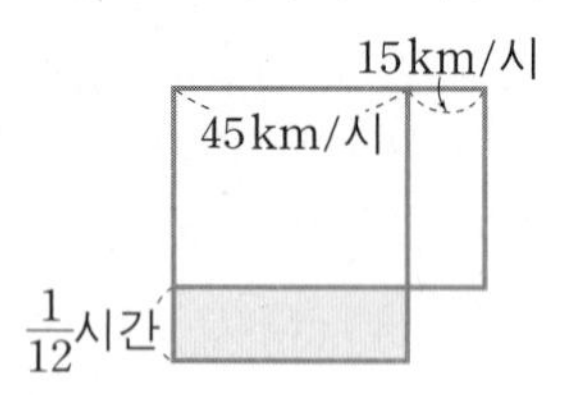


1시간에 45km씩 $\frac{1}{12}$시간 동안 가는 거리를 1시간에 15km씩 더 가는 셈이므로

$45\times\frac{1}{12}=\frac{15}{4}$(km),

$\frac{15}{4}\div 15=\frac{15}{4}\times\frac{1}{15}=\frac{1}{4}$(시간)이 걸린다. 즉, 1시간에 60km씩 $\frac{1}{4}$시간에 가는 거리이고 또한 1시간에 45km씩 $\frac{1}{12}+\frac{1}{4}=\frac{4}{12}=\frac{1}{3}$(시간)에 가는 거리이므로

$60\times\frac{1}{4}=45\times\frac{1}{3}=15$(km)이다.

**2**

□m/분 30m/분
㉮ 36분
90분
㉯ 90−36=54(분)

1분에 30m씩 36분 동안 간 거리는 원래 속도로 90−36=54(분) 동안 간 거리와 같다. 즉, 그림에서 ㉮ 부분과 ㉯ 부분의 넓이는 같다.

30×36=□×54, 1080=□×54, □=20(m)

따라서 집에서 학교까지의 거리는 1분에 20m씩 90분 동안 가는 거리이고, 또한 1분에 20+30=50(m)씩 36분 동안 가는 거리이므로 20×90=50×36=1800(m)이다.

**3** 1시간에 16km씩 가면 9.6km씩 갈 때보다 16−9.6=6.4(km)씩 더 가게 되는데, 이 때문에 15분+15분=30분$=\frac{30}{60}$시간$=\frac{1}{2}$시간 적게 걸린다.

그림으로 나타내면 다음과 같다.

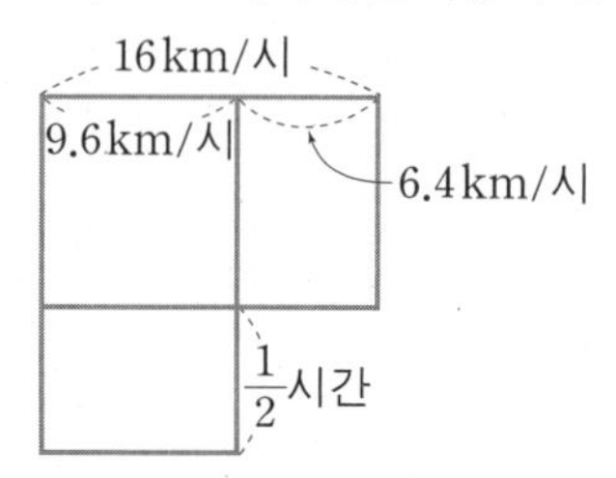


1시간에 9.6km씩 $\frac{1}{2}$시간 동안 갈 거리를 1시간에 6.4km씩 더 가는 셈이므로

$9.6\times\frac{1}{2}=4.8$, $4.8\div 6.4=0.75$(시간)이 걸린다.

즉, 집에서 기차역까지의 거리는 1시간에 16km씩 0.75시간에 가는 거리이고, 또한 1시간에 9.6km씩 $\frac{1}{2}+0.75=1.25$(시간)에 가는 거리이므로

16×0.75=9.6×1.25=12(km)이다.

따라서 집에서 기차역까지 시속 16km로 갔을 때 걸린 시간은 $\frac{12}{16}=\frac{3}{4}=\frac{45}{60}$(시간)=45(분)이고, 기차가 출발하는 시간은 45+15=60(분) 후이므로 55분만에 가기 위해서는 시속 $12\div\frac{55}{60}=13\frac{1}{11}$(km)로 가야 한다.

**4**

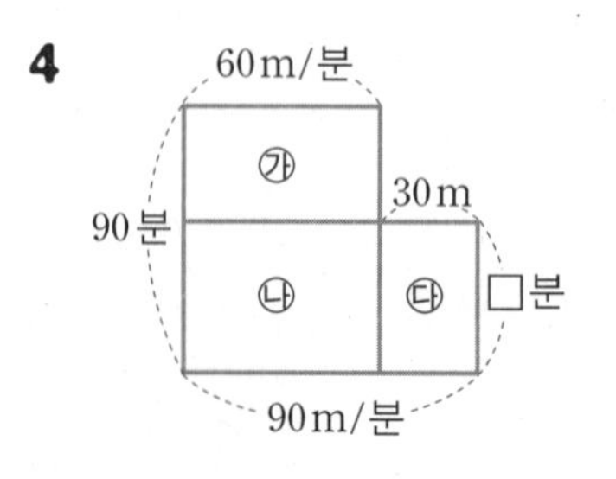


그림으로 나타내면 위와 같다.

㉮+㉯+㉰=6.9km=6900m이어야 한다. ㉮, ㉯의 합은 60×90=5400(m)이고, ㉰는 6900−5400=1500

(m)이므로 $1500\div30=50$(분) 동안 1분에 90m씩 걸은 것이 된다.
따라서 속력을 바꾼 지점에서 축구 경기장까지의 거리는 1분에 90m씩 50분 동안 걸은 거리이므로
$90\times50=4500$(m)$=4.5$(km)이다.

**특강탐구문제풀이**

**1** 시속 12km로 가면 시속 4km로 갈 때보다 1시간에 $12-4=8$(km)씩 더 가게 되는데, 이 때문에
20분$=\frac{20}{60}$시간$=\frac{1}{3}$시간 적게 걸렸다.

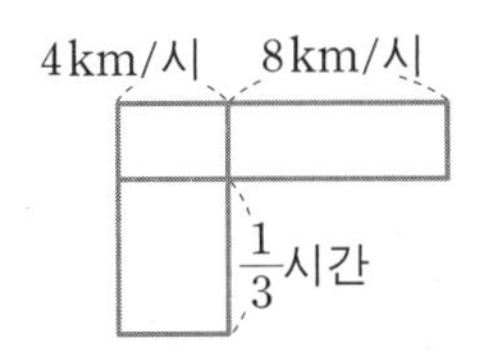


위 그림에서 보면 시속 4km로 $\frac{1}{3}$시간 동안 갈 거리를 1시간에 8km씩 더 가는 셈이므로
$4\times\frac{1}{3}=\frac{4}{3}$(km), $\frac{4}{3}\div8=\frac{1}{6}$(시간)이 걸린다.
즉, 1시간에 12km씩 $\frac{1}{6}$시간 동안 가는 거리이고, 또한 1시간에 4km씩 $\frac{1}{3}+\frac{1}{6}=\frac{1}{2}$(시간) 동안 가는 거리이다.
따라서 집에서 학교까지의 거리는
$12\times\frac{1}{6}=4\times\frac{1}{2}=2$(km)이다.

**2** 시속 10km로 가면 시속 8km로 갈 때보다 1시간에 2km씩 더 가게 되고, 현수는 현민이보다 4km를 더 달리고 15분$=\frac{1}{4}$시간만큼 더 달렸다.

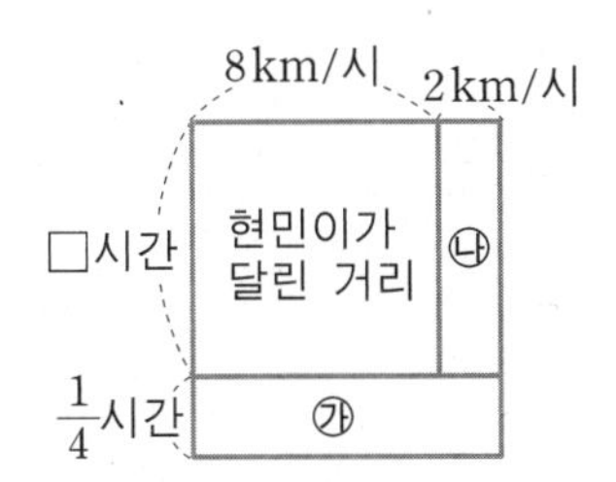


그러므로 위 그림에서 ㉮, ㉯ 부분의 넓이의 합은 4km가 된다.

(㉮ 부분의 넓이)$=10\times\frac{1}{4}=\frac{5}{2}$(km),
(㉯ 부분의 넓이)$=4-\frac{5}{2}=\frac{3}{2}$(km)이므로
현민이가 달리는 데 걸린 시간은 $\frac{3}{2}\div2=\frac{3}{4}$(시간)이다.
따라서 현민이가 달린 거리는 $8\times\frac{3}{4}=6$(km)이다.

**3**

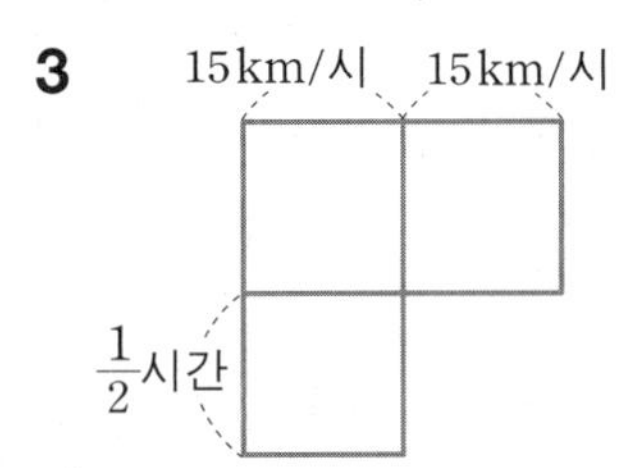


위 그림에서 보면 시속 15km로 $\frac{1}{2}$시간 동안 갈 거리를 똑같이 시속 15km로 더 가는 셈이므로 $\frac{1}{2}$시간이 걸린다.
즉, 영화관까지의 거리는 $15\times1=30\times\frac{1}{2}=15$(km)이다. 또한 시속 30km로 달렸을 때 걸리는 시간은
$15\div30=\frac{1}{2}$(시간)$=30$분이고, 그 시간은 영화 상영 10분 전이므로 딱 맞게 40분만에 도착하려면
$15\div\frac{40}{60}=15\times\frac{3}{2}=\frac{45}{2}=22\frac{1}{2}$(km)의 시속으로 가야 한다.

**4**

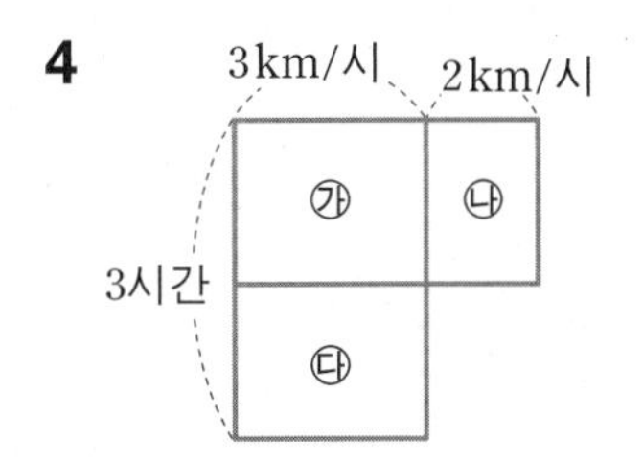


총 걸은 거리는 12km이므로 ㉮, ㉯, ㉰의 합이 12km이면 된다. ㉮, ㉰의 합은 3km×3시간=9km이므로
㉯$=12-9=3$(km)이고, 시속 5km로 걸은 시간은
$3\div2=\frac{3}{2}$(시간)이다.
따라서 올라갈 때 걸린 시간은 $3-\frac{3}{2}=\frac{3}{2}$(시간)이고 속력은 시속 3km이므로, 그 거리는
$3\times\frac{3}{2}=\frac{9}{2}=4\frac{1}{2}$(km)이다.

**5**

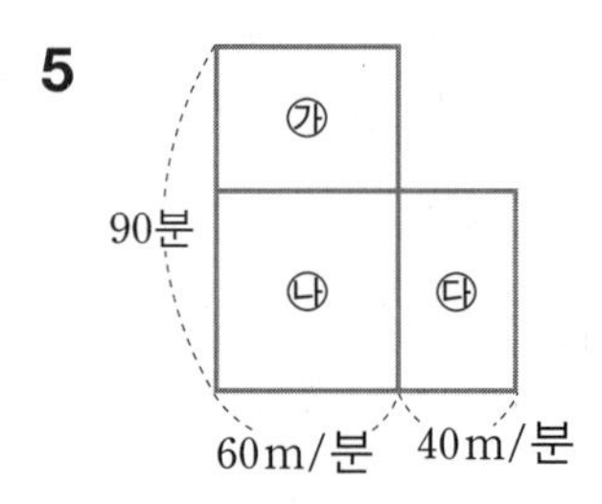


총 이동한 거리는 7600m이므로 ㉮, ㉯, ㉰의 합이 7600m이면 된다. ㉮, ㉯의 합은 $60 \times 90 = 5400$m이므로 ㉰$= 7600 - 5400 = 2200$(m)이고, 분속 100m로 달린 시간은 $2200 \div 40 = 55$(분)이다.
따라서 걸은 시간은 $90 - 55 = 35$(분)이다.

**6**

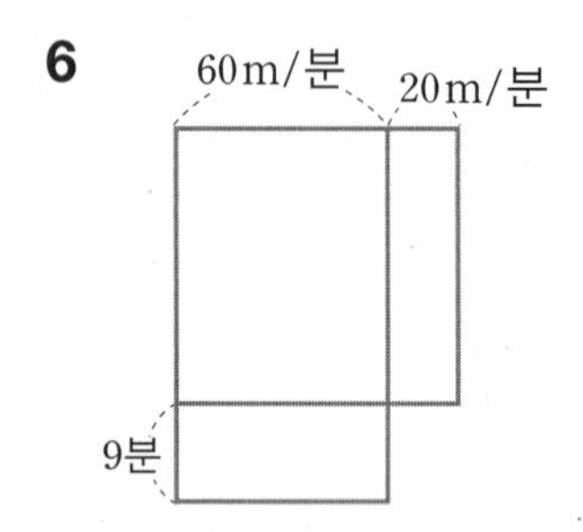


그림에서 분속 60m로 9분 동안 갈 거리를 1분에 20m씩 더 가는 셈이므로 $60 \times 9 = 540$(m),
$540 \div 20 = 27$(분)이 걸린다.
즉, 분속 80m로 갈 때 27분이 걸리고 이는 3분 일찍 도착한 것이므로, 학교에 도착하여야 하는 시각은 오전 8시 30분이다.

**7**

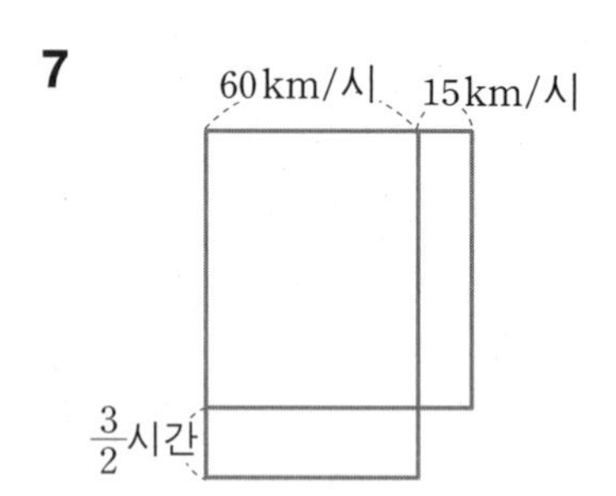


그림에서 시속 60km로 $\frac{3}{2}$시간 동안 갈 거리를
시속 15km로 더 간 셈이므로 $60 \times \frac{3}{2} = 90$(km),
$90 \div 15 = 6$(시간)이 걸린다.
즉, 시속 75km로 갈 때 6시간이 걸리고, 그 때 도착한 시간은 오후 1시이므로 $13 - 6 = 7$(시)이다. 따라서 오전 7시에 출발하였다.

**8**

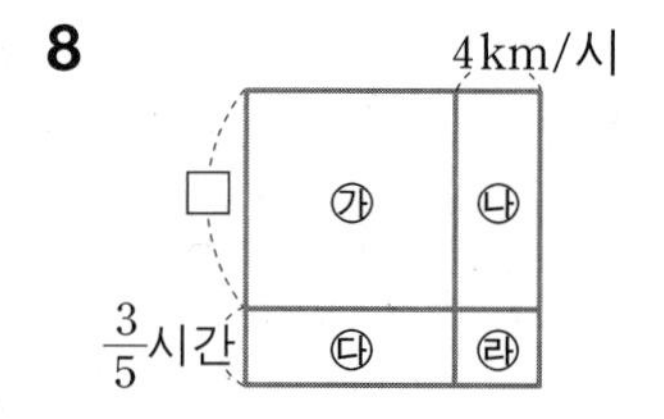


형이 철길을 지난 후 동생이 철길에 도착할 때까지 걸린 36분$= \frac{3}{5}$시간 동안 형이 이동한 거리는 9.6km(㉰+㉱)이므로 형의 속력은 시속 $9.6 \div \frac{3}{5} = 16$(km)이다.
즉, 동생의 속력은 시속 $16 - 4 = 12$(km)이고, ㉰와 ㉯의 크기가 같아야 하므로
$12 \times \frac{3}{5} = \frac{36}{5}$, $\frac{36}{5} \div 4 = \frac{9}{5}$(시간)이 □ 안에 들어가야 한다.
따라서 동생은 $\frac{9}{5} + \frac{3}{5} = \frac{12}{5} = 2\frac{2}{5}$시간, 즉 2시간 24분만에 철길을 건넜다.

**9**

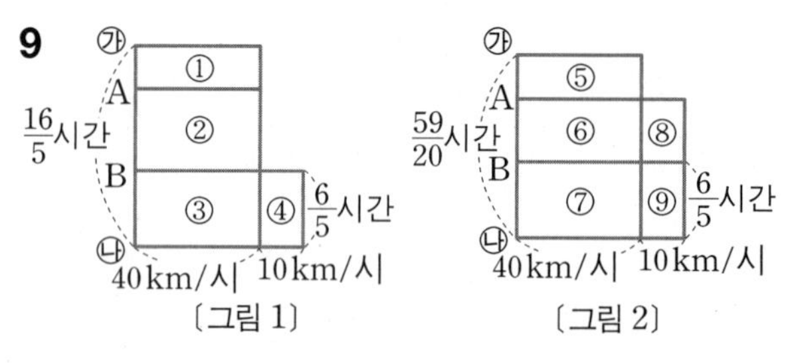


3시간 12분$= \frac{16}{5}$시간, 2시간 57분$= \frac{59}{20}$시간이고
〔그림 1〕, 〔그림 2〕에서 ①과 ⑤, ③과 ⑦, ④와 ⑨는 각각 넓이가 서로 같다.
〔그림 1〕에서 총 이동 거리는 140km인데, ①, ②, ③의 합이 $\frac{16}{5} \times 40 = 128$(km)이므로
④는 $140 - 128 = 12$(km)이고,
B에서 ㉯까지 가는 데 $12 \div 10 = \frac{6}{5}$(시간)이 걸린다.
〔그림 2〕에서 ⑤, ⑥, ⑦의 합은 $\frac{59}{20} \times 40 = 118$(km)이고, ⑨는 $\frac{6}{5} \times 10 = 12$(km)이므로
⑧은 $140 - 118 - 12 = 10$(km)이다.
따라서 A에서 B까지 가는 데 $10 \div 10 = 1$(시간)이 걸리고, 그 거리는 $50 \times 1 = 50$(km)이다.

**10**

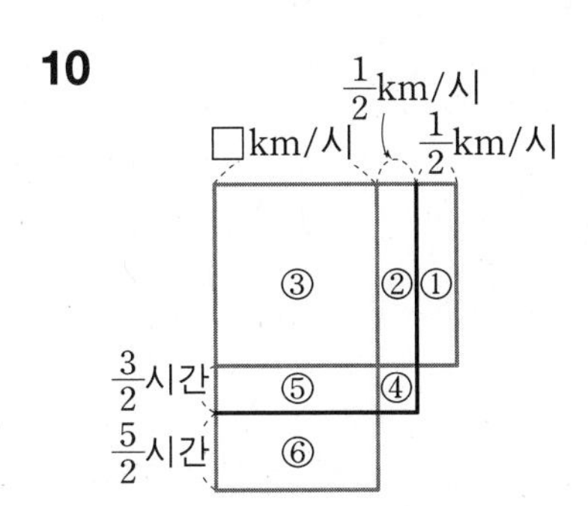


그림에서 ①=④+⑤인데 ①=②이므로 ②=④+⑤에서 ⑤=②−④이다.

또한 ⑥=②+④이므로 ⑥은 ⑤보다 ④×2만큼 더 넓다.

④는 $\frac{1}{2}\times\frac{3}{2}=\frac{3}{4}$(km)이므로 ⑥은 ⑤보다 $\frac{3}{4}\times2=\frac{3}{2}$(km) 더 넓다.

⑥과 ⑤는 $\frac{5}{2}-\frac{3}{2}=1$(시간) 차가 나므로

1시간 동안 $\frac{3}{2}$km를 간 것이다.

즉, □$=\frac{3}{2}$km이다.

따라서 ④+⑤$=\left(\frac{3}{2}+\frac{1}{2}\right)\times\frac{3}{2}=3$(km),

①의 시간은 $3\div\frac{1}{2}=6$(시간)이고 A, B 사이의 거리는 ①+②+③이므로 $\left(\frac{3}{2}+\frac{1}{2}+\frac{1}{2}\right)\times6=15$(km)이다.

본문 158~161쪽

## 이상한 시계 36

### 유제

**1** 6시 40분 **2** 3시 $38\frac{4}{7}$분 **3** 20분 **4** 1시 $25\frac{5}{7}$분

### 특강탐구문제

**1** 20분 **2** 30분 **3** $16\frac{2}{3}$분 **4** 6시 28분, 6시 68분

**5** 3시 64분 **6** 25분 **7** 7시 $12\frac{6}{7}$분, 7시 $38\frac{4}{7}$분

**8** 60분 **9** 153° **10** 5시 72분

### 유제풀이

**1** 분침은 60분 동안 360°를 가므로 1분에
$360° \div 60 = 6°$씩 간다.
또, 시침은 1시간 동안 $360° \div 10 = 36°$를 가므로 1분에
$36° \div 60 = 0.6°$씩 간다. 그러므로 분침은 시침을 1분에
$6° - 0.6° = 5.4°$씩 따라 잡을 수 있다.
6시와 7시 사이에 시침과 분침이 일치하는 시각은 6시 정각 이후에 처음으로 분침이 시침을 따라잡아 만나는 시각이다.
시계의 한 눈금은 36°씩이므로 6시 정각에 시침과 분침은 $36° \times 6 = 216°$를 이루고 있다.
따라서 $216° \div 5.4° = 40$(분) 후에 분침이 시침을 따라 잡는다.
즉 이 시계에서 6시와 7시 사이에 시침과 분침이 일치하는 시각은 6시 40분이다.

**2** 분침은 90분 동안 360°를 가므로 1분에 $360° \div 90 = 4°$씩 간다. 또, 시침은 1시간 동안 $360° \div 8 = 45°$를 가므로 1분에 $45° \div 90 = 0.5°$씩 간다.
그러므로 분침은 시침을 1분에 $4° - 0.5° = 3.5°$씩 따라 잡을 수 있다.
3시와 4시 사이에 시침과 분침이 겹쳐지는 시각은 3시 정각 이후에 처음으로 분침이 시침을 따라 잡아 만나는 시각이다.
시계의 한 눈금은 45°씩이므로 3시 정각에 시침과 분침은 $45° \times 3 = 135°$를 이루고 있다.
따라서 $135° \div 3.5° = 38\frac{4}{7}$(분) 후에 분침이 시침을 따라 잡는다.
즉 이 시계에서 3시와 4시 사이에 시침과 분침이 겹쳐지는 시각은 3시 $38\frac{4}{7}$분이다.

**3** 분침은 72분 동안 360°를 가므로 1분에
$360° \div 72 = 5°$씩 간다.
또, 시침은 1시간 동안 $360° \div 10 = 36°$를 가므로 1분에
$36° \div 72 = 0.5°$씩 간다.
그러므로 분침은 시침을 1분에 $5° - 0.5° = 4.5°$씩 따라 잡는다.
시침과 분침이 180°를 이룬 후 90°를 이루려면 분침이 시침을 $180° - 90° = 90°$만큼 따라 잡아야 한다.
따라서 8시와 9시 사이에 시침과 분침이 180°를 이룬 후 그 뒤 처음으로 90°를 이루는 데 걸리는 시간은
$90° \div 4.5° = 20$(분)이다.

**4** 8개의 눈금을 시침이 하루에 3바퀴 돈다고 했으므로 이 시계로 하루는 $8 \times 3 = 24$(시간)이다.
그러므로 1시간은 60분이다.
한편 시침은 8시간에 360°를 가므로 1시간에
$360° \div 8 = 45°$를 간다. 1시간은 60분이므로 이 시계의 시침은 1분에 $45° \div 60 = \frac{3}{4}°$를 간다. 또 분침은 60분 동안 360°를 가므로 1분에 $360° \div 60 = 6°$씩 간다.
그러므로 분침은 시침을 1분에 $6° - \frac{3}{4}° = 5\frac{1}{4}°$씩 따라 잡는다.

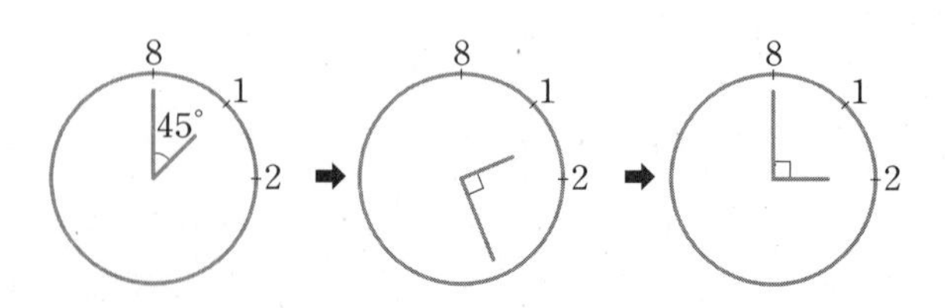


1시 정각에 시침과 분침은 45°를 이루고 있다. 그러므로 1시와 2시 사이에 시침과 분침이 처음으로 90°를 이루는 것은 분침이 시침을 45° 따라 잡은 후 다시 90°만큼 간 때이

다. 분침이 시침을 $45^\circ+90^\circ=135^\circ$만큼 따라 잡는 데 걸리는 시간은 $135^\circ \div 5\frac{1}{4}^\circ=25\frac{5}{7}$(분)이다.

따라서 1시와 2시 사이에 분침과 시침이 $90^\circ$를 이루는 시각은 1시 $25\frac{5}{7}$분이다.

**특강탐구문제풀이**

**1** 1일이 16시간이므로 이 시계의 시침은 8시간에 한 바퀴, 즉 $360^\circ$를 돈다. 그러므로 1시간에 $360^\circ \div 8=45^\circ$를 돈다. 1시간은 90분이므로 이 시계의 시침은 1분에 $45^\circ \div 90=0.5^\circ$씩 간다.

또, 분침은 90분 동안 $360^\circ$를 가므로 1분에 $360^\circ \div 90=4^\circ$씩 간다. 그러므로 분침은 시침을 1분에 $4^\circ-0.5^\circ=3.5^\circ$씩 따라 잡는다.

따라서 시침이 분침보다 $70^\circ$ 앞서 있으므로 $70^\circ \div 3.5^\circ=20$(분) 뒤에 분침이 시침을 따라 잡아 서로 겹쳐진다.

**2** 1일이 20시간이므로 이 시계의 시침은 10시간에 한 바퀴, 즉 $360^\circ$를 돈다. 그러므로 1시간에 $360^\circ \div 10=36^\circ$를 간다. 1시간은 72분이므로 이 시계의 시침은 1분에 $36^\circ \div 72=0.5^\circ$씩 간다. 또 분침은 72분 동안 $360^\circ$를 가므로 1분에 $360^\circ \div 72=5^\circ$씩 간다.

그러므로 분침은 시침을 1분에 $5^\circ-0.5^\circ=4.5^\circ$씩 따라 잡는다.

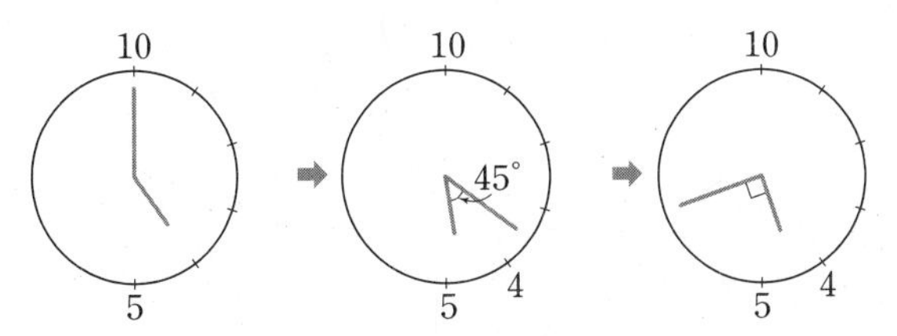


4시와 5시 사이에 시침과 분침이 처음으로 $45^\circ$를 이루는 때는 시침이 분침을 $45^\circ$ 앞서 있을 때이다. 이후에 시침과 분침이 $90^\circ$를 이루는 때는 분침이 시침을 따라 잡고 다시 $90^\circ$ 앞서 있을 때이다. 즉 분침이 시침을 $135^\circ$만큼 따라잡는 시간과 같다.

따라서 4시와 5시 사이에 처음으로 $45^\circ$를 이룬 후 $90^\circ$가 될 때까지 걸리는 시간은 $135^\circ \div 4.5^\circ=30$(분)이다.

**3** 분침은 60분 동안 $360^\circ$를 가므로 1분에 $360^\circ \div 60=6^\circ$씩 간다.

또 시침은 1시간 동안 $360^\circ \div 10=36^\circ$를 가므로 1분에 $36^\circ \div 60=0.6^\circ$씩 간다.

그러므로 분침은 시침을 1분에 $6^\circ-0.6^\circ=5.4^\circ$씩 따라 잡을 수 있다.

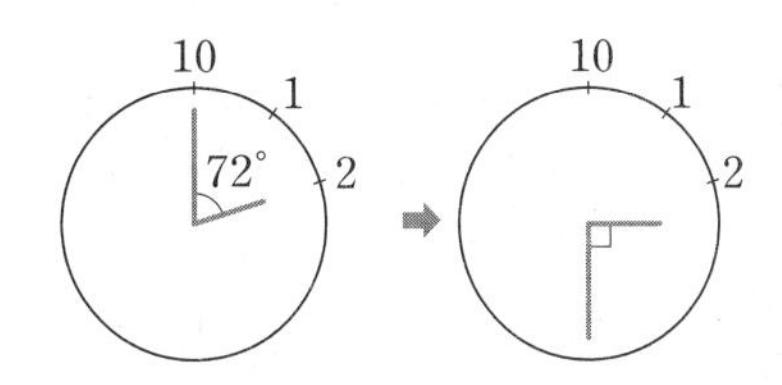


2시 정각에 시침과 분침은 $72^\circ$를 이루고 있으므로 2시 이후에 처음으로 시침과 분침이 직각을 이루는 것은 분침이 시침을 따라 잡고 다시 분침이 시침보다 $90^\circ$만큼 갔을 때이다.

이후 시침과 분침이 겹치지 않고 일직선을 이루는 것은 시침과 분침이 $180^\circ$를 이루었을 때이므로 분침이 다시 $180^\circ-90^\circ=90^\circ$만큼 갔을 때이다.

따라서 분침이 시침을 1분에 $5.4^\circ$씩 따라 잡으므로 $90^\circ$를 가는 데에는 $90^\circ \div 5.4^\circ=16\frac{2}{3}$(분) 걸린다.

**4** 1부터 10까지 하루에 2바퀴 돌므로 이 시계로 하루는 20시간이다. 한편 하루는 $24\times60=1440$(분)이므로 이 시계의 한 시간은 $1440\div20=72$(분)이다.

분침은 72분 동안 $360^\circ$를 가므로 1분에 $360^\circ \div 72=5^\circ$씩 간다. 또 시침은 1시간 동안 $360^\circ \div 10=36^\circ$를 가므로 1분에 $36^\circ \div 72=0.5^\circ$씩 간다.

그러므로 분침은 시침을 1분에 $5^\circ-0.5^\circ=4.5^\circ$씩 따라 잡는다.

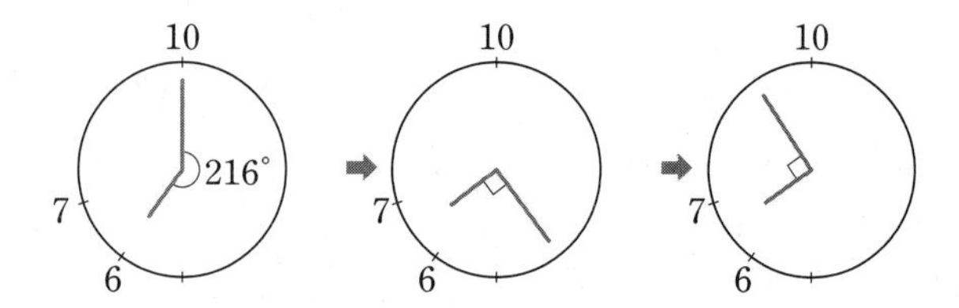


6시 정각에 분침은 시침보다 $36^\circ \times 6^\circ = 216^\circ$만큼 뒤처져 있으므로 처음으로 $90^\circ$를 이루려면 $216^\circ - 90^\circ = 126^\circ$만큼 따라 잡아야 한다. $126^\circ$ 따라 잡는 데 걸리는 시간은 $126^\circ \div 4.5^\circ = 28$(분) 걸린다. 즉 6시 28분에 처음으로 $90^\circ$를 이룬다.

이후 분침이 다시 시침을 $180^\circ$ 따라 잡으면 또 $90^\circ$를 이룬다. $180^\circ$를 따라 잡는 데 걸리는 시간은 $180^\circ \div 4.5^\circ = 40$(분)이다.

따라서 둘째 번으로 $90^\circ$를 이루는 시각은

6시 28분+40분=6시 68분이다.

**5** 시계를 관찰하면 한 바퀴가 10시간, 1시간은 72분인 것을 알 수 있다.

분침은 72분 동안 $360^\circ$를 가므로 1분에

$360^\circ \div 72 = 5^\circ$씩 간다. 또 시침은 1시간 동안 $360^\circ \div 10 = 36^\circ$를 가므로 1분에 $36^\circ \div 72 = 0.5^\circ$씩 간다. 그러므로 분침은 시침을 1분에 $5^\circ - 0.5^\circ = 4.5^\circ$씩 따라 잡는다.

3시 정각에 시침과 분침은 $36^\circ \times 3 = 108^\circ$를 이루므로 그림과 같이 $180^\circ$를 이루려면 분침이 시침을 $108^\circ$만큼 따라 잡고 다시 $180^\circ$만큼 앞서 가야 한다.

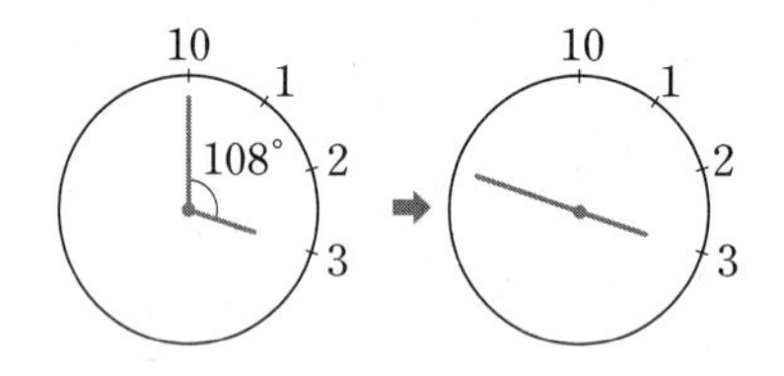


즉, 분침이 시침을 $108^\circ + 180^\circ = 288^\circ$만큼 따라 잡는 것으로 생각할 수 있다. $288^\circ$ 따라 잡는 데 걸리는 시간은 $288^\circ \div 4.5^\circ = 64$(분)이다.

따라서 3시와 4시 사이에 시침과 분침이 일직선을 이루는 시각은 3시 64분이다.

**6** 분침은 60분 동안 $360^\circ$를 가므로 1분에

$360^\circ \div 60 = 6^\circ$씩 간다. 또 시침은 1시간 동안 $360^\circ \div 10 = 36^\circ$를 가므로 1분에 $36^\circ \div 60 = 0.6^\circ$씩 간다. 그러므로 분침은 시침을 1분에 $6^\circ - 0.6^\circ = 5.4^\circ$씩 따라 잡을 수 있다.

분침이 시침보다 $81^\circ$ 앞서려면 먼저 $54^\circ$를 따라 잡은 후 다시 $81^\circ$만큼 앞서 가야 한다.

즉 분침이 시침을 $54^\circ + 81^\circ = 135^\circ$만큼 따라 잡는 것으로 생각할 수 있다. 따라서 분침이 시침을 $135^\circ$만큼 따라 잡는 데 걸리는 시간은 $135^\circ \div 5.4^\circ = 25$(분)이다.

**7** 시계를 관찰하면 한 바퀴가 8시간, 1시간은 90분인 것을 알 수 있다. 분침은 90분 동안 $360^\circ$를 가므로 1분에 $360^\circ \div 90 = 4^\circ$씩 간다.

또 시침은 1시간 동안 $360^\circ \div 8 = 45^\circ$를 가므로 1분에 $45^\circ \div 90 = 0.5^\circ$씩 간다. 그러므로 분침은 시침을 1분에 $4^\circ - 0.5^\circ = 3.5^\circ$씩 따라 잡을 수 있다.

7시 정각에 시침과 분침은 $45^\circ$를 이룬다. 그러므로 $90^\circ$를 이루려면 분침이 시침보다 $90^\circ - 45^\circ = 45^\circ$만큼 더 앞서 가야 한다.

$45^\circ$ 앞서 가는 데 걸리는 시간은 $45^\circ \div 3.5^\circ = 12\frac{6}{7}$(분)이다.

따라서 처음 $90^\circ$를 이루는 시각은 7시 $12\frac{6}{7}$분이다.

또, 이후 $180^\circ$를 이루려면 분침이 다시 $180^\circ - 90^\circ = 90^\circ$를 더 앞서 가야 한다. $90^\circ$를 앞서 가는 데 걸리는 시간은 $90^\circ \div 3.5^\circ = 25\frac{5}{7}$(분)이다.

따라서 $180^\circ$를 이루는 시각은

7시 $12\frac{6}{7}$분$+25\frac{5}{7}$분=7시 $38\frac{4}{7}$분이다.

**8** 시계를 관찰하면 한 바퀴가 8시간, 1시간은 60분인 것을 알 수 있다. 분침은 60분 동안 $360^\circ$를 가므로 1분에 $360^\circ \div 60 = 6^\circ$씩 간다.

또 시침은 60분 동안 $360^\circ \div 8 = 45^\circ$를 가므로 1분에

$45^\circ \div 60 = \frac{3}{4}^\circ$씩 간다. 그러므로 분침은 시침을 1분에

$6^\circ - \frac{3}{4}^\circ = 5\frac{1}{4}^\circ$씩 따라 잡을 수 있다.

분침이 시침보다 105° 앞서려면 먼저 210°를 따라 잡은 후 다시 105°만큼 앞서 가야 한다.

즉 분침이 시침을 210°+105°=315°만큼 따라 잡는 것으로 생각할 수 있다. 분침이 시침을 315° 따라 잡는 데 걸리는 시간은 $315^\circ \div 5\frac{1}{4}^\circ = 60$(분)이다.

따라서 분침이 시침보다 105° 앞서려면 60분이 지나야 한다.

**9** 1일이 20시간이므로 시침이 360° 도는 데 10시간 걸린다. 분침은 72분 동안 360°를 가므로 1분에 360°÷72=5°씩 간다.
또 시침은 1시간 동안 360°÷10=36°를 가므로 1분에 36°÷72=0.5°씩 간다.

30분이므로 분침은 눈금 10을 기준으로 30×5°=150° 앞에 있다.
시침은 눈금 8을 기준으로 30×0.5°=15° 앞에 있다.
따라서 8시 30분에 시침과 분침이 이루는 작은 각의 크기는 36°×8−150°+15°=153°이다.

**10**

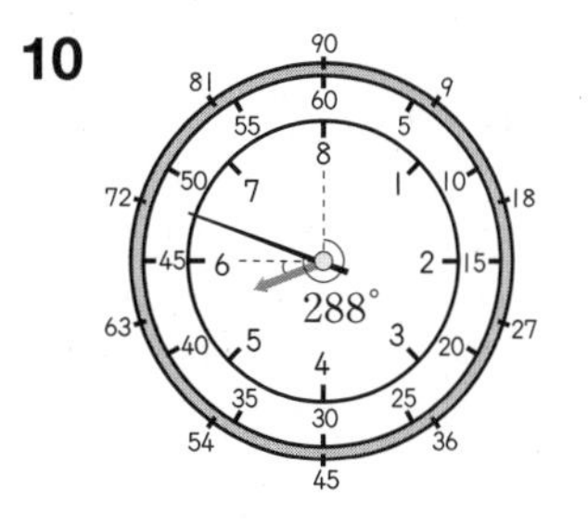


그림에서 가장 안쪽의 눈금은 시간을 나타내는 눈금이고 가운데 눈금은 보통 시계에서 분을 나타내는 눈금이다.
분침을 가운데 눈금으로 읽으면 하루는 24시간이고, 따라서 이 시계의 시침은 하루에 세 바퀴를 돌게 된다.
시침이 하루에 두 바퀴 돌면 24시간×60분=1440분, 1440분÷16시간=90분이 되어 1시간은 90분이 된다.

시침이 하루에 세 바퀴를 돌게 되면 시침은 1분에 $\frac{3}{4}^\circ$씩 가고 분침은 1분에 6°씩 간다.

또, 시침이 하루에 두 바퀴를 돌게 되면 시침은 1분에 $\frac{1}{2}^\circ$씩 가고 분침은 1분에 4°씩 간다.
따라서 눈금이 8개뿐인 시계의 시침을 보통 시계의 눈금대로 읽어 5시 48분이 되었다면 눈금 8을 기준으로 분침은 48×6°=288°인 곳에 있게 되고 이 시각은 시침이 하루에 두 바퀴 도는 것으로 생각할 때는 288°÷4°=72(분)이 된다. 즉, 5시 72분이다.

# 2과정 정답과 풀이